suhrkamp taschenbuch 1975

Hermann Hesse, Erzähler, Lyriker und zeitkritischer Essayist, am
2. 7. 1877 in Calw/Württemberg als Sohn eines baltischen Missionars und
der Tochter eines schwäbischen Indologen geboren, 1946 ausgezeichnet
mit dem Nobelpreis für Literatur, starb am 9. 8. 1962 in Montagnola bei
Lugano.

Seine Bücher sind mittlerweile in einer Auflage von mehr als 80 Millionen Exemplaren in aller Welt verbreitet und haben ihn zum meistgelesenen europäischen Autor, u. a. in den USA und in Japan, gemacht.

Dieses Lesebuch erscheint anläßlich des 30. Todestages von Hermann
Hesse. In einer knappen, doch charakteristischen Auswahl soll es denen,
die diesen Dichter noch nicht kennen, einen ersten Zugang zu seinem
ebenso umfangreichen wie vielseitigen Werk verschaffen. Aber auch denen, die Hesse aus der Sekundärliteratur als sogenannten Spätromantiker,
als »Antirationalisten« oder Exponenten einer weltfremden »Innerlichkeit« bereits zu kennen glauben, gibt dieser Sammelband Gelegenheit zur
Überprüfung solcher Etikettierungen.

Aus Gründen des Umfangs konnten hier meist nur kürzere Beispiele aus
seinem erzählerischen, betrachtenden und lyrischen Werk berücksichtigt
werden. Doch auch sie enthalten alles, was den Reiz und die Wirkung seiner umfangreicheren Hauptwerke ausmacht: Die Intensität einer Betroffenheit, die es ihm ermöglicht, komplizierte Sachverhalte einfach darzustellen, ein Gespür für den Zauber des Bedrohten und Vergänglichen und
ein unbestechlicher Blick für die Antriebe und Abgründe menschlichen
Verhaltens. Vieles von dem, was nur allzubald zeitgeschichtliche Wirklichkeit geworden ist, jedoch auch problematische Entwicklungen, die uns
erst heute und noch in Zukunft zu schaffen machen, hat Hesse in seinen
Dichtungen dargestellt und vorweggenommen. Dabei begnügt er sich
nicht damit, das Problematische abzubilden, sondern versteht es wie nur
wenige Autoren seiner Generation, Gegenkräfte zur Überwindung des
Fragwürdigen zu aktivieren. »Es fehlt nicht an Autoren«, heißt es in einem
seiner Briefe vom Juni 1935, »deren Verzweiflung an unserer Zeit und deren Angst vor dem Chaos echt ist. Es fehlt aber an solchen, deren Glaube
und Liebe ausreicht, sich selber über dem Chaos zu halten.«

Hermann Hesse Lesebuch

*Erzählungen,
Betrachtungen und
Gedichte*

Zusammengestellt von
Volker Michels

Suhrkamp

Umschlagmotiv von Elisabeth Hau

suhrkamp taschenbuch 1975
Erste Auflage 1992
© dieser Zusammenstellung Suhrkamp Verlag
Frankfurt am Main 1992
Quellennachweis am Schluß des Bandes
Suhrkamp Taschenbuch Verlag
Satz und Druck: Ebner Ulm
Printed in Germany
Umschlag nach Entwürfen von
Willy Fleckhaus und Rolf Staudt

1 2 3 4 5 6 – 97 96 95 94 93 92

Inhalt

»Glück und Unglück wird Gesang« (Gedichte)

Kurzgefaßter Lebenslauf

Ich wurde geboren gegen Ende der Neuzeit, kurz vor der beginnenden Wiederkehr des Mittelalters, im Zeichen des Schützen und von Jupiter freundlich bestrahlt. Meine Geburt geschah in früher Abendstunde an einem warmen Tag im Juli, und die Temperatur jener Stunde ist es, welche ich unbewußt mein Leben lang geliebt und gesucht und, wenn sie fehlte, schmerzlich entbehrt habe. Nie konnte ich in kalten Ländern leben, und alle freiwilligen Reisen meines Lebens waren nach Süden gerichtet. Ich war das Kind frommer Eltern, welche ich zärtlich liebte und noch zärtlicher geliebt hätte, wenn man mich nicht schon frühzeitig mit dem vierten Gebot bekannt gemacht hätte. Gebote aber haben leider stets eine fatale Wirkung auf mich gehabt, mochten sie noch so richtig und noch so gut gemeint sein – ich, der ich von Natur ein Lamm und lenksam bin wie eine Seifenblase, habe mich gegen Gebote jeder Art, zumal während meiner Jugendzeit, stets widerspenstig verhalten. Ich brauchte nur das »Du sollst« zu hören, so wendete sich alles in mir um, und ich wurde verstockt. Man kann sich denken, daß diese Eigenheit von großem und nachteiligem Einfluß auf meine Schuljahre geworden ist. Unsre Lehrer lehrten uns zwar in jenem amüsanten Lehrfach, das sie Weltgeschichte nannten, daß stets die Welt von solchen Menschen regiert und gelenkt und verändert worden war, welche sich ihr eigenes Gesetz gaben und mit den überkommenen Geboten brachen, und es wurde uns gesagt, daß diese Menschen verehrungswürdig seien. Allein dies war ebenso gelogen wie der ganze übrige Unterricht, denn wenn einer von uns, sei es nun in guter oder böser Meinung, einmal Mut zeigte und gegen irgendein Gebot, oder auch bloß gegen eine dumme Gewohnheit oder Mode protestierte, dann wurde er weder verehrt noch uns zum Vorbild empfohlen, sondern bestraft, verhöhnt und von der feigen Übermacht der Lehrer erdrückt.

Zum Glück hatte ich das fürs Leben Wichtige und Wertvollste schon vor dem Beginn der Schuljahre gelernt: ich hatte wache, zarte und feine Sinne, auf die ich mich verlassen und aus denen ich viel Genuß ziehen konnte, und wenn ich auch später den Verlockungen der Metaphysik unheilbar erlag und sogar meine Sinne zu Zeiten kasteit und vernachlässigt habe, ist doch die Atmosphäre einer zart ausgebildeten Sinnlichkeit, namentlich was Gesicht und

7

Gehör betrifft, mir stets treu geblieben und spielt in meine Gedankenwelt, auch wo sie abstrakt scheint, lebendig mit hinein. Ich hatte also ein gewisses Rüstzeug fürs Leben, wie gesagt, mir längst schon vor dem Beginn der Schuljahre erworben. Ich wußte Bescheid in unsrer Vaterstadt, in den Hühnerhöfen und in den Wäldern, in den Obstgärten und in den Werkstätten der Handwerker, ich kannte die Bäume, Vögel und Schmetterlinge, konnte Lieder singen und durch die Zähne pfeifen, und sonst noch manches, was fürs Leben von Wert ist. Dazu kamen nun also die Schulwissenschaften hinzu, die mir leicht fielen und Spaß machten, namentlich fand ich ein wahres Vergnügen an der lateinischen Sprache und habe beinahe ebenso früh lateinische wie deutsche Verse gemacht. Die Kunst des Lügens und der Diplomatie verdanke ich dem zweiten Schuljahre, wo ein Präzeptor und ein Kollaborator mich in den Besitz dieser Fähigkeiten brachten, nachdem ich vorher in meiner kindlichen Offenheit und Vertrauensseligkeit ein Unglück ums andere über mich gebracht hatte. Diese beiden Erzieher klärten mich erfolgreich darüber auf, daß Ehrlichkeit und Wahrheitsliebe Eigenschaften waren, welche sie bei Schülern nicht suchten. Sie schrieben mir eine Untat zu, eine recht unbedeutende, die in der Klasse passiert war und an der ich völlig unschuldig war, und da sie mich nicht dazu bringen konnten, mich als Täter zu bekennen, wurde aus der Kleinigkeit ein Staatsprozeß, und die beiden folterten und prügelten mir zwar nicht das erhoffte Geständnis, wohl aber jeden Glauben an die Anständigkeit der Lehrerkaste aus. Zwar lernte ich, Gott sei Dank, mit der Zeit auch rechte und der Hochachtung würdige Lehrer kennen, aber der Schaden war geschehen und nicht nur mein Verhältnis zu den Schulmeistern, sondern auch das zu aller Autorität war verfälscht und verbittert. Im ganzen war ich in den sieben oder acht ersten Schuljahren ein guter Schüler, wenigstens saß ich stets unter den Ersten meiner Klasse. Erst mit dem Beginn jener Kämpfe, welche keinem erspart bleiben, der eine Persönlichkeit werden soll, kam ich mehr und mehr auch mit der Schule in Konflikt. Verstanden habe ich jene Kämpfe erst zwei Jahrzehnte später, damals waren sie einfach da und umgaben mich, wider meinen Willen, als ein furchtbares Unglück.

Die Sache war so: von meinem dreizehnten Jahr an war mir das eine klar, daß ich entweder ein Dichter oder gar nichts werden wolle. Zu dieser Klarheit kam aber allmählich eine andre, peinliche Einsicht. Man konnte Lehrer, Pfarrer, Arzt, Handwerker, Kaufmann, Postbeamter werden, auch Musiker, auch Maler oder Architekt, zu allen Berufen der Welt gab es einen Weg, gab es Vorbedingungen, gab es eine Schule, einen Unterricht für den Anfänger. Bloß für den Dichter gab es das nicht! Es war erlaubt und galt sogar für eine Ehre, ein Dichter zu *sein*: das heißt als Dichter erfolgreich und bekannt zu sein, meistens war man leider dann schon tot. Ein Dichter zu *werden* aber, das war unmöglich, es werden zu *wollen*, war eine Lächerlichkeit und Schande, wie ich sehr bald erfuhr. Rasch hatte ich gelernt, was aus der Situation zu lernen war: Dichter war etwas, was man bloß sein, nicht aber werden durfte. Ferner: Interesse für Dichtung und eigenes dichterisches Talent machte bei den Lehrern verdächtig, man wurde dafür entweder beargwöhnt oder verspottet, oft sogar tödlich beleidigt. Es war mit dem Dichter genau so wie es mit dem Helden war, und mit allen starken oder schönen, hochgemuten und nicht alltäglichen Gestalten und Bestrebungen: in der Vergangenheit waren sie herrlich, alle Schulbücher standen voll ihres Lobes, in der Gegenwart und Wirklichkeit aber haßte man sie, und vermutlich waren die Lehrer gerade dazu angestellt und ausgebildet, um das Heranwachsen von famosen, freien Menschen und das Geschehen von großen, prächtigen Taten nach Möglichkeit zu verhindern.

So sah ich zwischen mir und meinem fernen Ziel nichts als Abgründe liegen, alles wurde mir ungewiß, alles entwertet, nur das eine blieb stehen: daß ich Dichter werden wollte, ob es nun leicht oder schwer, lächerlich oder ehrenvoll sein mochte. Die äußern Erfolge dieses Entschlusses – vielmehr dieses Verhängnisses – waren folgende:

Als ich dreizehn Jahre alt war, und jener Konflikt eben begonnen hatte, ließ mein Verhalten sowohl im Elternhause wie in der Schule so viel zu wünschen übrig, daß man mich in die Lateinschule einer andern Stadt in die Verbannung schickte. Ein Jahr später wurde ich Zögling eines theologischen Seminars, lernte das hebräische Alphabet schreiben und war schon nahe daran zu begreifen, was ein Dagesch forte implicitum ist, als plötzlich von innen her Stürme über mich hereinbrachen, welche zu meiner Flucht aus der Klosterschule, zu einer Bestrafung mit schwerem Karzer und zu meinem Abschied aus dem Seminar führten.

Eine Weile bemühte ich mich dann an einem Gymnasium, meine Studien vorwärtszubringen, allein Karzer und Verabschie-

dung war auch dort das Ende. Dann war ich drei Tage Kaufmanns-
lehrling, lief wieder fort und war einige Tage und Nächte zur großen Sorge meiner Eltern verschwunden. Ich war ein halbes Jahr
lang Gehilfe meines Vaters, ich war anderthalb Jahre lang Prakti-
kant in einer mechanischen Werkstätte und Turmuhrenfabrik.

Kurz, mehr als vier Jahre lang ging alles unweigerlich schief, was
man mit mir unternehmen wollte, keine Schule wollte mich behalten, in keiner Lehre hielt ich lange aus. Jeder Versuch, einen
brauchbaren Menschen aus mir zu machen, endete mit Mißerfolg,
mehrmals mit Schande und Skandal, mit Flucht oder mit Ausweis-
sung, und doch gestand man mir überall eine gute Begabung und
sogar ein gewisses Maß von redlichem Willen zu! Auch war ich
stets leidlich fleißig – die hohe Tugend des Müßiggangs habe ich
immer mit Ehrfurcht bewundert, aber ich bin nie ein Meister in ihr
geworden. Ich begann mit fünfzehn Jahren, als es mir mit der
Schule mißglückt war, bewußt und energisch meine eigene Ausbildung, und es war mein Glück und meine Wonne, daß im Hause
meines Vaters die gewaltige großväterliche Bibliothek stand, ein
ganzer Saal voll alter Bücher, der unter andrem die ganze deutsche
Dichtung und Philosophie des achtzehnten Jahrhunderts enthielt.
Zwischen meinem sechzehnten und zwanzigsten Jahre habe ich
nicht bloß eine Menge Papier mit meinen ersten Dichterversu-
chen voll geschrieben, sondern habe in jenen Jahren auch die
halbe Weltliteratur gelesen und mich mit Kunstgeschichte, Sprachen, Philosophie mit einer Zähigkeit bemüht, welche reichlich
für ein normales Studium genügt hätte.

Dann wurde ich Buchhändler, um endlich einmal mein Brot selber verdienen zu können. Zu den Büchern hatte ich immerhin
mehr und bessere Beziehungen als zum Schraubstock und den
Zahnrädern aus Eisenguß, mit denen ich mich als Mechaniker geplagt hatte. Für die erste Zeit war mir das Schwimmen im Neuen
und Neuesten der Literatur, ja das Überschwemmtwerden damit,
ein beinah rauschähnliches Vergnügen. Doch merkte ich freilich
nach einer Weile, daß im Geistigen ein Leben in der bloßen Gegenwart, im Neuen und Neuesten, unerträglich und unsinnig, daß
die beständige Beziehung zum Gewesenen, zur Geschichte, zum
Alten und Uralten ein geistiges Leben überhaupt erst ermögliche.
So war es mir denn, nachdem jenes erste Vergnügen erschöpft
war, ein Bedürfnis, aus der Überschwemmung mit Novitäten zum
Alten zurückzukehren, ich vollzog das, indem ich aus dem Buch-

handel ins Antiquariat überging. Ich blieb dem Beruf jedoch nur so lang treu, als ich ihn brauchte, um das Leben zu fristen. Im Alter von sechsundzwanzig Jahren, auf Grund eines ersten literarischen Erfolges, gab ich auch diesen Beruf wieder auf.

Jetzt also war, unter so vielen Stürmen und Opfern, mein Ziel erreicht: ich war, so unmöglich es geschienen hatte, doch ein Dichter geworden und hatte, wie es schien, den langen zähen Kampf mit der Welt gewonnen. Die Bitternis der Schul- und Werdejahre, in der ich oft sehr nah am Untergang gewesen war, wurde nun vergessen und belächelt – auch die Angehörigen und Freunde, die bisher an mir verzweifelt waren, lächelten mir jetzt freundlich zu. Ich hatte gesiegt, und wenn ich nun das Dümmste und Wertloseste tat, fand man es entzückend, wie auch ich selbst sehr von mir entzückt war. Erst jetzt bemerkte ich, in wie schauerlicher Vereinsamung, Askese und Gefahr ich Jahr um Jahr gelebt hatte, die laue Luft der Anerkennung tat mir wohl und ich begann ein zufriedener Mann zu werden.

Mein äußeres Leben verlief nun eine gute Weile ruhig und angenehm. Ich hatte Frau, Kinder, Haus und Garten. Ich schrieb meine Bücher, ich galt für einen liebenswürdigen Dichter und lebte mit der Welt in Frieden. Im Jahre 1905 half ich eine Zeitschrift begründen, welche vor allem gegen das persönliche Regiment Wilhelms des Zweiten gerichtet war, ohne daß ich doch im Grunde diese politischen Ziele ernst genommen hätte. Ich machte schöne Reisen in der Schweiz, in Deutschland, in Österreich, in Italien, in Indien. Alles schien in Ordnung zu sein.

Da kam jener Sommer 1914, und plötzlich sah es innen und außen ganz verwandelt aus. Es zeigte sich, daß unser bisheriges Wohlergehen auf unsicherem Boden gestanden war, und nun begann also das Schlechtgehen, die große Erziehung. Die sogenannte große Zeit war angebrochen, und ich kann nicht sagen, daß sie mich gerüsteter, würdiger und besser angetroffen hätte als alle andern auch. Was mich von den andern damals unterschied, war nur, daß ich jenes einen großen Trostes entbehrte, den so viele andere hatten: der Begeisterung. Dadurch kam ich wieder zu mir selbst und in Konflikt mit der Umwelt, ich wurde nochmals in die Schule genommen, mußte nochmals die Zufriedenheit mit mir selbst und mit der Welt verlernen, und trat erst mit diesem Erlebnis über die Schwelle der Einweihung ins Leben.

Ich habe ein kleines Erlebnis des ersten Kriegsjahres nie vergessen. Ich war zu Besuch in einem großen Lazarett, auf der Suche nach einer Möglichkeit, mich irgendwie als Freiwilliger sinnvoll in die veränderte Welt einzupassen, was mir damals noch möglich schien. In jenem Verwundetenspital lernte ich ein altes Fräulein kennen, das früher in guten Verhältnissen privatisiert hatte und jetzt in diesem Lazarett Pflegerinnendienste tat. Sie erzählte mir in rührender Begeisterung, wie froh und stolz sie sei, daß sie diese große Zeit noch habe erleben dürfen. Ich fand es begreiflich, denn für diese Dame hatte es des Krieges bedurft, um aus ihrem trägen und rein egoistischen Altjungfernleben ein tätiges und wertvolleres Leben zu machen. Aber als sie mir ihr Glück mitteilte, in einem Korridor voll verbundener und krummgeschossener Soldaten, zwischen Sälen, die voll von Amputierten und Sterbenden lagen, da drehte sich mir das Herz um. So sehr ich die Begeisterung dieser Tante begriff, ich konnte sie nicht teilen, ich konnte sie nicht gutheißen. Wenn auf je zehn Verwundete eine solche begeisterte Pflegerin kam, dann war das Glück dieser Damen etwas teuer bezahlt.

Nein, ich konnte die Freude über die große Zeit nicht teilen, und so kam es, daß ich unter dem Kriege von Anfang an jämmerlich litt, und jahrelang mich gegen ein scheinbar von außen und aus heiterm Himmel hereingebrochenes Unglück verzweifelt wehrte, während um mich her alle Welt so tat, als sei sie voll froher Begeisterung über eben dies Unglück. Und wenn ich nun die Zeitungsartikel der Dichter las, worin sie den Segen des Krieges entdeckten, und die Aufrufe der Professoren, und alle die Kriegsgedichte aus den Studierzimmern der berühmten Dichter, dann wurde mir noch elender.

Im Jahr 1915 entschlüpfte mir eines Tages öffentlich das Bekenntnis dieses Elendes, und ein Wort des Bedauerns darüber, daß auch die sogenannten geistigen Menschen nichts anderes zu tun wüßten als Haß zu predigen, Lügen zu verbreiten und das große Unglück hochzupreisen. Die Folge dieser ziemlich schüchtern geäußerten Klage war, daß ich in der Presse meines Vaterlandes für einen Verräter erklärt wurde – für mich ein neues Erlebnis, denn trotz vielen Berührungen mit der Presse hatte ich die Situation des von der Mehrheit Angespienen noch nie kennengelernt. Der Artikel mit jener Anklage wurde von zwanzig Zeitungen meiner Heimat abgedruckt, und von allen meinen Freunden, deren ich bei der Presse viele zu haben glaubte, wagten es nur zwei, für mich einzutreten. Alte Freunde teilten mir mit, daß sie eine Schlange an ihrem Busen genährt hätten, und daß dieser Busen künftig nur noch für Kaiser und Reich, nicht aber mehr für mich Entarteten schlage. Schmähbriefe von Unbekannten kamen in Menge, und Buchhändler ließen mich wissen, daß ein Autor von so verwerflichen Gesinnungen für sie nicht mehr existiere. Auf mehreren dieser Briefe lernte ich ein Schmuckstück kennen, das ich damals zum ersten Male sah: einen kleinen runden Stempelaufdruck mit der Inschrift: Gott strafe England.

Man sollte denken, ich hätte über dies Mißverständnis recht sehr gelacht. Aber das gelang mir nicht. Dies an sich so unwichtige Erlebnis brachte mir als Frucht die zweite große Wandlung meines Lebens.

Man erinnere sich: die erste Wandlung war eingetreten in dem Augenblick, wo mir der Entschluß bewußt wurde, ein Dichter zu werden. Der vorherige Musterschüler Hesse wurde von da an ein schlechter Schüler, er wurde bestraft, er wurde hinausgeworfen, er tat nirgends gut, machte sich und seinen Eltern Sorge um Sorge - alles nur, weil er zwischen der Welt, wie sie nun einmal ist oder zu sein scheint, und der Stimme seines eigenen Herzens keine Möglichkeit einer Versöhnung sah. Dies wiederholte sich jetzt, in den Kriegsjahren, aufs neue. Wieder sah ich mich im Konflikt mit einer Welt, mit der ich bisher in gutem Frieden gelebt hatte. Wieder mißglückte mir alles, wieder war ich allein und elend, wieder wurde alles, was ich sagte und dachte, von den andern feindlich mißverstanden. Wieder sah ich zwischen der Wirklichkeit und dem, was mir wünschenswert, vernünftig und gut schien, einen hoffnungslosen Abgrund liegen.

Diesmal aber blieb mir die Einkehr nicht erspart. Es dauerte nicht lange, so sah ich mich genötigt, die Schuld an meinen Leiden nicht außer mir, sondern in mir selbst zu suchen. Denn das sah ich wohl ein: der ganzen Welt Wahnsinn und Roheit vorzuwerfen, dazu hatte kein Mensch und kein Gott ein Recht, ich am wenigsten. Es mußte also in mir selbst allerlei Unordnung sein, wenn ich so mit dem ganzen Weltlauf in Konflikt kam. Und siehe, es war in der Tat eine große Unordnung da. Es war kein Vergnügen, diese Unordnung in mir selber anzupacken und ihre Ordnung zu versuchen. Da zeigte sich vor allem eines: der gute Friede, in dem ich mit der Welt gelebt hatte, war nicht nur von mir zu teuer bezahlt worden, er war auch ebenso faul gewesen wie der äußere Friede in der Welt. Ich hatte geglaubt, mir durch die langen schweren Kämpfe der Jugend meinen Platz in der Welt verdient zu haben und nun ein Dichter zu sein. Mittlerweile aber hatte Erfolg und Wohlergehen auf mich den üblichen Einfluß gehabt, ich war zufrieden und bequem geworden, und wenn ich genau zusah, so war der Dichter von einem Unterhaltungsschriftsteller kaum zu unterscheiden. Es war mir zu gut gegangen. Nun, für das Schlechtgehen, das stets eine gute und energische Schule ist, war jetzt reichlich gesorgt, und so lernte ich mehr und mehr die Händel der Welt ihren Gang gehen zu lassen, und konnte mich mit meinem eigenen Anteil an der Verwirrung und Schuld des Ganzen beschäftigen. Diese Beschäftigung aus meinen Schriften herauszulesen, muß ich dem Leser überlassen. Und noch immer habe ich die heimliche Hoffnung, es werde mit der Zeit auch mein Volk, nicht als Ganzes, aber in sehr vielen wachen und verantwortlichen Einzelnen, eine ähnliche Prüfung vollziehen und an die Stelle des Klagens und Schimpfens über den bösen Krieg und die bösen Feinde und die böse Revolution in tausend Herzen die Frage setzen: wie bin ich selber mitschuldig geworden? und wie kann ich wieder unschuldig werden? Denn man kann jederzeit wieder unschuldig werden, wenn man sein Leid und seine Schuld erkennt und zu Ende leidet, statt die Schuld daran bei andern zu suchen.

Als die neue Wandlung sich in meinen Schriften und in meinem Leben zu äußern anfing, schüttelten viele meiner Freunde den Kopf. Viele verließen mich auch. Das gehörte zu dem veränderten Bilde meines Lebens, ebenso wie der Verlust meines Hauses, meiner Familie und andrer Güter und Behaglichkeiten. Es war eine Zeit, da ich täglich Abschied nahm, und täglich darüber erstaunt war, daß ich nun auch dies hatte ertragen können, und noch immer lebte, und noch immer irgend etwas an diesem seltsamen Leben liebte, das mir doch nur Schmerzen, Enttäuschungen und Verluste zu bringen schien.

Übrigens, um dies nachzuholen: auch während der Kriegsjahre hatte ich etwas wie einen guten Stern oder einen Schutzengel. Während ich mich mit meinen Leiden sehr allein fühlte und, bis zum Beginn der Wandlung, mein Schicksal stündlich als ein unseliges empfand und verwünschte, diente eben mein Leiden, mein Besessensein durch Leiden mir als Schutz und Panzer gegen die Außenwelt. Ich brachte nämlich die Kriegsjahre in einer so scheußlichen Umgebung von Politik, Spionagewesen, Bestechungstechnik und Konjunkturkünsten zu, wie sie selbst damals nur an wenigen Orten der Erde so konzentriert beieinander zu finden waren, nämlich in Bern inmitten deutscher, neutraler und feindlicher Diplomatie, in einer Stadt, die über Nacht übervölkert geworden war, und zwar durch lauter Diplomaten, politische Agenten, Spione, Journalisten, Aufkäufer und Schieber. Ich lebte zwischen Diplomaten und Militärs, verkehrte außerdem mit Menschen aus vielen, auch feindlichen Nationen, die Luft um mich her war ein einziges Netz von Spionage und Gegenspionage, von Spitzelei, Intrigen, politischen und persönlichen Geschäftigkeiten – und von alle dem habe ich in all den Jahren gar nichts bemerkt! Ich wurde ausgehorcht, bespitzelt und bespioniert, war bald den Feinden, bald den Neutralen, bald den eigenen Landsleuten verdächtig, und merkte das alles nicht, erst lange nachher erfuhr ich dies und jenes davon, und begriff nicht, wie ich unberührt und ungeschädigt inmitten dieser Atmosphäre hatte leben können. Aber es war gegangen.

Mit dem Ende des Krieges fiel auch die Vollendung meiner Wandlung und die Höhe der Prüfungsleiden zusammen. Diese Leiden hatten mit dem Kriege und dem Weltschicksal nichts mehr zu tun, auch die Niederlage Deutschlands, von uns im Auslande seit zwei Jahren mit Sicherheit erwartet, hatte im Augenblick nichts Erschreckendes mehr. Ich war ganz in mich selbst und ins eigene Schicksal versunken, allerdings zuweilen mit dem Gefühl, es handle sich dabei um alles Menschenlos überhaupt. Ich fand allen Krieg und alle Mordlust der Welt, all ihren Leichtsinn, all ihre rohe Genußsucht, all ihre Feigheit in mir selber wieder, hatte erst die Achtung vor mir selbst, dann die Verachtung meiner selbst zu verlieren, hatte nichts andres zu tun als den Blick ins Chaos zu Ende zu tun, mit der oft aufglühenden, oft erlöschenden Hoffnung, jenseits des Chaos wieder Natur, wieder Unschuld zu finden. Jeder wach gewordene und wirklich zum Bewußtsein gekommene Mensch geht ja einmal, oder mehrmals, diesen schmalen Weg durch die Wüste – den andern davon reden zu wollen, wäre vergebliche Mühe.

Wenn Freunde mir untreu wurden, empfand ich manchmal Wehmut, doch kein Unbehagen, ich empfand es mehr als Bestätigung auf meinem Wege. Diese früheren Freunde hatten ja ganz recht, wenn sie sagten, ich sei früher ein so sympathischer Mensch und Dichter gewesen, während meine jetzige Problematik einfach ungenießbar sei. Über Fragen des Geschmacks, oder des Charakters, war ich damals längst hinaus, es war niemand da, dem meine Sprache verständlich gewesen wäre. Diese Freunde hatten vielleicht recht, wenn sie mir vorwarfen, meine Schriften hätten Schönheit und Harmonie verloren. Solche Worte machten mich nur lachen – was ist Schönheit oder Harmonie für den, der zum Tod verurteilt ist, der zwischen einstürzenden Mauern um sein Leben rennt? Vielleicht war ich auch, meinem lebenslangen Glauben entgegen, gar kein Dichter, und der ganze ästhetische Betrieb war bloß ein Irrtum gewesen? Warum nicht, auch das war nicht mehr von Wichtigkeit. Das meiste von dem, was ich auf der Höllenreise durch mich selbst zu Gesicht bekommen hatte, war Schwindel und wertlos gewesen, also vielleicht auch der Wahn von meiner Berufung oder Begabung. Wie wenig wichtig war das doch! Und das, was ich voll Eitelkeit und Kinderfreude einst als meine Aufgabe betrachtet hatte, war auch nicht mehr da. Ich sah meine Aufgabe, vielmehr meinen Weg zur Rettung längst nicht mehr auf dem Gebiet der Lyrik, oder der Philosophie, oder irgendeiner solchen Spezialistengeschichte, sondern nur noch darin, das wenige wahrhaft Lebendige und Starke in mir sein Leben leben zu lassen, nur noch in der unbedingten Treue gegen das, was ich in mir noch leben spürte. Das war das Leben, das war Gott. – Nachher, wenn solche Zeiten hoher und lebensgefährlicher Spannung vorüber sind, sieht das alles seltsam anders aus, weil die damaligen Inhalte und ihre Namen jetzt ohne Bedeutung sind, und das Heilige von vorgestern kann beinah komisch klingen.

Als auch für mich der Krieg endlich zu Ende war, im Frühjahr 1919, zog ich mich in eine entlegene Ecke der Schweiz zurück, und wurde Einsiedler. Weil ich mein Leben lang (dies war eine Erbschaft von Eltern und Großeltern her) sehr viel mit indischer und chinesischer Weisheit beschäftigt war, und auch meine neuen Erlebnisse zum Teil in der östlichen Bildersprache zum Ausdruck brachte, nannte man mich häufig einen »Buddhisten«, worüber ich nur lachen konnte, denn im Grunde wußte ich mich von keinem Bekenntnis weiter entfernt als von diesem. Und dennoch war etwas Richtiges, ein Korn Wahrheit darin verborgen, das ich erst etwas später erkannte. Wenn es irgend denkbar wäre, daß ein Mensch sich persönlich eine Religion erwählte, so hätte ich aus innerster Sehnsucht gewiß mich einer konservativen Religion angeschlossen: dem Konfuzius, dem Brahmanismus oder der römischen Kirche. Ich hätte dies aber aus Sehnsucht nach dem Gegenpol getan, nicht aus angeborener Verwandtschaft, denn geboren bin ich nicht nur zufällig als Sohn frommer Protestanten, sondern bin auch dem Gemüt und Wesen nach Protestant (wozu meine tiefe Antipathie gegen die zur Zeit vorhandenen protestantischen Bekenntnisse durchaus keinen Widerspruch bildet). Denn der echte Protestant wehrt sich gegen die eigene Kirche wie gegen jede andere, weil sein Wesen ihn das Werden mehr bejahen heißt als das Sein. Und in diesem Sinne ist wohl auch Buddha ein Protestant gewesen.

Der Glaube an mein Dichtertum und an den Wert meiner literarischen Arbeit war also seit der Wandlung in mir entwurzelt. Das Schreiben machte mir keine rechte Freude mehr. Eine Freude aber muß der Mensch haben, auch ich in all meiner Not machte diesen Anspruch. Ich konnte auf Gerechtigkeit, Vernunft, auf Sinn im Leben und in der Welt verzichten, ich hatte gesehen, daß die Welt vortrefflich ohne all diese Abstraktionen auskommt – aber auf ein wenig Freude konnte ich nicht verzichten, und das Verlangen nach diesem bißchen Freude, das war nun eine von jenen kleinen Flammen in mir, an die ich noch glaubte und aus denen ich mir die Welt wieder neu zu schaffen dachte. Häufig suchte ich meine Freude, meinen Traum, mein Vergessen in einer Flasche Wein, und sehr oft hat sie mir geholfen, sie sei dafür gepriesen. Aber sie genügte nicht. Und siehe da, eines Tages entdeckte ich eine ganz neue Freude. Ich fing, schon vierzig Jahre alt, plötzlich an zu malen. Nicht daß ich mich für einen Maler hielte oder einer werden wollte. Aber das Malen ist wunderschön, es macht einen froher und duldsamer. Man hat nachher nicht wie beim Schreiben schwarze Finger, sondern rote und blaue. Auch über diese Malerei ärgern sich viele meiner Freunde. Darin habe ich wenig Glück – immer, wenn ich etwas recht Notwendiges, Glückliches und Hübsches unternehme, werden die Leute unangenehm. Sie möchten gerne, daß man bleibt, was man war, daß man sein Gesicht nicht ändert. Aber mein Gesicht weigert sich, es will sich häufig ändern, es ist ihm Bedürfnis.

Ein anderer Vorwurf, den man mir macht, scheint mir selber sehr richtig. Man spricht mir den Sinn für die Wirklichkeit ab. Sowohl die Dichtungen, die ich dichte, wie die Bildchen, die ich male, entsprechen nicht der Wirklichkeit. Wenn ich dichte, so vergesse ich häufig alle Anforderungen, welche gebildete Leser an ein richtiges Buch stellen, und vor allem fehlt mir in der Tat die Achtung vor der Wirklichkeit. Ich finde, die Wirklichkeit ist das, worum man sich am allerwenigsten zu kümmern braucht, denn sie ist, lästig genug, ja immerzu vorhanden, während schönere und nötigere Dinge unsre Aufmerksamkeit und Sorge fordern. Die Wirklichkeit ist das, womit man unter gar keinen Umständen zufrieden sein, was man unter gar keinen Umständen anbeten und verehren darf, denn sie ist der Zufall, der Abfall des Lebens. Und sie ist, diese schäbige, stets enttäuschende und öde Wirklichkeit, auf keine andre Weise zu ändern, als indem wir sie leugnen, indem wir zeigen, daß wir stärker sind als sie.

In meinen Dichtungen vermißt man häufig die übliche Achtung vor der Wirklichkeit, und wenn ich male, dann haben die Bäume Gesichter, und die Häuser lachen oder tanzen, oder weinen, aber ob der Baum ein Birnbaum oder eine Kastanie ist, das kann man meistens nicht erkennen. Diesen Vorwurf muß ich hinnehmen. Ich gestehe, daß auch mein eigenes Leben mir sehr häufig genau wie ein Märchen vorkommt, oft sehe und fühle ich die Außenwelt mit meinem Innern in einem Zusammenhang und Einklang, den ich magisch nennen muß.

Einigemal sind mir noch Dummheiten passiert, zum Beispiel tat ich einmal eine harmlose Äußerung über den bekannten Dichter Schiller, worauf alsbald sämtliche süddeutschen Kegelklubs mich für einen Schänder der vaterländischen Heiligtümer erklärten. Jetzt aber ist es mir schon seit Jahren gelungen, nichts mehr zu äußern, wodurch Heiligtümer geschändet und Menschen vor Wut rot werden. Ich sehe darin einen Fortschritt.

Weil nun die sogenannte Wirklichkeit für mich keine sehr große Rolle spielt, weil Vergangenes mich oft wie Gegenwart erfüllt und Gegenwärtiges mir unendlich fern erscheint, darum kann ich auch die Zukunft nicht so scharf von der Vergangenheit trennen, wie man es meistens tut. Ich lebe sehr viel in der Zukunft, und so brauche ich denn auch meine Biographie nicht mit dem heutigen Tage zu enden, sondern kann sie ruhig weitergehen lassen.

In Kürze will ich erzählen, wie mein Leben vollends seinen Bogen beschreibt. In den Jahren bis 1930 schrieb ich noch einige Bücher, um dann aber diesem Gewerbe für immer den Rücken zu kehren. Die Frage, ob ich eigentlich zu den Dichtern zu rechnen sei oder nicht, wurde in zwei Dissertationen von fleißigen jungen Leuten untersucht, aber nicht beantwortet. Es ergab sich nämlich als Resultat einer sorgfältigen Betrachtung der neueren Literatur, daß das Fluidum, welches den Dichter ausmacht, in der neueren Zeit nur noch in so außerordentlicher Verdünnung vorkommt, daß der Unterschied zwischen Dichter und Literat nicht mehr feststellbar ist. Aus diesem objektiven Befund zogen die beiden Doktoranden jedoch entgegengesetzte Schlüsse. Der eine, sympathischere, war der Meinung, eine so lächerlich verdünnte Poesie sei überhaupt keine mehr, und da bloße Literatur nicht lebenswert sei, möge man das, was sich heute noch Dichtung nenne, ruhig seinen stillen Tod sterben lassen. Der andere jedoch war ein unbedingter Verehrer der Poesie, auch in der dünnsten Form, und meinte daher, es sei besser, hundert Undichter aus Vorsicht mitgelten zu lassen, als einem Dichter unrecht zu tun, der vielleicht doch einen Tropfen echten parnassischen Blutes in sich habe.

Ich war hauptsächlich mit Malen und mit chinesischen Zaubermethoden beschäftigt, ließ mich in den folgenden Jahren aber mehr und mehr auch auf die Musik ein. Es wurde der Ehrgeiz meines späteren Lebens, eine Art Oper zu schreiben, worin das menschliche Leben in seiner sogenannten Wirklichkeit wenig ernst genommen, sogar verhöhnt wird, dagegen in seinem ewigen Wert als Bild, als flüchtiges Gewand der Gottheit hervorleuchtet. Die magische Auffassung des Lebens war mir stets nahe gelegen, ich war nie ein »moderner Mensch« gewesen, und hatte stets den »Goldenen Topf« von Hoffmann, oder gar den »Heinrich von Ofterdingen«, für wertvollere Lehrbücher gehalten als alle Welt- und Naturgeschichten (vielmehr hatte ich auch in diesen, wenn ich solche las, stets entzückende Fabulationen gesehen). Jetzt aber hatte bei mir jene Lebensperiode begonnen, wo es keinen Sinn mehr hat, eine fertige und mehr als genug differenzierte Persönlichkeit immer weiter auszubauen und zu differenzieren, wo statt dessen die Aufgabe sich meldet, das werte Ich wieder in der Welt untergehen zu lassen und sich, angesichts der Vergänglichkeit, den ewigen und außerzeitlichen Ordnungen einzureihen. Diese Gedanken oder Lebensbestimmungen auszudrücken, schien mir nur durch das Mittel des Märchens möglich, und als die höchste Form des Märchens sah ich die Oper an, vermutlich weil ich an die Magie des Wortes in unserer mißbrauchten und sterbenden Sprache nicht mehr recht glauben konnte, während die Musik mir immer noch als ein lebendiger Baum erschien, an dessen Ästen auch heute noch Paradiesäpfel wachsen können. Ich wollte in meiner

Oper das tun, was mir in meinen Dichtungen nie ganz hatte glük-
ken wollen: dem Menschenleben einen hohen und entzückenden
Sinn setzen. Die Unschuld und Unerschöpflichkeit der Natur
wollte ich preisen und ihren Gang bis dahin darstellen, wo sie
durch das unausbleibliche Leiden gezwungen wird, sich dem Geiste zuzuwenden, dem fernen Gegenpol, und das Schwingen des
Lebens zwischen den beiden Polen der Natur und des Geistes
sollte sich heiter, spielend und vollendet darstellen wie die Spannung eines Regenbogens.

Allein leider gelang mir die Vollendung dieser Oper nie. Es ging
mir damit, wie es mir mit der Dichtung gegangen war. Die Dichtung hatte ich aufgeben müssen, nachdem ich gesehen hatte, daß
alles, was zu sagen mir wichtig schien, im »Goldenen Topf« und
im »Heinrich von Ofterdingen« schon tausendmal reiner gesagt
war, als ich es vermocht hätte. Und so ging es mir nun auch mit
meiner Oper. Gerade als ich mit den jahrelangen musikalischen
Vorstudien und mehreren Textentwürfen fertig war, und mir den
eigentlichen Sinn und Gehalt meines Werkes nochmals möglichst
eindringlich vorzustellen suchte, da machte ich plötzlich die Wahrnehmung, daß ich mit meiner Oper gar nichts anderes anstrebte,
als was in der »Zauberflöte« längst schon herrlich gelöst ist.

Ich legte daher diese Arbeit beiseite und wandte mich nun vollends ganz der praktischen Magie zu. War mein Künstlertraum ein
Wahn gewesen, war ich weder zu einem »Goldenen Topf« noch zu
einer »Zauberflöte« fähig, so war ich doch zum Zauberer geboren.
Auf dem östlichen Wege des Lao Tse und des I Ging war ich längst
weit genug vorgedrungen, um die Zufälligkeit und Verwandelbar-
keit der sogenannten Wirklichkeit genau zu kennen. Nun zwang
ich diese Wirklichkeit durch Magie nach meinem Sinne, und ich
muß sagen, ich hatte viel Freude daran. Ich muß jedoch auch bekennen, daß ich nicht immer mich auf jenen holden Garten beschränkt habe, den man die weiße Magie nennt, sondern je und je
zog mich die kleine lebendige Flamme in mir auch auf die
schwarze Seite hinüber.

Im Alter von mehr als siebzig Jahren wurde ich, nachdem eben
erst zwei Universitäten mich durch die Verleihung der Würde
eines Ehrendoktors ausgezeichnet hatten, wegen Verführung
eines jungen Mädchens durch Zauberei vor die Gerichte gebracht.
Im Gefängnis bat ich um die Erlaubnis, mich mit Malerei zu beschäftigen. Es wurde mir bewilligt. Freunde brachten mir Farben

und Malzeug, und ich malte an die Wand meiner Zelle eine kleine Landschaft. Noch einmal war ich also zur Kunst zurückgekehrt, und alle Schiffbrüche, die ich als Künstler schon erlebt hatte, konnten mich nicht im geringsten daran hindern, noch einmal diesen holdesten Becher zu leeren, noch einmal wie ein spielendes Kind eine kleine geliebte Spielwelt vor mir aufzubauen und mein Herz daran zu sättigen, noch einmal alle Weisheit und Abstraktion von mir zu werfen und die primitive Lust des Zeugens aufzusuchen. Ich malte also wieder, ich mischte Farben und tauchte Pinsel ein, trank noch einmal mit Entzücken alle diese unendlichen Zauber: den hellen frohen Klang des Zinnober, den vollen reinen Klang des Gelb, den tiefen rührenden des Blau, und die Musik ihrer Vermischungen bis ins fernste, blasseste Grau hinein. Glücklich und kindlich trieb ich mein Schöpfungsspiel, und malte also eine Landschaft an die Wand meiner Zelle. Diese Landschaft enthielt fast alles, woran ich im Leben Freude gehabt hatte, Flüsse und Gebirge, Meer und Wolken, Bauern bei der Ernte, und noch eine Menge schöner Dinge, an denen ich mich vergnügte. In der Mitte des Bildes aber fuhr eine ganz kleine Eisenbahn. Sie fuhr auf einen Berg los und stak mit dem Kopf schon im Berge drin wie ein Wurm im Apfel, die Lokomotive war schon in einen kleinen Tunnel eingefahren, aus dessen dunkler Ründung flockiger Rauch herauskam.

Noch nie hatte mein Spiel mich so entzückt wie dieses Mal. Ich vergaß über dieser Rückkehr zur Kunst nicht bloß, daß ich ein Gefangener und Angeklagter war und wenig Aussicht hatte, mein Leben anderswo als in einem Zuchthause zu enden – ich vergaß oft sogar meine magischen Übungen, und schien mir Zauberer genug, wenn ich mit dünnem Pinsel einen winzigen Baum, eine kleine helle Wolke erschuf.

Indessen gab die sogenannte Wirklichkeit, mit welcher ich in der Tat nun ganz zerfallen war, sich alle Mühe, meinen Traum zu höhnen und immer wieder zu zerstören. Fast jeden Tag holte man mich, führte mich unter Bewachung in äußerst unsympathische Räumlichkeiten, wo inmitten von vielem Papier unsympathische Menschen saßen, die mich ausfragten, mir nicht glauben wollten, mich anschnauzten, mich bald wie ein dreijähriges Kind, bald wie einen abgefeimten Verbrecher behandelten. Man braucht nicht Angeklagter zu sein, um diese merkwürdige und wahrhaft höllische Welt der Kanzleien, des Papiers und der Akten kennenzulernen. Von allen Höllen, welche der Mensch sich wunderlicherweise hat schaffen müssen, ist diese mir stets als die höllischste erschienen. Du brauchst nur umziehen oder heiraten zu wollen, einen Paß oder Heimatschein zu begehren, so stehst du schon mitten in dieser Hölle, mußt saure Stunden im luftlosen Raum dieser Papierwelt hinbringen, wirst von gelangweilten und dennoch hastigen, unfrohen Menschen ausgefragt, angeschnauzt, findest für die einfachsten und wahrsten Aussagen nichts als Unglauben, wirst bald wie ein Schulkind, bald wie ein Verbrecher behandelt. Nun, jeder kennt dies ja. Längst wäre ich in der Papierhölle erstickt und verdorrt, hätten nicht meine Farben mich immer wieder getröstet und vergnügt, hätte nicht mein Bild, meine kleine schöne Landschaft, mir wieder Luft und Leben gegeben.

Vor diesem Bilde stand ich einst in meinem Gefängnis, als die Wärter wieder mit ihren langweiligen Vorladungen gelaufen kamen und mich meiner glücklichen Arbeit entreißen wollten. Da empfand ich eine Müdigkeit und etwas wie Ekel gegen all den Betrieb und diese ganze, brutale und geistlose Wirklichkeit. Es schien mir jetzt an der Zeit, der Qual ein Ende zu machen. Wenn es mir nicht erlaubt war, ungestört meine unschuldigen Künstlerspiele zu spielen, so mußte ich mich eben jener ernsteren Künste bedienen, welchen ich so manches Jahr meines Lebens gewidmet hatte. Ohne Magie war diese Welt nicht zu ertragen.

Ich erinnerte mich der chinesischen Vorschrift, stand eine Minute lang mit angehaltenem Atem und löste mich vom Wahn der Wirklichkeit. Freundlich bat ich dann die Wärter, sie möchten noch einen Augenblick Geduld haben, da ich in meinem Bilde in den Eisenbahnzug steigen und etwas dort nachsehen müsse. Sie lachten auf die gewohnte Art, denn sie hielten mich für geistig gestört.

Da machte ich mich klein und ging in mein Bild hinein, stieg in die kleine Eisenbahn und fuhr mit der kleinen Eisenbahn in den schwarzen kleinen Tunnel hinein. Eine Weile sah man noch den flockigen Rauch aus dem runden Loche kommen, dann verzog sich der Rauch und verflüchtigte sich und mit ihm das ganze Bild und mit ihm ich.

In großer Verlegenheit blieben die Wärter zurück. (1924)

In den ersten Nachkriegsjahren habe ich zweimal den Versuch gemacht, in märchenhafter und halb humoristischer Form für meine Freunde, denen ich damals etwas problematisch geworden war, eine Art von summarischem Überblick über mein Leben zu geben. Der eine, von mir bevorzugte dieser Versuche, die »Kindheit des Zauberers«, ist Fragment geblieben. Der andere, in dem nach Jean Pauls Vorbild das Wagnis einer die Zukunft vorwegnehmenden »Konjekturalbiographie« versucht wurde, erschien im Jahre 1925 in der Neuen Rundschau in Berlin. Er hat im vorliegenden Buch nur unbedeutende Korrekturen erfahren. Manche Jahre war es ein Plan von mir, die beiden Stücke irgendwie zu vereinigen, doch fand ich den Weg zu einer Versöhnung zwischen den beiden in Ton und Stimmung so verschiedenen Arbeiten nicht.   (1945)

»Vom Abbild zum Sinnbild«

Erzählungen

Der Wolf

Noch nie war in den französischen Bergen ein so unheimlich kalter und langer Winter gewesen. Seit Wochen stand die Luft klar, spröde und kalt. Bei Tage lagen die großen, schiefen Schneefelder mattweiß und endlos unter dem grellblauen Himmel, nachts ging klar und klein der Mond über sie hinweg, ein grimmiger Frostmond von gelbem Glanz, dessen starkes Licht auf dem Schnee blau und dumpf wurde und wie der leibhaftige Frost aussah. Die Menschen mieden alle Wege und namentlich die Höhen, sie saßen träge und schimpfend in den Dorfhütten, deren rote Fenster nachts neben dem blauen Mondlicht rauchig trüb erschienen und bald erloschen.

Das war eine schwere Zeit für die Tiere der Gegend. Die kleineren erfroren in Menge, auch Vögel erlagen dem Frost, und die hageren Leichname fielen den Habichten und Wölfen zur Beute. Aber auch diese litten furchtbar an Frost und Hunger. Es lebten nur wenige Wolfsfamilien dort, und die Not trieb sie zu festerem Verband. Tagsüber gingen sie einzeln aus. Da und dort strich einer über den Schnee, mager, hungrig und wachsam, lautlos und scheu wie ein Gespenst. Sein schmaler Schatten glitt neben ihm über die Schneefläche. Spürend reckte er die spitze Schnauze in den Wind und ließ zuweilen ein trockenes, gequältes Geheul vernehmen. Abends aber zogen sie vollzählig aus und drängten sich mit heiserem Heulen um die Dörfer. Dort war Vieh und Geflügel wohlverwahrt, und hinter festen Fensterladen lagen Flinten angelegt. Nur selten fiel eine kleine Beute, etwa ein Hund, ihnen zu, und zwei aus der Schar waren schon erschossen worden.

Der Frost hielt immer noch an. Oft lagen die Wölfe still und brütend beisammen, einer am andern sich wärmend, und lauschten beklommen in die tote Öde hinaus, bis einer, von den grausamen Qualen des Hungers gefoltert, plötzlich mit schauerlichem Gebrüll aufsprang. Dann wandten alle anderen ihm die Schnauze zu, zitterten und brachen miteinander in ein furchtbares, drohendes und klagendes Heulen aus.

Endlich entschloß sich der kleinere Teil der Schar, zu wandern. Früh am Tage verließen sie ihre Löcher, sammelten sich und schnoberten erregt und angstvoll in die frostkalte Luft. Dann trabten sie rasch und gleichmäßig davon. Die Zurückgebliebenen sahen ihnen mit weiten, glasigen Augen nach, trabten ein paar Dutzend Schritte hinterher, blieben unschlüssig und ratlos stehen und kehrten langsam in ihre leeren Höhlen zurück.

Die Auswanderer trennten sich am Mittag voneinander. Drei von ihnen wandten sich östlich dem Schweizer Jura zu, die anderen zogen südlich weiter. Die drei waren schöne, starke Tiere, aber entsetzlich abgemagert. Der eingezogene helle Bauch war schmal wie ein Riemen, auf der Brust standen die Rippen jämmerlich heraus, die Mäuler waren trocken und die Augen weit und verzweifelt. Zu dreien kamen sie weit in den Jura hinein, erbeuteten am zweiten Tag einen Hammel, am dritten einen Hund und ein Füllen und wurden von allen Seiten her wütend vom Landvolk verfolgt. In der Gegend, welche reich an Dörfern und Städtchen ist, verbreitete sich Schrecken und Scheu vor den ungewohnten Eindringlingen. Die Postschlitten wurden bewaffnet, ohne Schießgewehr ging niemand von einem Dorf zum anderen. In der fremden Gegend, nach so guter Beute, fühlten sich die drei Tiere zugleich scheu und wohl; sie wurden tollkühner als je zu Hause und brachen am hellen Tage in den Stall eines Meierhofes. Gebrüll von Kühen, Geknatter splitternder Holzschranken, Hufegetrampel und heißer, lechzender Atem erfüllten den engen, warmen Raum. Aber diesmal kamen Menschen dazwischen. Es war ein Preis auf die Wölfe gesetzt, das verdoppelte den Mut der Bauern. Und sie erlegten zwei von ihnen, dem einen ging ein Flintenschuß durch den Hals, der andere wurde mit einem Beil erschlagen. Der dritte entkam und rannte so lange, bis er halbtot auf den Schnee fiel. Er war der jüngste und schönste von den Wölfen, ein stolzes Tier von mächtiger Kraft und gelenken Formen. Lange blieb er keuchend liegen. Blutig rote Kreise wirbelten vor seinen Augen, und zuweilen stieß er ein pfeifendes, schmerzliches Stöhnen aus. Ein Beilwurf hatte ihm den Rücken getroffen. Doch erholte er sich und konnte sich wieder erheben. Erst jetzt sah er, wie weit er gelaufen war. Nirgends waren Menschen oder Häuser zu sehen. Dicht vor ihm lag ein verschneiter, mächtiger Berg. Es war der Chasseral. Er beschloß, ihn zu umgehen. Da ihn Durst quälte, fraß er kleine Bissen von der gefrorenen, harten Kruste der Schneefläche.

Jenseits des Berges traf er sogleich auf ein Dorf. Es ging gegen Abend. Er wartete in einem dichten Tannenforst. Dann schlich er vorsichtig um die Gartenzäune, dem Geruch warmer Ställe folgend. Niemand war auf der Straße. Scheu und lüstern blinzelte er zwischen den Häusern hindurch. Da fiel ein Schuß. Er warf den Kopf in die Höhe und griff zum Laufen aus, als schon ein zweiter Schuß knallte. Er war getroffen. Sein weißlicher Unterleib war an der Seite mit Blut befleckt, das in dicken Tropfen zäh herabrieselte. Dennoch gelang es ihm, mit großen Sätzen zu entkommen und den jenseitigen Bergwald zu erreichen. Dort wartete er horchend einen Augenblick und hörte von zwei Seiten Stimmen und Schritte. Angstvoll blickte er am Berg empor. Er war steil, bewaldet und mühselig zu ersteigen. Doch blieb ihm keine Wahl. Mit keuchendem Atem klomm er die steile Bergwand hinan, während unten ein Gewirre von Flüchen, Befehlen und Laternenlichtern sich den Berg entlangzog. Zitternd kletterte der verwundete Wolf durch den halbdunkeln Tannenwald, während aus seiner Seite langsam das braune Blut hinabrann.

Die Kälte hatte nachgelassen. Der westliche Himmel war dunstig und schien Schneefall zu versprechen.

Endlich hatte der Erschöpfte die Höhe erreicht. Er stand nun auf einem leicht geneigten, großen Schneefelde, nahe bei Mont Crosin, hoch über dem Dorfe, dem er entronnen. Hunger fühlte er nicht, aber einen trüben, klammernden Schmerz von der Wunde. Ein leises, krankes Gebell kam aus seinem hängenden Maul, sein Herz schlug schwer und schmerzhaft und fühlte die Hand des Todes wie eine unsäglich schwere Last auf sich drücken. Eine einzeln stehende breitästige Tanne lockte ihn; dort setzte er sich und starrte trübe in die graue Schneenacht. Eine halbe Stunde verging. Nun fiel ein mattrotes Licht auf den Schnee, sonderbar und weich. Der Wolf erhob sich stöhnend und wandte den schönen Kopf dem Licht entgegen. Es war der Mond, der im Südost riesig und blutrot sich erhob und langsam am trüben Himmel höher stieg. Seit vielen Wochen war er nie so rot und groß gewesen. Traurig hing das Auge des sterbenden Tieres an der matten Mondscheibe, und wieder röchelte ein schwaches Heulen schmerzlich und tonlos in die Nacht.

Da kamen Lichter und Schritte nach. Bauern in dicken Mänteln, Jäger und junge Burschen in Pelzmützen und mit plumpen Gamaschen stapften durch den Schnee. Gejauchze erscholl. Man hatte den verendenden Wolf entdeckt, zwei Schüsse wurden auf ihn abgedrückt und beide fehlten. Dann sahen sie, daß er schon im Sterben lag, und fielen mit Stöcken und Knüppeln über ihn her. Er fühlte es nicht mehr.

Mit zerbrochenen Gliedern schleppten sie ihn nach St. Immer hinab. Sie lachten, sie prahlten, sie freuten sich auf Schnaps und Kaffee, sie sangen, sie fluchten. Keiner sah die Schönheit des verschneiten Forstes, noch den Glanz der Hochebene, noch den roten Mond, der über dem Chasseral hing und dessen schwaches Licht in ihren Flintenläufen, in den Schneekristallen und in den gebrochenen Augen des erschlagenen Wolfes sich brach.

(1902/1903)

Casanovas Bekehrung

I

In Stuttgart, wohin der Weltruf des luxuriösen Hofhaltes Karl Eugens ihn gezogen hatte, war es dem Glücksritter Jakob Casanova nicht gut ergangen. Zwar hatte er, wie in jeder Stadt der Welt, sogleich eine ganze Reihe von alten Bekannten wieder getroffen, darunter die Venetianerin Gardella, die damalige Favoritin des Herzogs, und ein paar Tage waren ihm in der Gesellschaft befreundeter Tänzer, Tänzerinnen, Musiker und Theaterdamen heiter und leicht vergangen. Beim österreichischen Gesandten, bei Hofe, sogar beim Herzog selber schien ihm gute Aufnahme gesichert. Aber kaum warm geworden, ging der Leichtfuß eines Abends mit einigen Offizieren zu Weibern, es wurde gespielt und Ungarwein getrunken, und das Ende des Vergnügens war, daß Casanova viertausend Louisdor in Marken verspielt hatte, seine kostbaren Uhren und Ringe vermißte und in jämmerlicher Verfassung sich zu Wagen nach Hause bringen lassen mußte. Daran hatte sich ein unglücklicher Prozeß geknüpft, es war so weit gekommen, daß der Waghals sich in Gefahr sah, unter Verlust seiner gesamten Habe als Zwangssoldat in des Herzogs Regimenter gesteckt zu werden. Da hatte er es an der Zeit gefunden, sich dünn zu machen. Er, den seine Flucht aus den venetianischen Bleikammern zu einer Berühmtheit gemacht hatte, war auch seiner Stuttgarter Haft schlau entronnen, hatte sogar seine Koffer gerettet und sich über Tübingen nach Fürstenberg in Sicherheit gebracht.

Dort rastete er nun im Gasthause. Seine Gemütsruhe hatte er schon unterwegs wieder gefunden; immerhin hatte ihn aber dies Mißgeschick stark ernüchtert. Er sah sich an Geld und Reputation geschädigt, in seinem blinden Vertrauen zur Glücksgöttin enttäuscht und ohne Reiseplan und Vorbereitungen über Nacht auf die Straße gesetzt.

Dennoch machte der bewegliche Mann durchaus nicht den Eindruck eines vom Schicksal Geschlagenen. Im Gasthof ward er seinem Anzug und Auftreten entsprechend als ein Reisender erster Klasse bewirtet. Er trug eine mit Steinen geschmückte goldene Uhr, schnupfte bald aus einer goldenen Dose, bald aus einer silbernen, stak in überaus feiner Wäsche, zartseidenen Strümpfen, holländischen Spitzen, und der Wert seiner Kleider, Steine, Spitzen und Schmucksachen war erst kürzlich von einem Sachverständigen in Stuttgart auf hunderttausend Franken geschätzt worden. Deutsch sprach er nicht, dafür ein tadelfreies Pariser Französisch, und sein Benehmen war das eines reichen, verwöhnten, doch wohlwollenden Vergnügungsreisenden. Er machte Ansprüche, sparte aber auch weder an der Zeche noch an Trinkgeldern.

Nach seiner überhetzten Reise war er abends angekommen. Während er sich wusch und puderte, wurde ihm auf seine Bestellung ein vorzügliches Abendessen bereitet, das ihm nebst einer Flasche Rheinwein den Rest des Tages angenehm und rasch verbringen half. Darauf ging er zeitig zur Ruhe und schlief ausgezeichnet bis zum Morgen. Erst jetzt ging er daran, Ordnung in seine Angelegenheiten zu bringen.

Nach dem Frühstück, das er während des Ankleidens zu sich nahm, klingelte er, um Tinte, Schreibzeug und Papier zu bestellen. In Bälde erschien ein hübsches Mädchen mit guten Manieren und stellte die verlangten Sachen auf den Tisch. Casanova bedankte sich artig, zuerst in italienischer Sprache, dann auf französisch, und es zeigte sich, daß die hübsche Blonde diese zweite Sprache verstand.

»Sie können kein Zimmermädchen sein«, sagte er ernst, doch freundlich. »Gewiß sind Sie die Tochter des Hoteliers.«

»Sie haben es erraten, mein Herr.«

»Nicht wahr? Ich beneide Ihren Vater, schönes Fräulein. Er ist ein glücklicher Mann.«

»Warum denn, meinen Sie?«

»Ohne Zweifel. Er kann jeden Morgen und Abend der schönsten, liebenswürdigsten Tochter einen Kuß geben.«

»Ach, geehrter Herr! Das tut er ja gar nicht.«

»Dann tut er Unrecht und ist zu bedauern. Ich an seiner Stelle wüßte ein solches Glück zu schätzen.«

»Sie wollen mich in Verlegenheit bringen.«

»Aber Kind! Seh' ich aus wie ein Don Juan? Ich könnte Ihr Vater sein, den Jahren nach.«

Dabei ergriff er ihre Hand und fuhr fort: »Auf eine solche Stirne den Kuß eines Vaters zu drücken, muß ein Glück voll Rührung sein.«

Er küßte sie sanft auf die Stirn.

»Gestatten Sie das einem Manne, der selbst Vater ist. Übrigens muß ich Ihre Hand bewundern.«

»Meine Hand?«

»Ich habe Hände von Prinzessinnen geküßt, die sich neben den Ihren nicht sehen lassen dürften. Bei meiner Ehre!«

Damit küßte er ihre Rechte. Er küßte sie zuerst leise und achtungsvoll auf den Handrücken, dann drehte er sie um und küßte die Stelle des Pulses, darauf küßte er jeden Finger einzeln.

Das rot gewordene Mädchen lachte auf, zog sich mit einem halb spöttischen Knicks zurück und verließ das Zimmer.

Casanova lächelte und setzte sich an den Tisch. Er nahm einen Briefbogen und setzte mit leichter, eleganter Hand das Datum darauf: »Fürstenberg, 6. April 1760.« Dann begann er nachzudenken. Er schob das Blatt beiseite, zog ein kleines silbernes Toilettenmesserchen aus der Tasche des samtnen Gilets und feilte eine Weile an seinen Fingernägeln.

Alsdann schrieb er rasch und mit wenigen Pausen einen seiner flotten Briefe. Er galt jenen Stuttgarter Offizieren, die ihn so schwer in Not gebracht hatten. Darin beschuldigte er sie, sie hätten ihm im Tokayer einen betäubenden Trank beigebracht, um ihn dann im Spiel zu betrügen und von den Dirnen seiner Wertsachen berauben zu lassen. Und er schloß mit einer schneidigen Herausforderung. Sie möchten sich binnen drei Tagen in Fürstenberg einfinden, er erwarte sie in der angenehmen Hoffnung, sie alle drei im Duell zu erschießen und dadurch seinen Ruhm in Europa zu verdoppeln.

Diesen Brief kopierte er in drei Exemplaren und adressierte sie einzeln nach Stuttgart. Während er dabei war, klopfte es an der Tür. Es war wieder die hübsche Wirtstochter. Sie bat sehr um Entschuldigung, wenn sie störe, aber sie habe vorher das Sandfaß mitzubringen vergessen. Ja, und da sei es nun, und er möge entschuldigen.

»Wie gut sich das trifft!« rief der Kavalier, der sich vom Sessel erhoben hatte. »Auch ich habe vorher etwas vergessen, was ich nun gutmachen möchte.«

»Wirklich? Und das wäre?«

»Es ist eine Beleidigung Ihrer Schönheit, daß ich es unterließ, Sie auch noch auf den Mund zu küssen. Ich bin glücklich, es nun nachholen zu können.«

Ehe sie zurückweichen konnte, hatte er sie um das Mieder gefaßt und zog sie an sich. Sie kreischte und leistete Widerstand, aber sie tat es mit so wenig Geräusch, daß der erfahrene Liebhaber seinen Sieg sicher sah. Mit einem feinen Lächeln küßte er ihren Mund, und sie küßte ihn wieder. Er setzte sich in den Sessel zurück, nahm sie auf den Schoß und sagte ihr die tausend zärtlich neckischen Worte, die er in drei Sprachen jederzeit zur Verfügung hatte. Noch ein paar Küsse, ein Liebesscherz und ein leises Gelächter, dann fand die Blonde es an der Zeit, sich zurückzuziehen.

»Verraten Sie mich nicht, Lieber. Auf Wiedersehn!«

Sie ging hinaus. Casanova pfiff eine venetianische Melodie vor sich hin, rückte den Tisch zurecht und arbeitete weiter. Er versiegelte die drei Briefe und brachte sie dem Wirt, daß sie per Eilpost wegkämen. Zugleich tat er einen Blick in die Küche, wo zahlreiche Töpfe überm Feuer hingen. Der Gastwirt begleitete ihn.

»Was gibt's heute Gutes?«

»Junge Forellen, gnädiger Herr.«

»Gebacken?«

»Gewiß, gebacken.«

»Was für Öl nehmen Sie dazu?«

»Kein Öl, Herr Baron. Wir backen mit Butter.«

»Ei so. Wo ist denn die Butter?«

Sie wurde ihm gezeigt, er roch daran und billigte sie.

»Sorgen Sie täglich für ganz frische Butter, so lange ich da bin. Auf meine Rechnung natürlich.«

»Verlassen Sie sich darauf.«

»Sie haben eine Perle von Tochter, Herr Wirt. Gesund, hübsch und sittsam. Ich bin selbst Vater, das schärft den Blick.«

»Es sind zwei, Herr Baron.«

»Wie, zwei Töchter? Und beide erwachsen?«

»Gewiß. Die Sie bedient hat war die ältere. Sie werden die andere bei Tisch sehen.«

»Ich zweifle nicht, daß sie Ihrer Erziehung nicht weniger Ehre machen wird als die Ältere. Ich schätze an jungen Mädchen nichts höher als Bescheidenheit und Unschuld. Nur wer selbst Familie hat, kann wissen, wie viel das sagen will und wie sorgsam die Jugend behütet werden muß.«

Die Zeit vor der Mittagstafel widmete der Reisende seiner Toilette. Er rasierte sich selbst, da sein Diener ihn auf der Flucht aus Stuttgart nicht hatte begleiten können. Er legte Puder auf, wechselte den Rock und vertauschte die Pantoffeln mit leichten, feinen Schuhen, deren goldene Schnallen die Form einer Lilie hatten und aus Paris stammten. Da es noch nicht ganz Essenszeit war, holte er aus einer Mappe ein Heft beschriebenes Papier, an dem er mit dem Bleistift in der Hand sogleich zu studieren begann.

Es waren Zahlentabellen und Wahrscheinlichkeitsrechnungen. Casanova hatte in Paris den arg zerrütteten Finanzen des Königs durch Inszenierung von Lottobüros aufgeholfen und dabei ein Vermögen verdient. Sein System zu vervollkommnen und in geldbedürftigen Residenzen, etwa in Berlin oder Petersburg einzuführen, war eine von seinen hundert Zukunftsplänen. Rasch und sicher überflog sein Blick die Zahlenreihen, vom deutenden Finger unterstützt, und vor seinem inneren Auge balancierten Summen von Millionen und Millionen.

Bei Tische leiteten die beiden Töchter die Bedienung. Man aß vorzüglich, auch der Wein war gut, und unter den Mitgästen fand Casanova wenigstens einen, mit dem ein Gespräch sich lohnte. Es war ein mäßig gekleideter, noch junger Schöngeist und Halbgelehrter, der ziemlich gut italienisch sprach. Er behauptete, auf einer Studienreise durch Europa begriffen zu sein und zur Zeit an einer Widerlegung des letzten Buches von Voltaire zu arbeiten.

»Sie werden mir Ihre Schrift senden, wenn sie gedruckt ist, nicht wahr? Ich werde die Ehre haben, mich mit einem Werk meiner Mußestunden zu revanchieren.«

»Es ist mir eine Ehre. Darf ich den Titel erfahren?«

»Bitte. Es handelt sich um eine italienische Übersetzung der Odyssee, an der ich schon längere Zeit arbeite.«

Und er plauderte fließend und leichthin viel Geistreiches über Eigentümlichkeit, Metrik und Poetik seiner Muttersprache, über Reim und Rhythmus, über Homer und Ariosto, den göttlichen Ariosto, von dem er etwa zehn Verse deklamierte.

Doch fand er daneben auch noch Gelegenheit, den beiden hübschen Schwestern etwas Freundliches zu sagen. Und als man sich vom Tisch erhob, näherte er sich der Jüngeren, sagte ein paar respektvolle Artigkeiten und fragte sie, ob sie wohl die Kunst des Frisierens verstehe. Als sie bejahte, bat er sie, ihm künftig morgens diesen Dienst zu erweisen.

»Oh, ich kann es ebensogut«, rief die Ältere.

»Wirklich. Dann wechseln wir ab.« Und zur Jüngeren: »Also morgen nach dem Frühstück, nicht wahr?«

Nachmittags schrieb er noch mehrere Briefe, namentlich an die Tänzerin Binetti in Stuttgart, die seiner Flucht assistiert hatte und die er nun bat, sich um seinen zurückgebliebenen Diener zu bekümmern. Dieser Diener hieß Leduc, galt für einen Spanier und war ein Taugenichts, aber von großer Treue, und Casanova hing mehr an ihm, als man bei seiner Leichtfertigkeit für möglich gehalten hätte.

Einen weiteren Brief schrieb er an seinen holländischen Bankier und einen an eine ehemalige Geliebte in London. Dann fing er an zu überlegen, was weiter zu unternehmen sei. Zunächst mußte er die drei Offiziere erwarten, sowie Nachrichten von seinem Diener. Beim Gedanken an die bevorstehenden Pistolenduelle wurde er ernst und beschloß, morgen sein Testament nochmals zu revidieren. Wenn alles gut abliefe, gedachte er auf Umwegen nach Wien zu gehen, wohin er manche Empfehlungen hatte.

Nach einem Spaziergang nahm er seine Abendmahlzeit ein, dann blieb er lesend in seinem Zimmer wach, da er um elf Uhr den Besuch der älteren Wirtstochter erwartete.

Ein warmer Föhn blies um das Haus und führte kurze Regenschauer mit. Casanova brachte die beiden folgenden Tage ähnlich zu wie den vergangenen, nur daß jetzt auch das zweite Mädchen ihm öfters Gesellschaft leistete. So hatte er neben Lektüre und Korrespondenz genug damit zu tun, der Liebe froh zu werden und beständig drohende Überraschungs- und Eifersuchtsszenen zwischen den beiden Blonden umsichtig zu verhüten. Er verfügte weise abwägend über die Stunden des Tages und der Nacht, vergaß auch sein Testament nicht und hielt seine schönen Pistolen mit allem Zubehör bereit.

Allein die drei geforderten Offiziere kamen nicht. Sie kamen nicht und schrieben nicht, am dritten Wartetag so wenig wie am zweiten. Der Abenteurer, bei dem der erste Zorn längst verkühlt war, hatte im Grunde nicht viel dagegen. Weniger ruhig war er über das Ausbleiben Leducs, seines Dieners. Er beschloß noch einen Tag zu warten. Mittlerweile entschädigten ihn die verliebten Mädchen für seinen Unterricht in der ars amandi dadurch, daß sie ihm, dem endlos Gelehrigen, ein wenig Deutsch beibrachten.

Am vierten Tage drohte Casanovas Geduld ein Ende zu nehmen. Da kam, noch ziemlich früh am Vormittag, Leduc auf keuchendem Pferde daher gesprengt, von den kotigen Vorfrühlingswegen über und über bespritzt. Froh und gerührt hieß ihn sein Herr willkommen und Leduc begann, noch ehe er über Brot, Schinken und Wein herfiel, eilig zu berichten.

»Vor allem, Herr Ritter«, begann er, »bestellen Sie Pferde und lassen Sie uns noch heute die Schweizer Grenze erreichen. Zwar werden keine Offiziere kommen, um sich mit Ihnen zu schlagen, aber ich weiß für sicher, daß Sie hier in Bälde von Spionen, Häschern und bezahlten Mördern würden belästigt werden, wenn Sie dableiben. Der Herzog selber soll empört über Sie sein und Ihnen seinen Schutz versagen. Also eilen Sie!«

Casanova überlegte nicht lange. In Aufregung geriet er nicht, das Unheil war ihm zu anderen Zeiten schon weit näher auf den Fersen gewesen. Doch gab er seinem Spanier recht und bestellte Pferde für Schaffhausen.

Zum Abschiednehmen blieb ihm wenig Zeit. Er bezahlte seine Zeche, gab der älteren Schwester einen Schildpattkamm zum Andenken und der jüngeren das heilige Versprechen, in möglichster Bälde wiederzukommen, packte seine Reisekoffer und saß, kaum drei Stunden nach dem Eintritt seines Leduc, schon mit diesem im Postwagen. Tücher wurden geschwenkt und Abschiedsworte gerufen, dann bog der wohlbespannte Eilwagen aus dem Hof auf die Straße und rollte schnell auf der nassen Landstraße davon.

II

Angenehm war es nicht, so Hals über Kopf ohne Vorbereitungen in ein wildfremdes Land entfliehen zu müssen. Auch mußte Leduc dem Betrübten mitteilen, daß sein schöner, vor wenigen Monaten gekaufter Reisewagen in den Händen der Stuttgarter geblieben sei. Dennoch kam er gegen Schaffhausen hin wieder in gute Laune, und da die Landesgrenze überschritten und der Rhein erreicht war, nahm er ohne Ungeduld die Nachricht entgegen, daß zur Zeit in der Schweiz die Einrichtung der Extraposten noch nicht bestehe.

Es wurden also Mietpferde zur Weiterreise nach Zürich bestellt, und bis diese bereit waren, konnte man in aller Ruhe eine gute Mahlzeit einnehmen.

Dabei versäumte der weltgewandte Reisende nicht, sich in aller Eile einigermaßen über Lebensart und Verhältnisse des fremden Landes zu unterrichten. Es gefiel ihm wohl, daß der Gastwirt hausväterlich an der Wirtstafel präsidierte und daß dessen Sohn, obwohl er den Rang eines Hauptmanns bei den Reichstruppen besaß, sich nicht schämte, aufwartend hinter seinem Stuhl zu stehen und ihm die Teller zu wechseln. Dem raschlebigen Weltbummler, der viel auf erste Eindrücke gab, wollte es scheinen, er sei in ein gutes Land gekommen, wo unverdorbene Menschen sich eines schlichten, doch behaglichen Lebens erfreuten. Auch fühlte er sich hier vor dem Zorn des Stuttgarter Tyrannen geborgen und witterte, nachdem er lange Zeit an Höfen verkehrt und in Fürstendiensten gestanden hatte, lüstern die Luft der Freiheit.

Rechtzeitig fuhr der bestellte Wagen vor, die beiden stiegen ein und weiter ging es, einem leuchtend gelben Abendglanz entgegen, nach Zürich.

Leduc sah seinen Herrn in der nachdenksamen Stimmung der Verdauungsstunde im Polster lehnen, wartete längere Zeit, ob er etwa ein Gespräch beliebe, und schlief dann ein. Casanova achtete nicht auf ihn.

Er war, teils durch den Abschied von den Fürstenbergerinnen, teils durch das gute Essen und die neuen Eindrücke in Schaffhausen, wohlig gerührt und im Ausruhen von den vielen Erregungen dieser letzten Wochen fühlte er mit leiser Ermattung, daß er doch nicht mehr jung sei. Zwar hatte er noch nicht das Gefühl, daß der Stern seines glänzenden Zigeunerlebens sich zu neigen beginne. Doch gab er sich Betrachtungen hin, die den Heimatlosen stets früher befallen als andere Menschen, Betrachtungen über das unaufhaltsame Näherrücken des Alters und des Todes. Er hatte sein Leben ohne Vorbehalt der unbeständigen Glücksgöttin anvertraut, und sie hatte ihn bevorzugt und verwöhnt, sie hatte ihm mehr gegönnt als tausend Nebenbuhlern. Aber er wußte genau, daß Fortuna nur die Jugend liebt, und die Jugend war flüchtig und unwiederbringlich, er fühlte sich ihrer nicht mehr sicher und wußte nicht, ob sie ihn nicht vielleicht schon verlassen habe.

Freilich, er war nicht mehr als fünfunddreißig Jahre alt. Aber er hatte vierfältig und zehnfältig gelebt. Er hatte nicht nur hundert Frauen geliebt, er war auch in Kerkern gelegen, hatte qualvolle Nächte durchwacht, Tage und Wochen im Reisewagen verlebt, die Angst des Gefährdeten und Verfolgten gekostet, dann wieder aufregende Geschäfte betrieben, erschöpfende Nächte mit heißen Augen an den Spieltischen aller Städte verbracht, Vermögen gewonnen und verloren und zurückgewonnen. Er hatte Freunde und Feinde, die gleich ihm als kühne Heimatlose und Glücksjäger über die Erde irrten, in Not und Krankheit, Kerker und Schande geraten sehen. Wohl hatte er in fünfzig Städten dreier Länder Freunde und Frauen, die an ihm hingen, aber würden sie sich seiner erinnern wollen, wenn er je einmal krank, alt und bettelnd zu ihnen käme?

»Schläfst du, Leduc?«

Der Diener fuhr auf.

»Was beliebt?«

»In einer Stunde sind wir in Zürich.«

»Kann schon sein.«

»Kennst du Zürich?«

»Nicht besser als meinen Vater, und den hab' ich nie gesehen. Es wird eine Stadt sein wie andere, jedoch vorwiegend blond, wie ich sagen hörte.«

»Ich habe genug von den Blonden.«

»Ei so. Seit Fürstenberg wohl? Die zwei haben Ihnen doch nicht weh getan?«

»Sie haben mich frisiert, Leduc.«

»Frisiert?«

»Frisiert. Und mir Deutsch beigebracht, sonst nichts.«

»War das zu wenig?«

»Keine Witze jetzt! – Ich werde alt, du.«

»Heute noch?«

»Sei vernünftig. Es wäre auch für dich allmählich Zeit, nicht?«

»Zum Altwerden, nein. Zum Vernünftigwerden, ja, wenn es mit Ehren sein kann.«

»Du bist ein Schwein, Leduc.«

»Mit Verlaub, das stimmt nicht. Verwandte fressen einander nicht auf, und mir geht nichts über frischen Schinken. Der in Fürstenberg war übrigens zu stark gesalzen.«

Diese Art von Unterhaltung war nicht, was der Herr gewollt hatte. Doch schalt er nicht, dazu war er zu müde und in zu milder Stimmung. Er schwieg nur und winkte lächelnd ab. Er fühlte sich schläfrig und konnte seine Gedanken nimmer beisammen halten. Und während er in einen ganz leichten, halben Schlummer sank, glitt seine Erinnerung in die Zeiten der ersten Jugend zurück. Er träumte in lichten, verklärten Farben und Gefühlen von einer Griechin, die er einst als blutjunger Fant im Schiffe vor Ancona getroffen hatte und von seinen ersten, phantastischen Erlebnissen in Konstantinopel und auf Korfu.

Darüber eilte der Wagen weiter und rollte, als der Schläfer emporfuhr, über Steinpflaster und gleich darauf über eine Brücke, unter welcher ein schwarzer Strom rauschte und rötliche Lichter spiegelte. Man war in Zürich vor dem Gasthause zum Schwert angekommen.

Casanova war im Augenblick munter. Er reckte sich und stieg aus, von einem höflichen Wirt empfangen.

»Also Zürich«, sagte er vor sich hin. Und obwohl er gestern noch die Absicht gehabt hatte, nach Wien zu reisen und nicht im mindesten wußte, was er ungefähr in Zürich treiben solle, blickte er fröhlich um sich, folgte dem Gastwirt ins Haus und suchte sich ein bequemes Zimmer mit Vorraum im ersten Stockwerk aus.

Nach dem Abendessen kehrte er bald zu seinen früheren Betrachtungen zurück. Je geborgener und wohler er sich fühlte, desto bedenklicher kamen ihm nachträglich die Bedrängnisse vor, denen er soeben entronnen war. Sollte er sich freiwillig wieder in solche Gefahren begeben? Sollte er, nachdem das stürmische Meer ihn ohne sein Verdienst an einen friedlichen Strand geworfen hatte, sich ohne Not noch einmal den Wellen überlassen?

Wenn er genau nachrechnete, betrug der Wert seines Besitzes an Geld, Kreditbriefen und fahrender Habe ungefähr hunderttausend Taler. Das genügte für einen Mann ohne Familie, sich für immer ein stilles und bequemes Leben zu sichern.

Mit diesen Gedanken legte er sich zu Bett und erlebte in einem langen ungestörten Schlafe eine Reihe friedvoll glücklicher Träume. Er sah sich als Besitzer eines schönen Landsitzes, frei und heiter lebend, fern von Höfen, Gesellschaft und Intrigen, in immer neuen Bildern voll ländlicher Anmut und Frische.

Diese Träume waren so schön und so gesättigt von reinem Glücksgefühl, daß Casanova das Erwachen am Morgen fast schmerzlich ernüchternd empfand. Doch beschloß er sofort, diesem letzten Wink seiner guten Glücksgöttin zu folgen und seine Träume wahr zu machen. Sei es nun, daß er sich in der hiesigen Gegend ankaufe, sei es, daß er nach Italien, Frankreich oder Holland zurückkehren würde, jedenfalls wollte er von heute an auf Abenteuer, Glücksjagd und äußeren Lebensglanz verzichten und sich so bald wie möglich ein ruhiges, sorglos unabhängiges Leben schaffen.

Gleich nach dem Frühstück befahl er Leduc die Obhut über seine Zimmer und verließ allein und zu Fuß das Hotel. Ein lang nicht mehr gefühltes Bedürfnis zog den Vielgereisten seitab auf das Land zu Wiesen und Wald. Bald hatte er die Stadt hinter sich und wanderte ohne Eile den See entlang. Milde, zärtliche Frühlingsluft wogte lau und schwellend über graugrünen Matten, auf denen erste gelbe Blümlein strahlend lachten und an deren Rande die Hecken voll rötlich warmer, strotzender Blattknospen standen. Am feuchtblauen Himmel schwammen weich geballte, lichte Wolken hin, und in der Ferne stand über den mattgrauen und tannenblauen Vorbergen weiß und feierlich der zackige Halbkreis der Alpen.

Einzelne Ruderboote und Frachtkähne mit großem Dreiecksegel waren auf der nur schwach bewegten Seefläche unterwegs, und am Ufer führte ein guter, reinlicher Weg durch helle, meist aus Holz gebaute Dörfer. Fuhrleute und Bauern begegneten dem Spaziergänger, und manche grüßten ihn freundlich. Das alles ging ihm lieblich ein und bestärkte seine tugendhaften und klugen Vorsätze. Am Ende einer stillen Dorfstraße schenkte er einem weinenden Kinde eine kleine Silbermünze, und in einem Wirtshaus, wo er nach beinahe dreistündigem Gehen Rast hielt und einen Imbiß nahm, ließ er den Wirt leutselig aus seiner Dose schnupfen.

Casanova hatte keine Ahnung, in welcher Gegend er sich nun befinde, und mit dem Namen eines wildfremden Dorfes wäre ihm auch nicht gedient gewesen. Er fühlte sich wohl in der leise durchsonnten Luft. Von den Strapazen der letzten Zeit hatte er sich genügend ausgeruht, auch war sein ewig verliebtes Herz zur Zeit stille und hatte Feiertag, so wußte er im Augenblick nichts Schöneres, als dieses sorglose Lustwandeln durch ein fremdes, schönes Land. Da er immer wieder Gruppen von Landleuten begegnete, hatte es mit dem Verirren keine Gefahr.

Im Sicherheitsgefühl seiner neuesten Entschlüsse genoß er nun den Rückblick auf sein bewegtes Vagantenleben wie ein Schauspiel, das ihn rührte oder belustigte, ohne ihn doch in seiner jetzigen Gemütsruhe zu stören. Sein Leben war gewagt und oft liederlich gewesen, das gab er sich selber zu, aber nun er es so im ganzen überblickte, war es doch ohne Zweifel ein hübsch buntes, flottes und lohnendes Spiel gewesen, an dem man Freude haben konnte.

Indessen führte ihn, da er anfing ein wenig zu ermüden, der Weg in ein breites Tal zwischen hohen Bergen. Eine große, prächtige Kirche stand da, an die sich weitläufige Gebäude anschlossen. Erstaunt bemerkte er, daß das ein Kloster sein müsse, und freute sich, unvermutet in eine katholische Gegend gekommen zu sein.

Er trat entblößten Hauptes in die Kirche und nahm mit zunehmender Verwunderung Marmor, Gold und kostbare Stickereien wahr. Es wurde eben die letzte Messe gelesen, die er mit Andacht anhörte. Darauf begab er sich neugierig in die Sakristei, wo er eine Anzahl Benediktinermönche sah. Der Abt, erkenntlich durch das Kreuz vor der Brust, war dabei und erwiderte den Gruß des Fremden durch die höfliche Frage, ob er die Sehenswürdigkeiten der Kirche betrachten wolle.

Gern nahm Casanova an und wurde vom Abte selbst in Begleitung zweier Brüder umhergeführt und sah alle Kostbarkeiten und Heiligtümer mit der diskreten Neugier des gebildeten Reisenden an, ließ sich die Geschichte und Legenden der Kirche erzählen und war nur dadurch ein wenig in Verlegenheit gebracht, daß er nicht wußte, wo er eigentlich sei und wie Ort und Kloster heiße.

»Wo sind Sie denn abgestiegen?« fragte schließlich der Abt.

»Nirgends, Hochwürden. Zu Fuß von Zürich her angekommen, trat ich sogleich in die Kirche.«

Der Abt, über den frommen Eifer des Wallfahrers entzückt, lud ihn zu Tische, was jener dankbar annahm. Nun, da der Abt ihn für einen bußfahrenden Sünder hielt, der weite Wege gemacht, um hier Trost zu finden, konnte Casanova vollends nicht mehr fragen, wo er sich denn befinde. Übrigens sprach er mit dem geistlichen Herrn, da es mit dem Deutschen nicht so recht gehen wollte, lateinisch.

»Unsere Brüder haben Fastenzeit«, fuhr der Abt fort, »da habe ich ein Privileg vom heiligen Vater Benedikt dem Vierzehnten, das mir gestattet, täglich mit drei Gästen auch Fleischspeisen zu essen. Wollen Sie gleich mir von dem Privilegium Gebrauch machen, oder ziehen Sie es vor zu fasten?«

»Es liegt mir fern, hochwürdiger Herr, von der Erlaubnis des Papstes wie auch von Ihrer gütigen Einladung keinen Gebrauch zu machen. Es möchte arrogant aussehen.«

»Also speisen wir!«

Im Speisezimmer des Abtes hing wirklich jenes päpstliche Breve unter Glas gerahmt an der Wand. Es waren zwei Couverts aufgelegt, zu denen ein Bedienter in Livree sogleich ein drittes fügte.

»Wir speisen zu dreien, Sie, ich und mein Kanzler. Da kommt er ja eben.«

»Sie haben einen Kanzler?«

»Ja. Als Abt von Maria-Einsiedeln bin ich Fürst des römischen Reiches und habe die Verpflichtungen eines solchen.«

Endlich wußte also der Gast, wo er hingeraten sei, und freute sich, das weltberühmte Kloster unter so besonderen Umständen und ganz unverhofft kennengelernt zu haben. Indessen nahm man Platz und begann zu tafeln.

»Sie sind Ausländer?« fragte der Abt.

»Venetianer, doch schon seit längerer Zeit auf Reisen.«

Daß er verbannt sei, brauchte er ja einstweilen nicht zu erzählen.

»Und reisen Sie weiter durch die Schweiz? Dann bin ich gerne bereit, Ihnen einige Empfehlungen mitzugeben.«

»Ich nehme das dankbar an. Ehe ich jedoch weiterreise, wäre es mein Wunsch, eine vertraute Unterredung mit Ihnen haben zu dürfen. Ich möchte Ihnen beichten und Ihren Rat über manches, was mein Gewissen beschwert, erbitten.«

»Ich werde nachher zu Ihrer Verfügung stehen. Es hat Gott gefallen, Ihr Herz zu erwecken, so wird er auch Frieden für das Herz haben. Der Menschen Wege sind vielerlei, doch sind nur wenige so weit verirrt, daß ihnen nicht mehr zu helfen wäre. Wahre Reue ist das erste Erfordernis der Umkehr, wenn auch die echte, gottgefällige Zerknirschung noch nicht im Zustand der Sünde, sondern erst in dem der Gnade eintreten kann.«

So redete er eine Weile weiter, während Casanova sich mit Speise und Wein bediente. Als er schwieg, nahm jener wieder das Wort.

»Verzeihen Sie meine Neugierde, Hochwürdiger, aber wie machen Sie es möglich, um diese Jahreszeit so vortreffliches Wild zu haben?«

»Nicht wahr? Ich habe dafür ein Rezept. Wild und Geflügel, die Sie hier sehen, sind sämtlich sechs Monate alt.«

»Ist es möglich?«

»Ich habe eine Einrichtung, mittels der ich die Sachen so lange vollkommen luftdicht abschließe.«

»Darum beneide ich Sie.«

»Bitte. Aber wollen Sie gar nichts vom Lachs nehmen?«

»Wenn Sie ihn mir eigens anbieten, gewiß.«

»Ist er doch eine Fastenspeise!«

Der Gast lachte und nahm vom Lachs.

Nach Tische empfahl sich der Kanzler, ein stiller Mann, und der Abt zeigte seinem Gaste das Kloster. Alles gefiel dem Venetianer sehr wohl. Er begriff, daß ruhebedürftige Menschen das Klosterleben erwählen und sich darin wohlfühlen konnten. Und schon begann er zu überlegen, ob dies nicht auch für ihn am Ende der beste Weg zum Frieden des Leibes und der Seele sei.

Einzig die Bibliothek befriedigte ihn wenig.

»Ich sehe da«, bemerkte er, »zwar Massen von Folianten, aber die neuesten davon scheinen mir mindestens hundert Jahre alt zu sein, und lauter Bibeln, Psalter, theologische Exegese, Dogmatik und Legendenbücher. Das alles sind ja ohne Zweifel vortreffliche Werke –«

»Ich vermute es«, lächelte der Prälat.

»Aber Ihre Mönche werden doch auch andere Bücher haben, über Geschichte, Physik, schöne Künste, Reisen und dergleichen.«

»Wozu? Unsere Brüder sind fromme, einfache Leute. Sie tun ihre tägliche Pflicht und sind zufrieden.«

»Das ist ein großes Wort. – Aber dort hängt ja, sehe ich eben, ein Bildnis des Kurfürsten von Köln.«

»Der da im Bischofsornat, jawohl.«

»Sein Gesicht ist nicht ganz gut getroffen. Ich habe ein besseres Bild von ihm. Sehen Sie!«

Er zog aus einer inneren Tasche eine schöne Dose, in deren Deckel ein Miniaturporträt eingefügt war. Es stellte den Kurfürsten als Großmeister des deutschen Ordens vor.

»Das ist hübsch. Woher haben Sie das?«

»Vom Kurfürsten selbst.«

»Wahrhaftig?«

»Ich habe die Ehre, sein Freund zu sein.«

Mit Wohlgefallen nahm er wahr, wie er zusehends in der Achtung des Abtes stieg, und steckte die Dose wieder ein.

»Ihre Mönche sind fromm und zufrieden, sagten Sie. Das möchte einem beinahe Lust nach diesem Leben erwecken.«

»Es ist eben ein Leben im Dienst des Herrn.«

»Gewiß, und fern von den Stürmen der Welt.«

»So ist es.«

Nachdenklich folgte er seinem Führer und bat ihn nach einer

Weile, nun seine Beichte anzuhören, damit er Absolution erhalten und morgen die Kommunion nehmen könne.

Der Herr führte ihn zu einem kleinen Pavillon, wo sie eintraten. Der Abt setzte sich und Casanova wollte niederknien, doch gab jener das nicht zu.

»Nehmen Sie einen Stuhl«, sagte er freundlich, »und erzählen Sie mir von Ihren Sünden.«

»Es wird lange dauern.«

»Bitte, beginnen Sie nur. Ich werde aufmerksam sein.«

Damit hatte der gute Mann nicht zuviel versprochen. Die Beichte des Chevaliers nahm, obwohl er möglichst gedrängt und rasch erzählte, volle drei Stunden in Anspruch. Der hohe Geistliche schüttelte anfangs ein paar Mal den Kopf oder seufzte, denn eine solche Kette von Sünden war ihm doch noch niemals vorgekommen, und er hatte eine unglaubliche Mühe, die einzelnen Frevel so in der Geschwindigkeit einzuschätzen, zu addieren und im Gedächtnis zu behalten. Bald genug gab er das völlig auf und horchte nur mit Erstaunen dem fließenden Vortrag des Italieners, der in zwangloser, flotter, fast künstlerischer Weise sein ganzes Leben erzählte. Manchmal lächelte der Abt und manchmal lächelte auch der Beichtende, ohne jedoch innezuhalten. Seine Erzählung führte in fremde Länder und Städte, durch Krieg und Seereisen, durch Fürstenhöfe, Klöster, Spielhöllen, Gefängnis, durch Reichtum und Not, sie sprang vom Rührenden zum Tollen, vom Harmlosen zum Skandalösen, vorgetragen aber wurde sie nicht wie ein Roman und nicht wie eine Beichte, sondern unbefangen, ja manchmal heiter-geistreich und stets mit der selbstverständlichen Sicherheit dessen, der Erlebtes erzählt und weder zu sparen noch dick aufzutragen braucht.

Nie war der Abt und Reichsfürst besser unterhalten worden. Besondere Reue konnte er im Ton des Beichtenden nicht wahrnehmen, doch hatte er selbst bald vergessen, daß er als Beichtvater und nicht als Zuschauer eines aufregenden Theaterstücks hier sitze.

»Ich habe Sie nun lang genug belästigt«, schloß Casanova endlich. »Manches mag ich vergessen haben, doch kommt es ja wohl auf ein wenig mehr oder minder nicht an. Sind Sie ermüdet, Hochwürden?«

»Durchaus nicht. Ich habe kein Wort verloren.«

»Und darf ich die Absolution erwarten?«

Noch ganz benommen sprach der Abt die heiligen Worte aus, durch welche Casanovas Sünden vergeben waren und die ihn des Sakramentes würdig erklärten.

Jetzt wurde ihm ein Zimmer angewiesen, damit er die Zeit bis morgen in frommer Betrachtung ungestört verbringen könnte. Den Rest des Tages verwendete er dazu, sich den Gedanken ans Mönchwerden zu überlegen. So sehr er Stimmungsmensch und rasch im Ja- oder Neinsagen war, hatte er doch zuviel Selbsterkenntnis und viel zu viel rechnende Klugheit, um sich nicht voreilig die Hände zu binden und des Verfügungsrechts über sein Leben zu begeben.

Er malte sich also sein zukünftiges Mönchsdasein bis in alle Einzelheiten aus und entwarf einen Plan, um sich für jeden möglichen Fall einer Reue oder Enttäuschung offene Tür zu halten. Den Plan wandte und drehte er um und um, bis er ihm vollkommen erschien, und dann brachte er ihn sorgfältig zu Papier.

In diesem Schriftstück erklärte er sich bereit, als Novize in das Kloster Maria-Einsiedeln zu treten. Um jedoch Zeit zur Selbstprüfung und zum etwaigen Rücktritt zu behalten, erbat er ein zehnjähriges Noviziat. Damit man ihm diese ungewöhnlich lange Frist gewähre, hinterlegte er ein Kapital von zehntausend Franken, das nach seinem Tode oder Wiederaustritt aus dem Orden dem Kloster zufallen sollte. Ferner erbat er sich die Erlaubnis, Bücher jeder Art auf eigene Kosten zu erwerben und in seiner Zelle zu haben; auch diese Bücher sollten nach seinem Tode Eigentum des Klosters werden.

Nach einem Dankgebet für seine Bekehrung legte er sich nieder und schlief gut und fest als einer, dessen Gewissen rein wie Schnee und leicht wie eine Feder ist. Und am Morgen nahm er in der Kirche die Kommunion.

Der Abt hatte ihn zur Schokolade eingeladen. Bei dieser Gelegenheit übergab Casanova ihm sein Schriftstück mit der Bitte um eine günstige Antwort.

Jener las das Gesuch sogleich, beglückwünschte den Gast zu seinem Entschluß und versprach, ihm nach Tische Antwort zu geben.

»Finden Sie meine Bedingungen zu selbstsüchtig?«

»O nein, Herr Chevalier, ich denke, wir werden wohl einig werden. Mich persönlich würde das aufrichtig freuen. Doch muß ich Ihr Gesuch zuvor dem Konvent vorlegen.«

»Das ist nicht mehr als billig. Darf ich Sie bitten, meine Eingabe freundlich zu befürworten?«

»Mit Vergnügen. Also auf Wiedersehn bei Tische!«

Der Weltflüchtige machte nochmals einen Gang durchs Kloster, sah sich die Brüder an, inspizierte einige Zellen und fand alles nach seinem Herzen. Freudig lustwandelte er durch Einsiedeln, sah Wallfahrer mit einer Fahne einziehen und Fremde in Züricher Mietwagen abreisen, hörte nochmals eine Messe und steckte einen Taler in die Almosenbüchse.

Während der Mittagstafel, die ihm diesmal ganz besonders durch vorzügliche Rheinweine Eindruck machte, fragte er, wie es mit seinen Angelegenheiten stehe.

»Seien Sie ohne Sorge«, meinte der Abt, »obwohl ich Ihnen im Augenblick noch keine entscheidende Antwort habe. Der Konvent will noch Bedenkzeit.«

»Glauben Sie, daß ich aufgenommen werde?«

»Ohne Zweifel.«

»Und was soll ich inzwischen tun?«

»Was Sie wollen. Gehen Sie nach Zürich zurück und erwarten Sie dort unsere Antwort, die ich Ihnen übrigens persönlich bringen werde. Heut über vierzehn Tage muß ich ohnehin in die Stadt, dann suche ich Sie auf, und wahrscheinlich werden Sie dann sogleich mit mir hierher zurückkehren können. Paßt Ihnen das?«

»Vortrefflich. Also heut über vierzehn Tage. Ich wohne im Schwert. Man ißt dort recht gut; wollen Sie dann zu Mittag mein Gast sein?«

»Sehr gerne.«

»Aber wie komme ich heute nach Zürich zurück? Sind irgendwo Wagen zu haben?«

»Sie fahren nach Tisch in meiner Reisekutsche.«

»Das ist allzuviel Güte. –«

»Lassen Sie doch! Es ist schon Auftrag gegeben. Sehen Sie lieber zu, sich noch ordentlich zu stärken. Vielleicht noch ein Stückchen Kalbsbraten?«

Kaum war die Mahlzeit beendet, so fuhr des Abtes Wagen vor. Ehe der Gast einstieg, gab ihm jener noch zwei versiegelte Briefe an einflußreiche Züricher Herren mit. Herzlich nahm Casanova von dem gastfreien Herrn Abschied, und mit dankbaren Gefühlen fuhr er in dem sehr bequemen Wagen durch das lachende Land und am See entlang nach Zürich zurück.

Als er vor seinem Gasthause vorfuhr, empfing ihn der Diener Leduc mit unverhohlenem Grinsen.

»Was lachst du?«

»Na, es freut mich nur, daß Sie in dieser fremden Stadt schon Gelegenheit gefunden haben, sich volle zwei Tage außer dem Haus zu amüsieren.«

»Dummes Zeug. Geh jetzt und sage dem Wirt, daß ich vierzehn Tage hier bleibe und für diese Zeit einen Wagen und einen guten Lohndiener haben will.«

Der Wirt kam selber und empfahl einen Diener, für dessen Redlichkeit er sich verbürgte. Auch besorgte er einen offenen Mietwagen, da andere nicht zu haben waren.

Am folgenden Tage gab Casanova seine Briefe an die Herren Orelli und Pestalozzi persönlich ab. Sie waren nicht zu Hause, machten ihm aber beide nach Mittag einen Besuch im Hotel und luden ihn für morgen und übermorgen zu Tische und für heute abend ins Konzert ein. Er sagte zu und fand sich rechtzeitig ein.

Das Konzert, das einen Taler Eintrittsgeld kostete, gefiel ihm gar nicht. Namentlich mißfiel ihm die langweilige Einrichtung, daß Männer und Frauen abgesondert je in einem Teil des Saales saßen. Sein scharfes Auge entdeckte unter den Damen mehrere Schönheiten, und er begriff nicht, warum die Sitte ihm verbiete, ihnen den Hof zu machen. Nach dem Konzert wurde er den Frauen und Töchtern der Herren vorgestellt und fand besonders in Fräulein Pestalozzi eine überaus hübsche und liebenswürdige Dame. Doch enthielt er sich jeder leichtfertigen Galanterie.

Obwohl ihm dies Benehmen nicht ganz leicht fiel, schmeichelte es doch seiner Eitelkeit. Er war seinen neuen Freunden in den Briefen des Abtes als ein bekehrter Mann und angehender Büßer vorgestellt worden und er merkte, daß man ihn mit fast ehrerbietiger Achtung behandelte, obwohl er meist mit Protestanten verkehrte. Diese Achtung tat ihm wohl und ersetzte ihm teilweise das Vergnügen, das er seinem ernsten Auftreten opfern mußte.

Und dieses Auftreten gelang ihm so gut, daß er bald sogar auf der Straße mit einer gewissen Ehrerbietung gegrüßt wurde. Ein Geruch von Askese und Heiligkeit umwehte den merkwürdigen Mann, dessen Leumund so wechselnd war wie sein Leben.

Immerhin konnte er es sich nicht versagen, vor seinem Rücktritt aus dem Weltleben dem Herzog von Württemberg noch einen unverschämt gesalzenen Brief zu schreiben. Das wußte ja niemand.

Und es wußte auch niemand, daß er manchmal im Schutz der Dunkelheit abends ein Haus aufsuchte, in dem weder Mönche wohnten noch Psalmen gesungen wurden.

IV

Die Vormittage widmete der fromme Herr Chevalier dem Studium der deutschen Sprache. Er hatte einen armen Teufel von der Straße aufgelesen, einen Genuesen namens Giustiniani. Der saß nun täglich in den Morgenstunden bei Casanova und brachte ihm Deutsch bei, wofür er jedesmal sechs Franken Honorar bekam.

Dieser entgleiste Mann, dem sein reicher Schüler übrigens die Adresse jenes Hauses verdankte, unterhielt seinen Gönner hauptsächlich dadurch, daß er über Mönchtum und Klosterleben in allen Tonarten schimpfte und lästerte. Er wußte nicht, daß sein Schüler im Begriffe stand, Benediktinerbruder zu werden, sonst wäre er zweifellos vorsichtiger gewesen. Casanova nahm ihm jedoch nichts übel. Der Genuese war vor Zeiten Kapuzinermönch gewesen und der Kutte wieder entschlüpft. Nun fand der merkwürdige Bekehrte ein Vergnügen darin, den armen Kerl seine klosterfeindlichen Ergüsse vortragen zu lassen.

»Es gibt aber doch auch gute Leute unter den Mönchen«, wandte er etwa einmal ein.

»Sagen Sie das nicht! Keinen gibt es, keinen einzigen! Sie sind ohne Ausnahme Tagdiebe und faule Bäuche.«

Sein Schüler hörte lachend zu und freute sich auf den Augenblick, in dem er das Lästermaul durch die Nachricht von seiner bevorstehenden Einkleidung verblüffen würde.

Immerhin begann ihm bei dieser stillen Lebensweise die Zeit etwas lang zu werden, und er zählte die Tage bis zum vermutlichen Eintreffen des Abtes mit Ungeduld. Nachher, wenn er dann im Klosterfrieden säße und in Ruhe seinem Studium obläge, würden Langeweile und Unrast ihn schon verlassen. Er plante eine Homerübersetzung, ein Lustspiel und eine Geschichte Venedigs und hatte, um einstweilen doch etwas in diesen Sachen zu tun, bereits einen starken Posten gutes Schreibpapier gekauft.

So verging ihm die Zeit zwar langsam und unlustig, aber sie verging doch, und am Morgen des 23. April stellte er aufatmend fest, daß dies sein letzter Wartetag sein sollte, denn andern Tages stand die Ankunft des Abtes bevor.

49

Er schloß sich ein und prüfte noch einmal seine weltlichen wie geistlichen Angelegenheiten, bereitete auch das Einpacken seiner Sachen vor und freute sich, endlich dicht vor dem Beginn eines neuen, friedlichen Lebens zu stehen. An seiner Aufnahme in Maria-Einsiedeln zweifelte er nicht, denn nötigenfalls war er entschlossen, das versprochene Kapital zu verdoppeln. Was lag in diesem Falle an zehntausend Franken?

Gegen sechs Uhr abends, da es im Zimmer leis zu dämmern begann, trat er ans Fenster und schaute hinaus. Er konnte von dort den Vorplatz des Hotels und die Limmatbrücke übersehen.

Eben fuhr ein Reisewagen an und hielt vor dem Gasthaus. Casanova schaute neugierig zu. Der Kellner sprang herzu und öffnete den Schlag. Heraus stieg eine in Mäntel gehüllte ältere Frau, dann noch eine, hierauf eine dritte, lauter matronenhaft ernste, ein wenig säuerliche Damen.

»Die hätten auch anderswo absteigen dürfen«, dachte er am Fenster.

Aber diesmal kam das schlanke Ende nach. Es stieg eine vierte Dame aus, eine hohe schöne Figur in einem Kostüm, das damals viel getragen und Amazonenkleid genannt wurde. Auf dem schwarzen Haar trug sie eine kokette, blauseidene Mütze mit einer silbernen Quaste.

Casanova stellte sich auf die Zehen und schaute vorgebeugt hinab. Es gelang ihm, ihr Gesicht zu sehen, ein junges, schönes, brünettes Gesicht mit schwarzen Augen unter stolzen, dichten Brauen. Zufällig blickte sie am Hause hinauf, und da sie den im Fenster Stehenden gewahr wurde und seinen Blick auf sich gerichtet fühlte, seinen Casanovablick, betrachtete sie ihn einen kleinen Augenblick mit Aufmerksamkeit – einen kleinen Augenblick.

Dann ging sie mit den andern ins Haus. Der Chevalier eilte in sein Vorzimmer, durch dessen Glastür er auf den Korridor schauen konnte. Richtig kamen die Viere, und als letzte die Schöne in Begleitung des Wirtes die Treppe herauf und an seiner Türe vorbei. Die Schwarze, als sie sich unversehens von demselben Manne vixiert sah, der sie soeben vom Fenster aus angestaunt hatte, stieß einen leisen Schrei aus, faßte sich aber sofort und eilte kichernd den anderen nach.

Casanova glühte. Seit Jahren glaubte er nichts Ähnliches gesehen zu haben.

»Amazone, meine Amazone!« sang er vor sich hin und warf seinen Kleiderkoffer ganz durcheinander, um in aller Eile große Toilette zu machen. Denn heute mußte er unten an der Tafel speisen, mit den Neuangekommenen! Bisher hatte er sich im Zimmer servieren lassen, um sein weltfeindliches Auftreten zu wahren. Nun zog er hastig eine Sammethose, neue weißseidene Strümpfe, eine goldgestickte Weste, den Gala-Leibrock und seine Spitzenmanschetten an. Dann klingelte er dem Kellner.

»Sie befehlen?«

»Ich speise heute an der Tafel, unten.«

»Ich werde es bestellen.«

»Sie haben neue Gäste?«

»Vier Damen.«

»Woher?«

»Aus Solothurn.«

»Spricht man in Solothurn französisch?«

»Nicht durchwegs. Aber diese Damen sprechen es.«

»Gut. – Halt, noch was. Die Damen speisen doch unten?«

»Bedaure. Sie haben das Souper auf ihr Zimmer bestellt.«

»Da sollen doch dreihundert junge Teufel! Wann servieren Sie dort?«

»In einer halben Stunde.«

»Danke. Gehen Sie!«

»Aber werden Sie nun an der Tafel essen oder –?«

»Gottesdonner, nein! Garnicht werde ich essen. Gehen Sie!«

Wütend stürmte er im Zimmer auf und ab. Es mußte heut abend etwas geschehen. Wer weiß, ob die Schwarze nicht morgen schon weiterfuhr. Und außerdem kam ja morgen der Abt. Er wollte ja Mönch werden. Zu dumm! Zu dumm!

Aber es wäre seltsam gewesen, wenn der Lebenskünstler nicht doch eine Hoffnung, einen Ausweg, ein Mittel, ein Mittelchen gefunden hätte. Seine Wut dauerte nur Minuten. Dann sann er nach. Und nach einer Weile schellte er den Kellner wieder herauf.

»Was beliebt?«

»Ich möchte dir einen Louisdor zu verdienen geben.«

»Ich stehe zu Diensten, Herr Baron.«

»Gut. So geben Sie mir Ihre grüne Schürze.«

»Mit Vergnügen.«

»Und lassen Sie mich die Damen bedienen.«

»Gerne. Reden Sie bitte mit Leduc, da ich unten servieren

muß, habe ich ihn schon gebeten, mir das Aufwarten da oben abzunehmen.«

»Schicken Sie ihn sofort her. – Werden die Damen länger hierbleiben?«

»Sie fahren morgen früh nach Einsiedeln, sie sind katholisch. Übrigens hat die Jüngste mich gefragt, wer Sie seien.«

»Gefragt hat sie? Wer ich sei? Und was haben Sie ihr gesagt?«

»Sie seien Italiener, mehr nicht.«

»Gut. Seien Sie verschwiegen!«

Der Kellner ging und gleich darauf kam Leduc herein, aus vollem Halse lachend.

»Was lachst du, Schaf?«

»Über Sie als Kellner.«

»Also weißt du schon. Und nun hat das Lachen ein Ende oder du siehst nie mehr einen Sou von mir. Hilf mir jetzt die Schürze umbinden. Nachher trägst du die Platten herauf und ich nehme sie dir unter der Tür der Damen ab. Vorwärts!«

Er brauchte nicht lange zu warten. Die Kellnerschürze über der Goldweste umgebunden, betrat er das Zimmer der Fremden.

»Ist's gefällig, meine Damen?«

Die Amazone hatte ihn erkannt und schien vor Verwunderung starr. Er servierte tadellos und hatte Gelegenheit, sie genau zu betrachten und immer schöner zu finden. Als er einen Kapaun künstlerisch tranchierte, sagte sie lächelnd: »Sie servieren gut. Dienen Sie schon lange hier?«

»Sie sind gütig, darnach zu fragen. Erst drei Wochen.«

Als er ihr nun vorlegte, bemerkte sie seine zurückgeschlagenen, aber noch sichtbaren Manschetten. Sie stellte fest, daß es echte Spitzen seien, berührte seine Hand und befühlte die feinen Spitzen. Er war selig.

»Laß das doch!« rief eine der älteren Frauen tadelnd, und sie errötete. Sie errötete! Kaum konnte Casanova sich halten.

Nach der Mahlzeit blieb er, so lange er irgendeinen Vorwand dazu fand, im Zimmer. Die drei Alten zogen sich ins Schlafkabinett zurück, die Schöne aber blieb da, setzte sich wieder und fing zu schreiben an.

Er war endlich mit dem Aufräumen fertig und mußte schlechterdings gehen. Doch zögerte er in der Tür.

»Auf was warten Sie noch?« fragte die Amazone.

»Gnädige Frau, Sie haben die Stiefel noch an und werden schwerlich mit ihnen zu Bett gehen wollen.«

»Ach so, Sie wollen sie ausziehen? Machen Sie sich nicht so viel Mühe mit mir!«

»Das ist mein Beruf, gnädige Frau.«

Er kniete vor ihr auf den Boden und zog ihr, während sie scheinbar weiterschrieb, die Schnürsenkel auf, langsam und sorglich.

»Es ist gut. Genug, genug! Danke.«

»Ich danke vielmehr Ihnen.«

»Morgen abend sehen wir uns ja wieder, Herr Kellner.«

»Sie speisen wieder hier?«

»Gewiß. Wir werden vor Abend von Einsiedeln zurück sein.«

»Danke, gnädige Frau.«

»Also gute Nacht, Kellner.«

»Gute Nacht, Madame. Soll ich die Stubentür schließen oder auflassen?«

»Ich schließe selbst.«

Das tat sie denn auch, als er draußen war, wo ihn Leduc mit ungeheurem Grinsen erwartete.

»Nun?« sagte sein Herr.

»Sie haben Ihre Rolle großartig gespielt. Die Dame wird Ihnen morgen einen Dukaten Trinkgeld geben. Wenn Sie mir aber den nicht überlassen, verrate ich die ganze Geschichte.«

»Du kriegst ihn schon heute, Scheusal.«

Am folgenden Morgen fand er sich rechtzeitig mit den geputzten Stiefeln wieder ein. Doch erreichte er nicht mehr, als daß die Amazone sich diese wieder von ihm anziehen ließ.

Er schwankte, ob er ihr nicht nach Einsiedeln nachfahren sollte. Doch kam gleich darauf ein Lohndiener mit der Nachricht, der Herr Abt sei in Zürich und werde sich die Ehre geben, um zwölf Uhr mit dem Herrn Chevalier allein auf seinem Zimmer zu speisen.

Herrgott, der Abt! An den hatte der gute Casanova nicht mehr gedacht. Nun, mochte er kommen. Er bestellte ein höchst luxuriöses Mahl, zu dem er selber in der Küche einige Anweisungen gab. Dann legte er sich, da er vom Frühaufstehen müde war, noch zwei Stunden aufs Bett und schlief.

Am Mittag kam der Abt. Es wurden Höflichkeiten gewechselt und Grüße ausgerichtet, dann setzten sich beide zu Tische. Der Prälat war über die prächtige Tafel entzückt und vergaß über den guten Platten für eine halbe Stunde ganz seine Aufträge. Endlich fielen sie ihm wieder ein.

»Verzeihen Sie«, sagte er plötzlich, »daß ich Sie so ungebührlich lange in der Spannung ließ! Ich weiß gar nicht, wie ich das so lang vergessen konnte.«

»O bitte.«

»Nach allem, was ich in Zürich über Sie hörte – ich habe mich begreiflicherweise ein wenig erkundigt –, sind Sie wirklich durchaus würdig, unser Bruder zu werden. Ich heiße Sie willkommen, lieber Herr, herzlichst willkommen. Sie können nun über Ihre Tür schreiben: *Inveni portum. Spes et fortuna valete!*«

»Zu deutsch: Lebe wohl, Glücksgöttin; ich bin im Hafen! Der Vers stammt aus Euripides und ist wirklich sehr schön, wenn auch in meinem Falle nicht ganz passend.«

»Nicht passend? Sie sind zu spitzfindig.«

»Der Vers, Hochwürden, paßt nicht auf mich, weil ich nicht mit Ihnen nach Einsiedeln kommen werde. Ich habe gestern meinen Vorsatz geändert.«

»Ist es möglich?«

»Es scheint so. Ich bitte Sie, mir das nicht übel zu nehmen und in aller Freundschaft noch dies Glas Champagner mit mir zu leeren.«

»Auf Ihr Wohl denn! Möge Ihr Entschluß Sie niemals reuen! Das Weltleben hat auch seine Vorzüge.«

»Die hat es, ja.«

Der freundliche Abt empfahl sich nach einer Weile und fuhr in seiner Equipage davon. Casanova aber schrieb Briefe nach Paris und Anweisungen an seinen Bankier, verlangte auf den Abend die Hotelrechnung und bestellte für morgen einen Wagen nach Solothurn. (1906)

Ladidel

I

Der junge Herr Alfred Ladidel wußte von Kind auf das Leben leicht zu nehmen. Es war sein Wunsch gewesen, sich den höheren Studien zu widmen, doch als er mit einiger Verspätung die zu den oberen Gymnasialklassen führende Prüfung nur notdürftig bestanden hatte, entschloß er sich nicht allzuschwer, dem Rat seiner Lehrer und Eltern zu folgen und auf diese Laufbahn zu verzichten. Und kaum war dies geschehen und er als Lehrling in der Schreibstube eines Notars untergebracht, so lernte er einsehen, wie sehr Studententum und Wissenschaft doch meist überschätzt werden und wie wenig der wahre Wert eines Mannes von bestandenen Prüfungen und akademischen Semestern abhänge. Gar bald schlug diese Ansicht Wurzel in ihm, überwältigte sein Gedächtnis und veranlaßte ihn manchmal, unter Kollegen zu erzählen, wie er nach reiflichem Überlegen gegen den Wunsch der Lehrer diese scheinbar einfachere Laufbahn erwählt habe und daß dies der klügste Entschluß seines Lebens gewesen sei, wenn er ihn auch ein Opfer gekostet habe. Seinen Altersgenossen, die in der Schule geblieben waren und die er jeden Tag mit ihren Büchermappen auf der Gasse antraf, nickte er mit Herablassung zu und freute sich, wenn er sie vor ihren Lehrern die Hüte ziehen sah. Tagsüber stand er geduldig unter dem Regiment seines Notars, der es den Anfängern nicht leicht machte. Am Abend übte er mit Kameraden die Kunst des Zigarrenrauchens und des sorglosen Flanierens durch die Gassen, auch trank er im Notfall unter seinesgleichen ein Glas Bier, obwohl er seine von der Mama erbettelten Taschengelder lieber zum Konditor trug, wie er denn auch im Kontor, wenn die andern zum Vesper ein Butterbrot mit Most genossen, stets etwas Süßes verzehrte, sei es nun an schmalen Tagen nur ein Brötchen mit Eingemachtem oder in reichlichern Zeiten ein Mohrenkopf, Butterteigkipfel oder Makrönchen.

Indessen hatte er seine erste Lehrzeit abgebüßt und war mit Stolz nach der Hauptstadt verzogen, wo es ihm überaus wohl gefiel. Erst hier kam der höhere Schwung seiner Natur zur vollen Entfaltung. Schon früher hatte sich der Jüngling zu den schönen Künsten hingezogen gefühlt und nach Schönheit und Ruhm Begierde getragen. Jetzt galt er unter seinen jüngeren Kollegen und

Freunden unbestritten für einen famosen Bruder und begabten Kerl, der in Angelegenheiten der Geselligkeit und des Geschmacks als Führer galt und um Rat gefragt wurde. Denn hatte er schon als Knabe mit Kunst und Liebe gesungen, gepfiffen, deklamiert und getanzt, so war er in allen diesen schönen Übungen seither zum Meister geworden, ja er hatte neue dazu gelernt. Vor allem besaß er eine Gitarre, mit der er Lieder und spaßhafte Verslein begleitete und bei jeder Geselligkeit Beifall erntete, ferner machte er zuweilen Gedichte, die er aus dem Stegreif nach bekannten Melodien zur Gitarre vortrug, und ohne die Würde seines Standes zu verletzen, wußte er sich auf eine Art zu kleiden, die ihn als etwas Besonderes, Geniales kennzeichnete. Namentlich schlang er seine Halsbinden mit einer kühnen, freien Schleife, die keinem andern so gelang, und wußte sein hübsches braunes Haar edel und kavaliermäßig zu kämmen. Wer den Alfred Ladidel sah, wenn er an einem geselligen Abend des Vereins Quodlibet tanzte und die Damen unterhielt oder wenn er im Verein Fidelitas im Sessel zurückgelehnt seine kleinen lustigen Liedlein sang und dazu auf der am grünen Bande hängenden Gitarre mit zärtlichen Fingern harfte, und wie er dann abbrach und den lauten Beifall bescheidentlich abwehrte und sinnend leise auf den Saiten weiterfingerte, bis alles stürmisch um einen neuen Gesang bat, der mußte ihn hochschätzen, ja beneiden. Da er außer seinem kleinen Monatsgehalt von Hause ein anständiges Sackgeld bezog, konnte er sich diesen gesellschaftlichen Freuden ohne Sorgen hingeben und tat es mit Zufriedenheit und ohne Schaden, da er trotz seiner Weltfertigkeit in manchen Dingen fast noch ein Kind geblieben war. So trank er noch immer lieber Himbeerwasser als Bier und nahm, wenn es sein konnte, statt mancher Mahlzeit lieber eine Tasse Schokolade und ein paar Stücklein Kuchen beim Zuckerbäcker. Die Streber und Mißgünstigen unter seinen Kameraden, an denen es natürlich nicht fehlte, nannten ihn darum das Baby und nahmen ihn trotz aller schönen Künste nicht ernst. Dies war das einzige, was ihm je und je betrübte Stunden machte.

Mit der Zeit kam dazu allerdings noch ein anderer Schatten. Seinem Alter gemäß begann der junge Herr Ladidel den hübschen Mädchen sinnend nachzuschauen und war beständig in die eine oder andere verliebt. Das bereitete ihm aber bald mehr Pein als Lust, denn während sein Liebesverlangen wuchs, sanken sein Mut und Unternehmungsgeist auf diesem Gebiete immer mehr. Wohl sang er daheim in seinem Stüblein zum Saitenspiel viele verliebte und gefühlvolle Lieder, in Gegenwart schöner Mädchen aber entfiel ihm der Mut. Wohl war er immer ein vorzüglicher Tänzer, aber seine Unterhaltungskunst ließ ihn im Stiche, wenn er versuchen wollte, einiges von seinen Gefühlen kundzutun. Desto gewaltiger redete und sang und glänzte er dann freilich im Kreis seiner Freunde, allein er hätte ihren Beifall und alle seine Lorbeeren gerne für einen Kuß vom Munde eines schönen Mädchens hingegeben.

Diese Schüchternheit, die zu seinem übrigen Wesen nicht recht zu passen schien, hatte ihren Grund in einer Unverdorbenheit des Herzens, welche ihm seine Freunde gar nicht zutrauten. Diese fanden, wenn ihre Begierde es wollte, ihr Liebesvergnügen da und dort in kleinen Verhältnissen mit Dienstmädchen und Köchinnen, wobei es zwar verliebt zuging, von Leidenschaft und idealer Liebe oder gar von ewiger Treue und künftigem Ehebund aber keine Rede war. Und ohne dies alles mochte der junge Herr Ladidel sich die Liebe nicht vorstellen.

Dabei sahen ihn, ohne daß er es zu bemerken wagte, die Mädchen gern. Ihnen gefiel sein hübsches Gesicht, seine Tanzkunst und sein Gesang, und sie hatten auch das schüchterne Begehren an ihm gern und fühlten, daß unter seiner Schönheit und zierlichen Bildung ein unverbrauchtes und halb kindliches Herz sich verbarg.

Allein von diesen geheimen Sympathien hatte er einstweilen nichts, und wenn er auch in der Fidelitas noch immer Bewunderung genoß, ward doch der Schatten tiefer und bänglicher und drohte sein Leben allmählich fast zu verdunkeln. In solchen übeln Zeiten legte er sich mit gewaltsamem Eifer auf seine Arbeit, war zeitweilig ein musterhafter Notariatsgehilfe und bereitete sich abends mit Fleiß auf das Amtsexamen vor, teils um seine Gedanken auf andere Wege zu zwingen, teils um desto eher und sicherer in die ersehnte Lage zu kommen, als ein Werber, ja mit gutem Glück als ein Bräutigam auftreten zu können. Allerdings währten diese Zeiten niemals lange, da Sitzleder und harte Kopfarbeit seiner Natur nicht angemessen waren. Hatte der Eifer ausgetobt, so griff der Jüngling wieder zur Gitarre, spazierte zierlich und sehnsüchtig in den hauptstädtischen Straßen oder schrieb Gedichte in sein Heftlein. Neuerdings waren diese meist verliebter und gefühlvoller Art, und sie bestanden aus Worten und Versen, Reimen und hübschen Wendungen, die er in Liederbüchlein da und dort gelesen und behalten hatte. Diese setzte er zusammen, ohne weiteres dazu zu tun, und so entstand ein sauberes Mosaik von gangbaren Ausdrücken beliebter Liebesdichter. Es bereitete ihm Vergnügen, diese Verslein mit sauberer Kanzleihandschrift ins Reine zu schreiben, und er vergaß darüber oft für eine Stunde seinen Kummer ganz. Auch sonst lag es in seiner glücklichen Natur, daß er in guten wie bösen Zeiten gern ins Spielen geriet und darüber Wichtiges und Wirkliches vergaß. Schon das tägliche Herstellen seiner äußeren Erscheinung gab einen hübschen Zeitvertreib, das Führen des Kammes und der Bürste durch das halblange braune Haar, das Wichsen und sonstige Liebkosen des kleinen, lichten Schnurrbärtchens, das Schlingen des Krawattenknotens, das genaue Abbürsten des Rockes und das Reinigen und Glätten der Fingernägel. Weiterhin beschäftigte ihn häufig das Ordnen und Betrachten seiner Kleinodien, die er in einem Kästchen aus Mahagoniholz verwahrte. Darunter befanden sich ein Paar vergoldeter Manschettenknöpfe, ein in grünen Sammet gebundenes Büchlein mit der Aufschrift »Vergißmeinnicht«, worein er seine nächsten Freunde ihre Namen und Geburtstage eintragen ließ, ein aus weißem Bein geschnitzter Federhalter mit filigranfeinen gotischen Ornamenten und einem winzigen Glassplitter, der, wenn man ihn gegen das Licht hielt und hineinsah, eine Ansicht des Niederwalddenkmals enthielt, des weiteren ein Herz aus Silber, das man mit einem unendlich kleinen Schlüsselchen erschließen konnte, ein Sonntagstaschenmesser mit elfenbeinerner Schale und eingeschnitzten Edelweißblüten, endlich eine zerbrochene Mädchenbrosche mit mehreren zum Teil ausgesprungenen Granatsteinen, welche der Besitzer später bei einer festlichen Gelegenheit zu einem Schmuckstück für sich selber verarbeiten zu lassen gedachte. Daß es ihm außerdem an einem dünnen, eleganten Spazierstöcklein nicht fehlte, dessen Griff den Kopf eines Windhundes darstellte, sowie an einer Busennadel in Form einer goldenen Leier, versteht sich von selbst.

Wie der junge Mann seine Kostbarkeiten und Glanzstücke verwahrte und wert hielt, so trug er auch sein kleines, ständig brennendes Liebesfeuerlein getreu mit sich herum, besah es je nachdem mit Lust oder Wehmut und hoffte auf eine Zeit, da er es würdig verwenden und von sich geben könne.

Mittlerweile kam unter den Kollegen ein neuer Zug auf, der Ladidel nicht gefiel und seine bisherige Beliebtheit und Autorität stark erschütterte. Irgendein junger Privatdozent der Technischen Hochschule begann abendliche Vorlesungen über Volkswirtschaft zu halten, die namentlich von den Angestellten der Schreibstuben und niedern Ämter fleißig besucht wurden. Ladidels Bekannte gingen alle hin, und in ihren Zusammenkünften erhoben sich nun feurige Debatten über soziale Angelegenheiten und innere Politik, an welchen Ladidel weder teilnehmen wollte noch konnte. Er langweilte und ärgerte sich dabei, und da über dem neuen Geiste seine früheren Künste von den Kameraden fast vergessen und kaum mehr begehrt wurden, sank er mehr und mehr von seiner einstigen Höhe herab in ein ruhmloses Dunkel. Anfangs kämpfte er noch und nahm mehrmals Bücher mit nach Hause, allein er fand sie hoffnungslos langweilig, legte sie mit Seufzen wieder weg und tat auf die Gelehrsamkeit wie auf den Ruhm Verzicht.

In dieser Zeit, da er den hübschen Kopf weniger hoch trug, vergaß er eines Freitags, sich rasieren zu lassen, was er immer an diesem Tage sowie am Dienstag zu besorgen pflegte. Darum trat er auf dem abendlichen Heimweg, da er längst über die Straße hinausgegangen war, wo sein Barbier wohnte, in der Nähe seines Speisehauses in einen bescheidenen Friseurladen, um das Versäumte nachzuholen; denn ob ihn auch Sorgen bedrückten, mochte er dennoch keiner Gewohnheit untreu werden. Auch war ihm die Viertelstunde beim Barbier immer ein kleines Fest; er hatte nichts dagegen, wenn er etwa warten mußte, sondern saß alsdann vergnügt auf seinem Sessel, blätterte in einer Zeitung und betrachtete die mit Bildern geschmückten Anpreisungen von Seifen, Haarölen und Bartwichsen an der Wand, bis er an die Reihe kam und mit Genuß den Kopf zurücklegte, um die vorsichtigen Finger des Gehilfen, das kühle Messer und zuletzt die zärtliche Puderquaste auf seinen Wangen zu fühlen.

Auch jetzt flog ihn die gute Laune an, da er den Laden betrat, den Stock an die Wand stellte und den Hut aufhängte, sich in den weiten Frisierstuhl lehnte und das Rauschen des duftenden Seifenschaumes vernahm. Es bediente ihn ein junger Gehilfe mit aller Aufmerksamkeit, rasierte ihn, wusch ihn ab, hielt ihm den ovalen Handspiegel vor, trocknete ihm die Wangen, fuhr spielend mit der Puderquaste darüber und fragte höflich: »Sonst nichts gefällig?« Dann folgte er dem aufstehenden Gaste mit leisem Tritt, bürstete ihm den Rockkragen ab, empfing das wohlverdiente Rasiergeld und reichte ihm Stock und Hut. Das alles hatte den jungen Herrn in eine gütige und zufriedene Stimmung gebracht, er spitzte schon die Lippen, um mit einem wohligen Pfeifen auf die Straße zu treten, da hörte er den Friseurgehilfen, den er kaum angesehen hatte, fragen: »Verzeihen Sie, heißen Sie nicht Alfred Ladidel?«

Er faßte den Mann ins Auge und erkannte sofort seinen ehemaligen Schulkameraden Fritz Kleuber in ihm. Nun hätte er unter andern Umständen diese Bekanntschaft mit wenig Vergnügen anerkannt und sich gehütet, einen Verkehr mit einem Barbiergehilfen anzufangen, dessen er sich vor Kollegen zu schämen gehabt hätte. Allein er war in diesem Augenblick gut gestimmt, und außerdem hatte sein Stolz und Standesgefühl in dieser Zeit bedeutend nachgelassen. Darum geschah es ebenso aus guter Laune wie aus einem Bedürfnis nach Freundschaftlichkeit und Anerkennung, daß er dem Friseur die Hand hinstreckte und rief: »Schau, der Fritz Kleuber! Wir werden doch noch du zueinander sagen? Wie geht dir's?« Der Schulkamerad nahm die dargebotene Hand und das Du fröhlich an, und da er im Dienst war und keine Zeit hatte, verabredeten sie eine Zusammenkunft für den Sonntagnachmittag.

Auf diese Stunde freute der Barbier sich sehr, und er war dem alten Kameraden dankbar, daß er trotz seinem vornehmern Stande sich ihrer Schulfreundschaft hatte erinnern mögen. Fritz Kleuber hatte für den Nachbarssohn und Klassengenossen immer eine gewisse Verehrung gehabt, da jener ihm in allen Lebenskünsten überlegen gewesen war, und Ladidels zierliche Erscheinung hatte ihm auch jetzt wieder tiefen Eindruck gemacht. Darum bereitete er sich am Sonntag, sobald sein Dienst getan war, mit Sorgfalt auf den Besuch vor und legte seine besten Kleider an. Ehe er in das Haus trat, in dem Ladidel wohnte, wischte er die Stiefel mit einer Zeitung ab, dann stieg er freudig die Treppen empor und klopfte an die Tür, an der er Alfreds Visitenkarte leuchten sah.

Auch dieser hatte sich ein wenig vorbereitet, da er seinem Landsmann und Jugendfreund gern einen glänzenden Eindruck machen wollte. Er empfing ihn mit großer Herzlichkeit und hatte einen vortrefflichen Kaffee mit Gebäck auf dem Tische stehen, zu dem er Kleuber burschikos einlud.

»Keine Umstände, alter Freund, nicht wahr? Wir trinken unsern Kaffee zusammen und machen nachher einen Spaziergang, wenn dir's recht ist.«

Gewiß, es war ihm recht, er nahm dankbar Platz, trank Kaffee und aß Kuchen, bekam alsdann eine Zigarette und zeigte über diese schöne Gastlichkeit eine unverstellte Freude. Sie plauderten bald im alten heimatlichen Ton von den vergangenen Zeiten, von den Lehrern und Mitschülern und was aus diesen allen geworden sei. Der Friseur mußte ein wenig erzählen, wie es ihm seither gegangen und wo er überall herumgekommen sei, dann hub der andre an und berichtete ausführlich über sein Leben und seine Aussichten. Und am Ende nahm er die Gitarre von der Wand, stimmte und zupfte, fing zu singen an und sang Lied um Lied, lauter lustige Sachen, daß dem Friseur vor Lachen die Tränen in den Augen standen. Sie verzichteten auf den Spaziergang und beschauten statt dessen einige von Ladidels Kostbarkeiten, und darüber kamen sie in ein Gespräch über das, was jeder von ihnen sich unter einer feinen Lebensführung vorstellte. Da waren freilich des Barbiers Ansprüche an das Glück um vieles bescheidener als die seines Freundes, aber am Ende spielte er ganz ohne Absicht einen Trumpf aus, mit dem er dessen Achtung und Neid gewann. Er erzählte nämlich, daß er eine Braut in der Stadt habe, und lud den Freund ein, bald einmal mit ihm in ihr Haus zu gehen, wo er willkommen sein werde.

»Ei sieh«, rief Ladidel, »du hast eine Braut! So weit bin ich leider noch nicht. Wißt ihr denn schon, wann ihr heiraten könnt?«

»Noch nicht ganz genau, aber länger als zwei Jahre warten wir nimmer, wir sind schon über ein Jahr versprochen. Ich habe ein Muttererbe von dreitausend Mark, und wenn ich dazu noch ein oder zwei Jahre fleißig bin und was erspare, können wir wohl ein eigenes Geschäft aufmachen. Ich weiß auch schon wo, nämlich in Schaffhausen in der Schweiz, da habe ich zwei Jahre gearbeitet, der Meister hat mich gern und ist alt und hat mir noch nicht lang geschrieben, wenn ich soweit sei, mir überlasse er seine Sache am liebsten und nicht zu teuer. Ich kenne ja das Geschäft gut von damals her, es geht recht flott und ist gerade neben einem Hotel, da kommen viele Fremde, und außer dem Geschäft ist ein Handel mit Ansichtskarten dabei.«

Er griff in die Brusttasche seines braunen Sonntagsrockes und zog eine Brieftasche heraus, darin hatte er sowohl den Brief des Schaffhausener Meisters wie auch eine in Seidenpapier eingeschlagene Ansichtskarte mitgebracht, die er seinem Freunde zeigte.

»Ah, der Rheinfall!« rief Alfred, und sie schauten das Bild zusammen an. Es war der Rheinfall in einer purpurnen bengalischen Beleuchtung, der Friseur beschrieb alles, kannte jeden Fleck darauf und erzählte davon und von den vielen Fremden, die das Naturwunder besuchen, kam dann wieder auf seinen Meister und dessen Geschäft, las seinen Bief vor und war voller Eifer und Freude, so daß sein Kamerad schließlich auch wieder zu Wort kommen und etwas gelten wollte. Darum fing er an vom Niederwalddenkmal zu sprechen, das er selber zwar nicht gesehen hatte, wohl aber ein Onkel von ihm, und er öffnete seine Schatztruhe, holte den beinernen Federhalter heraus und ließ den Freund durch das kleine Gläslein schauen, das die Pracht verbarg. Fritz Kleuber gab gerne zu, daß das eine nicht mindere Schönheit sei als sein roter Wasserfall, und überließ bescheiden dem andern wieder das Wort, der sich nun nach dem Gewerbe seines Gastes erkundigte. Das Gespräch ward lebhaft, Ladidel wußte immer neues zu fragen, und Kleuber gab gewissenhaft und treulich Auskunft. Es war vom Schliff der Rasiermesser, von den Handgriffen beim Haarschneiden, von Pomaden und Ölen die Rede, und bei dieser Gelegenheit zog Fritz eine kleine Porzellandose mit feiner Pomade aus der Tasche, die er seinem Freunde und Wirt als ein bescheidenes Gastgeschenk anbot. Nach einigem Zögern nahm dieser die Gabe an, die Dose ward geöffnet und berochen, ein wenig probiert und endlich auf den Waschtisch gestellt.

Mittlerweile war es Abend geworden, Fritz wollte bei seiner Braut speisen und nahm Abschied, nicht ohne sich für das Genossene freundlich zu bedanken. Auch Alfred fand, es sei ein schöner und wohlverbrachter Nachmittag gewesen, und sie wurden einig, sich am Dienstag- oder Mittwochabend wieder zu treffen.

II

Inzwischen fiel es Fritz Kleuber ein, daß er sich für die Sonntagseinladung und den Kaffee bei Ladidel revanchieren und auch ihm wieder eine Ehre antun müsse. Darum schrieb er ihm montags einen Brief mit goldenem Rande und einer ins Papier gepreßten Taube und lud ihn ein, am Mittwochabend mit ihm bei seiner Braut, dem Fräulein Meta Weber in der Hirschengasse, zu speisen.

Auf diesen Abend bereitete Alfred Ladidel sich mit Sorgfalt vor. Er hatte sich über das Fräulein Meta Weber erkundigt und in Erfahrung gebracht, daß sie neben einer ebenfalls noch ledigen Schwester von einem lang verstorbenen Kanzleischreiber Weber abstammte, also eine Beamtentochter war, so daß er mit Ehren ihr Gast sein konnte. Diese Erwägung und auch der Gedanke an die noch ledige Schwester veranlaßten ihn, sich besonders schön zu machen und auch im voraus ein wenig an die Konversation zu denken.

Wohlausgerüstet erschien er gegen acht Uhr in der Hirschengasse und hatte das Haus bald gefunden, ging aber nicht hinein, sondern auf der Gasse auf und ab, bis nach einer Viertelstunde sein Freund Kleuber daherkam. Dem schloß er sich an, und sie stiegen hintereinander in die hochgelegene Wohnung der Jungfern hinauf. An der Glastüre empfing sie die Witwe Weber, eine schüchterne kleine Dame mit einem versorgten alten Leidensgesicht, das dem Notariatskandidaten wenig Frohes zu versprechen schien. Er grüßte, ward vorgestellt und in den Gang geführt, wo es dunkel war und nach der Küche duftete. Von da ging es in eine Stube, die war so groß und hell und fröhlich, wie man es nicht erwartet hätte; und vom Fenster her, wo Geranien im Abendscheine tief wie Kirchenfenster leuchteten, traten munter die zwei Töchter der Witwe. Diese waren ebenfalls freudige Überraschungen und überboten das Beste, was sich von der kleinen alten Frau erwarten ließ, um ein Bedeutendes.

»Grüß Gott«, sagte die eine und gab dem Friseur die Hand.

»Meine Braut«, sagte er zu Ladidel, und dieser näherte sich dem hübschen Mädchen mit einer Verbeugung ohne Tadel, zog die hinterm Rücken versteckte Hand hervor und bot der Jungfer einen Maiblumenstrauß dar, den er unterwegs gekauft hatte. Sie lachte und sagte Dank und schob ihre Schwester heran, die ebenfalls lachte und hübsch und blond war und Martha hieß. Dann setzte man sich unverweilt an den gedeckten Tisch zum Tee und einer mit Kressensalat bekränzten Eierspeise. Während der Mahlzeit wurde fast kein Wort gesprochen, Fritz saß neben seiner Braut, die ihm Butterbrote strich, und die alte Mutter schaute mühsam kauend um sich, mit dem unveränderlichen kummervollen Blick, hinter dem es ihr recht wohl war, der aber auf Ladidel einen beängstigenden Eindruck machte, so daß er wenig aß und sich bedrückt und still verhielt.

Nach Tisch blieb die Mutter zwar im Zimmer, verschwand jedoch in einem Lehnstuhl am Fenster, dessen Gardinen sie zuvor geschlossen hatte, und schien zu schlummern. Die Jugend blühte dafür munter auf, und die Mädchen verwickelten den Gast in ein neckendes und kampflustiges Gespräch, wobei Fritz seinen Freund unterstützte. Von der Wand schaute der selige Herr Weber aus einem kirschholzenen Rahmen hernieder, außer seinem Bildnis aber war alles in dem behaglichen Zimmer hübsch und frohgemut, von den in der Dämmerung verglühenden Geranien bis zu den Kleidern und Schühlein der Mädchen und bis zu einer an der Schmalwand hängenden Mandoline. Auf diese fiel, als das Gespräch ihm anfing heiß zu machen, der Blick des Gastes, er äugte heftig hinüber und drückte sich um eine fällige Antwort, die ihm Not machte, indem er sich erkundigte, welche von den Schwestern denn musikalisch sei und die Mandoline spiele. Das blieb nun an Martha hängen, und sie wurde sogleich von Schwester und Schwager ausgelacht, da die Mandoline seit den Zeiten einer längst verwehten Backfischschwärmerei her kaum mehr Töne von sich gegeben hatte. Dennoch bestand Herr Ladidel darauf, Martha müsse etwas vorspielen, und bekannte sich als einen unerbittlichen Musikfreund. Da das Fräulein durchaus nicht zu bewegen war, griff schließlich Meta nach dem Instrument und legte es vor sie hin, und da sie abwehrend lachte und rot wurde, nahm Ladidel die Mandoline an sich und klimperte leise mit suchenden Fingern darauf herum.

»Ei, Sie können es ja«, rief Martha. »Sie sind ein Schöner, bringen andre Leute in Verlegenheit und können es nachher selber besser.«

Er erklärte bescheiden, das sei nicht der Fall, er habe kaum jemals so ein Ding in Händen gehabt, hingegen spiele er allerdings seit mehreren Jahren die Gitarre.

»Ja«, rief Fritz, »ihr solltet ihn nur hören! Warum hast du auch das Instrument nicht mitgebracht? Das mußt du nächstes Mal tun, gelt!«

Der Abend ging hin wie auf Flügeln. Als die beiden Jünglinge Abschied nahmen, erhob sich am Fenster klein und sorgenvoll die vergessene Mutter und wünschte eine gute Nacht. Fritz ging noch ein paar Gassen weiter mit Ladidel, der des Vergnügens und Lobes voll war.

In der stillgewordenen Weberschen Wohnung wurde gleich nach dem Weggange der Gäste der Tisch geräumt und das Licht gelöscht. In der Schlafstube hielten wie gewöhnlich die beiden

Mädchen sich still, bis die Mutter eingeschlafen war. Alsdann begann Martha, anfänglich flüsternd, das Geplauder.

»Wo hast du denn deine Maiblumen hingetan?«

»Du hast's ja gesehen, ins Glas auf dem Ofen.«

»Ach ja. Gut Nacht!«

»Ja, bist müd?«

»Ein bißchen.«

»Du, wie hat dir denn der Notar gefallen? Ein bissel geschleckt, nicht?«

»Warum?«

»Na, ich habe immer denken müssen, mein Fritz hätte Notar werden sollen und dafür der andere Friseur. Findest du nicht auch? Er hat so was Süßes.«

»Ja, ein wenig schon. Aber er ist doch nett und hat Geschmack. Hast du seine Krawatte gesehen?«

»Freilich.«

»Und dann, weißt du, er hat etwas Unverdorbenes. Anfangs war er ja ganz schüchtern.«

»Er ist auch erst zwanzig Jahr. – Na, gut Nacht also!«

Martha dachte noch eine Weile, bis sie einschlief, an den Alfred Ladidel. Er hatte ihr gefallen, und sie ließ eine kleine Kammer in ihrem Herzen für den hübschen Jungen offen, falls er eines Tages Lust hätte, einzutreten und Ernst zu machen. Denn an einer großen Liebelei war ihr nicht gelegen, teils weil sie diese Vorschule schon vor Zeiten hinter sich gebracht hatte (woher noch die Mandoline rührte), teils weil sie nicht Lust hatte, noch lange neben der um ein Jahr jüngeren Meta unverlobt einherzugehen.

Auch dem Notariatskandidaten war das Herz nicht unbewegt geblieben. Zwar lebte er noch in dem dumpfen Liebesdurst eines kaum flügge Gewordenen und verliebte sich in jedes hübsche Töchterlein, das er zu sehen bekam; und es hatte ihm eigentlich Meta besser gefallen. Doch war diese nun einmal schon Fritzens Braut und nimmer zu haben, und Martha konnte sich neben jener wohl auch zeigen; so war Alfreds Herz im Laufe des Abends mehr und mehr nach ihrer Seite geglitten und trug ihr Bildnis mit dem hellen, schweren Kranz von blonden Zöpfen in unbestimmter Verehrung davon.

Bei solchen Umständen dauerte es nur wenige Tage, bis die kleine Gesellschaft wieder in der abendlichen Wohnstube beisammensaß; nur daß diesmal die jungen Herren später gekommen waren, da der Tisch der Witwe eine so häufige Bewirtung von Gästen nicht vermocht hätte. Dafür brachte Ladidel seine Gitarre mit, die ihm Fritz mit Stolz vorantrug. Der Musikant wußte es so einzurichten, daß zwar seine Kunst zur Geltung kam und reichen Beifall erweckte, er aber doch nicht allein blieb und alle Kosten trug. Denn nachdem er einige Lieder vorgetragen und in Kürze die Kunst seines Gesanges und Saitenspiels entfaltet hatte, zog er die andern mit ins Spiel und stimmte lauter Weisen an, die gleich beim ersten Takt von selber zum Mitsingen verlockten.

Das Brautpaar, von der Musik und der festlichen Stimmung erwärmt und benommen, rückte nahe zusammen und sang nur leise und strophenweise mit, dazwischen plaudernd und sich mit verstohlenen Fingern streichelnd, wogegen Martha dem Spieler gegenüber saß, ihn im Auge behielt und alle Verse freudig mitsang. Als beim Abschiednehmen in dem schlecht erleuchteten Gang das Brautpaar seine Küsse tauschte, standen die beiden andern eine Minute lang verlegen wartend da. Im Bett brachte sodann Meta die Rede wieder auf den Notar, wie sie ihn immer nannte, dieses Mal voller Anerkennung und Lob. Aber die Schwester sagte nur ja, ja, legte den blonden Kopf auf beide Hände und lag lange still und wach, ins Dunkle schauend und tief atmend. Später als die Schwester schon schlief, stieß Martha einen langen, leisen Seufzer aus, der jedoch keinem gegenwärtigen Leide galt, sondern nur einem dumpfen Gefühl für die Unsicherheit aller Liebeshoffnungen entsprang und den sie nicht wiederholte. Vielmehr entschlief sie bald darauf mit einem Lächeln auf dem frischen Munde.

Der Verkehr gedieh behaglich weiter, Fritz Kleuber nannte den eleganten Alfred mit Stolz seinen Freund. Meta sah es gerne, daß ihr Verlobter nicht allein kam, sondern den Musikanten mitbrachte, und Martha gewann den Gast desto lieber, je mehr sie seine fast noch kindliche Harmlosigkeit erkannte. Ihr schien, dieser hübsche und lenksame Jüngling wäre recht zu einem Manne für sie geschaffen, mit dem sie sich zeigen und auf den sie stolz sein könnte, ohne ihm doch jegliche Herrschaft überlassen zu müssen.

Auch Alfred, der mit seinem Empfang bei den Weberschen sehr zufrieden war, spürte in Marthas Freundlichkeit eine Wärme, die er bei aller Schüchternheit wohl zu schätzen wußte. Eine Liebschaft und Verlobung mit dem schönen, stattlichen Mädchen wollte ihm in kühnen Stunden nicht ganz unmöglich, zu allen Zeiten aber begehrenswert und lockend erscheinen.

Dennoch geschah von beiden Seiten nichts Entscheidendes, und das hatte manche Gründe. Vor allem hatte Martha an dem jungen Manne im längeren Umgang manches Unreife und Knabenhafte entdeckt und es rätlich gefunden, einem noch so unerfahrenen Jünglinge den Weg zum Glücke nicht allzusehr zu erleichtern. Sie sah wohl, daß es ihr ein leichtes wäre, ihn an sich zu nehmen und festzuhalten, aber es erschien ihr billig, daß der junge Herr es nicht allzuleicht habe und nicht am Ende gar den Eindruck gewänne, sie habe sich ihm nachgeworfen. Immerhin war es ihr Wille, ihn zu bekommen, und sie beschloß, ihn einstweilen wohl im Auge zu behalten und gerüstet den Zeitpunkt zu erwarten, da er seines Glückes würdig sein würde.

Bei Ladidel waren es andere Bedenken, die ihm die Zunge banden. Da war zuerst seine Schüchternheit, die ihn immer wieder dazu brachte, seinen Beobachtungen zu mißtrauen und an der Einbildung, er werde geliebt und begehrt, zu verzweifeln. Sodann fühlte er sich dem Mädchen gegenüber sehr jung und unfertig – nicht mit Unrecht, obwohl sie kaum drei oder vier Jahre älter sein konnte als er. Und schließlich erwog er in ernsthaften Stunden mit Bangen, auf welch unfesten Grund seine äußere Existenz gebaut war. Je näher nämlich das Jahr heranrückte, in dem er die bisherige untergeordnete Tätigkeit beenden und im Staatsexamen seine Fähigkeit und Wissenschaft kundtun mußte, desto dringender wurden seine Zweifel. Wohl hatte er alle hübschen, kleinen Übungen und Äußerlichkeiten des Amtes rasch und sicher erlernt, er machte im Büro eine gute Figur und spielte den beschäftigten Schreiber vortrefflich; aber das Studium der Gesetze fiel ihm schwer, und wenn er an alles das dachte, was im Examen verlangt wurde, brach ihm der Schweiß aus.

Zuweilen sperrte er sich verzweifelt in seiner Stube ein und beschloß, den steilen Berg der Wissenschaft im Sturm zu nehmen. Kompendien, Gesetzbücher und Kommentare lagen auf seinem Tisch, er stand morgens früh auf und setzte sich fröstelnd hin, er spitzte Bleistifte und machte sich genaue Arbeitspläne für Wochen voraus. Aber sein Wille war schwach, er hielt niemals lange aus, er fand immer andres zu tun, was im Augenblick nötiger und wichtiger schien; und je länger die Bücher dalagen und ihn anschauten, desto bitterer ward ihr Inhalt.

Inzwischen wurde seine Freundschaft mit Fritz Kleuber immer fester. Es geschah zuweilen, daß Fritz ihn abends aufsuchte und,

wenn es eben nötig schien, sich erbot, ihn zu rasieren. Dabei fiel es
Alfred ein, diese Hantierung selber zu probieren, und Fritz ging
mit Vergnügen darauf ein. Auf seine ernsthafte und beinah ehrer-
bietige Art zeigte er dem hochgeschätzten Freund die Handgriffe,
lehrte ihn ein Messer tadellos abziehen und einen guten, haltbaren
Seifenschaum schlagen. Alfred zeigte sich, wie der andre vorausge-
sagt hatte, überaus gelehrig und fingerfertig. Bald vermochte er
nicht nur sich selber schnell und fehlerlos zu barbieren, sondern
auch seinem Freund und Lehrmeister diesen Dienst zu tun, und er
fand darin ein Vergnügen, das ihm manchen von den Studien ver-
bitterten Tag auf den Abend noch rosig machte. Eine ungeahnte
Lust bereitete es ihm, als Fritz ihn auch noch in das Haarflechten
einweihte. Er brachte ihm nämlich, von seinen schnellen Fortschritten entzückt, eines Tages einen künstlichen Zopf aus Frauen-
haar mit und zeigte ihm, wie ein solches Kunstwerk entstehe. Ladidel war sofort begeistert für dieses zarte Handwerk und machte
sich mit geduldigen Fingern daran, die Strähne zu lösen und wieder ineinander zu flechten. Es gelang ihm bald, und nun kam Fritz
mit schwereren und feineren Arbeiten, und Alfred lernte spielend,
zog das lange seidne Haar mit Feinschmeckerei durch die Finger,
vertiefte sich in die Flechtarten und Frisurstile, ließ sich bald auch
das Lockenbrennen zeigen und hatte nun bei jedem Zusammensein mit dem Freunde lange Unterhaltungen über fachmännische
Dinge. Er schaute nun auch die Frisuren aller Frauen und Mädchen, denen er begegnete, mit prüfendem und lernendem Auge an
und überraschte Kleuber durch manches treffende Urteil.

Nur bat er ihn wiederholt und dringend, den beiden Fräulein
Weber nichts von diesem Zeitvertreib zu sagen. Er fühlte, daß er
mit dieser neuen Kunst dort wenig Ehre ernten würde. Und dennoch war es sein Lieblingstraum und verstohlener Herzens-
wunsch, einmal die langen blonden Haare der Jungfer Martha in
seinen Händen zu haben und ihr neue, kunstvolle Zöpfe zu flechten.

Darüber vergingen die Tage und Wochen des Sommers. Es war
in den letzten Augusttagen, da nahm Ladidel an einem Spaziergang der Familie Weber teil. Man wanderte das Flußtal hinauf zu
einer Burgruine und ruhte in deren Schatten auf einer schrägen
Bergwiese vom Gehen aus. Martha war an diesem Tage besonders
freundlich und vertraulich mit Alfred umgegangen, nun lag sie in
seiner Nähe auf dem grünen Hang, ordnete einen Strauß von spä-

ten Feldblumen, tat ein paar silbrige zitternde Grasblüten hinzu und sah gar lieb und reizend aus, so daß Alfred den Blick nicht von ihr lassen konnte. Da bemerkte er, daß etwas an ihrer Frisur aufgegangen war, rückte ihr nahe und sagte es, und zugleich wagte er es, streckte seine Hände nach den blonden Zöpfen aus und erbot sich, sie in Ordnung zu bringen. Martha aber, einer solchen Annäherung von ihm ganz ungewohnt, wurde rot und ärgerlich, wies ihn kurz ab und bat ihre Schwester, das Haar aufzustecken. Alfred schwieg betrübt und ein wenig verletzt, schämte sich und nahm später die Einladung, bei Frau Weber zu speisen, nicht an, sondern ging nach der Rückkehr in die Stadt sogleich seiner Wege.

Es war die erste kleine Verstimmung zwischen den Halbverliebten, und sie hätte wohl dazu dienen können, ihre Sache zu fördern und in Gang zu bringen. Doch ging es umgekehrt, und es kamen andere Dinge dazwischen.

III

Martha hatte es mit ihrem Verweise nicht schlimm gemeint und war nun erstaunt, als sie wahrnahm, daß Alfred eine Woche und länger ihr Haus mied. Er tat ihr ein wenig leid, und sie hätte ihn gerne wiedergesehen. Als er aber acht und zehn Tage ausblieb und wirklich zu grollen schien, besann sie sich darauf, daß sie ihm das Recht zu einem so liebhabermäßigen Betragen niemals eingeräumt habe. Nun begann sie selber zu zürnen. Wenn er wiederkäme und den gnädig Versöhnten spielen würde, wollte sie ihm zeigen, wie sehr er sich getäuscht habe.

Indessen war sie selbst im Irrtum, denn Ladidels Ausbleiben hatte nicht Trotz, sondern Schüchternheit und Furcht vor Marthas Strenge zur Ursache. Er wollte einige Zeit vergehen lassen, bis sie ihm seine damalige Zudringlichkeit vergeben und er selber die Dummheit vergessen und die Scham überwunden habe. In dieser Bußzeit spürte er deutlich, wie sehr er sich schon an den Umgang mit Martha gewöhnt hatte und wie sauer es ihn ankommen würde, auf die warme Nähe eines lieben Mädchens wieder zu verzichten. Er hielt es denn auch nicht länger als bis in die Mitte der zweiten Woche aus, rasierte sich eines Tages sorgfältig, schlang eine neue Binde um und sprach bei den Weberschen vor, diesmal ohne Fritz, den er nicht zum Zeugen seiner Beschämtheit machen wollte.

Um nicht mit leeren Händen und lediglich als Bettler zu erscheinen, hatte er sich einen Plan ausgedacht. Es stand für die letzte Woche des September ein großes Fest- und Preisschießen bevor, worauf die ganze Stadt schon eifrig rüstete. Zu dieser Lustbarkeit gedachte Alfred Ladidel die beiden Fräulein Weber einzuladen und hoffte damit eine hübsche Begründung seines Besuches wie auch gleich einen Stein im Brett bei Martha zu gewinnen.

Ein freundlicher Empfang hätte den Verliebten, der seit Tagen seiner Einsamkeit übersatt war, getröstet und zum treuen Diener gemacht. Nun hatte aber Martha, durch sein Ausbleiben verletzt, sich hart und strenge gemacht. Sie grüßte kaum, als er die Stube betrat, überließ Empfang und Unterhaltung ihrer Schwester und ging, mit Abstauben beschäftigt, im Zimmer ab und zu, als wäre sie allein. Ladidel war sehr eingeschüchtert und wagte erst nach einer Weile, da sein verlegenes Gespräch mit Meta versiegte, sich an die Beleidigte zu wenden und seine Einladung vorzubringen.

Die aber war jetzt nicht mehr zu fangen. Alfreds demütige Ergebenheit bestärkte nur ihren Beschluß, das Bürschlein diesmal in die Kur zu nehmen und ihm die Krallen zu stutzen. Sie hörte kühl zu und lehnte die Einladung ab mit der Begründung, es stehe ihr nicht zu, mit jungen Herren Feste zu besuchen, und was ihre Schwester angehe, so sei diese verlobt und es sei Sache ihres Bräutigams, sie einzuladen, falls er dazu Lust habe.

Da griff Ladidel nach seinem Hut, verbeugte sich kurz und ging davon wie ein Mann, der bedauert, an einer falschen Türe angeklopft zu haben, und nicht im Sinn hat, wiederzukommen. Meta versuchte zwar, ihn zurückzuhalten und ihm zuzureden, Martha aber hatte seine Verbeugung mit einem Nicken kühl erwidert, und Alfred war es nicht anders zumute, als hätte sie ihm für immer abgewinkt.

Einen geringen Trost gewährte ihm der Gedanke, daß er sich in dieser Sache männlich und stolz gezeigt habe. Zorn und Trauer überwogen jedoch, grimmig lief er nach Hause, und als am Abend Fritz Kleuber ihn besuchen wollte, ließ er ihn an der Tür klopfen und wieder gehen, ohne sich zu zeigen. Die Bücher sahen ihn ermahnend an, die Gitarre hing an der Wand, aber er ließ alles liegen und hängen, ging aus und trieb sich den Abend in den Gassen herum, bis er müde war. Dabei fiel ihm alles ein, was er je Böses über die Falschheit und Wandelbarkeit der Weiber hatte sagen hören und was ihm früher als ein leeres und scheelsüchtiges Geschwätz erschienen war. Jetzt begriff er alles und fand auch die bittersten Worte zutreffend.

Es vergingen einige Tage, und Alfred hoffte beständig, gegen seinen Stolz und Willen, es möchte etwas geschehen, ein Brieflein oder eine Botschaft durch Fritz kommen, denn nachdem der erste Groll vertan war, schien ihm eine Versöhnung doch nicht ganz außer der Möglichkeit, und sein Herz wandte sich über alle Gründe hinweg zu dem bösen Mädchen zurück. Allein es geschah nichts, und es kam niemand. Das große Schützenfest jedoch rückte näher, und ob es dem betrübten Ladidel gefiel oder nicht, er mußte tagaus tagein sehen und hören, wie jedermann sich bereitmachte, die glänzenden Tage zu feiern. Es wurden Bäume errichtet und Girlanden geflochten, Häuser mit Tannenzweigen geschmückt und Torbögen mit Inschriften, die große Festhalle am Wasen war fertig und ließ schon Fahnen flattern, und dazu tat der Herbst seine schönste Bläue auf.

Obwohl Ladidel sich wochenlang auf das Fest gefreut hatte und obwohl ihm und seinen Kollegen ein freier Tag oder gar zwei bevorstanden, verschloß er sich doch der Freude gewaltsam und hatte fest im Sinn, die Festlichkeiten mit keinem Auge zu betrachten. Mit Bitterkeit sah er Fahnen und Laubgewinde, hörte da und dort hinter offenen Fenstern die Musikkapellen Proben halten und die Mädchen bei der Arbeit singen, und je mehr die Stadt von Erwartung und Vorfreude scholl und tönte, desto feindseliger ging er in dem Getümmel seinen finstern Weg, das Herz voll grimmiger Entsagung. In der Schreibstube hatten die Kollegen schon seit einiger Zeit von nichts als dem Fest gesprochen und Pläne ausgeheckt, wie sie der Herrlichkeit recht schlau und gründlich froh werden wollten. Zuweilen gelang es Ladidel, den Unbefangenen zu spielen und so zu tun, als freue auch er sich und habe seine Absichten und Pläne; meistens aber saß er schweigend an seinem Pult und trug einen wilden Fleiß zur Schau. Dabei brannte ihm die Seele nicht nur um Martha und den Verdruß mit ihr, sondern mehr und mehr auch um die große Festlichkeit, auf die er so lang und freudig gewartet hatte und von der er nun nichts haben sollte.

Seine letzte Hoffnung fiel dahin, als Kleuber ihn aufsuchte, wenige Tage vor dem Beginn des Festes. Dieser machte ein betrübtes Gesicht und erzählte, er wisse gar nicht, was den Mädchen zu Kopf gestiegen sei, sie hätten seine Einladung zum Fest abgelehnt und erklärt, in ihren Verhältnissen könne man keine Lustbarkeiten mitmachen. Nun machte er Alfred den Vorschlag, mit ihm zusammen sich frohe Festtage zu schaffen, es geschehe den spröden Jungfern ganz recht, wenn er nun eben ohne sie den einen oder andern Taler draufgehen lasse. Allein Ladidel widerstand auch dieser Versuchung. Er dankte freundlich, erklärte aber, er sei nicht recht wohl und wolle auch die freie Zeit dazu benutzen, um in seinen Studien weiterzukommen. Von diesen Studien hatte er seinem Freunde früher so viel erzählt und so viel Kunstausdrücke und Fremdwörter dabei angewendet, daß Fritz in tiefem Respekt keine Einwände wagte und traurig wieder ging.

Indessen kam der Tag, da das Schützenfest eröffnet werden sollte. Es war Sonntag, und das Fest sollte die ganze Woche dauern. Die Stadt hallte von Gesang, Blechmusik, Böllerschießen und Freudenrufen wider, aus allen Straßen her kamen und sammelten sich Züge, Vereine aus dem ganzen Lande waren angekommen. Allenthalben schallte Musik, und die Ströme der Menschen und die Weisen der Musikkapellen trafen am Ende alle vor der Stadt am Schützenhause zusammen, wo das Volk seit dem Morgen zu Tausenden wartend stand. Schwarz drängte der Zug in dickem Fluß heran, schwer wankten die Fahnen darüber und stellten sich auf, und eine Musikbande um die andere schwenkte rauschend auf den gewaltigen Platz. Auf alle diese Pracht schien eine heitere Sonntagssonne hernieder. Die Bannerträger hatten dicke Tropfen auf den geröteten Stirnen, die Festordner schrien heiser und rannten wie Besessene umher, von der Menge gehänselt und durch Zurufe angefeuert; wer in der Nähe war und Zutritt fand, nahm die Gelegenheit wahr, schon um diese frühe Stunde an den wohlversehenen Trinkhallen einen frischen Trunk zu erkämpfen.

Ladidel saß in seiner Stube auf dem Bett und hatte noch nicht einmal Stiefel an, so wenig schien ihm an der Freude gelegen. Er trug sich jetzt, nach langen ermüdenden Nachtgedanken, mit dem Vorsatz, einen Brief an Martha zu schreiben. Nun zog er aus der Tischlade sein Schreibzeug und einen Briefbogen mit seinem Monogramm hervor, steckte eine neue Feder ins Rohr, machte sie mit der Zunge naß, prüfte die Tinte und schrieb alsdann in einer runden, elegant ausholenden Kanzleischrift zunächst die Adresse, an das wohlgeborene Fräulein Martha Weber in der Hirschengasse, zu eigenen Händen. Mittlerweile stimmte ihn das aus der Ferne herübertönende Geblase und

Festgelärme elegisch, und er fand es gut, seinen Brief mit der Schilderung dieser Stimmung anzufangen. So begann er mit Sorgfalt:

»Sehr geehrtes Fräulein!

Erlauben Sie mir, mich an Sie zu wenden. Es ist Sonntagmorgen, und die Musik spielt von ferne, weil das Schützenfest beginnt. Nur ich kann an demselben nicht teilnehmen und bleibe daheim.«

Er überlas die Zeilen, war zufrieden und besann sich weiter. Da fiel ihm noch manche schöne und treffende Wendung ein, mit welcher er seinen betrübten Zustand schildern konnte. Aber was dann? Es wurde ihm klar, daß dies alles nur insofern einen Wert und Sinn haben konnte, als es die Einleitung zu einer Liebeserklärung und Werbung wäre. Und wie konnte er dies wagen? Was er auch dachte und ausfand, es hatte alles keinen Wert, solange er nicht sein Examen und damit die Berechtigung zur Werbung hatte.

Also saß er wieder unschlüssig und verzweifelt. Eine Stunde verging, und er kam nicht weiter. Das ganze Haus lag in tiefer Ruhe, da alles draußen war, und über die Dächer hinweg jubelte die ferne Musik. Ladidel hing seiner Trauer nach und bedachte, wieviel Freude und Lust ihm heute verlorenging und daß er kaum in langer Zeit, ja vielleicht niemals wieder Gelegenheit haben würde, eine so große und glänzende Festlichkeit zu sehen. Darüber überfiel ihn ein Mitleiden mit sich selber und ein unüberwindliches Trostbedürfnis, dem die Gitarre nicht zu genügen vermochte.

Darum tat er gegen Mittag das, was er durchaus nicht hatte tun wollen. Er zog seine Stiefel an und verließ das Haus, und während er nur hin und wider zu wandeln meinte und bald wieder daheim sein und an den Brief und an sein Elend denken wollte, zogen ihn Musik und Lärm und Festzauber von Gasse zu Gasse, wie der Magnetberg ein Schiff, und unversehens stand er bei dem Schützenhaus. Da wachte er auf und schämte sich seiner Schwäche und meinte seine Trauer verraten zu haben, doch währte alles dies nur Augenblicke, denn die Menge trieb und toste betäubend, und Ladidel war nicht der Mann, in diesem Jubel fest zu bleiben oder wieder zu gehen.

Ladidel trieb ohne Ziel und ohne Willen umher, von der Menge mitgenommen, und sah und hörte und roch und atmete so viel Erregendes ein, daß ihm wohlig schwindelte. Es rauschte aus

Trompeten und Hörnern da und dort und überall feurige Blechmusik, und in Pausen drang von der Ferne her, wo das Tafeln begonnen hatte, eindringlich und süß die weichere Musik von Geigen und Flöten. Außerdem geschah auf Schritt und Tritt in der
Menge des Volkes viel Sonderbares, Erheiterndes und Erschrek-
kendes, es wurden Pferde scheu, Kinder fielen um und schrien,
ein vorzeitig Betrunkener sang unbekümmert, als wäre er allein,
sein Lied. Händler zogen rufend umher mit Orangen und Zucker-
waren, mit Luftballonen für die Kinder, mit Backwerk und mit
künstlichen Blumensträußen für die Hüte der Burschen, abseits
drehte sich unter heftiger Orgelmusik ein Karussell. Hier hatte ein
Hausierer laute Händel mit einem Käufer, der nicht zahlen wollte,
dort führte ein Polizeidiener ein verlaufenes Büblein an der Hand.

Dieses heftige Leben sog der betäubte Ladidel in sich und
fühlte sich beglückt, an einem solchen Treiben teilzunehmen und
Dinge mit Augen zu sehen, von denen man noch lange im ganzen
Lande reden würde. Es war ihm wichtig, zu hören, um welche
Stunde man den König erwarte, und als es ihm gelungen war, in
die Nähe der Ehrenhalle zu dringen, wo die Tafel auf einer fahnen-
geschmückten Höhe stattfand, sah er mit Bewunderung und Verehrung den Oberbürgermeister, die Stadtvorstände und andre
Würdenträger mit Orden und Abzeichen zumitten des Ehrenti-
sches sitzen und speisen und weißen Wein aus geschliffenen Gläsern trinken. Flüsternd nannte man die Namen der Männer, und
wer etwas Weiteres über sie wußte oder gar schon mit ihnen zu tun
gehabt hatte, fand dankbare Zuhörer. Daß das alles vor seinen
Augen vor sich ging und soviel Glück zu schauen ihm vergönnt
war, machte einen jeden glücklich. Auch der kleine Ladidel
staunte und bewunderte und fühlte sich groß und bedeutend als
Zuschauer solcher Dinge; er sah ferne Tage voraus, da er Leuten,
die weniger glücklich waren und nicht hatten dabei sein können,
die ganze Herrlichkeit genau beschreiben würde.

Das Mittagessen vergaß er ganz, und als er nach einigen Stunden Hunger verspürte, setzte er sich in das Zelt eines Zuckerbäk-
kers und verzehrte ein paar Stücke Kuchen. Dann eilte er, um ja
nichts zu versäumen, wieder ins Gewühl und war so glücklich, den
König zu sehen, wenn auch nur von hinten. Nun erkaufte er sich
den Eintritt zu den Schießständen, und wenn er auch vom Schieß-
wesen nichts verstand, sah er doch mit Vergnügen und Spannung
den Schützen zu, ließ sich einige berühmte Helden zeigen und be-

trachtete mit Ehrfurcht das Mienenspiel und Augenzwinkern der Schießenden. Alsdann suchte er das Karussell auf und sah ihm eine Weile zu, wandelte unter den Bäumen in der frohen Menschenflut, kaufte eine Ansichtskarte mit dem Bildnis des Königs, hörte alsdann lange Zeit einem Marktschreier zu, der seine Waren ausrief und einen Witz um den andern machte, und weidete seine Augen am Anblick der geputzten Volksscharen. Errötend entwich er von der Bude eines Photographen, dessen Frau ihn zum Eintritt eingeladen und unter dem Gelächter der Umstehenden einen entzückenden jungen Don Juan genannt hatte. Und immer wieder blieb er stehen, um einer Musik zuzuhören, bekannte Melodien mitzusummen und sein Stöcklein im Takt dazu zu schwingen.

Über dem allem wurde es Abend, das Schießen hatte ein Ende, und es begann da und dort ein Zechen in Hallen oder unter Bäumen. Während der Himmel noch in zartem Lichte schwamm und Türme und ferne Berge in der Herbstabendklarheit standen, glommen hier und dort schon Lichter und Laternen auf. Ladidel ging in seinem Rausche dahin und bedauerte das Sinken des Tages. Die Bürgerschaft eilte nun heimwärts zum Abendessen, müdgewordene Kinder ritten taumelnd auf den Schultern der Väter, die eleganten Wagen verschwanden. Dafür regten sich Lust und Übermut der Jugend, die sich auf Tanz und Wein freute, und wie es auf dem Platze und den Gassen leerer ward, tauchte da und dort und an jeder Ecke ein Liebespaar auf, Arm in Arm voll Ungeduld und Ahnung nächtlicher Lust.

Um diese Stunde begann die Fröhlichkeit Ladidels sich zu verlieren wie das hinschwindende Tageslicht. Ergriffen und traurig werdend strich der einsame Jüngling durch den Abend. Es kicherte kein Liebespaar an ihm vorbei, dem er nicht nachsah, und als nun in einem Garten unter hohen schwarzen Kastanien mit lockender Pracht Reihen von roten Papierampeln aufglühten und aus ebendiesem Garten her eine weiche, sehnliche Musik ertönte, da folgte er dem Ruf der heißen, flüsternden Geigen und trat ein. An langen Tischen aß und trank viel junges Volk, dahinter wartete ein großer Tanzplan erst halb erleuchtet. Der junge Mann nahm am leeren Ende eines Tisches Platz und verlangte Wein und Essen. Dann ruhte er aus, atmete die Gartenluft und horchte auf die Musik, aß ein weniges und trank langsam in kleinen Schlücken den ungewohnten Wein. Je länger er in die roten Lampen schaute, die Geigen spielen hörte und den Duft der Festnacht atmete, desto einsamer und elender kam er sich vor. Wohin er blickte, sah er rote Wangen und begierige Augen leuchten, junge Burschen in Sonntagskleidern mit kühnen und herrischen Blicken, Mädchen im Putz mit verlangenden Augen und tanzbereiten, unruhigen Füßen. Und er war noch nicht lange mit seinem Abendessen fertig, als die Musik mit erneuter Wucht und Süße anstimmte, der Tanzplatz von hundert Lichtern strahlte und Paar auf Paar in Eile sich zum Tanze drängte.

Ladidel sog langsam an seinem Wein, um noch eine Weile dableiben zu können, und als der Wein doch schließlich zu Ende war, konnte er sich nicht entschließen, heimzugehen. Er ließ nochmals ein kleines Fläschchen kommen und saß und starrte und fiel in eine stachelnde Unruhe, als müsse allem zum Trotz an diesem Abend ihm ein Glück blühen und etwas vom Überfluß der Wonne auch für ihn abfallen. Und wenn es nicht geschah, so schrieb er sich in Leid und Trotz das Recht zu, wenigstens dem Fest und seinem Unglück zu Ehren den ersten Rausch seines Lebens zu trinken. Und so stiegen, je heftiger rings um ihn die Freude tobte, sein Unglück sowohl wie sein Trostbedürfnis höher und rissen den Unbeschützten zur Übertreibung und zum Rausche hin.

IV

Während Ladidel vor seinem Weinglas am Tische saß und mit heißen Augen in das Tanzgewühl blickte, vom roten Licht der Ampeln und vom raschen Takt der Musik bezaubert und seines Kummers bis zur Verzweiflung überdrüssig, hörte er plötzlich neben sich eine leise Stimme, die fragte: »Ganz allein?«

Schnell wandte er sich um und sah über die Lehne der Bank gebeugt ein hübsches Mädchen mit schwarzen Haaren, mit einem weißen linnenen Hütlein und einer roten leichten Bluse angetan. Sie lachte mit einem hellroten Munde, während ihr um die erhitzte Stirn und die dunkeln Augen ein paar lose Locken hingen. »Ganz allein?« fragte sie mitleidig und schelmisch, und er gab Antwort: »Ach ja, leider.« Da nahm sie sein Weinglas, fragte mit einem Blick um Erlaubnis, sagte Prosit und trank es in einem durstigen Zuge aus. Er sah dabei ihren schlanken Hals, der bräunlich aus dem roten leichten Stoff emporstieg, und indessen sie trank, fühlte er mit heftig klopfendem Herzen, daß sich hier ein Abenteuer anspinne.

Um doch etwas zur Sache zu tun, schenkte Ladidel das leere
Glas wieder voll und bot es dem Mädchen an. Aber sie schüttelte
den Kopf und blickte rückwärts nach dem Tanzplatz, wo soeben
eine neue Musik erscholl.

»Tanzen möcht ich«, sagte sie und sah dem Jüngling in die
Augen, der augenblicklich aufstand, sich vor ihr verbeugte und seinen Namen nannte.

»Ladidel heißen Sie? Und mit dem Vornamen? Ich heiße
Fanny.«

Sie nahm ihn an sich, und beide tauchten in den Strom und
Schwall des Walzers, den Ladidel noch nie so ausgezeichnet getanzt hatte. Früher war er beim Tanzen lediglich seiner Geschicklichkeit, seiner flinken Beine und feinen Haltung froh geworden
und hatte dabei stets daran gedacht, wie er aussehe, und ob er
auch einen guten Eindruck mache. Jetzt war daran nicht zu denken. Er flog in einem feurigen Wirbel mit, hingeweht und wehrlos,
aber glücklich und im Innersten erregt. Bald zog und schwang ihn
seine Tänzerin, daß ihm Boden und Atem verlorenging, bald lag
sie still und eng an ihn gelehnt, daß ihre Pulse an seinen schlugen
und ihre Wärme die seine entfachte.

Als der Tanz zu Ende war, legte Fanny ihren Arm in den ihres
Begleiters und zog ihn mit sich weg. Tief atmend wandelten sie
langsam einen Laubengang entlang, zwischen vielen anderen Paaren, in einer Dämmerung voll warmer Farben. Durch die Bäume
schien tief der Nachthimmel mit blanken Sternen herein, von der
Seite her spielte, von beweglichen Schatten unterbrochen, der
rote Schein der Festampeln, und in diesem ungewissen Licht bewegten sich plaudernd die ausruhenden Tänzer, die Mädchen in
weißen und hellfarbigen Kleidern und Hüten, mit bloßen Hälsen
und Armen, manche mit Fächern versehen, die gleich Pfauenrä-
dern spielten. Ladidel nahm das alles nur als einen farbigen Nebel
wahr, der mit Musik und Nachtluft zusammenfloß und daraus nur
hin und wieder im nahen Vorbeistreifen ein helles Gesicht mit fun-
kelnden Augen, ein offener lachender Mund mit glänzenden Zähnen, ein zärtlich gebogener weißer Arm für Augenblicke deutlich
hervorschimmerte.

»Alfred!« sagte Fanny leise.

»Ja, was?«

»Gelt, du hast auch keinen Schatz? Meiner ist nach Amerika.«

»Nein, ich hab keinen.«

»Willst du nicht mein Schatz sein?«

»Ich will schon.«

Sie lag ganz in seinem Arm und bot ihm den feuchten Mund. Liebestaumel wehte in den Bäumen und Wegen; Ladidel küßte den roten Mund und küßte den weißen Hals und den bräunlichen Nacken, die Hand und den Arm seines Mädchens. Er führte sie, oder sie ihn, an einen Tisch abseits im tiefen Schatten, ließ Wein kommen und trank mit ihr aus einem Glase, hatte den Arm um ihre Hüfte gelegt und fühlte Feuer in allen Adern. Seit einer Stunde war die Welt und alles Vergangene hinter ihm versunken und ins Bodenlose gefallen, um ihn wehte allmächtig die glühende Nacht, ohne Gestern und ohne Morgen.

Auch die hübsche Fanny freute sich ihres neuen Schatzes und ihrer blühenden Jugend, jedoch weniger rückhaltlos und gedankenlos als ihr Liebster, dessen Feuer sie mit der einen Hand zu mehren, mit der andern abzuwehren bemüht war. Der schöne Tanzabend gefiel auch ihr wohl, und sie tanzte ihre Touren mit heißen Wangen und blitzenden Augen; doch war sie nicht gesonnen, darüber ihre Absichten und Zwecke zu vergessen.

Darum erfuhr Ladidel im Laufe des Abends, zwischen Wein und Tanz, von seiner Geliebten eine lange traurige Geschichte, die mit einer kranken Mutter begann und mit Schulden und drohender Obdachlosigkeit endete. Sie bot dem bestürzten Liebhaber diese bedenklichen Mitteilungen nicht auf einmal dar, sondern mit vielen Pausen, während deren er sich stets wieder erholen und neue Glut fassen konnte, sie bat ihn sogar, nicht allzuviel daran zu denken und sich den schönen Abend nicht verderben zu lassen, bald aber seufzte sie wieder tief auf und wischte sich die Augen. Bei dem guten Ladidel wirkte denn auch, wie bei allen Anfängern, das Mitleid eher entflammend als niederschlagend, so daß er das Mädchen gar nimmer aus den Armen ließ und ihr zwischen Küssen goldene Berge für die Zukunft versprach.

Sie nahm es hin, ohne sich getröstet zu zeigen, und fand dann plötzlich, es sei spät, und sie dürfe ihre arme kranke Mutter nicht länger warten lassen. Ladidel bat und flehte, wollte sie dabehalten oder zumindest begleiten, schalt und klagte und ließ auf alle Weise merken, daß er die Angel geschluckt habe und nimmer entrinnen könne.

Mehr hatte Fanny nicht gewollt. Sie zuckte hoffnungslos die Achseln, streichelte Ladidels Hand und bat ihn, nun für immer von ihr Abschied zu nehmen. Denn wenn sie bis morgen abend nicht im Besitze von hundert Mark sei, so werde sie samt ihrer armen Mama auf die Straße gesetzt werden und könne für das, wozu die Verzweiflung sie dann treiben würde, nicht einstehen. Ach, sie wollte ja gern lieb sein und ihrem Alfred jede Gunst gewähren, da sie ihn nun einmal so schrecklich liebe, aber unter diesen Umständen sei es doch besser, auseinanderzugehen und sich mit der ewigen Erinnerung an diesen schönen Abend zu begnügen.

Dieser Meinung war Ladidel nicht. Ohne sich viel zu besinnen, versprach er, das Geld morgen abend herzubringen, und schien fast zu bedauern, daß sie seine Liebe auf keine größere Probe stelle.

»Ach, wenn du das könntest!« seufzte Fanny. Dabei schmiegte sie sich an ihn, daß er beinahe den Atem verlor.

»Verlaß dich drauf«, sagte er. Und nun wollte er sie nach Hause begleiten, aber sie war so scheu und hatte plötzlich eine so furchtbare Angst, man möchte sie sehen und ihr guter Ruf möchte notleiden, daß er mitleidig nachgab und sie allein ziehen ließ.

Darauf schweifte er noch wohl eine Stunde lang umher. Da und dort tönte aus Gärten und Zelten noch nächtliche Festlichkeit. Erhitzt und müde kam er endlich nach Hause, ging zu Bett und fiel sogleich in einen unruhigen Schlaf, aus dem er schon nach einer Stunde wieder erwachte. Da brauchte er lange, um sich aus einem zähen Wirrwarr verliebter Träume zurechtzufinden. Die Nacht stand bleich und grau im Fenster, die Stube war dunkel und alles still, so daß Ladidel, der nicht an schlaflose Nächte gewöhnt war, verwirrt und ängstlich in die Finsternis blickte und den noch nicht verwundenen Rausch des Abends im Kopf rumoren fühlte. Irgend etwas, was er vergessen hatte und woran zu denken ihm doch notwendig schien, quälte ihn eine gute Weile. Am Ende klärte sich jedoch die peinigende Trübe, und der ernüchterte Träumer wußte wieder, um was es sich handle. Und nun drehten seine Gedanken sich die ganze lange Nacht hindurch um die Frage, woher das Geld kommen solle, das er seinem Schätzchen versprochen hatte. Er begriff nimmer, wie er das Versprechen hatte geben können, es mußte in einer Bezauberung geschehen sein. Auch trat ihm der Gedanke, sein Wort zu brechen, nahe und sah gar friedlich aus. Doch gewann er den Sieg nicht, zum Teil, weil eine ehrliche Gutmütigkeit den Jüngling abhielt, eine Notleidende umsonst auf die zugesagte Hilfe warten zu lassen. Noch mächtiger freilich war die Erinnerung an Fannys Schönheit, an ihre Küsse und die Wärme ihres Leibes, und die sichere Hoffnung, das alles schon morgen ganz zu eigen zu haben. Darum entschlug und schämte er sich des Gedankens, ihr untreu zu werden, und wandte allen Scharfsinn daran, einen Weg zu dem versprochenen Gelde zu ersinnen. Allein je mehr er sann und spann, desto größer ward in seiner Vorstellung die Summe und desto unmöglicher ihre Erlangung.

Als Ladidel am Morgen grau und müde, mit verwachten Augen und schwindelndem Kopfe, ins Kontor trat und sich an seinen Platz setzte, wußte er noch immer keinen Ausweg. Er war in der Frühe schon bei einem Pfandleiher gewesen und hatte seine Uhr und Uhrkette samt allen seinen kleinen Kostbarkeiten versetzen wollen, doch war der saure und beschämende Gang vergeblich gewesen, denn man hatte ihm für das Ganze nicht mehr als zehn Mark geben wollen. Nun bückte er sich traurig über seine Arbeit und brachte eine öde Stunde über Tabellen hin, da kam mit der Post, die ein Lehrling brachte, ein kleiner Brief für ihn. Erstaunt öffnete er das zierliche Kuvert, steckte es in die Tasche und las heimlich das kleine rosenrote Billett, das er darin gefunden hatte. »Liebster, gelt du kommst heut abend? Mit Kuß deine Fanny.«

Das gab den Ausschlag. Ladidel beschloß, um jeden Preis sein Versprechen zu halten. Das Brieflein verbarg er in der Brusttasche und zog es je und je heimlich hervor, um daran zu riechen, denn es hatte einen feinen warmen Duft, der ihm wie Wein zu Kopfe stieg.

Schon in den Überlegungen der vergangenen Nacht war der Gedanke in ihm aufgestiegen, im Notfalle das Geld auf eine verbotene Weise an sich zu bringen, doch hatte er diesen Plänen keinen Raum in sich gegönnt. Nun kamen sie wieder und waren stärker und schmeichelnder geworden. Ob ihm auch vor Diebstahl und Betrug im Herzen graute, so wollte ihm doch der Gedanke, es handle sich dabei nur um eine erzwungene Anleihe, deren Erstattung ihm heilig sein würde, mehr und mehr einleuchten. Über die Art der Ausführung aber zerbrach er sich vergeblich den Kopf. Er brachte den Tag verstört und bitter hin, sann und plante, und er wäre am Ende betrübt, doch unbefleckt, aus dieser Prüfung hervorgegangen, wenn ihn nicht am Abend, in der letzten Stunde, eine allzu verlockende Gelegenheit doch noch zum Schelm gemacht hätte.

Der Prinzipal gab ihm Auftrag, da und dahin einen Wertbrief zu senden, und zählte ihm die Banknoten hin. Es waren sieben Scheine, die er zweimal durchzählte. Da widerstand er nicht, brachte mit zitternder Hand eines von den Papieren an sich und siegelte die sechse ein, die denn auch zur Post kamen und abreisten.

Die Tat wollte ihn reuen, schon als der Lehrling den Siegelbrief wegtrug, dessen Aufschrift nicht mit seinem Inhalt stimmte. Von allen Arten der Unterschlagungen schien ihm diese nun die törichste und gefährlichste, da im besten Fall nur Tage vergehen konnten, bis das Fehlen des Geldes entdeckt und Bericht darüber einlaufen würde. Als der Brief fort und nichts zu bessern war, hatte der im Bösen unbewanderte Ladidel das Gefühl eines Selbstmörders, der den Strick um den Hals und den Schemel schon weggestoßen hat, nun aber gerne doch noch leben möchte. Drei Tage kann es dauern, dachte er, vielleicht aber auch nur einen, dann bin ich meines guten Rufes, meiner Freiheit und Zukunft ledig, und alles um die hundert Mark, die nicht einmal für mich sind. Er sah sich verhört, verurteilt, mit Schanden fortgejagt und ins Gefängnis gesteckt und mußte zugeben, daß das alles durchaus verdient und in Ordnung sei.

Erst auf dem Wege zum Abendessen fiel ihm ein, es könnte am Ende auch besser ablaufen. Daß die Sache gar nicht entdeckt werden würde, wagte er zwar nicht zu hoffen; aber wenn nun das Geld auch fehlte, wie wollte man beweisen, daß er der Dieb war? Mit dem Sonntagsrock und seiner besten Wäsche angetan, erschien er eine Stunde später auf dem Tanzplatze. Unterwegs war seine Zuversicht zurückgekehrt, oder es hatten doch die wieder erwachten heißen Wünsche seiner Jugend die Angstgefühle übertäubt.

Es ging auch an diesem Abend lebhaft zu, doch fiel es Ladidel heute auf, daß der Ort nicht von der guten Bürgerschaft, sondern zumeist von geringeren Leuten und auch von manchen verdächtig Aussehenden besucht war. Als er sein Viertel Landwein getrunken hatte und Fanny noch nicht gekommen war, befiel ihn ein Mißbehagen an dieser Gesellschaft, und er verließ den Garten, um draußen hinterm Zaun zu warten. Da lehnte er in der Abendkühle an einer finstern Stelle des Geheges, sah in das Gewühl und wunderte sich, daß er gestern inmitten derselben Leute und bei derselben Musik so glücklich gewesen war und so ausgelassen getanzt hatte. Heute wollte ihm alles weniger gefallen; von den Mädchen sahen viele frech und liederlich aus, die Burschen hatten üble Manieren und unterhielten selbst während des Tanzes ein lärmendes Einverständnis durch Schreie und Pfiffe. Auch die roten Papierlaternen sahen weniger festlich und leuchtend aus, als sie ihm gestern erschienen waren. Er wußte nicht, ob nur Müdigkeit und Ernüchterung, oder ob sein schlechtes Gewissen daran schuld sei; aber je länger er zuschaute und wartete, desto weniger wollte der Festrausch wieder kommen, und er nahm sich vor, mit Fanny, sobald sie käme, von diesem Ort wegzugehen.

Als er wohl eine Stunde gewartet hatte, sah er am jenseitigen Eingang des Gartens sein Mädchen ankommen, in der roten Bluse und mit dem weißen Segeltuchhütchen, und betrachtete sie neugierig. Da er so lang hatte warten müssen, wollte er nun auch sie ein wenig necken und warten lassen, auch reizte es ihn, sie so aus dem Verborgenen zu belauschen.

Die hübsche Fanny spazierte langsam durch den Garten und suchte; und da sie Ladidel nicht fand, setzte sie sich beiseite an einen Tisch. Ein Kellner kam, doch winkte sie ihm ab. Dann sah Ladidel, wie sich ihr ein Bursche näherte, der ihm schon gestern als ein vorlauter Patron aufgefallen war. Er schien sie gut zu kennen, und soweit Ladidel sehen konnte, fragte sie ihn eifrig nach etwas, wohl nach ihm, und der Bursche zeigte nach dem Ausgang und schien zu erzählen, der Gesuchte sei dagewesen, aber wieder fortgegangen.

Nun begann Ladidel Mitleid zu haben und wollte zu ihr eilen, doch sah er in demselben Augenblick mit Schrecken, wie der unangenehme Bursche die Fanny ergriff und mit ihr zum Tanz antrat. Aufmerksam beobachtete er sie beide, und wenn ihm auch ein paar grobe Liebkosungen des Mannes das Blut ins Gesicht trieben, so schien doch das Mädchen gleichgültig zu sein, ja ihn abzuwehren.

Kaum war der Tanz zu Ende, so ward Fanny von ihrem Begleiter einem andern zugeschoben, der den Hut vor ihr zog und sie höflich zur neuen Tour aufforderte. Ladidel wollte ihr zurufen, wollte über den Zaun zu ihr hinein, doch kam er nicht dazu, und er mußte in trauriger Betäubung zusehen, wie sie dem Fremden zulächelte und mit ihm den Schottischen begann. Und während des Schottischen sah er sie schön mit dem andern tun und seine Hände streicheln und sich an ihn lehnen, gerade wie sie es gestern ihm selbst getan hatte, und er sah den Fremden warm werden und

sie fester umfassen und am Schluß des Tanzes mit ihr durch die
dunkleren Laubengänge wandeln, wobei das Paar dem Lauscher
peinlich nahe kam und er ihre Worte und Küsse gar deutlich hören
konnte.

Da ging Alfred Ladidel heimwärts, mit tränenden Augen, das
Herz voll Scham und Wut und dennoch froh, der Hure entgangen
zu sein. Junge Leute kehrten von den Festplätzen heim und sangen, Musik und Gelächter drang aus den Gärten; ihm aber klang
alles wie ein Hohn auf ihn und alle Lust, und wie vergiftet. Als er
heimkam, war er todmüde und hatte kein Verlangen mehr als
schlafen. Und da er seinen Sonntagsrock auszog und gewohnter-
weise seine Falten glatt strich, knisterte es in der Tasche, und er
zog unversehrt den blauen Geldschein hervor. Unschuldig lag das
Papier im Kerzenschein auf dem Tische; er sah es eine Weile an,
schloß es dann in die Schublade und schüttelte den Kopf dazu.
Um das zu erleben, hatte er nun gestohlen und sein Leben verdorben.

Gegen eine Stunde lag er noch wach, doch dachte er in dieser
Zeit nicht mehr an Fanny und nicht mehr an die hundert Mark,
sondern er dachte an Martha Weber und daran, daß er sich nun
alle Wege zu ihr verschüttet habe.

V

Was er jetzt zu tun habe, wußte Ladidel genau. Er hatte erfahren,
wie bitter es ist, sich vor sich selber schämen zu müssen, und stand
sein Mut auch tief, so war er dennoch fest entschlossen, mit dem
Gelde und einem ehrlichen Geständnis zu seinem Prinzipal zu gehen und von seiner Ehre und Zukunft zu retten, was noch zu retten
wäre.

Darum war es ihm nicht wenig peinlich, als am folgenden Tage
der Notar nicht ins Kontor kam. Er wartete bis Mittag und vermochte seinen Kollegen kaum in die Augen zu blicken, da er nicht
wußte, ob er morgen noch an diesem Platze stehen und als ihres-
gleichen gelten werde.

Nach Tisch erschien der Notar wieder nicht, und es verlautete,
er sei unwohl und werde heut nimmer ins Geschäft kommen. Da
hielt Ladidel es nicht länger aus. Er ging unter einem Vorwand weg
und geradenwegs in die Wohnung seines Prinzipals. Man wollte
ihn nicht vorlassen, er bestand aber mit Verzweiflung darauf,

nannte seinen Namen und begehrte in einer wichtigen Sache den Herrn zu sprechen. So wurde er in ein Vorzimmer geführt und aufgefordert zu warten.

Die Dienstmagd ließ ihn allein, er stand in Verwirrung und Angst zwischen plüschbezogenen Stühlen, lauschte auf jeden Ton im Hause und hatte das Sacktuch in der Hand, da ihm ohne Unterlaß der Schweiß über die Stirne lief. Auf einem ovalen Tische lagen goldverzierte Bücher, Schillers Glocke und der Siebziger Krieg, ferner stand dort ein Löwe aus grauem Stein und in Stehrahmen eine Menge von Photographien. Es sah hier feiner, doch ähnlich aus wie in der schönen Stube von Ladidels Eltern, und alles mahnte an Ehrbarkeit, Wohlstand und Würde. Die Photographien stellten lauter wohlgekleidete Leute vor, Brautpaare im Hochzeitsstaat, Frauen und Männer von guter Familie und zweifellos bestem Rufe, und von der Wand schaute ein wohl lebensgroßer Mannskopf herab, dessen Züge und Augen Ladidel an das Bildnis des verstorbenen Vaters bei den Weberschen Damen erinnerten. Zwischen so viel bürgerlicher Würde sank der Sünder in seinen eigenen Augen von Augenblick zu Augenblick tiefer, er fühlte sich durch seine Übeltat von diesem Kreise ausgeschlossen und unter die Ehrlosen geworfen, von denen keine Photographien gemacht und unter Glas gespannt und in den guten Stuben aufgestellt werden.

Eine große Wanduhr von der Art, die man Regulatoren nennt, schwang ihren messingenen Perpendikel hin und wider, und einmal, nachdem Ladidel schon recht lang gewartet hatte, räusperte sie sich leise und tat sodann einen tiefen, schönen, vollen Schlag. Der arme Jüngling schrak auf, und in demselben Augenblick trat ihm gegenüber der Notar durch die Türe. Er beachtete Ladidels Verbeugung nicht, sondern wies sogleich befehlend auf einen Sessel, nahm selber Platz und sagte: »Was führt Sie her?«

»Ich wollte«, begann Ladidel, »ich hatte, ich wäre – « Dann aber schluckte er energisch und stieß heraus: »Ich habe Sie bestehlen wollen.«

Der Notar nickte und sagte ruhig: »Sie haben mich sogar wirklich bestohlen, ich weiß es schon. Es ist vor einer Stunde telegraphiert worden. Sie haben also wirklich einen von den Hundertmarkscheinen genommen?«

Statt der Antwort zog Ladidel den Schein aus der Tasche und streckte ihn dar. Erstaunt nahm der Herr ihn in die Finger, spielte damit und sah Ladidel scharf an.

»Wie geht das zu? Haben Sie schon Ersatz geschafft?«

»Nein, es ist derselbe Schein, den ich weggenommen hatte. Ich habe ihn nicht gebraucht.«

»Sie sind ein Sonderling, Ladidel. Daß Sie das Geld genommen hätten, wußte ich sofort. Es konnte ja sonst niemand sein. Und außerdem wurde mir gestern erzählt, man habe Sie am Sonntagabend auf dem Festplatz in einer etwas verrufenen Tanzbude gesehen. Oder hängt es nicht damit zusammen?«

Nun mußte Ladidel erzählen, und so sehr er sich Mühe gab, das Beschämendste zu unterdrücken, es kam wider seinen Willen doch fast alles heraus. Der alte Herr unterbrach ihn nur zwei-, dreimal durch kurze Fragen, im übrigen hörte er gedankenvoll zu und sah zuweilen dem Beichtenden ins Gesicht, sonst aber zu Boden, um ihn nicht zu stören.

Am Ende stand er auf und ging in der Stube hin und wider. Nachdenklich nahm er eine von den Photographien in die Hand. Plötzlich bot er das Bild dem Übeltäter hin, der in seinem Sessel ganz zusammengebrochen kauerte.

»Sehen Sie«, sagte er, »das ist der Direktor einer großen Fabrik in Amerika. Er ist ein Vetter von mir, Sie brauchen es ja nicht jedermann zu erzählen, und er hat als junger Mensch in einer ähnlichen Lage wie Sie tausend Mark entwendet. Er wurde von seinem Vater preisgegeben, mußte hinter Schloß und Riegel und ging nachher nach Amerika.«

Er schwieg und wanderte wieder umher, während Ladidel das Bild des stattlichen Mannes ansah und einigen Trost daraus sog, daß also auch in dieser ehrenwerten Familie ein Fehltritt vorgekommen sei und daß der Sünder es doch noch zu etwas gebracht habe und nun gleich den Gerechten gelte und sein Bild zwischen den Bildern unbescholtener Leute stehen dürfe.

Inzwischen hatte der Notar seine Gedanken zu Ende gesponnen und trat zu Ladidel, der ihn schüchtern anschaute.

Er sagte fast freundlich: »Sie tun mir leid, Ladidel. Ich glaube nicht, daß Sie schlecht sind, und hoffe, Sie kommen wieder auf rechte Wege. Am Ende würde ich es sogar wagen und Sie behalten. Aber das wäre für uns beide unerquicklich und ginge gegen meine Grundsätze. Und einem Kollegen kann ich Sie auch nicht empfehlen, wenn ich auch an Ihre guten Vorsätze gern glauben will. Wir wollen also die Sache zwischen uns für getan ansehen, ich werde niemand davon sagen. Aber bei mir bleiben können Sie nicht.«

Ladidel war zwar überfroh, die böse Sache so menschlich behandelt zu sehen. Da er sich aber nun ans Freie gesetzt und so ins
Ungewisse geschickt fand, verzagte er doch und klagte: »Ach, was
soll ich aber jetzt anfangen?«

»Etwas Neues«, rief der Notar, und unversehens lächelte er.
»Seien Sie ehrlich, Ladidel, und sagen Sie: wie wäre es Ihnen wohl
nächstes Frühjahr im Staatsexamen gegangen? Schauen Sie, Sie
werden rot. Nun, wenn Sie auch schließlich den Winter über noch
manches hätten nachholen können, so hätte es doch schwerlich
gereicht, und ich hatte ohnehin schon seit einiger Zeit die Absicht,
darüber mit Ihnen zu reden. Jetzt ist ja die beste Gelegenheit dazu.
Meine Überzeugung, und vielleicht im stillen auch Ihre, ist die,
daß Sie Ihren Beruf verfehlt haben. Sie passen nicht zum Notar
und überhaupt nichts ins Amtsleben. Nehmen Sie an, Sie seien im
Examen durchgefallen, und suchen Sie recht bald einen anderen
Beruf, in dem Sie es weiterbringen können.

Am besten fahren Sie gleich morgen nach Hause. Und jetzt
adieu. Wenn Sie mir später einmal Bericht geben, wird es mich
freuen. Nur jetzt den Kopf nicht hängen lassen und keine neuen
Dummheiten machen! – Adieu denn, und grüßen Sie den Herrn
Vater von mir!«

Er gab dem Bestürzten die Hand, drückte ihm die seine kräftig
und schob ihn, der noch reden wollte, zur Tür.

Damit stand unser Freund auf der Gasse. Er hatte im Kontor
nur ein paar schwarze Ärmelschoner zurückgelassen, an denen
war ihm nichts gelegen, und er zog es vor, sich dort nimmer zu
zeigen. Allein so betrübt er war und so sehr ihm vor der Heimfahrt
und dem Vater graute, auf dem Grund seiner Seele war er doch
dankbar und beinahe vergnügt, der furchtbaren Angst vor Polizei
und Schande ledig zu sein; und während er langsam durch die
Straßen ging, schlich auch der Gedanke, daß er nun kein Examen
mehr vor sich habe, als ein tröstlicher Lichtstrahl in sein Gemüt,
das von den vielen Erlebnissen dieser Tage auszuruhen und aufzuatmen begehrte.

So begann ihm beim Dahinwandeln allmählich auch das ungewohnte Vergnügen, werktags um diese Tageszeit frei durch die
Stadt zu spazieren, recht wohl zu gefallen. Er blieb vor den Ausla-
gen der Kaufleute stehen, betrachtete die Kutschpferde, die an
den Ecken warteten, schaute auch zum zartblauen Herbsthimmel
hinan und genoß für eine Stunde ein unverhofftes Feriengefühl.

Dann kehrten seine Gedanken in den alten Kreis zurück, und als er in der Nähe seiner Wohnung um eine Gassenecke bog, mußte ihm gerade eine hübsche junge Dame begegnen, die der Martha Weber ähnlich sah. Da fiel ihm alles wieder recht aufs Herz, und er mußte sich vorstellen, was wohl die Martha denken und sagen würde, wenn sie seine Geschichte erführe. Erst jetzt fiel ihm ein, daß sein Fortgehen von hier ihn nicht nur von Amt und Zukunft, sondern auch aus der Nähe des geliebten Mädchens entführe. Und alles um diese Fanny.

Je mehr ihm das klar wurde, desto stärker wurde sein Verlangen, nicht ohne einen Gruß an Martha fortzugehen. Schreiben mochte er ihr nicht, es blieb ihm nur der Weg durch Fritz Kleuber. Darum kehrte er, kurz vor dem Hause, um und suchte Kleuber in seiner Rasierstube auf.

Der gute Fritz hatte eine ehrliche Freude, ihn wiederzusehen. Doch deutete Ladidel ihm nur in Kürze an, er müsse aus besonderen Gründen seine Stelle verlassen und wegreisen.

»Nein, aber!« rief Fritz betrübt. »Da müssen wir aber wenigstens noch einmal zusammensein, wer weiß, wann man sich wieder sieht! Wann mußt du denn reisen?«

Alfred überlegte. »Morgen muß ich doch noch packen. Also übermorgen.«

»Dann mache ich mich morgen abend frei und komme zu dir, wenn dir's recht ist.«

»Ja, gut. Und gelt, wenn du wieder zu deiner Braut kommst, sagst du viele Grüße von mir – an alle!«

»Ja, gern. Aber willst du nicht selber noch hingehen?«

»Ach, das geht jetzt nimmer. – Also morgen!«

Trotzdem überlegte er diesen und den ganzen folgenden Tag, ob er es nicht doch tun solle. Allein er fand nicht den Mut dazu. Was hätte er sagen und wie seine Abreise erklären sollen? Ohnehin überfiel ihn heute eine heillose Angst vor der Heimreise und vor seinem Vater, vor den Leuten daheim und der Schande, der er entgegenging. Und er packte nicht, er fand nicht einmal den Mut, seiner Wirtin die Stube zu kündigen. Statt all dies Notwendige zu tun, saß er und füllte Bogen mit Entwürfen zu einem Brief an seinen Vater.

»Lieber Vater! Der Notar kann mich nicht mehr brauchen –«

»Lieber Vater! Da ich doch zum Notar nicht recht passe –.« Es war nicht leicht, das Schreckliche sanft und doch deutlich zu sa-

gen. Aber es war immerhin leichter, diesen Brief zusammenzu-
dichten als heimzufahren und zu sagen: da bin ich wieder, man hat
mich fortgejagt. Und so ward denn bis zum Abend der Brief wirklich fertig.

Am Abend war er mürbe und mitgenommen, und Kleuber fand
ihn so milde und weich wie noch nie. Er hatte ihm, als ein Ab-
schiedsgeschenk, eine kleine geschliffene Glasflasche mit edlem
Odeur mitgebracht. Die bot er ihm hin und sagte: »Darf ich dir das
zum Andenken mitgeben? Es wird schon noch in den Koffer gehen.« Indessen sah er sich um und rief verwundert: »Du hast noch
gar nicht gepackt! Soll ich dir helfen?«

Ladidel sah ihn unsicher an und meinte: »Ja, ich bin noch nicht
so weit. Ich muß noch auf einen Brief warten.«

»Das freut mich«, sagte Fritz, »so hat man doch Zeit zum Adieu-
sagen. Weißt du, wir könnten eigentlich heut abend miteinander
zu den Webers gehen. Es wäre doch schade, wenn du so wegreisen
würdest.«

Dem armen Ladidel war es, als ginge eine Türe zum Himmel
auf und würde im selben Augenblick wieder zugeschlagen. Er
wollte etwas sagen, schüttelte aber nur den Kopf, und als er sich
zwingen wollte, würgten die Worte ihn in der Kehle, und unversehens brach er vor dem erstaunten Fritz in ein Schluchzen aus.

»Ja lieber Gott, was hast du?« rief er erschrocken. Ladidel
winkte schweigend ab, aber Kleuber war darüber, daß er seinen
bewunderten und stolzen Freund in Tränen sah, so ergriffen und
gerührt, daß er ihn in die Arme nahm wie einen Kranken, ihm die
Hände streichelte und ihm in unbestimmten Ausdrücken seine
Hilfe anbot.

»Ach, du kannst mir nicht helfen«, sagte Alfred, als er wieder
reden konnte. Doch ließ Kleuber ihm keine Ruhe, und schließlich
kam es Ladidel wie eine Erlösung vor, einer so wohlmeinenden
Seele zu beichten, so daß er nachgab. Sie setzten sich einander gegenüber, Ladidel wandte sein Gesicht ins Dunkle und fing an:
»Weißt du, damals als wir zum erstenmal miteinander zu deiner
Braut gegangen sind –« und erzählte weiter, von seiner Liebe zu
Martha, von ihrem Streit und Auseinanderkommen, und wie leid
ihm das tue. Sodann kam er auf das Schützenfest zu sprechen, auf
seine Verstimmung und Verlassenheit, von der Tanzwirtschaft und
der Fanny, von dem Hundertmarkschein, und wie dieser unver-
wendet geblieben sei, endlich von dem gestrigen Gespräch mit

dem Notar und seiner jetzigen Lage. Er gestand auch, daß er das Herz nicht habe, so vor seinen Vater zu kommen, daß er ihm geschrieben habe und nun mit Schrecken des Kommenden warte.

Dem allem hörte Fritz Kleuber still und aufmerksam zu, betrübt und in der Seele aufgewühlt durch solche Ereignisse. Als der andre schwieg und das Wort an ihm war, sagte er leise und schüchtern: »Da tust du mir leid.« Und obschon er selber gewiß niemals im Leben einen Pfennig veruntreut hatte, fuhr er fort: »Es kann ja jedem so etwas passieren, und du hast ja das Geld auch wieder zurückgebracht. Was soll ich da sagen? Die Hauptsache ist jetzt, was du anfangen sollst.«

»Ja, wenn ich das wüßte! Ich wollt, ich wär tot.«

»So darfst du nicht reden«, rief Fritz. »Weißt du denn wirklich nichts?«

»Gar nichts. Ich kann jetzt Steinklopfer werden.«

»Das wird nicht nötig sein. – Wenn ich nur wüßte, ob es dir keine Beleidigung ist – –«

»Was denn?«

»Ja, ich hätte einen Vorschlag. Ich fürchte nur, es ist eine Dummheit von mir, und du nimmst es übel.«

»Aber sicher nicht! Ich kann mir's gar nicht denken.«

»Sieh, ich denke mir so – du hast ja hie und da dich für meine Arbeiten interessiert und hast selber zum Vergnügen es damit probiert. Du hast auch viel Genie dafür und könntest es bald besser als ich, weil du geschickte Finger hast und so einen feinen Geschmack. Ich meine, wenn sich vielleicht nicht gleich etwas Besseres findet, ob du es nicht mit unserem Handwerk probieren möchtest?«

Ladidel war erstaunt; daran hatte er nie gedacht. Das Gewerbe eines Barbiers war ihm bisher zwar nicht schimpflich, doch aber wenig edel vorgekommen. Nun aber war er von jener hohen Stufe herabgesunken und hatte wenig Grund mehr, irgendein ehrliches Gewerbe gering zu achten. Das fühlte er auch; und daß Fritz sein Talent so rühmte, tat ihm wohl. Er meinte nach einigem Besinnen: »Das wäre vielleicht gar nicht das Dümmste. Aber weißt du, ich bin doch schon erwachsen, und auch an einen andern Stand gewöhnt; das würde ich schwer tun, noch einmal als Lehrbub bei irgendeinem Meister anzufangen.«

Fritz nickte. »Wohl, wohl. So ist es auch nicht gemeint!«

»Ja wie denn sonst?«

»Ich meine, du könntest bei mir lernen, was noch zu lernen ist. Entweder warten wir, bis ich mein eigenes Geschäft habe, das dauert nimmer lang. Du könntest aber auch schon jetzt zu mir kommen. Mein Meister nähme ganz gern einen Volontär, der geschickt ist und keinen Lohn will. Dann würde ich dich anleiten, und sobald ich mein eigenes Geschäft anfange, kannst du bei mir eintreten. Es ist ja vielleicht nicht leicht für dich, dich dran zu gewöhnen; aber wenn man eine gute Kundschaft hat, ist es doch kein übles Geschäft.«

Ladidel hörte mit angenehmer Verwunderung zu und spürte, daß hier sein Schicksal sich entschied. War es auch vom Notar zum Friseur ein gewisser Rückschritt, so empfand er doch die innige Befriedigung eines Mannes, der seinen wahren Beruf entdeckt und den ihm bestimmten Weg gefunden hat.

»Du, das ist ja großartig«, rief er glücklich und streckte Kleuber die Hand hin. »Jetzt ist mir erst wieder wohl in meiner Haut. Mein Alter wird ja vielleicht nicht gleich einverstanden sein, aber er muß es ja einsehen. Gelt, du redest dann auch ein Wort mit ihm?«

»Wenn du meinst – «, sagte Fritz schüchtern.

Nun war Ladidel so entzückt von seinem zukünftigen Beruf und so voll Eifers, daß er begehrte, augenblicklich eine Probe abzulegen. Kleuber mochte wollen oder nicht, er mußte sich hinsetzen und sich von seinem Freunde rasieren, den Kopf waschen und frisieren lassen. Und siehe, es glückte alles vorzüglich, kaum daß Fritz ein paar kleine Ratschläge zu geben hatte. Ladidel bot ihm Zigaretten an, holte den Weingeistkocher und setzte Tee an, plauderte und setzte seinen Freund durch diese rasche Heilung von seinem Trübsinn nicht wenig in Erstaunen. Fritz brauchte länger, um sich in die veränderte Stimmung zu finden, doch riß Alfreds Laune ihn endlich mit, und wenig fehlte, so hätte dieser wie in früheren vergnügten Zeiten die Gitarre ergriffen und Schelmenlieder angestimmt. Es hielt ihn davon nur der Anblick des Briefes an seinen Vater ab, der noch auf dem Tische lag und ihn am spätern Abend nach Kleubers Weggehen noch lang beschäftigte. Er las ihn wieder durch, war nimmer mit ihm zufrieden und faßte am Ende den Entschluß, nun doch heimzufahren und seine Beichte selber abzulegen. Nun wagte er es, da er einen Ausweg aus der Trübsal wußte.

VI

Als Ladidel von dem Besuch bei seinem Vater wiederkehrte, war er zwar etwas stiller geworden, hatte aber seine Absicht erreicht und trat für ein halbes Jahr als Volontär bei Kleubers Meister ein. Fürs erste sah er damit seine Lage bedeutend verschlechtert, da er nichts mehr verdiente und das Monatsgeld von Hause sehr sparsam bemessen war. Er mußte seine hübsche Stube aufgeben und eine geringe Kammer nehmen, auch sonst trennte er sich von manchen Gewohnheiten, die seiner neuen Stellung nicht mehr angemessen schienen. Nur die Gitarre blieb bei ihm und half ihm über vieles weg, auch konnte er seiner Neigung zu sorgfältiger Pflege seines Haupthaares und Schnurrbartes, seiner Hände und Fingernägel jetzt ohne Beschränkung frönen. Er schuf sich nach kurzem Studium eine Frisur, die jedermann bewunderte, und ließ seiner Haut mit Bürsten, Pinseln, Salben, Seifen, Wassern und Pudern das Beste zukommen. Was ihn jedoch mehr als dies alles beglückte, war die Befriedigung, die er im neuen Berufe fand, und die innerliche Gewißheit, nunmehr ein Metier zu betreiben, das seinen Talenten entsprach und in dem er Aussicht hatte, Bedeutendes zu leisten.

Anfänglich ließ man ihn freilich nur untergeordnete Arbeiten tun. Er mußte Knaben die Haare schneiden, Arbeiter rasieren und Kämme und Bürsten reinigen, doch erwarb er durch seine Fertigkeit im Flechten künstlicher Zöpfe bald seines Meisters Vertrauen und erlebte nach kurzem Warten den Ehrentag, da er einen wohlgekleideten, vornehm aussehenden Herrn bedienen durfte. Dieser war zufrieden und gab ein Trinkgeld, und nun ging es Stufe für Stufe vorwärts. Ein einziges Mal schnitt er einem Kunden in die Wange und mußte Tadel über sich ergehen lassen, im übrigen erlebte er beinahe nur Anerkennung und Erfolge. Besonders war es Fritz Kleuber, der ihn bewunderte und nun erst recht für einen Auserwählten ansah. Denn wenn er selber auch ein tüchtiger Arbeiter war, so fehlte ihm doch sowohl die Erfindungskraft, die für jeden Kopf die entsprechende Frisur zu schaffen weiß, wie auch das leichte, unterhaltende, angenehme Wesen im Umgang mit der Kundschaft. Hierin war Ladidel bedeutend, und nach einem Vierteljahr begehrten schon die verwöhnteren Stammgäste immer von ihm bedient zu werden. Er verstand es auch, nebenher seine Herren zum häufigeren Ankauf neuer Pomaden, Bartwichsen und Seifen, teurer Bürstchen und Kämme zu überreden; und in der Tat mußte in diesen Dingen jedermann seinen Rat willig und dankbar hinnehmen, denn er selbst sah beneidenswert tadellos und wohlbestellt aus.

Da die Arbeit ihn so in Anspruch nahm und befriedigte, trug er jede Entbehrung leichter, und so hielt er auch die lange Trennung von Martha Weber geduldig aus. Ein Schamgefühl hatte ihn gehindert, sich ihr in seiner neuen Gestalt zu zeigen, ja er hatte Fritz inständig gebeten, seinen neuen Stand vor den Damen zu verheimlichen. Dies war allerdings nur eine kurze Zeit möglich gewesen. Meta, der die Neigung ihrer Schwester zu dem hübschen Notar nicht unbekannt geblieben war, hatte sich hinter Fritz gesteckt und bald alles herausbekommen. So konnte sie der Schwester nach und nach ihre Neuigkeiten enthüllen, und Martha erfuhr nicht nur den Berufswechsel ihres Geliebten, den er jedoch aus Gesundheitsrücksichten vorgenommen habe, sondern auch seine unverändert treue Verliebtheit. Sie erfuhr ferner, daß er sich seines neuen Standes vor ihr schämen zu müssen meine und jedenfalls nicht eher sich wieder zeigen möge, als bis er es zu etwas gebracht und begründete Aussichten für die Zukunft habe.

Eines Abends war in dem Mädchenstübchen wieder vom »Notar« die Rede. Meta hatte ihn über den Schellenkönig gelobt, Martha aber sich wie immer spröde verhalten und es vermieden, Farbe zu bekennen.

»Paß auf«, sagte Meta, »der macht so schnell voran, daß er am Ende noch vor meinem Fritz ans Heiraten kommt.«

»Meinetwegen, ich gönn's ihm ja.«

»Und dir aber auch, nicht? Oder tust du's unter einem Notar durchaus nicht?«

»Laß mich aus dem Spiel! Der Ladidel wird schon wissen, wo er sich eine zu suchen hat.«

»Das wird er, hoff ich. Bloß hat man ihn zu spröd empfangen, und jetzt ist er scheu und findet den Weg nimmer recht. Dem wenn man einen Wink gäbe, er käm auf allen vieren gelaufen.«

»Kann schon sein.«

»Wohl. Soll ich winken?«

»Willst denn du ihn haben? Du hast doch deinen Bartscherer, mein ich.«

Meta schwieg nun und lachte in sich hinein. Sie sah wohl, wie ihrer Schwester ihre vorige Schärfe leid tat. Sie sann auf Wege, den

Scheugewordenen wieder herzulocken, und hörte Marthas ver-
heimlichten Seufzern mit einer kleinen Schadenfreude zu.

Mittlerweile meldete sich von Schaffhausen her Fritzens alter
Meister wieder und ließ wissen, er wünsche nun bald sich einen
Feierabend zu gönnen. Da frage er an, wie es mit Kleubers Absichten stehe. Zugleich nannte er die Summe, um welche sein Geschäft ihm feil sei, und wieviel davon er angezahlt haben müsse.
Diese Bedingungen waren billig und wohlmeinend, jedoch reich-
ten Kleubers Mittel dazu nicht hin, so daß er in Sorgen umherging
und diese gute Gelegenheit zum Selbständigwerden und Heiraten-
können zu versäumen fürchtete. Und endlich überwand er sich
und schrieb ab, und erst dann erzählte er die ganze Sache Ladidel.

Der schalt ihn, daß er ihn das nicht habe früher wissen lassen,
und machte sogleich den Vorschlag, er wolle die Angelegenheit
vor seinen Vater bringen. Wenn der zu gewinnen sei, könnten sie ja
das Geschäft gemeinsam übernehmen.

Der alte Ladidel war überrascht, als die beiden jungen Leute mit
ihrem Anliegen zu ihm kamen, und wollte nicht sogleich daran.
Doch hatte er zu Fritz Kleuber, der sich seines Sohnes in einer ent-
scheidenden Stunde so wohl angenommen hatte, ein gutes Vertrauen, auch hatte Alfred von seinem jetzigen Meister ein überaus
lobendes Zeugnis mitgebracht. Ihm schien, sein Sohn sei jetzt auf
gutem Wege, und er zögerte, ihm nun einen Stein darauf zu werfen. Nach einigen Tagen des Hin- und Widerredens entschloß er
sich und fuhr selber nach Schaffhausen, um sich alles anzusehen.

Der Kauf kam zustande, und die beiden Kompagnons wurden
von allen Kollegen beglückwünscht. Kleuber beschloß im Frühjahr Hochzeit zu halten und bat sich Ladidel als ersten Brautführer
aus. Da war ein Besuch im Hause Weber nicht mehr zu umgehen.
Ladidel kam in Fritzens Gesellschaft daher und konnte vor Herzklopfen kaum die vielen Treppen hinaufkommen. Oben empfing
ihn der gewohnte Duft und das gewohnte Halbdunkel. Meta begrüßte ihn lachend, und die alte Mutter schaute ihn ängstlich und
bekümmert an. Hinten in der hellen Stube aber stand Martha
ernsthaft und etwas blaß in einem dunklen Kleide, gab ihm die
Hand und war diesmal kaum minder verwirrt als er selber. Man
tauschte Höflichkeiten, fragte nach der Gesundheit, trank aus kleinen altmodischen Kelchgläsern einen hellroten süßen Stachel-
beerwein und besprach dabei die Hochzeit und alles dazu Gehö-
rige. Herr Ladidel bat sich die Ehre aus, Fräulein Marthas Kavalier

sein zu dürfen, und wurde eingeladen, sich nun auch wieder fleißiger im Hause zu zeigen. Beide sprachen miteinander nur höfliche und unbedeutende Worte, sahen einander aber heimlich an, und jedes fand den andren auf eine nicht auszudrückende, doch reizende Art verändert. Ohne es einander zu sagen, wußten und spürten sie, daß auch der andre in dieser Zeit gelitten habe, und beschlossen heimlich, einander nicht wieder ohne Grund weh zu tun. Zugleich merkten sie auch beide mit Verwunderung, daß die lange Trennung und das Trotzen sie einander nicht entfremdet, sondern näher gebracht habe, und es wollte ihnen scheinen, nun sei die Hauptsache zwischen ihnen in Ordnung.

So war es denn auch, und dazu trug nicht wenig bei, daß Meta und Fritz die beiden nach schweigendem Übereinkommen wie ein versprochenes Paar ansahen. Wenn Ladidel ins Haus kam, so schien es allen selbstverständlich, daß er Marthas wegen komme und vor allem mit ihr zusammensein wolle. Ladidel half treulich bei den Vorbereitungen zur Hochzeit mit und tat es so eifrig und mit dem Herzen, als gälte es seine eigene Heirat. Verschwiegen aber und mit unendlicher Kunst erdachte er sich für Martha eine herrliche neue Frisur.

Einige Tage vor der Hochzeit nun, da es im Hause drüber und drunter ging, erschien er eines Tages feierlich, wartete einen Augenblick ab, da er mit Martha allein war, und eröffnete ihr, es liege ihm eine gewagte Bitte an sie auf dem Herzen. Sie ward rot und glaubte alles zu ahnen, und wenn sie den Tag auch nicht gut gewählt fand, wollte sie doch nichts versäumen und gab bescheiden Antwort, er möge nur reden. Ermutigt brachte er dann seine Bitte vor, die auf nichts andres zielte als auf die Erlaubnis, dem Fräulein für den Festtag mit einer neuen von ihm ausgedachten Frisur aufwarten zu dürfen.

Verwundert willigte Martha ein, daß eine Probe gemacht werde. Meta mußte helfen, und nun erlebte Ladidel den Augenblick, daß sein alter Wunsch in Erfüllung ging und er Marthas lange blonde Haare in den Händen hielt. Zu Anfang wollte diese zwar haben, daß Meta allein sie frisiere und er nur mit Rat beistehe. Doch ließ dieses sich nicht durchführen, sondern bald mußte er mit eigener Hand zugreifen und verließ nun den Posten nicht mehr. Als das Haargebäude seiner Vollendung nahe war, ließ Meta die beiden allein, angeblich nur für einen Augenblick, doch blieb sie lange aus. Inzwischen war Ladidel mit seiner Kunst fertig geworden. Martha sah sich im Spiegel königlich verschönt, und er stand hinter ihr, da und dort noch bessernd. Da überkam ihn die Ergriffenheit, daß er dem schönen Mädchen mit leiser Hand liebkosend über die Schläfe strich. Und da sie sich beklommen umwandte und ihn still mit nassen Augen ansah, geschah es von selbst, daß er sich über sie beugte und sie küßte und, von ihr in Tränen festgehalten, vor ihr kniete und als ihr Liebhaber und Bräutigam wieder aufstand.

»Wir müssen es der Mama sagen«, war alsdann ihr erstes schmeichelndes Wort, und er stimmte zu, obwohl ihm vor der betrübten alten Witwe ein wenig bange war. Als er jedoch vor ihr stand und Martha an der Hand führte und um ihre Hand anhielt, schüttelte die alte Frau nur ein wenig den Kopf, sah sie beide ratlos und bekümmert an und hatte nichts dafür und nichts dagegen zu sagen. Doch rief sie Meta herbei, und nun umarmten sich die Schwestern, lachten und weinten, bis Meta plötzlich stehenblieb, die Schwester mit beiden Armen von sich schob, sie dann festhielt und begierig ihre Frisur bewunderte.

»Wahrhaftig«, sagte sie zu Ladidel und gab ihm die Hand, »das ist Ihr Meisterstück. Aber gelt, wir sagen jetzt du zueinander?«

Am vorbestimmten Tage fand mit Glanz die Hochzeit und zugleich die Verlobungsfeier statt. Darauf reiste Ladidel in Eile nach Schaffhausen, während die Kleubers in derselben Richtung ihre Hochzeitsreise antraten. Der alte Meister übergab Ladidel das Geschäft, und der fing sofort an, als hätte er nie etwas anderes getrieben. In den Tagen bis zu Kleubers Ankunft half der Alte mit, und es war nötig, denn die Ladentür ging fleißig. Ladidel sah bald, daß hier sein Weizen blühe, und als Kleuber mit seiner Frau auf dem Dampfschiff von Konstanz her ankam und er ihn abholte, packte er schon auf dem Heimwege seine Vorschläge zur künftigen Vergrößerung des Geschäfts aus.

Am nächsten Sonntag spazierten die Freunde samt der jungen Frau zum Rheinfall hinaus, der um diese Jahreszeit reichlich Wasser führte. Hier saßen sie zufrieden unter jungbelaubten Bäumen, sahen das weiße Wasser strömen und zerstäuben und redeten von der vergangenen Zeit.

»Ja«, sagte Ladidel nachdenklich und schaute auf den tobenden Strom hinab, »nächste Woche wäre mein Examen gewesen.«

»Tut dir's nicht leid?« fragte Meta. Ladidel gab keine Antwort. Er schüttelte nur den Kopf und lachte. Dann zog er aus der Brusttasche ein kleines Paket, machte es auf und brachte ein halbes Dutzend feine kleine Kuchen hervor, von denen er den andern anbot und sich selber nahm.

»Du fängst gut an«, lachte Fritz Kleuber. »Meinst du, das Geschäft trage schon so viel?«

»Es trägt's«, nickte Ladidel im Kauen. »Es trägt's und muß noch mehr tragen.«   (1909)

Die Stadt

»Es geht vorwärts!« rief der Ingenieur, als auf der gestern neuge-
legten Schienenstrecke schon der zweite Eisenbahnzug voll Menschen, Kohlen, Werkzeugen und Lebensmitteln ankam. Die Prärie
glühte leise im gelben Sonnenlicht, blaudunstig stand am Horizont das hohe Waldgebirge. Wilde Hunde und erstaunte Prärie-
büffel sahen zu, wie in der Einöde Arbeit und Getümmel anhob,
wie im grünen Lande Flecken von Kohlen und von Asche und von
Papier und von Blech entstanden. Der erste Hobel schrillte durch
das erschrockene Land, der erste Flintenschuß donnerte auf und
verrollte am Gebirge hin, der erste Amboß klang helltönig unter
raschen Hammerschlägen auf. Ein Haus aus Blech entstand, und
am nächsten Tage eines aus Holz, und andere, und täglich neue,
und bald auch steinerne. Die wilden Hunde und Büffel blieben
fern, die Gegend wurde zahm und fruchtbar, es wehten schon im
ersten Frühjahr Ebenen voll grüner Feldfrucht, Höfe und Ställe
und Schuppen ragten daraus auf, Straßen schnitten durch die
Wildnis.

Der Bahnhof wurde fertig und eingeweiht, und das Regierungs-
gebäude, und die Bank, mehrere kaum um Monate jüngere
Schwesterstädte erwuchsen in der Nähe. Es kamen Arbeiter aus
aller Welt, Bauern und Städter, es kamen Kaufleute und Advoka-
ten, Prediger und Lehrer, es wurde eine Schule gegründet, drei religiöse Gemeinschaften, zwei Zeitungen. Im Westen wurden Erd-
ölquellen gefunden, es kam großer Wohlstand in die junge Stadt.
Noch ein Jahr, da gab es schon Taschendiebe, Zuhälter, Einbrecher, ein Warenhaus, einen Alkoholgegnerbund, einen Pariser
Schneider, eine bayrische Bierhalle. Die Konkurrenz der Neben-
städte beschleunigte das Tempo. Nichts fehlte mehr, von der
Wahlrede bis zum Streik, vom Kinotheater bis zum Spiritistenver-
ein. Man konnte französischen Wein, norwegische Heringe, italienische Würste, englische Kleiderstoffe, russischen Kaviar in der
Stadt haben. Es kamen schon Sänger, Tänzer und Musiker zweiten
Ranges auf ihren Gastreisen in den Ort.

Und es kam auch langsam die Kultur. Die Stadt, die anfänglich
nur eine Gründung gewesen war, begann eine Heimat zu werden.
Es gab hier eine Art, sich zu grüßen, eine Art, sich im Begegnen
zuzunicken, die sich von den Arten in andern Städten leicht und

zart unterschied. Männer, die an der Gründung der Stadt teilgehabt hatten, genossen Achtung und Beliebtheit, ein kleiner Adel strahlte von ihnen aus. Ein junges Geschlecht wuchs auf, dem erschien die Stadt schon als eine alte, beinahe von Ewigkeit stammende Heimat. Die Zeit, da hier der erste Hammerschlag erschollen, der erste Mord geschehen, der erste Gottesdienst gehalten, die erste Zeitung gedruckt worden war, lag ferne in der Vergangenheit, war schon Geschichte.

Die Stadt hatte sich zur Beherrscherin der Nachbarstädte und zur Hauptstadt eines großen Bezirkes erhoben. An breiten, heiteren Straßen, wo einst neben Aschenhaufen und Pfützen die ersten Hütten aus Brettern und Wellblech gestanden hatten, erhoben sich ernst und ehrwürdig Amtshäuser und Banken, Theater und Kirchen, Studenten gingen schlendernd zur Universität und Bibliothek, Krankenwagen fuhren leise zu den Kliniken, der Wagen eines Abgeordneten wurde bemerkt und begrüßt, in zwanzig gewaltigen Schulhäusern aus Stein und Eisen wurde jedes Jahr der Gründungstag der ruhmreichen Stadt mit Gesang und Vorträgen gefeiert. Die ehemalige Prärie war von Feldern, Fabriken, Dörfern bedeckt und von zwanzig Eisenbahnlinien durchschnitten, das Gebirge war nahegerückt und durch eine Bergbahn bis ins Herz der Schluchten erschlossen. Dort, oder fern am Meer, hatten die Reichen ihre Sommerhäuser.

Ein Erdbeben warf, hundert Jahre nach ihrer Gründung, die Stadt bis auf kleine Teile zu Boden. Sie erhob sich von neuem, und alles Hölzerne ward nun Stein, alles Kleine groß, alles Enge weit. Der Bahnhof war der größte des Landes, die Börse die größte des ganzen Erdteils, Architekten und Künstler schmückten die verjüngte Stadt mit öffentlichen Bauten, Anlagen, Brunnen, Denkmälern. Im Laufe dieses neuen Jahrhunderts erwarb sich die Stadt den Ruf, die schönste und reichste des Landes und eine Sehenswürdigkeit zu sein. Politiker und Architekten, Techniker und Bürgermeister fremder Städte kamen gereist, um die Bauten, Wasserleitungen, die Verwaltung und andere Einrichtungen der berühmten Stadt zu studieren. Um jene Zeit begann der Bau des neuen Rathauses, eines der größten und herrlichsten Gebäude der Welt, und da diese Zeit beginnenden Reichtums und städtischen Stolzes glücklich mit einem Aufschwung des allgemeinen Geschmacks, der Baukunst und Bildhauerei vor allem, zusammentraf, ward die rasch wachsende Stadt ein keckes und wohlgefälliges Wunderwerk. Den innern Bezirk, dessen Bauten ohne Ausnahme aus einem edlen, hellgrauen Stein bestanden, umschloß ein breiter grüner Gürtel herrlicher Parkanlagen, und jenseits dieses Ringes verloren sich Straßenzüge und Häuser in weiter Ausdehnung langsam ins Freie und Ländliche. Viel besucht und bewundert wurde ein ungeheures Museum, in dessen hundert Sälen, Höfen und Hallen die Geschichte der Stadt von ihrer Entstehung bis zur letzten Entwicklung dargestellt war. Der erste, ungeheure Vorhof dieser Anlage stellte die ehemalige Prärie dar, mit wohlgepflegten Pflanzen und Tieren und genauen Modellen der frühesten elenden Behausungen, Gassen und Einrichtungen. Da lustwandelte die Jugend der Stadt und betrachtete den Gang ihrer Geschichte, vom Zelt und Bretterschuppen an, vom ersten unebenen Schienenpfad bis zum Glanz der großstädtischen Straßen. Und sie lernten daran, von ihren Lehrern geführt und unterwiesen, die herrlichen Gesetze der Entwicklung und des Fortschritts begreifen, wie aus dem Rohen das Feine, aus dem Tier der Mensch, aus dem Wilden der Gebildete, aus der Not der Überfluß, aus der Natur die Kultur entstehe.

Im folgenden Jahrhundert erreichte die Stadt den Höhepunkt ihres Glanzes, der sich in reicher Üppigkeit entfaltete und eilig steigerte, bis eine blutige Revolution der unteren Stände dem ein Ziel setzte. Der Pöbel begann damit, viele von den großen Erdölwerken, einige Meilen von der Stadt entfernt, anzuzünden, so daß ein großer Teil des Landes mit Fabriken, Höfen und Dörfern teils verbrannte, teils verödete. Die Stadt selbst erlebte zwar Gemetzel und Greuel jeder Art, blieb aber bestehen und erholte sich in nüchternen Jahrzehnten wieder langsam, ohne aber das frühere flotte Leben und Bauen je wieder zu vermögen. Es war während ihrer üblen Zeit ein fernes Land jenseits der Meere plötzlich aufgeblüht, das lieferte Korn und Eisen, Silber und andere Schätze mit der Fülle eines unerschöpften Bodens, der noch willig hergibt. Das neue Land zog die brachen Kräfte, das Streben und Wünschen der alten Welt gewaltsam an sich, Städte blühten dort über Nacht aus der Erde, Wälder verschwanden, Wasserfälle wurden gebändigt.

Die schöne Stadt begann langsam zu verarmen. Sie war nicht mehr Herz und Gehirn einer Welt, nicht mehr Markt und Börse vieler Länder. Sie mußte damit zufrieden sein, sich am Leben zu erhalten und im Lärme neuer Zeiten nicht ganz zu erblassen. Die müßigen Kräfte, soweit sie nicht nach der fernen neuen Welt fortschwanden, hatten nichts mehr zu bauen und zu erobern und wenig mehr zu handeln und zu verdienen. Statt dessen keimte in dem nun alt gewordenen Kulturboden ein geistiges Leben, es gingen Gelehrte und Künstler von der stillwerdenden Stadt aus, Maler und Dichter. Die Nachkommen derer, welche einst auf dem jungen Boden die ersten Häuser erbaut hatten, brachten lächelnd ihre Tage in stiller, später Blüte geistiger Genüsse und Bestrebungen hin, sie malten die wehmütige Pracht alter moosiger Gärten mit verwitternden Statuen und grünen Wassern und sangen in zarten Versen vom fernen Getümmel der alten heldenhaften Zeit oder vom stillen Träumen müder Menschen in alten Palästen.

Damit klangen der Name und Ruhm dieser Stadt noch einmal durch die Welt. Mochten draußen Kriege die Völker erschüttern und große Arbeiten sie beschäftigen, hier wußte man in verstummter Abgeschiedenheit den Frieden walten und den Glanz versunkener Zeiten leise nachdämmern: stille Straßen, von Blütenzweigen überhangen, wetterfarbene Fassaden mächtiger Bauwerke über lärmlosen Plätzen träumend, moosbewachsene Brunnenschalen in leiser Musik von spielenden Wassern überronnen.

Manche Jahrhunderte war die alte träumende Stadt für die jüngere Welt ein ehrwürdiger und geliebter Ort, von Dichtern besungen und von Liebenden besucht. Doch drängte das Leben der Menschheit immer mächtiger nach anderen Erdteilen hin. Und in der Stadt selbst begannen die Nachkommen der alten einheimischen Familien auszusterben oder zu verwahrlosen. Es hatte auch die letzte geistige Blüte ihr Ziel längst erreicht, und übrig blieb nur verwesendes Gewebe. Die kleineren Nachbarstädte waren seit längeren Zeiten ganz verschwunden, zu stillen Ruinenhaufen geworden, zuweilen von ausländischen Malern und Touristen besucht, zuweilen von Zigeunern und entflohenen Verbrechern bewohnt.

Nach einem Erdbeben, das indessen die Stadt selbst verschonte, war der Lauf des Flusses verschoben und ein Teil des verödeten Landes zu Sumpf, ein anderer dürr geworden. Und von den Bergen her, wo die Reste uralter Steinbrücken und Landhäuser zerbröckelten, stieg der Wald, der alte Wald, langsam herab. Er sah die weite Gegend öde liegen und zog langsam ein Stück nach dem andern in seinen grünen Kreis, überflog hier einen Sumpf mit flüsterndem Grün, dort ein Steingeröll mit jungem, zähem Nadelholz.

In der Stadt hausten am Ende keine Bürger mehr, nur noch Gesindel, unholdes, wildes Volk, das in den schiefen, einsinkenden Palästen der Vorzeit Obdach nahm und in den ehemaligen Gärten und Straßen seine mageren Ziegen weidete. Auch diese letzte Bevölkerung starb allmählich in Krankheiten und Blödsinn aus, die ganze Landschaft war seit der Versumpfung von Fieber heimgesucht und der Verlassenheit anheimgefallen.

Die Reste des alten Rathauses, das einst der Stolz seiner Zeit gewesen war, standen noch immer sehr hoch und mächtig, in Liedern aller Sprachen besungen und ein Herd unzähliger Sagen der Nachbarvölker, deren Städte auch längst verwahrlost waren und deren Kultur entartete. In Kinder-Spukgeschichten und melancholischen Hirtenliedern tauchten entstellt und verzerrt noch die Namen der Stadt und der gewesenen Pracht gespenstisch auf, und Gelehrte ferner Völker, deren Zeit jetzt blühte, kamen zuweilen auf gefährlichen Forschungsreisen in die Trümmerstädte, über deren Geheimnisse die Schulknaben entfernter Länder sich begierig unterhielten. Es sollten Tore von reinem Gold und Grabmäler voll von Edelsteinen dort sein, und die wilden Nomadenstämme der Gegend sollten aus alten fabelhaften Zeiten her verschollene Reste einer tausendjährigen Zauberkunst bewahren.

Der Wald aber stieg weiter von den Bergen her in die Ebene, Seen und Flüsse entstanden und vergingen, und der Wald rückte vor und ergriff und verhüllte langsam das ganze Land, die Reste der alten Straßenmauern, der Paläste, Tempel, Museen, und Fuchs und Marder, Wolf und Bär bevölkerten die Einöde.

Über einem der gestürzten Paläste, von dem kein Stein mehr am Tage lag, stand eine junge Kiefer, die war vor einem Jahr noch der vorderste Bote und Vorläufer des heranwachsenden Waldes gewesen. Nun aber schaute auch sie schon wieder weit auf jungen Wuchs hinaus.

»Es geht vorwärts!« rief ein Specht, der am Stamme hämmerte, und sah den wachsenden Wald und den herrlichen, grünenden Fortschritt auf Erden zufrieden an.   (1910)

Der Lateinschüler

Mitten in dem enggebauten alten Städtlein liegt ein phantastisch großes Haus mit vielen kleinen Fenstern und jämmerlich ausgetretenen Vorstaffeln und Treppenstiegen, halb ehrwürdig und halb lächerlich, und ebenso war dem jungen Karl Bauer zumute, welcher als sechzehnjähriger Schüler jeden Morgen und Mittag mit seinem Büchersack hineinging. Da hatte er seine Freude an dem schönen, klaren und tückelosen Latein und an den altdeutschen Dichtern und hatte seine Plage mit dem schwierigen Griechisch und mit der Algebra, die ihm im dritten Jahr sowenig lieb war wie im ersten, und wieder seine Freude an ein paar graubärtigen alten Lehrern und seine Not mit ein paar jungen.

Nicht weit vom Schulhaus stand ein uralter Kaufladen, da ging es über dunkelfeuchte Stufen durch die immer offene Tür unablässig aus und ein mit Leuten, und im pechfinsteren Hausgang roch es nach Sprit, Petroleum und Käse. Karl fand sich aber gut im Dunkeln durch, denn hoch oben im selben Haus hatte er seine Kammer, dort ging er zu Kost und Logis bei der Mutter des Ladenbesitzers. So finster es unten war, so hell und frei war es droben; dort hatten sie Sonne, soviel nur schien, und sahen über die halbe Stadt hinweg, deren Dächer sie fast alle kannten und einzeln mit Namen nennen konnten.

Von den vielerlei guten Sachen, die es im Laden in großer Menge gab, kam nur sehr weniges die steile Treppe herauf, zu Karl Bauer wenigstens, denn der Kosttisch seiner alten Frau Kusterer war mager bestellt und sättigte ihn niemals. Davon aber abgesehen, hausten sie und er ganz freundschaftlich zusammen, und seine Kammer besaß er wie ein Fürst sein Schloß. Niemand störte ihn darin, er mochte treiben, was es war, und er trieb vielerlei. Die zwei Meisen im Käfig wären noch das wenigste gewesen, aber er hatte auch eine Art Schreinerwerkstatt eingerichtet, und im Ofen schmolz und goß er Blei und Zinn, und sommers hielt er Blindschleichen und Eidechsen in einer Kiste – sie verschwanden immer nach kurzer Zeit durch immer neue Löcher im Drahtgitter. Außerdem hatte er auch noch seine Geige, und wenn er nicht las oder schreinerte, so geigte er gewiß, zu allen Stunden bei Tag und bei Nacht.

So hatte der junge Mensch jeden Tag seine Freuden und ließ

sich die Zeit niemals lang werden, zumal da es ihm nicht an Büchern fehlte, die er entlehnte, wo er eins stehen sah. Er las eine Menge, aber freilich war ihm nicht eins so lieb wie das andre, sondern er zog die Märchen und Sagen sowie Trauerspiele in Versen allen andern vor.

Das alles, so schön es war, hätte ihn aber doch nicht satt gemacht. Darum stieg er, wenn der fatale Hunger wieder zu mächtig wurde, so still wie ein Wiesel die alten, schwarzen Stiegen hinunter bis in den steinernen Hausgang, in welchen nur aus dem Laden her ein schwacher Lichtstreifen fiel. Dort war es nicht selten, daß auf einer hohen leeren Kiste ein Rest guten Käses lag, oder es stand ein halbvolles Heringsfäßchen offen neben der Tür, und an guten Tagen oder wenn Karl unter dem Vorwand der Hilfsbereitschaft mutig in den Laden selber trat, kamen auch zuweilen ein paar Hände voll gedörrte Zwetschgen, Birnenschnitze oder dergleichen in seine Tasche.

Diese Züge unternahm er jedoch nicht mit Habsucht und schlechtem Gewissen, sondern teils mit der Harmlosigkeit des Hungernden, teils mit den Gefühlen eines hochherzigen Räubers, der keine Menschenfurcht kennt und der Gefahr mit kühlem Stolze ins Auge blickt. Es schien ihm ganz den Gesetzen der sittlichen Weltordnung zu entsprechen, daß das, was die alte Mutter geizig an ihm sparte, der überfüllten Schatzkammer ihres Sohnes entzogen würde.

Diese verschiedenartigen Gewohnheiten, Beschäftigungen und Liebhabereien hätten, neben der allmächtigen Schule her, eigentlich genügen können, um seine Zeit und seine Gedanken auszufüllen. Karl Bauer war aber davon noch nicht befriedigt. Teils in Nachahmung einiger Mitschüler, teils infolge seiner vielen schöngeistigen Lektüre, teils auch aus eignem Herzensbedürfnis betrat er in jener Zeit zum erstenmal das schöne ahnungsvolle Land der Frauenliebe. Und da er doch zum voraus genau wußte, daß sein derzeitiges Streben und Werben zu keinem realen Ziele führen würde, war er nicht allzu bescheiden und weihte seine Verehrung dem schönsten Mädchen der Stadt, die aus reichem Hause war und schon durch die Pracht ihrer Kleidung alle gleichaltrigen Jungfern weit überstrahlte. An ihrem Hause ging der Schüler täglich vorbei, und wenn sie ihm begegnete, zog er den Hut so tief wie vor dem Rektor nicht.

So waren seine Umstände beschaffen, als durch einen Zufall

eine ganz neue Farbe in sein Dasein kam und neue Tore zum Leben sich ihm öffneten.

Eines Abends gegen Ende des Herbstes, da Karl von der Schale mit dünnem Milchkaffee wieder gar nicht satt geworden war, trieb ihn der Hunger auf die Streife. Er glitt unhörbar die Treppe hinab und revierte im Hausgang, wo er nach kurzem Suchen einen irdenen Teller stehen sah, auf welchem zwei Winterbirnen von köstlicher Größe und Farbe sich an eine rotgeränderte Scheibe Holländerkäse lehnten.

Leicht hätte der Hungrige erraten können, daß diese Kollation für den Tisch des Hausherrn bestimmt und nur für Augenblicke von der Magd beiseitegestellt worden sei; aber im Entzücken des unerwarteten Anblicks lag ihm der Gedanke an eine gütige Schicksalsfügung viel näher, und er barg die Gabe mit dankbaren Gefühlen in seinen Taschen.

Noch ehe er damit fertig und wieder verschwunden war, trat jedoch die Dienstmagd Babett auf leisen Pantoffeln aus der Kellertüre, hatte ein Kerzenlicht in der Hand und entdeckte entsetzt den Frevel. Der junge Dieb hatte noch den Käse in der Hand; er blieb regungslos stehen und sah zu Boden, während in ihm alles auseinanderging und in einem Abgrund von Scham versank. So standen die beiden da, von der Kerze beleuchtet, und das Leben hat dem kühnen Knaben seither wohl schmerzlichere Augenblicke beschert, aber gewiß nie einen peinlicheren.

»Nein, so was!« sprach Babett endlich und sah den zerknirschten Frevler an, als wäre er eine Moritat. Dieser hatte nichts zu sagen.

»Das sind Sachen!« fuhr sie fort. »Ja, weißt du denn nicht, daß das gestohlen ist?«

»Doch, ja.«

»Herr du meines Lebens, wie kommst du denn dazu?«

»Es ist halt dagestanden, Babett, und da hab ich gedacht – «

»Was denn hast gedacht?«

»Weil ich halt so elend Hunger gehabt hab . . .«

Bei diesen Worten riß das alte Mädchen ihre Augen weit auf und starrte den Armen mit unendlichem Verständnis, Erstaunen und Erbarmen an.

»Hunger hast? Ja, kriegst denn nichts zu futtern da droben?«

»Wenig, Babett, wenig.«

»Jetzt da soll doch! Nun, 's ist gut, 's ist gut. Behalt das nur, was du im Sack hast, und den Käs auch, behalt's nur, 's noch mehr im Haus. Aber jetzt tät ich raufgehen, sonst kommt noch jemand.«

In merkwürdiger Stimmung kehrte Karl in seine Kammer zurück, setzte sich hin und verzehrte nachdenklich erst den Holländer und dann die Birnen. Dann wurde ihm freier ums Herz, er atmete auf, reckte sich und stimmte alsdann auf der Geige eine Art Dankpsalm an. Kaum war dieser beendet, so klopfte es leise an, und wie er aufmachte, stand vor der Tür die Babett und streckte ihm ein gewaltiges, ohne Sparsamkeit bestrichenes Butterbrot entgegen.

So sehr ihn dieses erfreute, wollte er doch höflich ablehnen, aber sie litt es nicht, und er gab gerne nach.

»Geigen tust du aber mächtig schön«, sagte sie bewundernd, »ich hab's schon öfter gehört. Und wegen dem Essen, da will ich schon sorgen. Am Abend kann ich dir gut immer was bringen, es braucht's niemand zu wissen. Warum gibt sie dir's auch nicht besser, wo doch wahrhaftig dein Vater genug Kostgeld zahlen muß.«

Noch einmal versuchte der Bursche schüchtern dankend abzulehnen, aber sie hörte gar nicht darauf, und er fügte sich gerne. Am Ende kamen sie dahin überein, daß Karl an Tagen der Hungersnot beim Heimkommen auf der Stiege das Lied »Güldne Abendsonne« pfeifen sollte, dann käme sie und brächte ihm zu essen. Wenn er etwas andres pfiffe oder gar nichts, so wäre es nicht nötig. Zerknirscht und dankbar legte er seine Hand in ihre breite Rechte, die mit starkem Druck das Bündnis besiegelte.

Und von dieser Stunde an genoß der Gymnasiast mit Behagen und Rührung die Teilnahme und Fürsorge eines guten Frauengemütes, zum erstenmal seit den heimatlichen Knabenjahren, denn er war schon früh in Pension getan worden, da seine Eltern auf dem Lande wohnten. An jene Heimatjahre ward er auch oft erinnert, denn die Babett bewachte und verwöhnte ihn ganz wie eine Mutter, was sie ihren Jahren nach auch annähernd hätte sein können. Sie war gegen vierzig und im Grunde eine eiserne, unbeugsame, energische Natur; aber Gelegenheit macht Diebe, und da sie so unerwartet an dem Jüngling einen dankbaren Freund und Schützling und Futtervogel gefunden hatte, trat mehr und mehr aus dem bisher schlummernden Grunde ihres gehärteten Gemütes ein fast zaghafter Hang zur Weichheit und selbstlosen Milde an den Tag.

Diese Regung kam dem Karl Bauer zugute und verwöhnte ihn

schnell, wie denn so junge Knaben alles Dargebotene, sei es auch die seltenste Frucht, mit Bereitwilligkeit und fast wie ein gutes Recht hinnehmen. So kam es auch, daß er schon nach wenigen Tagen jene so beschämende erste Begegnung bei der Kellertüre völlig vergessen hatte und jeden Abend sein »Güldne Abendsonne« auf der Treppe erschallen ließ, als wäre es nie anders gewesen.

Trotz aller Dankbarkeit wäre vielleicht Karls Erinnerung an die Babett nicht so unverwüstlich lebendig geblieben, wenn ihre Wohltaten sich dauernd auf das Eßbare beschränkt hätten. Jugend ist hungrig, aber sie ist nicht weniger schwärmerisch, und ein Verhältnis zu Jünglingen läßt sich mit Käse und Schinken, ja selbst mit Kellerobst und Wein nicht auf die Dauer warmhalten.

Die Babett war nicht nur im Hause Kusterer hochgeachtet und unentbehrlich, sondern genoß in der ganzen Nachbarschaft den Ruf einer tadelfreien Ehrbarkeit. Wo sie dabei war, ging es auf eine anständige Weise heiter zu. Das wußten die Nachbarinnen, und sie sahen es daher gern, wenn ihre Dienstmägde, namentlich die jungen, mit ihr Umgang hatten. Wen sie empfahl, der fand gute Aufnahme, und wer ihren vertrauteren Verkehr genoß, der war besser aufgehoben als im Mägdestift oder Jungfrauenverein.

Feierabends und an den Sonntagnachmittagen war also die Babett selten allein, sondern stets von einem Kranz jüngerer Mägde umgeben, denen sie die Zeit herumbringen half und mit allerlei Rat zur Hand ging. Dabei wurden Spiele gespielt, Lieder gesungen, Scherzfragen und Rätsel aufgegeben, und wer etwa einen Bräutigam oder einen Bruder besaß, durfte ihn gern mitbringen. Freilich geschah das nur sehr selten, denn die Bräute wurden dem Kreise meistens bald untreu, und die jungen Gesellen und Knechte hatten es mit der Babett nicht so freundschaftlich wie die Mädchen. Lockere Liebesgeschichten duldete sie nicht; wenn von ihren Schützlingen eine auf solche Wege geriet und durch ernstes Vermahnen nicht zu bessern war, so blieb sie ausgeschlossen.

In diese muntere Jungferngesellschaft ward der Lateinschüler als Gast aufgenommen, und vielleicht hat er dort mehr gelernt als im Gymnasium. Den Abend seines Eintritts hat er nicht vergessen. Es war im Hinterhof, die Mädchen saßen auf Treppenstaffeln und leeren Kisten, es war dunkel, und oben floß der viereckig abgeschnittene Abendhimmel noch in schwachem mildblauem Licht. Die Babett saß vor der halbrunden Kellereinfahrt auf einem Fäßchen, und Karl stand schüchtern neben ihr an den Torbalken gelehnt, sagte nichts und schaute in der Dämmerung die Gesichter der Mädchen an. Zugleich dachte er ein wenig ängstlich daran, was wohl seine Kameraden zu diesem abendlichen Verkehr sagen würden, wenn sie davon erführen.

Ach, diese Mädchengesichter! Fast alle kannte er vom Sehen schon, aber nun waren sie, so im Halblicht zusammengerückt, ganz verändert und sahen ihn wie lauter Rätsel an. Er weiß auch heute noch alle Namen und alle Gesichter und von vielen die Geschichte dazu. Was für Geschichten! Wieviel Schicksal, Ernst, Wucht und auch Anmut in den paar kleinen Mägdeleben!

Es war die Anna vom Grünen Baum da, die hatte als ganz junges Ding in ihrem ersten Dienst einmal gestohlen und war einen Monat gesessen. Nun war sie seit Jahren treu und ehrlich und galt für ein Kleinod. Sie hatte große braune Augen und einen herben Mund, saß schweigsam da und sah den Jüngling mit kühler Neugierde an. Aber ihr Schatz, der ihr damals bei der Polizeigeschichte untreu geworden war, hatte inzwischen geheiratet und war schon wieder Witwer geworden. Er lief ihr jetzt wieder nach und wollte sie durchaus noch haben, aber sie machte sich hart und tat, als wollte sie nichts mehr von ihm wissen, obwohl sie ihn heimlich noch so lieb hatte wie je.

Die Margret aus der Binderei war immer fröhlich, sang und klang und hatte Sonne in den rotblonden Kraushaaren. Sie war beständig sauber gekleidet und hatte immer etwas Schönes und Heiteres an sich, ein blaues Band oder ein paar Blumen, und doch gab sie niemals Geld aus, sondern schickte jeden Pfennig ihrem Stiefvater heim, der's versoff und ihr nicht danke sagte. Sie hat dann später ein schweres Leben gehabt, ungeschickt geheiratet und sonst vielerlei Pech und Not, aber auch dann ging sie noch leicht und hübsch einher, hielt sich rein und schmuck und lächelte zwar seltener, aber desto schöner.

Und so fast alle, eine um die andre, wie wenig Freude und Geld und Freundliches haben sie gehabt und wieviel Arbeit, Sorge und Ärger, und wie haben sie sich durchgebracht und sind obenan geblieben, mit wenig Ausnahmen lauter wackere und unverwüstliche Kämpferinnen! Und wie haben sie in den paar freien Stunden gelacht und sich fröhlich gemacht mit nichts, mit einem Witz und einem Lied, mit einer Handvoll Walnüsse und einem roten Bandrestchen! Wie haben sie vor Lust gezittert, wenn eine recht grausame Martergeschichte erzählt wurde, und wie haben sie bei traurigen Liedern mitgesungen und geseufzt und große Tränen in den guten Augen gehabt!

Ein paar von ihnen waren ja auch widerwärtig, krittelig und stets zum Nörgeln und Klatschen bereit, aber die Babett fuhr ihnen, wenn es not tat, schon übers Maul. Und auch sie trugen ja ihre Last und hatten es nicht leicht. Die Gret vom Bischofseck namentlich war eine Unglückliche. Sie trug schwer am Leben und schwer an ihrer großen Tugend, sogar im Jungfrauenverein war es ihr nicht fromm und streng genug, und bei jedem kräftigen Wort, das an sie kam, seufzte sie tief in sich hinein, biß die Lippen zusammen und sagte leise: »Der Gerechte muß viel leiden.« Sie litt jahraus, jahrein und gedieh am Ende doch dabei, aber wenn sie ihren Strumpf voll ersparter Taler überzählte, wurde sie gerührt und fing zu weinen an. Zweimal konnte sie einen Meister heiraten, aber sie tat es beidemal nicht, denn der eine war ein Leichtfuß, und der andere war selber so gerecht und edel, daß sie bei ihm das Seufzen und Unverstandensein hätte entbehren müssen.

Die alle saßen da in der Ecke des dunkeln Hofes, erzählten einander ihre Begebenheiten und warteten darauf, was der Abend nun Gutes und Fröhliches bringen würde. Ihre Reden und Gebärden wollten dem gelehrten Jüngling anfänglich nicht die klügsten und nicht die feinsten scheinen, aber bald wurde ihm, da seine Verlegenheit wich, freier und wohler, und er blickte nun auf die im Dunkel beisammenkauernden Mädchen wie auf ein ungewöhnliches, sonderbar schönes Bild.

»Ja, das wäre also der Herr Lateinschüler«, sagte die Babett und wollte sogleich die Geschichte seines kläglichen Hungerleidens vortragen, doch da zog er sie flehend am Ärmel, und sie schonte ihn gutmütig.

»Da müssen Sie sicher schrecklich viel lernen?« fragte die rotblonde Margret aus der Binderei, und sie fuhr sogleich fort: »Auf was wollen Sie denn studieren?«

»Ja, das ist noch nicht ganz bestimmt. Vielleicht Doktor.« Das erweckte Ehrfurcht, und alle sahen ihn aufmerksam an.

»Da müssen Sie aber doch zuerst noch einen Schnurrbart kriegen«, meinte die Lene vom Apotheker, und nun lachten sie teils leise kichernd, teils kreischend auf und kamen mit hundert Neckereien, deren er sich ohne Babetts Hilfe schwerlich erwehrt hätte. Schließlich verlangten sie, er solle ihnen eine Geschichte erzählen.

Ihm wollte, soviel er auch gelesen hatte, keine einfallen als das Märchen von dem, der auszog, das Gruseln zu lernen; doch hatte er kaum recht angefangen, da lachten sie und riefen: »Das wissen wir schon lang«, und die Gret vom Bischofseck sagte geringschätzig: »Das ist bloß für Kinder.« Da hörte er auf und schämte sich, und die Babett versprach an seiner Stelle: »Nächstes Mal erzählt er was andres, er hat ja soviel Bücher daheim!« Das war ihm auch recht, und er beschloß, sie glänzend zufriedenzustellen.

Unterdessen hatte der Himmel den letzten blauen Schimmer verloren, und auf der matten Schwärze schwamm ein Stern.

»Jetzt müßt ihr aber heim«, ermahnte die Babett, und sie standen auf, schüttelten und rückten die Zöpfe und Schürzen zurecht, nickten einander zu und gingen davon, die einen durchs hintere Hoftürlein, die andern durch den Gang und die Haustüre.

Auch Karl Bauer sagte gute Nacht und stieg in seine Kammer hinauf, befriedigt und auch nicht, mit unklarem Gefühl. Denn so tief er in Jugendhochmut und Lateinschülertorheiten steckte, so hatte er doch gemerkt, daß unter diesen seinen neuen Bekannten ein andres Leben gelebt ward als das seinige und daß fast alle diese Mädchen, mit fester Kette ans rührige Alltagsleben gebunden, Kräfte in sich trugen und Dinge wußten, die für ihn so fremd wie ein Märchen waren. Nicht ohne einen kleinen Forscherdünkel gedachte er möglichst tief in die interessante Poesie dieses naiven Lebens, in die Welt des Urvolkstümlichen, der Moritaten und Soldatenlieder hineinzublicken. Aber doch fühlte er diese Welt der seinigen in gewissen Dingen unheimlich überlegen und fürchtete allerlei Tyrannei und Überwältigung von ihr.

Einstweilen ließ sich jedoch keine derartige Gefahr blicken, auch wurden die abendlichen Zusammenkünfte der Mägde immer kürzer, denn es ging schon stark in den Winter hinein, und man machte sich, wenn es auch noch so mild war, jeden Tag auf den ersten Schnee gefaßt. Immerhin fand Karl noch Gelegenheit, seine Geschichte loszuwerden. Es war die vom Zundelheiner und Zundelfrieder, die er im Schatzkästlein gelesen hatte, und sie fand keinen geringen Beifall. Die Moral am Schlusse ließ er weg, aber die Babett fügte eine solche aus eignem Bedürfnis und Vermögen hinzu. Die Mädchen, mit Ausnahme der Gret, lobten den Erzähler über Verdienst, wiederholten abwechselnd die Hauptszenen und baten sehr, er möge nächstens wieder so etwas zum besten geben. Er versprach es auch, aber schon am andern Tag wurde es so kalt, daß an kein Herumstehen im Freien mehr zu denken war, und dann kamen, je näher die Weihnacht rückte, andre Gedanken und Freuden über ihn.

Er schnitzelte alle Abend an einem Tabakskasten für seinen Papa und dann an einem lateinischen Vers dazu. Der Vers wollte jedoch niemals jenen klassischen Adel bekommen, ohne welchen ein lateinisches Distichon gar nicht auf seinen Füßen stehen kann, und so schrieb er schließlich nur »Wohl bekomm's!« in großen Schnörkelbuchstaben auf den Deckel, zog die Linien mit dem Schnitzmesser nach und polierte den Kasten mit Bimsstein und Wachs. Alsdann reiste er wohlgemut in die Ferien.

Der Januar war kalt und klar, und Karl ging, sooft er eine freie Stunde hatte, auf den Eisplatz zum Schlittschuhlaufen. Dabei ging ihm eines Tages sein bißchen eingebildete Liebe zu jenem schönen Bürgermädchen verloren. Seine Kameraden umwarben sie mit hundert kleinen Kavalierdiensten, und er konnte wohl sehen, daß sie einen wie den andern mit derselben kühlen, ein wenig neckischen Höflichkeit und Koketterie behandelte. Da wagte er es einmal und forderte sie zum Fahren auf, ohne allzusehr zu erröten und zu stottern, aber immerhin mit einigem Herzklopfen. Sie legte eine kleine, in weiches Leder gekleidete Linke in seine frostrote Rechte, fuhr mit ihm dahin und verhehlte kaum ihre Belustigung über seine hilflosen Anläufe zu einer galanten Konversation. Schließlich machte sie sich mit leichtem Dank und Kopfnicken los, und gleich darauf hörte er sie mit ihren Freundinnen, von denen manche listig nach ihm herüberschielte, so hell und boshaft lachen, wie es nur hübsche und verwöhnte kleine Mädchen können.

Das war ihm zu viel, er tat von da an diese ohnehin nicht echte Schwärmerei entrüstet von sich ab und machte sich ein Vergnügen daraus, künftighin den Fratz, wie er sie jetzt nannte, weder auf dem Eisplatz noch auf der Straße mehr zu grüßen.

Seine Freude darüber, dieser unwürdigen Fesseln einer faden Galanterie wieder ledig zu sein, suchte er dadurch zum Ausdruck zu bringen und womöglich zu erhöhen, daß er häufig in den Abendstunden mit einigen verwegenen Kameraden auf Abenteuer auszog. Sie hänselten die Polizeidiener, klopften an erleuchtete Parterrefenster, zogen an Glockensträngen und klemmten elektrische Drücker mit Zündholzspänen fest, brachten angekettete

Hofhunde zur Raserei und erschreckten Mädchen und Frauen in entlegenen Vorstadtgassen durch Pfiffe, Knallerbsen und Klein-feuerwerk.

Karl Bauer fühlte sich bei diesen Unternehmungen im winterli-chen Abenddunkel eine Zeitlang überaus wohl; ein fröhlicher Übermut und zugleich ein beklemmendes Erlebnisfieber machte ihn dann wild und kühn und bereitete ihm ein köstliches Herz-klopfen, das er niemand eingestand und das er doch wie einen Rausch genoß. Nachher spielte er dann zu Hause noch lange auf der Geige oder las spannende Bücher und kam sich dabei vor wie ein vom Beutezug heimgekehrter Raubritter, der seinen Säbel ab-gewischt und an die Wand gehängt und einen friedlich leuchten-den Kienspan entzündet hat.

Als aber bei diesen Dämmerungsfahrten allmählich alles immer wieder auf die gleichen Streiche und Ergötzungen hinauslief und als niemals etwas von den heimlich erwarteten richtigen Abenteu-ern passieren wollte, fing das Vergnügen allmählich an, ihn zu ver-leiden, und er zog sich von der ausgelassenen Kameradschaft ent-täuscht mehr und mehr zurück. Und gerade an jenem Abend, da er zum letztenmal mitmachte und nur mit halbem Herzen noch dabei war, mußte ihm dennoch ein kleines Erlebnis blühen.

Die Buben liefen zu viert in der Brühelgasse hin und her, spiel-ten mit kleinen Spazierstöckchen und sannen auf Schandtaten. Der eine hatte einen blechernen Zwicker auf der Nase, und alle vier trugen ihre Hüte und Mützen mit burschikoser Leichtfertig-keit schief auf dem Hinterkopf. Nach einer Weile wurden sie von einem eilig daherkommenden Dienstmädchen überholt, sie streifte rasch an ihnen vorbei und trug einen großen Henkelkorb am Arm. Aus dem Korbe hing ein langes Stück schwarzes Band herunter, flatterte bald lustig auf und berührte bald mit dem schon beschmutzten Ende den Boden.

Ohne eigentlich etwas dabei zu denken, faßte Karl Bauer in Übermut nach dem Bändel und hielt fest. Während die junge Magd sorglos weiterging, rollte das Band sich immer länger ab, und die Buben brachen in ein frohlockendes Gelächter aus. Da drehte das Mädchen sich um, stand wie der Blitz vor den lachen-den Jünglingen, schön und jung und blond, gab dem Bauer eine Ohrfeige, nahm das verlorene Band hastig auf und eilte schnell davon.

Der Spott ging nun über den Gezüchtigten her, aber Karl war

ganz schweigsam geworden und nahm an der nächsten Straßen-
ecke kurzen Abschied.

Es war ihm sonderbar ums Herz. Das Mädchen, dessen Gesicht
er nur einen Augenblick in der halbdunklen Gasse gesehen hatte,
war ihm sehr schön und lieb erschienen, und der Schlag von ihrer
Hand, so sehr er sich seiner schämte, hatte ihm mehr wohl als weh
getan. Aber wenn er daran dachte, daß er dem lieben Geschöpf
einen dummen Bubenstreich gespielt hatte und daß sie ihm nun
zürnen und ihn für einen einfältigen Ulkmacher ansehen müsse,
dann brannte ihn Reue und Scham.

Langsam ging er heim und pfiff auf der steilen Treppe diesmal
kein Lied, sondern stieg still und bedrückt in seine Kammer hinauf. Eine halbe Stunde lang saß er in dem dunkeln und kalten Stüblein, die Stirn an der Fensterscheibe. Dann langte er die Geige hervor und spielte lauter sanfte, alte Lieder aus seiner Kinderzeit und
darunter manche, die er seit vier und fünf Jahren nimmer gesungen oder gegeigt hatte. Er dachte an seine Schwester und an den
Garten daheim, an den Kastanienbaum und an die rote Kapuziner-
blüte an der Veranda, und an seine Mutter. Und als er dann müde
und verwirrt zu Bett gegangen war und doch nicht gleich schlafen
konnte, da geschah es dem trotzigen Abenteurer und Gassenhel-
den, daß er ganz leise und sanft zu weinen begann und stille weiter
weinte, bis er eingeschlummert war.

Karl kam nun bei den bisherigen Genossen seiner abendlichen
Streifzüge in den Ruf eines Feiglings und Deserteurs, denn er
nahm nie wieder an diesen Gängen teil. Statt dessen las er den
Don Carlos, die Gedichte Emanuel Geibels und die Hallig von
Biernatzki, fing ein Tagebuch an und nahm die Hilfsbereitschaft
der guten Babett nur selten mehr in Anspruch.

Diese gewann den Eindruck, es müsse etwas bei dem jungen
Manne nicht in Ordnung sein, und da sie nun einmal eine Fürsorge um ihn übernommen hatte, erschien sie eines Tages an der
Kammertür, um nach dem Rechten zu sehen. Sie kam nicht mit
leeren Händen, sondern brachte ein schönes Stück Lyonerwurst
mit und drang darauf, daß Karl es sofort vor ihren Augen verzehre.

»Ach laß nur, Babett«, meinte er, »jetzt hab ich gerade keinen
Hunger.«

Sie war jedoch der Ansicht, junge Leute müßten zu jeder Stunde
essen können, und ließ nicht nach, bis er ihren Willen erfüllt hatte.

Sie hatte einmal von der Überbürdung der Jugend an den Gymnasien gehört und wußte nicht, wie fern ihr Schützling sich von jeder Überanstrengung im Studieren hielt. Nun sah sie in der auffallenden Abnahme seiner Eßlust eine beginnende Krankheit, redete ihm ernstlich ins Gewissen, erkundigte sich nach den Einzelheiten seines Befindens und bot ihm am Ende ein bewährtes volkstümliches Laxiermittel an. Da mußte Karl doch lachen und erklärte ihr, daß er völlig gesund sei und daß sein geringerer Appetit nur von einer Laune oder Verstimmung herrühre. Das begriff sie sofort.

»Pfeifen hört man dich auch fast gar nimmer«, sagte sie lebhaft, »und es ist dir doch niemand gestorben. Sag, du wirst doch nicht gar verliebt sein?«

Karl konnte nicht verhindern, daß er ein wenig rot wurde, doch wies er diesen Verdacht mit Entrüstung zurück und behauptete, ihm fehle nichts als ein wenig Zerstreuung, er habe Langeweile.

»Dann weiß ich dir gleich etwas«, rief Babett fröhlich. »Morgen hat die kleine Lies vom unteren Eck Hochzeit. Sie war ja schon lang genug verlobt, mit einem Arbeiter. Eine bessere Partie hätte sie schon machen können, sollte man denken, aber der Mann ist nicht unrecht, und das Geld allein macht auch nicht selig. Und zu der Hochzeit mußt du kommen, die Lies kennt dich ja schon, und alle haben eine Freude, wenn du kommst und zeigst, daß du nicht zu stolz bist. Die Anna vom Grünen Baum und die Gret vom Bischofseck sind auch da und ich, sonst nicht viel Leute. Wer sollt's auch zahlen? Es ist halt nur so eine stille Hochzeit, im Haus, und kein großes Essen und kein Tanz und nichts dergleichen. Man kann ohne das vergnügt sein.«

»Ich bin aber doch nicht eingeladen«, meinte Karl zweifelnd, da die Sache ihm nicht gar so verlockend vorkam. Aber die Babett lachte nur.

»Ach was, das besorg ich schon, und es handelt sich ja auch bloß um eine Stunde oder zwei am Abend. Und jetzt fällt mir noch das Allerbeste ein! Du bringst deine Geige mit. – Warum nicht gar! Ach, dumme Ausreden! Du bringst sie mit, gelt ja, das gibt eine Unterhaltung, und man dankt dir noch dafür.«

Es dauerte nicht lange, so hatte der junge Herr zugesagt.

Am andern Tage holte ihn die Babett gegen Abend ab; sie hatte ein wohlerhaltenes Prachtkleid aus ihren jüngeren Jahren angelegt, das sie stark beengte und erhitzte, und sie war ganz aufgeregt und rot vor Festfreude. Doch duldete sie nicht, daß Karl sich umkleide, nur einen frischen Kragen solle er umlegen, und die Stiefel bürstete sie trotz des Staatskleides ihm sogleich an den Füßen ab. Dann gingen sie miteinander in das ärmliche Vorstadthaus, wo jenes junge Ehepaar eine Stube nebst Küche und Kammer gemietet hatte. Und Karl nahm seine Geige mit.

Sie gingen langsam und vorsichtig, denn seit gestern war Tauwetter eingetreten, und sie wollten doch mit reinen Stiefeln draußen ankommen. Babett trug einen ungeheuer großen und massiven Regenschirm unter dem Arm geklemmt und hielt ihren rotbraunen Rock mit beiden Händen hoch heraufgezogen, nicht zu Karls Freude, der sich ein wenig schämte, mit ihr gesehen zu werden.

In dem sehr bescheidenen, weißgegipsten Wohnzimmer der Neuvermählten saßen um den tannenen, sauber gedeckten Eßtisch sieben oder acht Menschen beieinander, außer dem Paare selbst zwei Kollegen des Hochzeiters und ein paar Basen oder Freundinnen der jungen Frau. Es hatte einen Schweinebraten mit Salat zum Festmahl gegeben, und nun stand ein Kuchen auf dem Tisch und daneben am Boden zwei große Bierkrüge. Als die Babett mit Karl Bauer ankam, standen alle auf, der Hausherr machte zwei schamhafte Verbeugungen, die redegewandte Frau übernahm die Begrüßung und Vorstellung, und jeder von den Gästen gab den Angekommenen die Hand.

»Nehmet vom Kuchen«, sagte die Wirtin. Und der Mann stellte schweigend zwei neue Gläser hin und schenkte Bier ein.

Karl hatte, da noch keine Lampe angezündet war, bei der Begrüßung niemand als die Gret vom Bischofseck erkannt. Auf einen Wink Babetts drückte er ein in Papier gewickeltes Geldstück, das sie ihm zu diesem Zwecke vorher übergeben hatte, der Hausfrau in die Hand und sagte einen Glückwunsch dazu. Dann wurde ihm ein Stuhl hingeschoben, und er kam vor sein Bierglas zu sitzen.

In diesem Augenblick sah er mit plötzlichem Erschrecken neben sich das Gesicht jener jungen Magd, die ihm neulich in der Brühelgasse die Ohrfeige versetzt hatte. Sie schien ihn jedoch nicht zu erkennen, wenigstens sah sie ihm gleichmütig ins Gesicht und hielt ihm, als jetzt auf den Vorschlag des Wirtes alle miteinander anstießen, freundlich ihr Glas entgegen. Hierdurch ein wenig beruhigt, wagte Karl sie offen anzusehen. Er hatte in letzter Zeit jeden Tag oft genug an dies Gesicht gedacht, das er damals nur einen Augenblick und seither nicht wieder gesehen hatte, und nun wunderte er sich, wie anders sie aussah. Sie war sanfter und zarter, auch etwas schlanker und leichter als das Bild, das er von ihr herumgetragen hatte. Aber sie war nicht weniger hübsch und noch viel liebreizender, und es wollte ihm scheinen, sie sei kaum älter als er.

Während die andern, namentlich Babett und die Anna, sich lebhaft unterhielten, wußte Karl nichts zu sagen und saß stille da, drehte sein Bierglas in der Hand und ließ die junge Blonde nicht aus den Augen. Wenn er daran dachte, wie oft es ihn verlangt hatte, diesen Mund zu küssen, erschrak er beinahe, denn es schien ihm nun, je länger er sie ansah, desto schwieriger und verwegener, ja ganz unmöglich zu sein.

Er wurde kleinlaut und blieb eine Weile schweigsam und unfroh sitzen. Da rief ihn die Babett auf, er solle seine Geige nehmen und etwas spielen. Der Junge sträubte und zierte sich ein wenig, griff dann aber in den Kasten, zupfte, stimmte und spielte ein beliebtes Lied, das, obwohl er zu hoch angestimmt hatte, die ganze Gesellschaft sogleich mitsang.

Damit war das Eis gebrochen, und es entstand eine laute Fröhlichkeit um den Tisch. Eine nagelneue kleine Stehlampe ward vorgezeigt, mit Öl gefüllt und angezündet, Lied um Lied klang in der Stube auf, ein frischer Krug Bier wurde aufgestellt, und als Karl Bauer einen der wenigen Tänze, die er konnte, anstimmte, waren im Augenblick drei Paare auf dem Plan und drehten sich lachend durch den viel zu engen Raum.

Gegen neun Uhr brachen die Gäste auf. Die Blonde hatte eine Straße lang denselben Weg wie Karl und Babett, und auf diesem Wege wagte er es, ein Gespräch mit dem Mädchen zu führen.

»Wo sind Sie denn hier im Dienst?« fragte er schüchtern.

»Beim Kaufmann Kolderer, in der Salzgasse am Eck.«

»So, so.«

»Ja.«

»Ja freilich. So . . .«

Dann gab es eine längere Pause. Aber er riskierte es und fing noch einmal an.

»Sind Sie schon lange hier?«

»Ein halb Jahr.«

»Ich mein immer, ich hätte Sie schon einmal gesehen.«

»Ich Sie aber nicht.«

»Einmal am Abend, in der Brühelgasse, nicht?«

»Ich weiß nichts davon. Liebe Zeit, man kann ja nicht alle Leute auf der Gasse so genau angucken.«

Glücklich atmete er auf, daß sie den Übeltäter von damals nicht in ihm erkannt hatte; er war schon entschlossen gewesen, sie um Verzeihung zu bitten.

Da war sie an der Ecke ihrer Straße und blieb stehen, um Abschied zu nehmen. Sie gab der Babett die Hand, und zu Karl sagte sie: »Adieu, denn, Herr Student. Und danke auch schön!«

»Für was denn?«

»Für die Musik, für die schöne. Also gut Nacht miteinander.«

Karl streckte ihr, als sie eben umdrehen wollte, die Hand hin und sie legte die ihre flüchtig darein. Dann war sie fort.

Als er nachher auf dem Treppenabsatz der Babett gut Nacht sagte, fragte sie: »Nun, ist's schön gewesen oder nicht?«

»Schön ist's gewesen, wunderschön, jawohl«, sagte er glücklich und war froh, daß es so dunkel war, denn er fühlte, wie ihm das warme Blut ins Gesicht stieg.

Die Tage nahmen zu. Es wurde allmählich wärmer und blauer, auch in den verstecktesten Gräben und Hofwinkeln schmolz das alte graue Grundeis weg, und an hellen Nachmittagen wehte schon Vorfrühlingsahnung in den Lüften.

Da eröffnete auch die Babett ihren abendlichen Hofzirkel wieder und saß, sooft es die Witterung dulden wollte, vor der Kellereinfahrt im Gespräch mit ihren Freundinnen und Schutzbefohlenen. Karl aber hielt sich fern und lief in der Traumwolke seiner Verliebtheit herum. Das Vivarium in seiner Stube hatte er eingehen lassen, auch das Schnitzen und Schreinern trieb er nicht mehr. Dafür hatte er sich ein Paar eiserne Hanteln von unmäßiger Größe und Schwere angeschafft und turnte damit, wenn das Geigen nimmer helfen wollte, bis zur Erschöpfung in seiner Kammer auf und ab.

Drei- oder viermal war er der hellblonden jungen Magd wieder auf der Gasse begegnet und hatte sie jedesmal liebenswerter und schöner gefunden. Aber mit ihr gesprochen hatte er nicht mehr und sah auch keine Aussicht dazu offen.

Da geschah es an einem Sonntagnachmittag, dem ersten Sonntag im März, daß er beim Verlassen des Hauses nebenan im Höflein die Stimmen der versammelten Mägde erlauschte und in plötzlich erregter Neugierde sich ans angelegte Tor stellte und durch den Spalt hinausspähte. Er sah die Gret und die fröhliche Margret aus der Binderei dasitzen und hinter ihnen einen licht-blonden Kopf, der sich in diesem Augenblick ein wenig erhob. Und Karl erkannte sein Mädchen, die blonde Tine, und mußte vor frohem Schrecken erst veratmen und sich zusammenraffen, ehe er die Tür aufstoßen und zu der Gesellschaft treten konnte.

»Wir haben schon gemeint, der Herr sei vielleicht zu stolz ge-worden«, rief die Margret lachend und streckte ihm als erste die Hand entgegen. Die Babett drohte ihm mit dem Finger, machte ihm aber zugleich einen Platz frei und hieß ihn sitzen. Dann fuhren die Weiber in ihren vorigen Gesprächen fort. Karl aber verließ so-bald wie möglich seinen Sitz und schritt eine Weile hin und her, bis er neben der Tine haltmachte.

»So, sind Sie auch da?« fragte er leise.

»Jawohl, warum auch nicht? Ich habe immer geglaubt, Sie kä-men einmal. Aber Sie müssen gewiß alleweil lernen.«

»Oh, so schlimm ist das nicht mit dem Lernen, das läßt sich noch zwingen. Wenn ich nur gewußt hätte, daß Sie dabei sind, dann wäre ich sicher immer gekommen.«

»Ach, gehen Sie doch mit so Komplimenten!«

»Es ist aber wahr, ganz gewiß. Wissen Sie, damals bei der Hoch-zeit ist es so schön gewesen.«

»Ja, ganz nett.«

»Weil Sie dort gewesen sind, bloß deswegen.«

»Sagen Sie keine so Sachen, Sie machen ja nur Spaß.«

»Nein, nein. Sie müssen mir nicht bös sein.«

»Warum auch bös?«

»Ich hatte schon Angst, ich sehe Sie am Ende gar nimmer.«

»So, und was dann?«

»Dann – dann weiß ich gar nicht, was ich getan hätte. Vielleicht wär ich ins Wasser gesprungen.«

»O je, 's wär schad um die Haut, sie hätt können naß werden.«

»Ja, Ihnen wär's natürlich nur zum Lachen gewesen.«

»Das doch nicht. Aber Sie reden auch ein Zeug, daß man ganz sturm im Kopf könnt werden. Geben Sie Obacht, sonst auf einmal glaub ich's Ihnen.«

»Das dürfen Sie auch tun, ich mein es nicht anders.«

Hier wurde er von der herben Stimme der Gret übertönt. Sie erzählte schrill und klagend eine lange Schreckensgeschichte von einer bösen Herrschaft, die eine Magd erbärmlich behandelte und gespeist und dann, nachdem sie krank geworden war, ohne Sang und Klang entlassen hatte. Und kaum war sie mit dem Erzählen fertig, so fiel der Chor der andern laut und heftig ein, bis die Babett zum Frieden mahnte. Im Eifer der Debatte hatte Tines nächste Nachbarin dieser den Arm um die Hüfte gelegt, und Karl Bauer merkte, daß er einstweilen auf eine Fortführung des Zwiegespräches verzichten müsse.

Er kam auch zu keiner neuen Annäherung, harrte aber wartend aus, bis nach nahezu zwei Stunden die Margret das Zeichen zum Aufbruch gab. Es war schon dämmerig und kühl geworden. Er sagte kurz adieu und lief eilig davon.

Als eine Viertelstunde später die Tine sich in der Nähe ihres Hauses von der letzten Begleiterin verabschiedet hatte und die kleine Strecke vollends allein ging, trat plötzlich hinter einem Ahornbaume hervor der Lateinschüler ihr in den Weg und grüßte sie mit schüchterner Höflichkeit. Sie erschrak ein wenig und sah ihn beinahe zornig an.

»Was wollen Sie denn, Sie?«

Da bemerkte sie, daß der junge Kerl ganz ängstlich und bleich aussah, und sie milderte Blick und Stimme beträchtlich.

»Also, was ist's denn mit Ihnen?«

Er stotterte sehr und brachte wenig Deutliches heraus. Dennoch verstand sie, was er meine, und verstand auch, daß es ihm Ernst sei, und kaum sah sie den Jungen so hilflos in ihre Hände geliefert, so tat er ihr auch schon leid, natürlich ohne daß sie darum weniger Stolz und Freude über ihren Triumph empfunden hätte.

»Machen Sie keine dummen Sachen«, redete sie ihm gütig zu. Und als sie hörte, daß er erstickte Tränen in der Stimme hatte, fügte sie hinzu: »Wir sprechen ein andermal miteinander, jetzt muß ich heim. Sie dürfen auch nicht so aufgeregt sein, nicht wahr? Also aufs Wiedersehen!«

Damit enteilte sie nickend, und er ging langsam, langsam davon, während die Dämmerung zunahm und vollends in Finsternis und Nacht überging. Er schritt durch Straßen und über Plätze, an Häusern, Mauern, Gärten und sanftfließenden Brunnen vorbei, ins Feld vor die Stadt hinaus und wieder in die Stadt hinein, unter den Rathausbogen hindurch und am oberen Marktplatz hin, aber alles war verwandelt und ein unbekanntes Fabelland geworden. Er hatte ein Mädchen lieb, und er hatte es ihr gesagt, und sie war gütig gegen ihn gewesen und hatte »auf Wiedersehen« zu ihm gesagt!

Lange schritt er ziellos so umher, und da es ihm kühl wurde, hatte er die Hände in die Hosentaschen gesteckt, und als er beim Einbiegen in seine Gasse aufschaute und den Ort erkannte und aus seinem Traum erwachte, fing er ungeachtet der späten Abendstunde an laut und durchdringend zu pfeifen. Es tönte widerhallend durch die nächtige Straße und verklang erst im kühlen Hausgang der Witwe Kusterer.

Tine machte sich darüber, was aus der Sache werden solle, viele Gedanken, jedenfalls mehr als der Verliebte, der vor Erwartungsfieber und süßer Erregung nicht zum Nachdenken kam. Das Mädchen fand, je länger sie sich das Geschehene vorhielt und überlegte, desto weniger Tadelnswertes an dem hübschen Knaben; auch war es ihr ein neues und köstliches Gefühl, einen so feinen und gebildeten, dazu unverdorbenen Jüngling in sie verliebt zu wissen. Dennoch dachte sie keinen Augenblick an ein Liebesverhältnis, das ihr nur Schwierigkeiten oder gar Schaden bringen und jedenfalls zu keinem soliden Ziele führen konnte.

Hingegen widerstrebte es ihr auch wieder, dem armen Buben durch eine harte Antwort oder durch gar keine wehe zu tun. Am liebsten hätte sie ihn halb schwesterlich, halb mütterlich in Güte und Scherz zurechtgewiesen. Mädchen sind in diesen Jahren schon fertiger und ihres Wesens sicherer als Knaben, und eine Dienstmagd vollends, die ihr eigen Brot verdient, ist in Dingen der Lebensklugheit jedem Schüler oder Studentlein weit überlegen, zumal wenn dieser verliebt ist und sich willenlos ihrem Gutdünken überläßt.

Die Gedanken und Entschlüsse der bedrängten Magd schwankten zwei Tage lang hin und wider. Sooft sie zu dem Schluß gekommen war, eine strenge und deutliche Abweisung sei doch das Richtige, sooft wehrte sich ihr Herz, das in den Jungen zwar nicht verliebt, aber ihm doch in mitleidig-gütigem Wohlwollen zugetan war.

Und schließlich machte sie es, wie es die meisten Leute in derartigen Lagen machen: sie wog ihre Entschlüsse so lang gegeneinander ab, bis sie gleichsam abgenutzt waren und zusammen wieder dasselbe zweifelnde Schwanken darstellten wie in der ersten Stunde. Und als es Zeit zu handeln war, tat und sagte sie kein Wort von dem zuvor Bedachten und Beschlossenen, sondern überließ sich völlig dem Augenblick, gerade wie Karl Bauer auch.

Diesem begegnete sie am dritten Abend, als sie ziemlich spät noch auf einen Ausgang geschickt wurde, in der Nähe ihres Hauses. Er grüßte bescheiden und sah ziemlich kleinlaut aus. Nun standen die zwei jungen Leute voreinander und wußten nicht recht, was sie einander zu sagen hätten. Die Tine fürchtete, man möchte sie sehen, und trat schnell in eine offenstehende, dunkle Toreinfahrt, wohin Karl ihr ängstlich folgte. Nebenzu scharrten Rosse in einem Stall, und in irgendeinem benachbarten Hof oder Garten probierte ein unerfahrener Dilettant seine Anfängergriffe auf einer Blechflöte.

»Was der aber zusammenbläst!« sagte Tine leise und lachte gezwungen.

»Tine!«

»Ja, was denn?«

»Ach, Tine – –«

Der scheue Junge wußte nicht, was für ein Spruch seiner warte, aber es wollte ihm scheinen, die Blonde zürne ihm nicht unversöhnlich.

»Du bist so lieb«, sagte er ganz leise und erschrak sofort darüber, daß er sie ungefragt geduzt hatte.

Sie zögerte eine Weile mit der Antwort. Da griff er, dem der Kopf ganz leer und wirbelig war, nach ihrer Hand, und er tat es so schüchtern und hielt die Hand so ängstlich lose und bittend, daß es ihr unmöglich wurde, ihm den verdienten Tadel zu erteilen. Vielmehr lächelte sie und fuhr dem armen Liebhaber mit ihrer freien Linken sachte übers Haar.

»Bist du mir auch nicht bös?« fragte er, selig bestürzt.

»Nein, du Bub, du kleiner«, lachte die Tine nun freundlich. »Aber fort muß ich jetzt, man wartet daheim auf mich. Ich muß ja noch Wurst holen.«

»Darf ich nicht mit?«

»Nein, was denkst du auch! Geh voraus und heim, nicht daß uns jemand beieinander sieht.«

»Also gut Nacht, Tine.«

»Ja, geh jetzt nur! Gut Nacht.«

Er hatte noch mehreres fragen und erbitten wollen, aber er dachte jetzt nimmer daran und ging glücklich fort, mit leichten, ruhigen Schritten, als sei die gepflasterte Stadtstraße ein weicher

Rasenboden, und mit blinden, einwärtsgekehrten Augen, als komme er aus einem blendend lichten Lande. Er hatte ja kaum mit ihr gesprochen, aber er hatte du zu ihr gesagt und sie zu ihm, er hatte ihre Hand gehalten, und sie war ihm mit der ihren übers Haar gefahren. Das schien ihm mehr als genug, und auch noch nach vielen Jahren fühlte er, sooft er an diesen Abend dachte, ein Glück und eine dankbare Güte seine Seele wie ein Lichtschein erfüllen.

Die Tine freilich, als sie nachträglich das Begebnis überdachte, konnte durchaus nimmer begreifen, wie das zugegangen war. Doch fühlte sie wohl, daß Karl an diesem Abend ein Glück erlebt habe und ihr dafür dankbar sei, auch vergaß sie seine kindliche Verschämtheit nicht und konnte schließlich in dem Geschehenen kein so großes Unheil finden. Immerhin wußte sich das kluge Mädchen von jetzt an für den Schwärmer verantwortlich und nahm sich vor, ihn so sanft und sicher wie möglich an dem angesponnenen Faden zum Rechten zu führen. Denn daß eines Menschen erste Verliebtheit, sie möge noch so heilig und köstlich sein, doch nur ein Behelf und ein Umweg sei, das hatte sie, es war noch nicht so lange her, selber mit Schmerzen am eignen Leben erfahren. Nun hoffte sie, dem Kleinen ohne unnötiges Wehetun über die Sache hinüberzuhelfen.

Das nächste Wiedersehen geschah erst am Sonntag bei der Babett. Dort begrüßte Tine den Gymnasiasten freundlich, nickte ihm von ihrem Platze aus ein- oder zweimal lächelnd zu, zog ihn mehrmals mit ins Gespräch und schien im übrigen nicht anders mit ihm zu stehen als früher. Für ihn aber war jedes Lächeln von ihr ein unschätzbares Geschenk und jeder Blick eine Flamme, die ihn mit Glanz und Glut umhüllte.

Einige Tage später aber kam Tine endlich dazu, deutlich mit dem Jungen zu reden. Es war nachmittags nach der Schule, und Karl hatte wieder in der Gegend um ihr Haus herum gelauert, was ihr nicht gefiel. Sie nahm ihn durch den kleinen Garten in einen Holzspeicher hinter dem Hause mit, wo es nach Sägespänen und trockenem Buchenholz roch. Dort nahm sie ihn vor, untersagte ihm vor allem sein Verfolgen und Auflauern und machte ihm klar, was sich für einen jungen Liebhaber von seiner Art gebühre.

»Du siehst mich jedesmal bei der Babett, und von dort kannst du mich ja allemal begleiten, wenn du magst, aber nur bis dahin, wo die andern mitgehen, nicht den ganzen Weg. Allein mit mir gehen darfst du nicht, und wenn du vor den andern nicht Obacht gibst und dich zusammennimmst, dann geht alles schlecht. Die Leute haben ihre Augen überall, und wo sie's rauchen sehen, schreien sie gleich Feurio.«

»Ja, wenn ich doch aber dein Schatz bin«, erinnerte Karl etwas weinerlich. Sie lachte.

»Mein Schatz! Was heißt jetzt das wieder! Sag das einmal der Babett oder deinem Vater daheim, oder deinem Lehrer! Ich hab dich ja ganz gern und will nicht unrecht mit dir sein, aber eh du mein Schatz sein könntest, da müßtest du vorher dein eigner Herr sein und dein eignes Brot essen, und bis dahin ist's doch noch recht lang. Einstweilen bist du einfach ein verliebter Schulbub, und wenn ich's nicht gut mit dir meinte, würd ich gar nimmer mit dir darüber reden. Deswegen brauchst du aber nicht den Kopf zu hängen, das bessert nichts.«

»Was soll ich dann tun? Hast du mich nicht gern?«

»O Kleiner! Davon ist doch nicht die Rede. Nur vernünftig sein sollst du und nicht Sachen verlangen, die man in deinem Alter noch nicht haben kann. Wir wollen gute Freunde sein und einmal abwarten, mit der Zeit kommt schon alles, wie es soll.«

»Meinst du? Aber du, etwas hab ich doch sagen wollen – «

»Und was?«

»Ja, sieh – nämlich – – «

»Red doch!«

» – ob du mir nicht auch einmal einen Kuß geben willst.«

Sie betrachtete sein rotgewordenes, unsicher fragendes Gesicht und seinen knabenhaften, hübschen Mund, und einen Augenblick schien es ihr nahezu erlaubt, ihm den Willen zu tun. Dann schalt sie sich aber sogleich und schüttelte streng den blonden Kopf.

»Einen Kuß? Für was denn?«

»Nur so. Du mußt nicht bös sein.«

»Ich bin nicht bös. Aber du mußt auch nicht keck werden. Später einmal reden wir wieder davon. Kaum kennst du mich und willst gleich küssen! Mit so Sachen soll man kein Spiel treiben. Also sei jetzt brav, am Sonntag sehe ich dich wieder, und dann könntest du auch einmal deine Geige bringen, nicht?«

»Ja, gern.«

Sie ließ ihn gehen und sah ihm nach, wie er nachdenklich und ein wenig unlustig davonschritt. Und sie fand, er sei doch ein ordentlicher Kerl, dem sie nicht zu weh tun dürfe.

Wenn Tines Ermahnungen auch eine bittere Pille für Karl gewesen waren, er folgte doch und befand sich nicht schlecht dabei. Zwar hatte er vom Liebeswesen einigermaßen andre Vorstellungen gehabt und war anfangs ziemlich enttäuscht, aber bald entdeckte er die alte Wahrheit, daß Geben seliger als Nehmen ist und daß Lieben schöner ist und seliger macht als Geliebtwerden. Daß er seine Liebe nicht verbergen und sich ihrer nicht schämen mußte, sondern sie anerkannt, wenn auch zunächst nicht belohnt sah, das gab ihm ein Gefühl der Lust und Freiheit und hob ihn aus dem engen Kreis seiner bisherigen unbedeutenden Existenz in die höhere Welt der großen Gefühle und Ideale.

Bei den Zusammenkünften der Mägde spielte er jetzt jedesmal ein paar Stücklein auf der Geige vor.

»Das ist bloß für dich, Tine«, sagte er nachher, »weil ich dir sonst nichts geben und zulieb tun kann.«

Der Frühling rückte näher und war plötzlich da, mit gelben Sternblumen auf zartgrünen Matten, mit dem tiefen Föhnblau ferner Waldgebirge, mit feinen Schleiern jungen Laubes im Gezweige und wiederkehrenden Zugvögeln. Die Hausfrauen stellten ihre Stockscherben mit Hyazinthen und Geranien auf die grünbemalten Blumenbretter vor den Fenstern. Die Männer verdauten mittags unterm Haustor in Hemdärmeln und konnten abends im Freien Kegel schieben. Die jungen Leute kamen in Unruhe, wurden schwärmerischer und verliebten sich.

An einem Sonntag, der mildblau und lächelnd über dem schon grünen Flußtal aufgegangen war, ging die Tine mit einer Freundin spazieren. Sie wollten eine Stunde weit nach der Emanuelsburg laufen, einer Ruine im Wald. Als sie aber schon gleich vor der Stadt an einem fröhlichen Wirtsgarten vorüberkamen, wo eine Musik erschallte und auf einem runden Rasenplatz ein Schleifer getanzt wurde, gingen sie zwar an der Versuchung vorüber, aber langsam und zögernd, und als die Straße einen Bogen machte, und als sie bei dieser Windung noch einmal das süß anschwellende Wogen der schon ferner tönenden Musik vernahmen, da gingen sie noch langsamer und gingen schließlich gar nicht mehr, sondern lehnten am Wiesengatter des Straßenrandes und lauschten hinüber, und als sie nach einer Weile wieder Kraft zum Gehen hatten, war doch die lustig-sehnsüchtige Musik stärker als sie und zog sie rückwärts.

»Die alte Emanuelsburg läuft uns nicht davon«, sagte die Freundin, und damit trösteten sich beide und traten errötend und mit gesenkten Blicken in den Garten, wo man durch ein Netzwerk von Zweigen und braunen, harzigen Kastanienknospen den Himmel noch blauer lachen sah. Es war ein herrlicher Nachmittag, und als Tine gegen Abend in die Stadt zurückkehrte, tat sie es nicht allein, sondern wurde höflich von einem kräftigen, hübschen Mann begleitet.

Und diesmal war die hübsche Tine an den Rechten gekommen. Er war ein Zimmermannsgesell, der mit dem Meisterwerden und einer Heirat nicht mehr allzu lange zu warten brauchte. Er sprach andeutungsweise und stockend von seiner Liebe und deutlich und fließend von seinen Verhältnissen und Aussichten. Es zeigte sich, daß er unbekannterweise die Tine schon einigemal gesehen und begehrenswert gefunden hatte und daß es ihm nicht nur um ein vorübergehendes Liebesvergnügen zu tun war. Eine Woche lang sah sie ihn täglich und gewann ihn täglich lieber, zugleich besprachen sie alles Nötige, und dann waren sie einig und galten voreinander und vor ihren Bekannten als Verlobte.

Auf die erste traumartige Erregung folgte bei Tine ein stilles, fast feierliches Fröhlichsein, über welchem sie eine Weile alles vergaß, auch den armen Schüler Karl Bauer, der in dieser ganzen Zeit vergeblich auf sie wartete.

Als ihr der vernachlässigte Junge wieder ins Gedächtnis kam, tat er ihr so leid, daß sie im ersten Augenblick daran dachte, ihm die Neuigkeit noch eine Zeitlang vorzuenthalten. Dann wieder schien ihr dies doch nicht gut und erlaubt zu sein, und je mehr sie es bedachte, desto schwieriger kam die Sache ihr vor. Sie bangte davor, sogleich ganz offen mit dem Ahnungslosen zu reden, und wußte doch, daß das der einzige Weg zum Guten war; und jetzt sah sie erst ein, wie gefährlich ihr wohlgemeintes Spiel mit dem Knaben gewesen war. Jedenfalls mußte etwas geschehen, ehe der Junge durch andre von ihrem neuen Verhältnis erfuhr. Sie wollte nicht, daß er schlecht von ihr denke. Sie fühlte, ohne es deutlich zu wissen, daß sie dem Jüngling einen Vorgeschmack und eine Ahnung der Liebe gegeben hatte und daß die Erkenntnis des Betrogenseins ihn schädigen und ihm das Erlebte vergiften würde. Sie hatte nie gedacht, daß diese Knabengeschichte ihr so zu schaffen machen könnte.

Am Ende ging sie in ihrer Ratlosigkeit zur Babett, welche freilich in Liebesangelegenheiten nicht die berufenste Richterin sein mochte. Aber sie wußte, daß die Babett ihren Lateinschüler gern hatte und sich um sein Ergehen sorgte, und so wollte sie lieber einen Tadel von ihr ertragen, als den jungen Verliebten unbehütet alleingelassen wissen.

Der Tadel blieb nicht aus. Die Babett, nachdem sie die ganze Erzählung des Mädchens aufmerksam und schweigend angehört hatte, stampfte zornig auf den Boden und fuhr die Bekennerin mit rechtschaffener Entrüstung an.

»Mach keine schönen Worte!« rief sie ihr heftig zu. »Du hast ihn einfach an der Nase herumgeführt und deinen gottlosen Spaß mit ihm gehabt, mit dem Bauer, und nichts weiter.«

»Das Schimpfen hilft nicht viel, Babett. Weißt du, wenn mir's bloß ums Amüsieren gewesen wär, dann wär ich jetzt nicht zu dir gelaufen und hätte dir's eingestanden. Es ist mir nicht so leicht gewesen.«

»So? Und jetzt, was stellst du dir vor? Wer soll jetzt die Suppe ausfressen, he? Ich vielleicht? Und es bleibt ja doch alles an dem Bub hangen, an dem armen.«

»Ja, der tut mir leid genug. Aber hör mir zu. Ich meine, ich rede jetzt mit ihm und sag ihm alles selber, ich will mich nicht schonen. Nur hab ich wollen, daß du davon weißt, damit du nachher kannst ein Aug auf ihn haben, falls es ihn zu arg plagt. – Wenn du also willst –?«

»Kann ich denn anders? Kind, dummes, vielleicht lernst du was dabei. Die Eitelkeit und das Herrgottspielenwollen betreffend, meine ich. Es könnte nicht schaden.«

Diese Unterredung hatte das Ergebnis, daß die alte Magd noch am selben Tag eine Zusammenkunft der beiden im Hofe veranstaltete, ohne daß Karl ihre Mitwisserschaft erriet. Es ging gegen den Abend, und das Stückchen Himmel über dem kleinen Hofraum glühte mit schwachem Goldfeuer. In der Torecke aber war es dunkel, und niemand konnte die zwei jungen Leute dort sehen.

»Ja, ich muß dir was sagen, Karl«, fing das Mädchen an. »Heut müssen wir einander adieu sagen. Es hat halt alles einmal sein Ende.«

»Aber was denn – – warum –?«

»Weil ich jetzt einen Bräutigam hab –«

»Einen – – –«

»Sei ruhig, gelt, und hör mich zuerst. Siehst, du hast mich ja gern gehabt, und ich hab dich nicht wollen so ohne Hü und ohne Hott fortschicken. Ich hab dir ja auch gleich gesagt, weißt du, daß du dich deswegen nicht als meinen Schatz ansehen darfst, nicht wahr?«

Karl schwieg.

»Nicht wahr?«

»Ja, also.«

»Und jetzt müssen wir ein Ende machen, und du mußt es auch nicht schwernehmen, es ist die Gasse voll mit Mädchen, und ich bin nicht die einzige und auch nicht die rechte für dich, wo du doch studierst und später ein Herr wirst und vielleicht ein Doktor.«

»Nein du, Tine, sag das nicht!«

»Es ist halt doch so und nicht anders. Und das will ich dir auch noch sagen, daß das niemals das Richtige ist, wenn man sich zum erstenmal verliebt. So jung weiß man ja noch gar nicht, was man will. Es wird nie etwas draus, und später sieht man dann alles anders an und sieht ein, daß es nicht das Rechte war.«

Karl wollte etwas antworten, er hatte viel dagegen zu sagen, aber vor Leid brachte er kein Wort heraus.

»Hast du was sagen wollen?« fragte die Tine.

»O du, du weißt ja gar nicht − −«

»Was, Karl?«

»Ach, nichts. O Tine, was soll ich denn anfangen?«

»Nichts anfangen, bloß ruhig bleiben. Das dauert nicht lang, und nachher bist du froh, daß es so gekommen ist.«

»Du redest, ja, du redest −«

»Ich red nur, was in der Ordnung ist, und du wirst sehen, daß ich ganz recht hab, wenn du auch jetzt nicht dran glauben willst. Es tut mir ja leid, du, es tut mir wirklich so leid.«

»Tut's dir? − Tine, ich will ja nichts sagen, du sollst ja ganz recht haben − − aber daß das alles so auf einmal aufhören soll, alles −«

Er kam nicht weiter, und sie legte ihm die Hand auf die zukkende Schulter und wartete still, bis sein Weinen nachließ.

»Hör mich«, sagte sie dann entschlossen. »Du mußt mir jetzt versprechen, daß du brav und gescheit sein willst.«

»Ich will nicht gescheit sein! Tot möcht ich sein, lieber tot, als so − −«

»Du, Karl, tu nicht so wüst! Schau, du hast früher einmal einen Kuß von mir haben wollen − weißt noch?«

»Ich weiß.«

»Also. Jetzt, wenn du brav sein willst – sieh, ich mag doch nicht, daß du nachher übel von mir denkst; ich möcht so gern im guten von dir Abschied nehmen. Wenn du brav sein willst, dann will ich dir den Kuß heut geben. Willst du?«

Er nickte nur und sah sie ratlos an. Und sie trat dicht zu ihm hin und gab ihm den Kuß, und der war still und ohne Gier, rein gegeben und genommen. Zugleich nahm sie seine Hand und drückte sie leise, dann ging sie schnell durchs Tor in den Hausgang und davon.

Karl Bauer hörte ihre Schritte im Gang schallen und verklingen; er hörte, wie sie das Haus verließ und über die Vortreppe auf die Straße ging. Er hörte es, aber er dachte an andre Dinge.

Er dachte an eine winterliche Abendstunde, in der ihm auf der Gasse eine junge blonde Magd eine Ohrfeige gegeben hatte, und dachte an einen Vorfrühlingsabend, da im Schatten einer Hofeinfahrt ihm eine Mädchenhand das Haar gestreichelt hatte, und die Welt war verzaubert, und die Straßen der Stadt waren fremde, selig schöne Räume gewesen. Melodien fielen ihm ein, die er früher gegeigt hatte, und jener Hochzeitsabend in der Vorstadt mit Bier und Kuchen. Bier und Kuchen, kam es ihm vor, war eigentlich eine lächerliche Zusammenstellung, aber er konnte nicht weiter daran denken, denn er hatte ja seinen Schatz verloren und war betrogen und verlassen worden. Freilich, sie hatte ihm einen Kuß gegeben – einen Kuß . . . O Tine!

Müde setzte er sich auf eine von den vielen leeren Kisten, die im Hof herumstanden. Das kleine Himmelsviereck über ihm wurde rot und wurde silbern, dann erlosch es und blieb lange Zeit tot und dunkel, und nach Stunden, da es mondhell wurde, saß Karl Bauer noch immer auf seiner Kiste, und sein verkürzter Schatten lag schwarz und mißgestaltet vor ihm auf dem unebenen Steinpflaster.

Es waren nur flüchtige und vereinzelte Blicke eines Zaungastes gewesen, die der junge Bauer ins Land der Liebe getan hatte, aber sie waren hinreichend gewesen, ihm das Leben ohne den Trost der Frauenliebe traurig und wertlos erscheinen zu lassen. So lebte er jetzt leere und schwermütige Tage und verhielt sich gegen die Ereignisse und Pflichten des alltäglichen Lebens teilnahmslos wie einer, der nicht mehr dazu gehört. Sein Griechischlehrer verschwendete nutzlose Ermahnungen an den unaufmerksamen

Träumer; auch die guten Bissen der getreuen Babett schlugen ihm nicht an, und ihr wohlgemeinter Zuspruch glitt ohne Wirkung an ihm ab.

Es waren eine sehr scharfe, außerordentliche Vermahnung vom Rektor und eine schmähliche Arreststrafe nötig, um den Entgleisten wieder auf die Bahn der Arbeit und Vernunft zu zwingen. Er sah ein, daß es töricht und ärgerlich wäre, gerade vor dem letzten Schuljahr noch sitzenzubleiben, und begann in die immer länger werdenden Frühsommerabende hinein zu studieren, daß ihm der Kopf rauchte. Das war der Anfang der Genesung.

Manchmal suchte er noch die Salzgasse auf, in der Tine gewohnt hatte, und begriff nicht, warum er ihr kein einziges Mal begegnete. Das hatte jedoch seinen guten Grund. Das Mädchen war schon bald nach ihrem letzten Gespräch mit Karl abgereist, um in der Heimat ihre Aussteuer fertigzumachen. Er glaubte, sie sei noch da und weiche ihm aus, und nach ihr fragen mochte er niemand, auch die Babett nicht. Nach solchen Fehlgängen kam er, je nachdem, ingrimmig oder traurig heim, stürmte wild auf der Geige oder starrte lang durchs kleine Fenster auf die vielen Dächer hinaus.

Immerhin ging es vorwärts mit ihm, und daran hatte auch die Babett ihren Teil. Wenn sie merkte, daß er einen übeln Tag hatte, dann kam sie nicht selten am Abend heraufgestiegen und klopfte an seine Türe. Und dann saß sie, obwohl sie ihn nicht wissen lassen wollte, daß sie den Grund seines Leides kenne, lange bei ihm und brachte ihm Trost. Sie redete nicht von der Tine, aber sie erzählte ihm kleine drollige Anekdoten, brachte ihm eine halbe Flasche Most oder Wein mit, bat ihn um ein Lied auf der Geige oder um das Vorlesen einer Geschichte. So verging der Abend friedlich, und wenn es spät war und die Babett wieder ging, war Karl stiller geworden und konnte ohne böse Träume schlafen. Und das alte Mädchen bedankte sich noch jedesmal, wenn sie adieu sagte, für den schönen Abend.

Langsam gewann der Liebeskranke seine frühere Art und seinen Frohmut wieder, ohne zu wissen, daß die Tine sich bei der Babett öfters in Briefen nach ihm erkundigte. Er war ein wenig männlicher und reifer geworden, hatte das in der Schule Versäumte wieder eingebracht und führte nun so ziemlich dasselbe Leben wie vor einem Jahre, nur die Eidechsensammlung und das Vögelhalten fing er nicht wieder an. Aus den Gesprächen der

Oberprimaner, die im Abgangsexamen standen, drangen verlokkend klingende Worte über akademische Herrlichkeiten ihm ins Ohr, er fühlte sich diesem Paradiese wohlig nähergerückt und begann sich nun auf die Sommerferien ungeduldig zu freuen. Jetzt erst erfuhr er auch durch die Babett, daß Tine schon lange die Stadt verlassen habe, und wenn auch die Wunde noch zuckte und leise brannte, so war sie doch schon geheilt und dem Vernarben nahe.

Auch wenn weiter nichts geschehen wäre, hätte Karl die Geschichte seiner ersten Liebe in gutem und dankbarem Andenken behalten und gewiß nie vergessen. Es kam aber noch ein kurzes Nachspiel, das er noch weniger vergessen hat.

Acht Tage vor den Sommerferien hatte die Freude auf die Ferien in seiner noch biegsamen Seele die nachklingende Liebestrauer übertönt und verdrängt. Er begann schon zu packen und verbrannte alte Schulhefte. Die Aussicht auf Waldspaziergänge, Flußbad und Nachenfahrten, auf Heidelbeeren und Jakobiäpfel und ungebunden fröhliche Bummeltage machte ihn so froh, wie er lange nicht mehr gewesen war. Glücklich lief er durch die heißen Straßen, und an Tine hatte er schon seit mehreren Tagen gar nimmer gedacht.

Um so heftiger schreckte er zusammen, als er eines Nachmittags auf dem Heimweg von der Turnstunde in der Salzgasse unvermutet mit Tine zusammentraf. Er blieb stehen, gab ihr verlegen die Hand und sagte beklommen grüß Gott. Aber trotz seiner eigenen Verwirrung bemerkte er bald, daß sie traurig und verstört aussah.

»Wie geht's, Tine?« fragte er schüchtern und wußte nicht, ob er zu ihr »du« oder »Sie« sagen solle.

»Nicht gut«, sagte sie. »Kommst du ein Stück weit mit?«

Er kehrte um und schritt langsam neben ihr die Straße zurück, während er daran denken mußte, wie sie sich früher dagegen gesträubt hatte, mit ihm gesehen zu werden. Freilich, sie ist ja jetzt verlobt, dachte er, und um nur etwas zu sagen, tat er eine Frage nach dem Befinden ihres Bräutigams. Da zuckte Tine so jämmerlich zusammen, daß es auch ihm weh tat.

»Weißt du also noch nichts?« sagte sie leise. »Er liegt im Spital, und man weiß nicht, ob er mit dem Leben davonkommt. - Was ihm fehlt? Von einem Neubau ist er abgestürzt und ist seit gestern nicht zu sich gekommen.«

Schweigend gingen sie weiter. Karl besann sich vergebens auf irgendein gutes Wort der Teilnahme; ihm war es wie ein beängstigender Traum, daß er jetzt so neben ihr durch die Straßen ging und Mitleid mit ihr haben mußte.

»Wo gehst du jetzt hin?« fragte er schließlich, da er das Schweigen nimmer ertrug.

»Wieder zu ihm. Sie haben mich mittags fortgeschickt, weil mir's nicht gut war.«

Er begleitete sie bis an das große stille Krankenhaus, das zwischen hohen Bäumen und umzäunten Anlagen stand, und ging auch leise schaudernd mit hinein über die breite Treppe und durch die sauberen Flure, deren mit Medizingerüchen erfüllte Luft ihn scheu machte und bedrückte.

Dann trat Tine allein in eine numerierte Türe. Er wartete still auf dem Gang; es war sein erster Aufenthalt in einem solchen Hause, und die Vorstellung der vielen Schrecken und Leiden, die hinter allen diesen lichtgrau gestrichenen Türen verborgen waren, nahm sein Gemüt mit Grauen gefangen. Er wagte sich kaum zu rühren, bis Tine wieder herauskam.

»Es ist ein wenig besser, sagen sie, und vielleicht wacht er heut noch auf. Also adieu, Karl, ich bleib jetzt drinnen, und danke auch schön.«

Leise ging sie wieder hinein und schloß die Türe, auf der Karl zum hundertstenmal gedankenlos die Ziffer siebzehn las. Seltsam erregt verließ er das unheimliche Haus. Die vorige Fröhlichkeit war ganz in ihm erloschen, aber was er jetzt empfand, war auch nicht mehr das einstige Liebesweh, es war eingeschlossen und umhüllt von einem viel weiteren, größeren Fühlen und Erleben. Er sah sein Entsagungsleid klein und lächerlich werden neben dem Unglück, dessen Anblick ihn überrascht hatte. Er sah auch plötzlich ein, daß sein kleines Schicksal nichts Besonderes und keine grausame Ausnahme sei, sondern daß auch über denen, die er für Glückliche angesehen hatte, unentrinnbar das Schicksal walte.

Aber er sollte noch mehr und noch Besseres und Wichtigeres lernen. In den folgenden Tagen, da er Tine häufig im Spital aufsuchte, und dann, als der Kranke so weit war, daß Karl ihn zuweilen sehen durfte, da erlebte er nochmals etwas ganz Neues.

Da lernte er sehen, daß auch das unerbittliche Schicksal noch nicht das Höchste und Endgültige ist, sondern daß schwache, angstvolle, gebeugte Menschenseelen es überwinden und zwingen können. Noch wußte man nicht, ob dem Verunglückten mehr als das hilflos elende Weiterleben eines Siechen und Gelähmten zu retten sein werde. Aber über diese angstvolle Sorge hinweg sah Karl Bauer die beiden Armen sich des Reichtums ihrer Liebe erfreuen, er sah das ermüdete, von Sorgen verzehrte Mädchen aufrecht bleiben und Licht und Freude um sich verbreiten und sah das blasse Gesicht des gebrochenen Mannes trotz der Schmerzen von einem frohen Glanz zärtlicher Dankbarkeit verklärt.

Und er blieb, als schon die Ferien begonnen hatten, noch mehrere Tage da, bis die Tine selber ihn zum Abreisen nötigte.

Im Gang vor den Krankenzimmern nahm er von ihr Abschied, anders und schöner als damals im Hof des Kustererschen Ladens. Er nahm nur ihre Hand und dankte ihr ohne Worte, und sie nickte ihm unter Tränen zu. Er wünschte ihr Gutes und hatte selber in sich keinen besseren Wunsch, als daß auch er einmal auf die heilige Art lieben und Liebe empfangen möchte wie das arme Mädchen und ihr Verlobter. (1905)

Der Zyklon

Es war in der Mitte der neunziger Jahre, und ich tat damals Volontärdienst in einer kleinen Fabrik meiner Vaterstadt, die ich noch im selben Jahre für immer verließ. Ich war etwa achtzehn Jahre alt und wußte nichts davon, wie schön meine Jugend sei, obwohl ich sie täglich genoß und um mich her fühlte wie der Vogel die Luft. Ältere Leute, die sich der Jahrgänge im einzelnen nimmer besinnen mögen, brauchte ich nur daran zu erinnern, daß in dem Jahre, von dem ich erzähle, unsere Gegend von einem Zyklon oder Wettersturm heimgesucht wurde, dessengleichen in unserm Lande weder vorher noch später gesehen worden ist. In jenem Jahre ist es gewesen. Ich hatte mir vor zwei oder drei Tagen einen Stahlmeißel in die linke Hand gehauen. Sie hatte ein Loch und war geschwollen, ich mußte sie verbunden tragen und durfte nicht in die Werkstatt gehen.

Es ist mir erinnerlich, daß jenen ganzen Spätsommer hindurch unser enges Tal in einer unerhörten Schwüle lag und daß zuweilen tagelang ein Gewitter dem andern folgte. Es war eine heiße Unruhe in der Natur, von welcher ich freilich nur dumpf und unbewußt berührt wurde und deren ich mich doch noch in Kleinigkeiten entsinne. Abends zum Beispiel, wenn ich zum Angeln ging, fand ich von der wetterschwülen Luft die Fische seltsam aufgeregt, sie drängten unordentlich durcheinander, schlugen häufig aus dem lauen Wasser empor und gingen blindlings an die Angel. Nun war es endlich ein wenig kühler und stiller geworden, die Gewitter kamen seltener, und in der Morgenfrühe roch es schon ein wenig herbstlich.

Eines Morgens verließ ich unser Haus und ging meinem Vergnügen nach, ein Buch und ein Stück Brot in der Tasche. Wie ich es in der Bubenzeit gewohnt gewesen war, lief ich zuerst hinters Haus in den Garten, der noch im Schatten lag. Die Tannen, die mein Vater gepflanzt und die ich selber noch ganz jung und stangendünn gekannt hatte, standen hoch und stämmig, unter ihnen lagen hellbraune Nadelhaufen, und es wollte dort seit Jahren nichts mehr wachsen als Immergrün. Daneben aber in einer langen, schmalen Rabatte standen die Blumenstauden meiner Mutter, die leuchteten reich und fröhlich, und es wurden von ihnen auf jeden Sonntag große Sträuße gepflückt. Da war ein Gewächs mit zinnoberroten Bündeln kleiner Blüten, das hieß brennende Liebe, und eine zarte Staude trug an dünnen Stengeln hängend viele herzförmige rote und weiße Blumen, die nannte man Frauenherzen, und ein anderer Strauch hieß die stinkende Hoffart. Nahebei standen hochstielige Astern, welche aber noch nicht zur Blüte gekommen waren, und dazwischen kroch am Boden mit weichen Stacheln die fette Hauswurz und der drollige Portulak, und dieses lange schmale Beet war unser Liebling und unser Traumgarten, weil da so vielerlei seltsame Blumen beieinander standen, welche uns merkwürdiger und lieber waren als alle Rosen in den beiden runden Beeten. Wenn hier die Sonne schien und auf der Efeumauer glänzte, dann hatte jede Staude ihre ganz eigene Art und Schönheit, die Gladiolen prahlten fett mit grellen Farben, der Heliotrop stand blau und wie verzaubert in seinen schmerzlichen Duft versunken, der Fuchsschwanz hing ergeben welkend herab, die Akelei aber stellte sich auf die Zehen und läutete mit ihren vierfältigen Sommerglocken. An den Goldruten und im blauen Phlox schwärmten laut die Bienen, und über dem dicken Efeu rannten kleine braune Spinnen heftig hin und wider; über den Levkoien zitterten in der Luft jene raschen, launisch schwirrenden Schmetterlinge mit dicken Leibern und gläsernen Flügeln, die man Schwärmer oder Taubenschwänze heißt.

In meinem Feiertagsbehagen ging ich von einer Blume zur andern, roch da und dort an einer duftenden Dolde oder tat mit vorsichtigem Finger einen Blütenkelch auf, um hineinzuschauen und die geheimnisvollen bleichfarbenen Abgründe und die stille Ordnung von Adern und Stempeln, von weichhaarigen Fäden und kristallenen Rinnen zu betrachten. Dazwischen studierte ich den wolkigen Morgenhimmel, wo ein sonderbar verwirrtes Durcheinander von streifigen Dunstfäden und wollig flockigen Wölkchen herrschte. Mir schien, es werde gewiß heute wieder einmal ein Gewitter geben, und ich nahm mir vor, am Nachmittag ein paar Stunden zu angeln. Eifrig wälzte ich, in der Hoffnung, Regenwürmer zu finden, ein paar Tuffsteine aus der Wegeinfassung beiseite, aber es krochen nur Scharen von grauen, trockenen Mauerasseln hervor und flüchteten verstört nach allen Seiten.

Ich besann mich, was nun zu unternehmen sei, und es wollte mir nicht sogleich etwas einfallen. Vor einem Jahre, als ich zum letztenmal Ferien gehabt hatte, da war ich noch ganz ein Knabe gewesen. Was ich damals am liebsten getrieben hatte, mit Hasel-

nußbogen ins Ziel schießen, Drachen steigen lassen und die Maus-
löcher auf den Feldern mit Schießpulver sprengen, das hatte alles
den damaligen Reiz und Schimmer nicht mehr, als sei ein Teil meiner Seele müde geworden und antworte nimmer auf die Stimmen,
die ihr einst lieb waren und Freude brachten.

Verwundert und in einer stillen Beklemmung blickte ich in dem
wohlbekannten Bezirk meiner Knabenfreuden umher. Der kleine
Garten, die blumengeschmückte Altane und der feuchte sonnen-
lose Hof mit seinem moosgrünen Pflaster sahen mich an und hatten ein anderes Gesicht als früher, und sogar die Blumen hatten
etwas von ihrem unerschöpflichen Zauber eingebüßt. Schlicht
und langweilig stand in der Gartenecke das alte Wasserfaß mit der
Leitungsröhre; da hatte ich früher zu meines Vaters Pein halbe
Tage lang das Wasser laufen lassen und hölzerne Mühlräder einge-
spannt, ich hatte auf dem Wege Dämme gebaut und Kanäle und
mächtige Überschwemmungen veranstaltet. Das verwitterte Wasserfaß war mir ein treuer Liebling und Zeitvertreiber gewesen, und
indem ich es ansah, zuckte sogar ein Nachhall jener Kinderwonne
in mir auf, allein sie schmeckte traurig, und das Faß war kein
Quell, kein Strom und kein Niagara mehr.

Nachdenklich kletterte ich über den Zaun, eine blaue Winden-
blüte streifte mir das Gesicht, ich riß sie ab und steckte sie in den
Mund. Ich war nun entschlossen, einen Spaziergang zu machen
und vom Berg herunter auf unsere Stadt zu sehen. Spazierengehen
war auch so ein halbfrohes Unternehmen, das mir in früheren Zeiten niemals in den Sinn gekommen wäre. Ein Knabe geht nicht
spazieren. Er geht in den Wald als Räuber, als Ritter oder Indianer,
er geht an den Fluß als Flößer und Fischer oder Mühlenbauer, er
läuft in die Wiesen zur Schmetterlings- und Eidechsenjagd. Und so
erschien mir mein Spaziergang als das würdige und etwas langweilige Tun eines Erwachsenen, der nicht recht weiß, was er mit sich
anzufangen hat.

Meine blaue Winde war bald welk und weggeworfen, und ich
nagte jetzt an einem Buchsbaumzweig, den ich mir abgerissen
hatte, er schmeckte bitter und gewürzig. Beim Bahndamm, wo der
hohe Ginster stand, lief mir eine grüne Eidechse vor den Füßen
weg, da wachte doch das Knabentum wieder in mir auf, und ich
ruhte nicht und lief und schlich und lauerte, bis ich das ängstliche
Tier sonnenwarm in meinen Händen hielt. Ich sah ihm in die blanken kleinen Edelsteinaugen und fühlte mit einem Nachhall ehema-

liger Jagdseligkeit den geschmeidigen kräftigen Leib und die harten Beine zwischen meinen Fingern sich wehren und stemmen. Dann aber war die Lust erschöpft, und ich wußte nicht mehr, was ich mit dem gefangenen Tier beginnen sollte. Es war nichts damit, es war kein Glück mehr dabei. Ich bückte mich nieder und öffnete meine Hand, die Eidechse hielt verwundert einen Augenblick mit heftig atmenden Flanken still und verschwand eifrig im Grase. Ein Zug fuhr auf den glänzenden Eisenschienen daher und an mir vorbei, ich sah ihm nach und fühlte einen Augenblick ganz klar, daß mir hier keine wahre Lust mehr blühen könne, und wünschte inbrünstig, mit diesem Zuge fort und in die Welt zu fahren.

Ich hielt Umschau, ob nicht der Bahnwärter in der Nähe sei, und da nichts zu sehen noch zu hören war, sprang ich schnell über die Geleise und kletterte jenseits an den hohen roten Sandsteinfelsen empor, in welchen da und dort noch die geschwärzten Spренglöcher vom Bahnbau her zu sehen waren. Der Durchschlupf nach oben war mir bekannt, ich hielt mich an den zähen, schon verblühten Ginsterbesen fest. In dem roten Gestein atmete eine trockene Sonnenwärme, der heiße Sand rieselte mir beim Klettern in die Ärmel, und wenn ich über mich sah, stand über der senkrechten Steinwand erstaunlich nah und fest der warme leuchtende Himmel. Und plötzlich war ich oben, ich konnte mich an dem Steinrande aufstemmen, die Knie nachziehen, mich an einem dünnen, dornigen Akazienstämmchen festhalten und war nun auf einem verlorenen, steil ansteigenden Graslande.

Diese stille kleine Wildnis, unter welcher in steiler Verkürzung die Eisenbahnzüge wegfahren, war mir früher ein lieber Aufenthalt gewesen. Außer dem zähen, verwilderten Grase, das nicht gemäht werden konnte, wuchsen hier kleine, feindornige Rosensträucher und ein paar vom Winde ausgesäte, kümmerliche Akazienbäumchen, durch deren dünne, transparente Blätter die Sonne schien. Auf dieser Grasinsel, die auch von oben her durch ein rotes Felsenband abgeschnitten war, hatte ich einst als Robinson gehaust, der einsame Landstrich gehörte niemandem, als wer den Mut und die Abenteuerlaune hatte, ihn durch senkrechtes Klettern zu erobern. Hier hatte ich als Zwölfjähriger mit dem Meißel meinen Namen in den Stein gehauen, hier hatte ich einst die Rosa von Tannenburg gelesen und ein kindliches Drama gedichtet, das vom tapferen Häuptling eines untergehenden Indianerstammes handelte.

Das sonnverbrannte Gras hing in bleichen, weißlichen Strähnen an der steilen Halde, das durchglühte Ginsterlaub roch stark und bitter in der windstillen Wärme. Ich streckte mich in die trockene Dürre, sah die feinen Akazienblätter in ihrer peinlich zierlichen Anordnung grell durchsonnt in dem satten blauen Himmel ruhen und dachte nach. Es schien mir die rechte Stunde zu sein, um mein Leben und meine Zukunft vor mir auszubreiten.

Doch vermochte ich nichts Neues zu entdecken. Ich sah nur die merkwürdige Verarmung, die mich von allen Seiten bedrohte, das unheimliche Erblassen und Hinwelken erprobter Freuden und liebgewordener Gedanken. Für das, was ich widerwillig hatte hingeben müssen, für die ganze verlorene Knabenseligkeit war mein Beruf mir kein Ersatz, ich liebte ihn wenig und bin ihm auch nicht lange treu geblieben. Er war für mich nichts als ein Weg in die Welt hinaus, wo ohne Zweifel irgendwo neue Befriedigungen zu finden wären. Welcher Art konnten diese sein?

Man konnte die Welt sehen und Geld verdienen, man brauchte Vater und Mutter nimmer zu fragen, ehe man etwas tat und unternahm, man konnte sonntags Kegel schieben und Bier trinken. Dieses alles aber, sah ich wohl, waren nur Nebensachen und keineswegs der Sinn des neuen Lebens, das mich erwartete. Der eigentliche Sinn lag anderswo, tiefer, schöner, geheimnisvoller, und er hing, so fühlte ich, mit den Mädchen und mit der Liebe zusammen. Da mußte eine tiefe Lust und Befriedigung verborgen sein, sonst wäre das Opfer der Knabenfreuden ohne Sinn gewesen.

Von der Liebe wußte ich wohl, ich hatte manches Liebespaar gesehen und wunderbar berauschende Liebesdichtungen gelesen. Ich hatte mich auch selber schon mehrere Male verliebt und in Träumen etwas von der Süßigkeit empfunden, um die ein Mann sein Leben einsetzt und die der Sinn seines Tuns und Strebens ist. Ich hatte Schulkameraden, die schon jetzt mit Mädchen gingen, und ich hatte in der Werkstatt Kollegen, die von den sonntäglichen Tanzböden und von nächtlich erstiegenen Kammerfenstern ohne Scheu zu erzählen wußten. Mir selbst indessen war die Liebe noch ein verschlossener Garten, vor dessen Pforte ich in schüchterner Sehnsucht wartete.

Erst in der letzten Woche, kurz vor meinem Unfall mit dem Meißel, war der erste klare Ruf an mich ergangen, und seitdem war ich in diesem unruhig nachdenklichen Zustande eines Abschiednehmenden, seitdem war mein bisheriges Leben mir zur Vergangenheit und war der Sinn der Zukunft mir deutlich geworden. Unser zweiter Lehrbube hatte mich eines Abends beiseite genommen und mir auf dem Heimweg berichtet, er wisse mir eine schöne Liebste, sie habe noch keinen Schatz gehabt und wolle keinen andern als mich, und sie habe einen seidenen Geldbeutel gestickt, den wolle sie mir schenken. Ihren Namen wollte er nicht sagen, ich werde ihn schon selber erraten können. Als ich dann drängte und fragte und schließlich geringschätzig tat, blieb er stehen – wir waren eben auf dem Mühlensteg überm Wasser – und sagte leise: »Sie geht gerade hinter uns.« Verlegen drehte ich mich um, halb hoffend und halb fürchtend, es sei doch alles nur ein dummer Scherz. Da kam hinter uns die Brückenstufen herauf ein junges Mädchen aus der Baumwollspinnerei gegangen, die Berta Vögtlin, die ich vom Konfirmandenunterricht her noch kannte. Sie blieb stehen, sah mich an und lächelte und wurde langsam rot, bis ihr ganzes Gesicht in Flammen stand. Ich lief schnell weiter und nach Hause.

Seither hatte sie mich zweimal aufgesucht, einmal in der Spinnerei, wo wir Arbeit hatten, und einmal abends beim Heimgehen, doch hatte sie nur grüß Gott gesagt und dann: »Auch schon Feierabend?« Das bedeutet, daß man ein Gespräch anzuknüpfen willens ist; ich hatte aber nur genickt und ja gesagt und war verlegen fortgegangen.

An dieser Geschichte hingen nun meine Gedanken fest und fanden sich nicht zurecht. Ein hübsches Mädchen liebzuhaben, davon hatte ich schon oft mit tiefem Verlangen geträumt. Da war nun eine, hübsch und blond und etwas größer als ich, die wollte von mir geküßt sein und in meinen Armen ruhen. Sie war groß und kräftig gewachsen, sie war weiß und rot und hübsch von Gesicht, an ihrem Nacken spielte schattiges Haargekräusel, und ihr Blick war voll Erwartung und Liebe. Aber ich hatte nie an sie gedacht, ich war nie in sie verliebt gewesen, ich war ihr nie in zärtlichen Träumen nachgegangen und hatte nie mit Zittern ihren Namen in mein Kissen geflüstert. Ich durfte sie, wenn ich wollte, liebkosen und zu eigen haben, aber ich konnte sie nicht verehren und nicht vor ihr knien und anbeten. Was sollte daraus werden? Was sollte ich tun?

Unmutig stand ich von meinem Graslager auf. Ach, es war eine üble Zeit. Wollte Gott, mein Fabrikjahr wäre schon morgen um und ich könnte wegreisen, weit von hier, und neu anfangen und das alles vergessen.

Um nur etwas zu tun und mich leben zu fühlen, beschloß ich, vollends auf den Berg zu steigen, so mühsam es von hier aus war. Da droben war man hoch über dem Städtchen und konnte in die Ferne sehen. Im Sturm lief ich die Halde hinan bis zum oberen Felsen, klemmte mich zwischen den Steinen empor und zwängte mich auf das hohe Gelände, wo der unwirtliche Berg in Gesträuch und lockeren Felstrümmern verlief. In Schweiß und Atemklemme kam ich hinan und atmete befreiter im schwachen Luftzug der sonnigen Höhe. Verblühende Rosen hingen locker an den Ranken und ließen müde blasse Blätter sinken, wenn ich vorüberstreifte. Grüne kleine Brombeeren wuchsen überall und hatten nur an der Sonnenseite den ersten schwachen Schimmer von metallischem Braun.

Distelfalter flogen ruhig in der stillen Wärme einher und zogen Farbenblitze durch die Luft, auf einer bläulich überhauchten Schafgarbendolde saßen zahllose rot und schwarz gefleckte Käfer, eine sonderbare lautlose Versammlung, und bewegten automatenhaft ihre langen, hageren Beine. Vom Himmel waren längst alle Wolken verschwunden, er stand in reinem Blau, von den schwarzen Tannenspitzen der nahen Waldberge scharf durchschnitten.

Auf dem obersten Felsen, wo wir als Schulknaben stets unsere Herbstfeuer angezündet hatten, hielt ich an und wendete mich um. Da sah ich tief im halbschattigen Tal den Fluß aufglänzen und die weißschaumigen Mühlenwehre blitzen, und eng in die Tiefe gebettet unsere alte Stadt mit braunen Dächern, über denen still und steil der blaue mittägliche Herdrauch in die Lüfte stieg. Da stand meines Vaters Haus und die alte Brücke, da stand unsere Werkstatt, in der ich klein und rot das Schmiedefeuer glimmen sah, und weiter flußab die Spinnerei, auf deren flachem Dache Gras wuchs und hinter deren blanken Scheiben mit vielen andern auch die Berta Vögtlin ihrer Arbeit nachging. Ach die! Ich wollte nichts von ihr wissen.

Die Vaterstadt sah wohlbekannt in der alten Vertrautheit zu mir herauf mit allen Gärten, Spielplätzen und Winkeln, die goldenen Zahlen der Kirchenuhr glänzten listig in der Sonne auf, und im schattigen Mühlkanal standen Häuser und Bäume klar in kühler Schwärze gespiegelt. Nur ich selber war anders geworden, und nur an mir lag es, daß zwischen mir und diesem Bilde ein gespenstischer Schleier der Entfremdung hing. In diesem kleinen Bezirk von Mauern, Fluß und Wald lag mein Leben nicht mehr sicher und zufrieden eingeschlossen, es hing wohl noch mit starken Fäden an diese Stätten geknüpft, war aber nicht mehr eingewachsen und umfriedet, sondern schlug überall mit Wogen der Sehnsucht über die engen Grenzen ins Weite. Indem ich mit einer eigentümlichen Trauer hinuntersah, stiegen alle meine geheimen Lebenshoffnungen feierlich in meinem Gemüte auf, Worte meines Vaters und Worte der verehrten Dichter zusammen mit meinen eigenen heimlichen Gelübden, und es schien mir eine ernsthafte, doch köstliche Sache, ein Mann zu werden und mein eigenes Schicksal bewußt in Händen zu halten. Und alsbald fiel dieser Gedanke wie ein Licht in die Zweifel, die mich wegen der Angelegenheit mit Berta Vögtlin bedrängten. Mochte sie hübsch sein und mich gern haben; es war nicht meine Sache, das Glück so fertig und unerworben mir von Mädchenhänden schenken zu lassen.

Es war nicht mehr lange bis Mittag. Die Lust am Klettern war mir verflogen, nachdenklich stieg ich den Fußweg nach der Stadt hinab, unter der kleinen Eisenbahnbrücke durch, wo ich in früheren Jahren jeden Sommer in den dichten Brennesseln die dunkeln pelzigen Raupen der Pfauenaugen erbeutet hatte, und an der Friedhofmauer vorbei, vor deren Pforte ein moosiger Nußbaum dichten Schatten streute. Das Tor stand offen, und ich hörte von drinnen den Brunnen plätschern. Gleich nebenan lag der Spiel- und Festplatz der Stadt, wo beim Maienfest und am Sedanstag gegessen und getrunken, geredet und getanzt wurde. Jetzt lag er still und vergessen im Schatten der uralten, mächtigen Kastanien, mit grellen Sonnenflecken auf dem rötlichen Sande.

Hier unten im Tal, auf der sonnigen Straße den Fluß entlang, brannte eine erbarmungslose Mittagshitze, hier standen, auf der Flußseite den grell bestrahlten Häusern gegenüber, die spärlichen Eschen und Ahorne dünnlaubig und schon spätsommerlich angegilbt. Wie es meine Gewohnheit war, ging ich auf der Wasserseite und schaute nach den Fischen aus. Im glashellen Flusse wedelte mit langen, wallenden Bewegungen das dichte bärtige Seegras, dazwischen in dunklen, mir genau bekannten Lücken stand da und dort vereinzelt ein dicker Fisch träge und regungslos, die Schnauze gegen die Strömung gerichtet, und obenhin jagten zuweilen in kleinen dunklen Schwärmen die jungen Weißfische hin. Ich sah, daß es gut gewesen war, diesen Morgen nicht zum Angeln zu gehen, aber die Luft und das Wasser und die Art, wie zwischen zwei großen runden Steinen eine dunkle alte Barbe ausruhend im klaren Wasser stand, sagte mir verheißungsvoll, es werde heut am Nachmittag wahrscheinlich etwas zu fangen sein. Ich merkte es mir und ging weiter und atmete tief auf, als ich von der blendenden Straße durch die Einfahrt in den kellerkühlen Flur unseres Hauses trat.

»Ich glaube, wir werden heute wieder ein Gewitter haben«, sagte bei Tische mein Vater, der ein zartes Wettergefühl besaß. Ich wandte ein, daß kein Wölkchen am Himmel und kein Hauch von Westwind zu spüren sei, aber er lächelte und sagte: »Fühlst du nicht, wie die Luft gespannt ist? Wir werden sehen.«

Es war allerdings schwül genug, und der Abwasserkanal roch heftig wie bei Föhnbeginn. Ich spürte von dem Klettern und von der eingeatmeten Hitze nachträglich eine Müdigkeit und setzte mich gegen den Garten auf die Veranda. Mit schwacher Aufmerksamkeit und oft von leichtem Schlummer unterbrochen las ich in der Geschichte des Generals Gordon, des Helden von Chartum, und immer mehr schien es nun auch mir, es müsse bald ein Gewitter kommen. Der Himmel stand nach wie vor im reinsten Blau, aber die Luft wurde immer bedrückender, als lägen durchglühte Wolkenschichten vor der Sonne, die doch klar in der Höhe stand. Um zwei Uhr ging ich in das Haus zurück und begann mein Angelzeug zu rüsten. Während ich meine Schnüre und Haken untersuchte, fühlte ich die innige Erregung der Jagd voraus und empfand mit Dankbarkeit, daß doch dieses eine, tiefe, leidenschaftliche Vergnügen mir geblieben sei.

Die sonderbar schwüle, gepreßte Stille jenes Nachmittags ist mir unvergeßlich geblieben. Ich trug meinen Fischeimer flußabwärts bis zum unteren Steg, der schon zur Hälfte im Schatten der hohen Häuser lag. Von der nahen Spinnerei hörte man das gleichmäßige, einschläfernde Surren der Maschinen, einem Bienenfluge ähnlich, und von der Obermühle her schnarrte jede Minute das böse, schartige Kreischen der Kreissäge. Sonst war es ganz still, die Handwerker hatten sich in den Schatten der Werkstätten zurückgezogen, und kein Mensch zeigte sich auf der Gasse. Auf der Mühlinsel watete ein kleiner Bub nackt zwischen den nassen Steinen umher. Vor der Werkstatt des Wagnermeisters lehnten rohe Holzdielen an der Wand und dufteten in der Sonne überstark, der trockene Geruch kam bis zu mir herüber und war durch den satten, etwas fischigen Wasserduft hindurch deutlich zu spüren.

Die Fische hatten das ungewöhnliche Wetter auch bemerkt und verhielten sich launisch. Ein paar Rotaugen gingen in der ersten Viertelstunde an die Angel, ein schwerer breiter Kerl mit schönen roten Bauchflossen riß mir die Schnur ab, als ich ihn schon beinahe in Händen hatte. Gleich darauf kam eine Unruhe in die Tiere, die Rotaugen gingen tief in den Schlamm und sahen keinen Köder mehr an, oben aber wurden Schwärme von jungem, jährigem Fischzeug sichtbar und zogen in immer neuen Scharen wie auf einer Flucht flußaufwärts. Alles deutete darauf, daß anderes Wetter im Anzug sei, aber die Luft stand still wie Glas, und der Himmel war ohne Trübung.

Mir schien, es müsse irgendein schlechtes Abwasser die Fische vertrieben haben, und da ich noch nicht nachzugeben gesonnen war, besann ich mich auf einen neuen Standort und suchte den Kanal der Spinnerei auf. Kaum hatte ich dort einen Platz bei dem Schuppen gefunden und meine Sachen ausgepackt, so tauchte an einem Treppenfenster der Fabrik die Berta auf, schaute herüber und winkte mir. Ich tat aber, als sähe ich es nicht, und bückte mich über meine Angel.

Das Wasser strömte dunkel in dem gemauerten Kanal, ich sah meine Gestalt darin mit wellig zitternden Umrissen gespiegelt, sitzend, der Kopf zwischen den Fußsohlen. Das Mädchen, das noch drüben am Fenster stand, rief meinen Namen herüber, ich starrte aber regungslos ins Wasser und wendete den Kopf nicht um.

Mit dem Angeln war es nichts, auch hier trieben sich die Fische hastig wie in eiligen Geschäften umher. Von der bedrückenden Wärme ermüdet, blieb ich auf dem Mäuerlein sitzen, nichts mehr von diesem Tag erwartend, und wünschte, es möchte schon Abend sein. Hinter mir summte in den Sälen der Spinnerei das ewige Maschinengetöne, der Kanal rieb sich leise rauschend an den grünbemoosten, feuchten Mauern. Ich war voll schläfriger Gleichgültigkeit und blieb nur sitzen, weil ich zu träge war, meine Schnur schon wieder aufzuwickeln.

Aus dieser faulen Dämmerung erwachte ich, vielleicht nach einer halben Stunde, plötzlich mit einem Gefühl von Sorge und tiefem Unbehagen. Ein unruhiger Windzug drehte sich gepreßt und widerwillig um sich selber, die Luft war dick und schmeckte fad, ein paar Schwalben flogen erschreckt dicht über dem Wasser hinweg. Mir war schwindlig, und ich meinte, vielleicht einen Sonnenstich zu haben, das Wasser schien stärker zu riechen, und mir begann ein übles Gefühl, wie vom Magen her, den Kopf einzunehmen und den Schweiß zu treiben. Ich zog die Angelschnur heraus, um meine Hände an den Wassertropfen zu erfrischen, und begann mein Zeug zusammenzupacken.

Als ich aufstand, sah ich auf dem Platz vor der Spinnerei den Staub in kleinen spielenden Wölkchen wirbeln, plötzlich stieg er hoch und in eine einzige Wolke zusammen, hoch oben in den erregten Lüften flogen Vögel wie gepeitscht davon, und gleich darauf sah ich talherabwärts die Luft weiß werden wie in einem dikken Schneesturm. Der Wind, sonderbar kühl geworden, sprang wie ein Feind auf mich herab, riß die Fischleine aus dem Wasser, nahm meine Mütze und schlug mich wie mit Fäusten ins Gesicht.

Die weiße Luft, die eben noch wie eine Schneewand über fernen Dächern gestanden hatte, war plötzlich um mich her, kalt und schmerzhaft, das Kanalwasser spritzte hoch auf wie unter schnellen Mühlradschlägen, die Angelschnur war fort, und um mich her tobte schnaubend und vernichtend eine weiße brüllende Wildnis, Schläge trafen mir Kopf und Hände, Erde spritzte an mir empor, Sand und Holzstücke wirbelten in der Luft.

Alles war mir unverständlich; ich fühlte nur, daß etwas Furchtbares geschehe und daß Gefahr sei. Mit einem Satz war ich beim Schuppen und drinnen, blind vor Überraschung und Schrecken. Ich hielt mich an einem eisernen Träger fest und stand betäubte Sekunden atemlos in Schwindel und animalischer Angst, bis ich zu begreifen begann. Ein Sturm, wie ich ihn nie gesehen oder für möglich gehalten hatte, riß teuflisch vorüber, in der Höhe klang ein banges oder wildes Sausen, auf das flache Dach über mir, und auf den Erdboden vor dem Eingang stürzte weiß in dicken Haufen ein grober Hagel, dicke Eiskörner rollten zu mir herein. Der Lärm von Hagel und Wind war furchtbar, der Kanal schäumte gepeitscht und stieg in unruhigen Wogen an den Mauern auf und nieder.

Ich sah, alles in einer Minute, Bretter, Dachschindeln und Baumzweige durch die Luft dahingerissen, fallende Steine und Mörtelstücke, alsbald von der Masse der darüber geschleuderten Hagelschloßen bedeckt; ich hörte wie unter raschen Hammerschlägen Ziegel brechen und stürzen, Glas zersplittern, Dachrinnen stürzen.

Jetzt kam ein Mensch dahergelaufen, von der Fabrik her quer über den eisbedeckten Hof, mit flatternden Kleidern schräg wider den Sturm gelegt. Kämpfend taumelte die Gestalt näher, mir entgegen, mitten aus der scheußlich durcheinandergewühlten Sintflut. Sie trat in den Schuppen, lief auf mich zu, ein stilles fremdbekanntes Gesicht mit großen liebevollen Augen schwebte mit schmerzlichem Lächeln dicht vor meinem Blick, ein stiller warmer Mund suchte meinen Mund und küßte mich lange in atemloser Unersättlichkeit, Hände umschlangen meinen Hals, und blondes feuchtes Haar preßte sich an meine Wangen, und während ringsum der Hagelsturm die Welt erschütterte, überfiel ein stummer, banger Liebessturm mich tiefer und schrecklicher.

Wir saßen auf einem Bretterstoß, ohne Worte, eng umschlungen, ich streichelte scheu und verwundert Bertas Haar und drückte meine Lippen auf ihren starken, vollen Mund, ihre Wärme umschloß mich süß und schmerzlich. Ich tat die Augen zu, und sie drückte meinen Kopf an ihre klopfende Brust, in ihren Schoß und strich mit leisen, irren Händen über mein Gesicht und Haar.

Da ich die Augen aufschlug, von einem Sturz in Schwindelfinsternis erwachend, stand ihr ernstes, kräftiges Gesicht in trauriger Schönheit über mir, und ihre Augen sahen mich verloren an. Von ihrer hellen Stirne lief, unter den verwirrten Haaren hervor, ein schmaler Streifen hellroten Blutes über das ganze Gesicht und bis in den Hals hinab.

»Was ist? Was ist denn geschehen?« rief ich angstvoll.

Sie sah mir tiefer in die Augen und lächelte schwach.

»Ich glaube, die Welt geht unter«, sagte sie leise, und der dröhnende Wetterlärm verschlang ihre Worte.

»Du blutest«, sagte ich.

»Das ist vom Hagel. Laß nur! Hast du Angst?«

»Nein. Aber du?«

»Ich habe keine Angst. Ach du, jetzt fällt die ganze Stadt zusammen. Hast du mich denn gar nicht lieb, du?«

Ich schwieg und schaute gebannt in ihre großen, klaren Augen, die waren voll betrübter Liebe, und während sie sich über meine senkten und während ihr Mund so schwer und zehrend auf meinem lag, sah ich unverwandt in ihre ernsten Augen, und am linken Auge vorbei lief über die weiße, frische Haut das dünne hellrote Blut. Und indessen meine Sinne trunken taumelten, strebte mein Herz davon und wehrte sich mit Verzweiflung dagegen, so im Sturm und wider seinen Willen weggenommen zu werden. Ich richtete mich auf, und sie las in meinem Blick, daß ich Mitleid mit ihr habe.

Da bog sie sich zurück und sah mich wie zürnend an, und da ich ihr in einer Bewegung von Bedauern und Sorge die Hand hinstreckte, nahm sie die Hand mit ihren beiden, senkte ihr Gesicht darein, sank kniend nieder und begann zu weinen, und ihre Tränen liefen warm über meine zuckende Hand. Verlegen schaute ich zu ihr nieder, ihr Kopf lag schluchzend über meiner Hand, auf ihrem Nacken spielte schattig ein weicher Haarflaum. Wenn das nun eine andere wäre, dachte ich heftig, eine, die ich wirklich liebte und der ich meine Seele hingeben könnte, wie wollte ich in diesem süßen Flaum mit liebenden Fingern wühlen und diesen weißen Nacken küssen! Aber mein Blut war stiller geworden, und ich litt Qualen der Scham darüber, diese da zu meinen Füßen knien zu sehen, welcher ich nicht gewillt war, meine Jugend und meinen Stolz hinzugeben.

Dieses alles, das ich durchlebte wie ein verzaubertes Jahr und das mir heute noch mit hundert kleinen Regungen und Gebärden wie ein großer Zeitraum im Gedächtnis steht, hat in der Wirklichkeit nur wenige Minuten gedauert. Eine Helligkeit brach unvermutet herein, Stücke blauen Himmels schienen feucht in versöhnlicher Unschuld hervor, und plötzlich, messerscharf abgeschnitten, fiel das Sturmgetöse in sich zusammen, und eine erstaunliche, unglaubhafte Stille umgab uns.

Wie aus einer phantastischen Traumhöhle trat ich aus dem Schuppen hervor an den wiedergekehrten Tag, verwundert, daß ich noch lebte. Der öde Hof sah übel aus, die Erde zerwühlt und wie von Pferden zertreten, überall Haufen von großen eisigen Schloßen, mein Angelzeug war fort und auch der Fischeimer verschwunden. Die Fabrik war voll Menschengetöse, ich sah durch hundert zerschlagene Scheiben in die wogenden Säle, aus allen Türen drängten Menschen hervor. Der Boden lag voll von Glasscherben und zerborstenen Ziegelsteinen, eine lange blecherne Dachrinne war losgerissen und hing schräg und verbogen über das halbe Haus herab.

Nun vergaß ich alles, was eben noch gewesen war, und fühlte nichts als eine wilde, ängstliche Neugierde, zu sehen, was eigentlich passiert wäre und wieviel Schlimmes das Wetter angerichtet habe. Alle die zerschlagenen Fenster und Dachziegel der Fabrik sahen im ersten Augenblick recht wüst und trostlos aus, aber schließlich war doch das alles nicht gar so gräßlich und stand nicht recht im Verhältnis zum furchtbaren Eindruck, den der Zyklon mir gemacht hatte. Ich atmete auf, befreit und halb auch wunderlich enttäuscht und ernüchtert: die Häuser standen wie zuvor, und zu beiden Seiten des Tales waren auch die Berge noch da. Nein, die Welt war nicht untergegangen.

Indessen, als ich den Fabrikhof verließ und über die Brücke in die erste Gasse kam, gewann das Unheil doch wieder ein schlimmeres Ansehen. Das Sträßlein lag voll von Scherben und zerbrochenen Fensterläden, Schornsteine waren herabgestürzt und hatten Stücke der Dächer mitgerissen, Menschen standen vor allen Türen, bestürzt und klagend, alles, wie ich es auf Bildern belagerter und eroberter Städte gesehen hatte. Steingeröll und Baumäste versperrten den Weg. Fensterlöcher starrten überall hinter Splittern und Scherben, Gartenzäune lagen am Boden oder hingen klappernd über Mauern herab. Kinder wurden vermißt und gesucht, Menschen sollten auf den Feldern vom Hagel erschlagen worden sein. Man zeigte Hagelstücke herum, groß wie Talerstücke und noch größere.

Noch war ich zu erregt, um nach Hause zu gehen und den Schaden im eigenen Hause und Garten zu betrachten; auch fiel mir nicht ein, daß man mich vermissen könnte, es war mir ja nichts geschehen. Ich beschloß, noch einen Gang ins Freie zu tun, statt weiter durch die Scherben zu stolpern, und mein Lieblingsort kam mir verlockend in den Sinn, der alte Festplatz neben dem Friedhof, in dessen Schatten ich alle großen Feste meiner Knabenjahre gefeiert hatte. Verwundert stellte ich fest, daß ich erst vor vier, fünf Stunden auf dem Heimweg von den Felsen dort vorübergegangen sei; es schienen mir lange Zeiten seither vergangen.

Und so ging ich die Gasse zurück und über die untere Brücke, sah unterwegs durch eine Gartenlücke unsern roten sandsteinernen Kirchturm wohlerhalten stehen und fand auch die Turnhalle nur wenig beschädigt. Weiter drüben stand einsam ein altes Wirtshaus, dessen Dach ich von weitem erkannte. Es stand wie sonst, sah aber doch sonderbar verändert aus, ich wußte nicht gleich warum. Erst als ich mir Mühe gab, mich genau zu besinnen, fiel mir ein, daß vor dem Wirtshaus immer zwei hohe Pappeln gestanden hatten. Diese Pappeln waren nicht mehr da. Ein uralt vertrauter Anblick war zerstört, eine liebe Stelle geschändet.

Da stieg mir eine böse Ahnung auf, es möchte noch mehr und

noch Edleres verdorben sein. Mit einemmal fühlte ich mit beklemmender Neuheit, wie sehr ich meine Heimat liebte, wie tief mein Herz und Wohlsein abhängig war von diesen Dächern und Türmen, Brücken und Gassen, von den Bäumen, Gärten und Wäldern. In neuer Erregung und Sorge lief ich rascher, bis ich drüben bei dem Festplatze war.

Da stand ich still und sah den Ort meiner liebsten Erinnerungen namenlos verwüstet in völliger Zerstörung liegen. Die alten Kastanien, in deren Schatten wir unsere Festtage gehabt hatten und deren Stämme wir als Schulknaben zu dreien und vieren kaum hatten umarmen können, die lagen abgebrochen, geborsten, mit den Wurzeln ausgerissen und umgestülpt, daß hausgroße Löcher im Boden klafften. Nicht einer stand mehr an seinem Platze, es war ein schauerhaftes Schlachtfeld, und auch die Linden und die Ahorne waren gefallen, Baum an Baum. Der weite Platz war ein ungeheurer Trümmerhaufen von Ästen, gespaltenen Stämmen, Wurzeln und Erdblöcken, mächtige Stämme standen noch im Boden, aber ohne Baum, abgeknickt und abgedreht mit tausend weißen, nackten Splittern.

Es war nicht möglich weiterzugehen, Platz und Straße waren haushoch von durcheinandergeworfenen Stämmen und Baumtrümmern gesperrt, und wo ich seit den ersten Kinderzeiten nur tiefen heiligen Schatten und hohe Baumtempel gekannt hatte, starrte der leere Himmel über der Vernichtung.

Mir war, als sei ich selber mit allen geheimen Wurzeln ausgerissen und in den unerbittlich grellen Tag gespien worden. Tagelang ging ich umher und fand keinen Waldweg, keinen vertrauten Nußbaumschatten, keine von den Eichen der Bubenkletterzeit mehr wieder, überall weit um die Stadt nur Trümmer, Löcher, gebrochene Waldhänge wie Gras hingemäht, Baumleichen klagend mit entblößtem Wurzelwerk zur Sonne gekehrt. Zwischen mir und meiner Kindheit war eine Kluft aufgebrochen, und meine Heimat war nicht die alte mehr. Die Lieblichkeit und die Torheit der gewesenen Jahre fielen von mir ab, und bald darauf verließ ich die Stadt, um ein Mann zu werden und das Leben zu bestehen, dessen erste Schatten mich in diesen Tagen gestreift hatten.   (1913)

Der Europäer

Endlich hatte Gott der Herr ein Einsehen und machte dem Erdentage, der mit dem blutigen Weltkriege geendet, selber ein Ende, indem er die große Flut sandte. Mitleidig spülten die Wasserfluten hinweg, was das alternde Gestirn schändete, die blutigen Schneefelder und die von Geschützen starrenden Gebirge, die verwesenden Leichen zusammen mit denen, die um sie weinten, die Empörten und Mordlustigen zusammen mit den Verarmten, die Hungernden zusammen mit den geistig Irregewordenen.

Freundlich sah der blaue Weltenhimmel auf die blanke Kugel herab.

Übrigens hatte sich die europäische Technik bis zuletzt glänzend bewährt. Wochenlang hatte sich Europa gegen die langsam steigenden Wasser umsichtig und zäh gehalten. Erst durch ungeheure Dämme, an welchen Millionen von Kriegsgefangenen Tag und Nacht arbeiteten; dann durch künstliche Erhöhungen, die mit fabelhafter Schnelligkeit emporstiegen und anfangs das Aussehen riesiger Terrassen hatten, dann aber mehr und mehr zu Türmen gipfelten. Von diesen Türmen aus bewährte sich menschlicher Heldensinn mit rührender Treue bis zum letzten Tage. Während Europa und alle Welt versunken und ersoffen war, gleißten von den letzten ragenden Eisentürmen noch immer grell und unbeirrt die Scheinwerfer durch die feuchte Dämmerung der untergehenden Erde, und aus den Geschützen sausten in eleganten Bogen die Granaten hin und her. Zwei Tage vor dem Ende entschlossen sich die Führer der Mittelmächte, durch Lichtzeichen ein Friedensangebot an die Feinde zu richten. Die Feinde verlangten jedoch sofortige Räumung der noch stehenden befestigten Türme, und dazu konnten auch die entschlossensten Friedensfreunde sich nicht bereit erklären. So wurde heldenhaft geschossen bis zur letzten Stunde.

Nun war alle Welt überschwemmt. Der einzige überlebende Europäer trieb auf einem Rettungsgürtel in der Flut und war mit seinen letzten Kräften damit beschäftigt, die Ereignisse der letzten Tage aufzuschreiben, damit eine spätere Menschheit wisse, daß sein Vaterland es gewesen war, das den Untergang der letzten Feinde um Stunden überdauert und sich so für ewig die Siegespalme gesichert hatte.

Da erschien am grauen Horizont schwarz und riesig ein schwerfälliges Fahrzeug, das sich langsam dem Ermatteten näherte. Er erkannte mit Befriedigung eine gewaltige Arche und sah, ehe er in Ohnmacht sank, den uralten Patriarchen groß mit wehendem Silberbart an Bord des schwimmenden Hauses stehen. Ein gigantischer Neger fischte den Dahintreibenden auf, er lebte und kam bald wieder zu sich. Der Patriarch lächelte freundlich. Sein Werk war geglückt, es war von allen Gattungen der irdischen Lebewesen je ein Exemplar gerettet.

Während die Arche gemächlich vor dem Winde lief und auf das Sinken der trüben Wasser wartete, entspann sich an Bord ein buntes Leben. Große Fische folgten dem Fahrzeug in dichten Schwärmen, in bunten traumhaften Geschwadern schwärmten die Vögel und Insekten über dem offenen Dache, jedes Tier und jeder Mensch war voll inniger Freude, gerettet und einem neuen Leben vorbehalten zu sein. Hell und schrill kreischte der bunte Pfau seinen Morgenruf über die Gewässer, lachend spritzte der frohe Elefant sich und sein Weib aus hochgerecktem Rüssel zum Bade, schillernd saß die Eidechse im sonnigen Gebälk; der Indianer spießte mit raschem Speerstoß glitzernde Fische aus der unendlichen Flut, der Neger rieb am Herde Feuer aus trockenen Hölzern und schlug vor Freude seiner fetten Frau in rhythmischen Taktfolgen auf die klatschenden Schenkel, mager und steil stand der Hindu mit verschränkten Armen und murmelte uralte Verse aus den Gesängen der Weltschöpfung vor sich hin. Der Eskimo lag dampfend in der Sonne und schwitzte, aus kleinen Augen lachend, Wasser und Fett von sich, beschnuppert von einem gutmütigen Tapir, und der kleine Japaner hatte sich einen dünnen Stab geschnitzt, den er sorgfältig bald auf seiner Nase, bald auf seinem Kinn balancieren ließ. Der Europäer verwendete sein Schreibzeug dazu, ein Inventar der vorhandenen Lebewesen aufzustellen.

Gruppen und Freundschaften bildeten sich, und wo je ein Streit ausbrechen wollte, wurde er von dem Patriarchen durch einen Wink beseitigt. Alles war gesellig und froh; nur der Europäer war mit seiner Schreibarbeit einsam beschäftigt.

Da entstand unter all den vielfarbigen Menschen und Tieren ein neues Spiel, indem jeder im Wettbewerb seine Fähigkeiten und Künste zeigen wollte. Alle wollten die ersten sein, und es mußte vom Patriarchen selber Ordnung geschaffen werden. Er stellte die großen Tiere und die kleinen Tiere für sich, und wieder für sich die Menschen, und jeder mußte sich melden und die Leistung nennen, mit welcher er zu glänzen dachte, dann kam einer nach dem andern an die Reihe.

Dieses famose Spiel dauerte viele Tage lang, da immer wieder eine Gruppe weglief und ihr Spiel unterbrach, um einer andern zuzusehen. Und jede schöne Leistung wurde von allen mit lautem Beifall bewundert. Wieviel Wundervolles gab es da zu sehen! Wie zeigte da jedes Geschöpf Gottes, was für Gaben in ihm verborgen waren! Wie tat sich da der Reichtum des Lebens auf! Wie wurde gelacht, wie wurde Beifall gerufen, gekräht, geklatscht, gestampft, gewiehert!

Wunderbar lief das Wiesel, und zauberhaft sang die Lerche, prachtvoll marschierte der geblähte Truthahn, und unglaublich flink kletterte das Eichhorn. Der Mandrill ahmte den Malaien nach, und der Pavian den Mandrill! Läufer und Kletterer, Schwimmer und Flieger wetteiferten unermüdlich, und jeder war in seiner Weise unübertroffen und fand Geltung. Es gab Tiere, die konnten durch Zauber wirken, und Tiere, die konnten sich unsichtbar machen. Viele taten sich durch Kraft hervor, viele durch List, manche durch Angriff, manche durch Verteidigung. Insekten konnten sich schützen, indem sie wie Gras, wie Holz, wie Moos, wie Felsgestein aussahen, und andere unter den Schwachen fanden Beifall und trieben lachende Zuschauer in die Flucht, indem sie sich durch grausame Gerüche vor Angriffen zu schützen wußten. Niemand blieb zurück, niemand war ohne Gaben. Vogelnester wurden geflochten, gekleistert, gewebt, gemauert. Raubvögel konnten aus grausiger Höhe das winzigste Ding erkennen.

Und auch die Menschen machten die Sache vortrefflich. Wie der große Neger leicht und mühelos am Balken in die Höhe lief, wie der Malaie mit drei Griffen aus einem Palmblatt ein Ruder machte und auf winzigem Brett zu steuern und zu wenden wußte, das war des Zuschauens wert. Der Indianer traf mit leichtem Pfeil das kleinste Ziel, und sein Weib flocht eine Matte aus zweierlei Bast, die hohe Bewunderung erregte. Alles schwieg lange und staunte, als der Hindu vortrat und einige Zauberkünste zeigte. Der Chinese aber zeigte, wie man die Weizenernte durch Fleiß verdreifachen konnte, indem man die ganz jungen Pflanzen auszog und in gleichen Zwischenräumen verpflanzte.

Mehrmals hatte der Europäer, der erstaunlich wenig Liebe genoß, den Unwillen seiner Menschenvettern erregt, da er die Taten anderer mit hartem und verächtlichem Urteil bemängelte. Als der Indianer seinen Vogel hoch aus dem Blau des Himmels herunterschoß, hatte der weiße Mann die Achseln gezuckt und behauptet, mit zwanzig Gramm Dynamit schieße man dreimal so hoch! Und als man ihn aufforderte, das einmal vorzumachen, hatte er es nicht gekonnt, sondern hatte erzählt, ja wenn er das und dies und jenes und noch zehn andere Sachen hätte, dann könnte er es schon machen. Auch den Chinesen hatte er verspottet und gesagt, daß das Umpflanzen von jungem Weizen zwar gewiß unendlichen Fleiß erfordere, daß aber doch wohl eine so sklavische Arbeit ein Volk nicht glücklich machen könne. Der Chinese hatte unter Beifall erwidert, glücklich sei ein Volk, wenn es zu essen habe und die Götter ehre; der Europamann aber hatte auch hierzu spöttisch gelacht.

Weiter ging das fröhliche Wettspiel, und am Ende hatten alle, Tiere und Menschen, ihre Talente und Künste gezeigt. Der Eindruck war groß und freudig, auch der Patriarch lachte in seinen weißen Bart und sagte lobend, nun möge das Wasser ruhig verlaufen und ein neues Leben auf dieser Erde beginnen; denn noch sei jeder bunte Faden in Gottes Kleid vorhanden, und nichts fehle, um ein unendliches Glück auf Erden zu begründen.

Einzig der Europäer hatte noch kein Kunststück gezeigt, und nun verlangten alle andern stürmisch, er möge vortreten und das Seine tun, damit man sehe, ob auch er ein Recht habe, Gottes schöne Luft zu atmen und in des Patriarchen schwimmendem Hause zu fahren.

Lange weigerte sich der Mann und suchte Ausflüchte. Aber nun legte ihm Noah selbst den Finger auf die Brust und mahnte ihn, ihm zu folgen.

»Auch ich«, so begann nun der weiße Mann, »auch ich habe eine Fähigkeit zu hoher Tüchtigkeit gebracht und ausgebildet. Nicht das Auge ist es, das bei mir besser wäre als bei andern Wesen, und nicht das Ohr oder die Nase oder die Handfertigkeit oder irgend etwas dergleichen. Meine Gabe ist von höherer Art. Meine Gabe ist der Intellekt.«

»Vorzeigen!« rief der Neger, und alle drängten näher hinzu.

»Da ist nichts zu zeigen«, sagte der Weiße mild. »Ihr habt mich wohl nicht recht verstanden. Das, wodurch ich mich auszeichne, ist der Verstand.«

Der Neger lachte munter und zeigte schneeweiße Zähne, der

Hindu kräuselte spöttisch die dünnen Lippen, der Chinese lächelte schlau und gutmütig vor sich hin.

»Der Verstand?« sagte er langsam. »Also zeige uns bitte deinen Verstand. Bisher war nichts davon zu sehen.«

»Zu sehen gibt es da nichts«, wehrte sich der Europäer mürrisch. »Meine Gabe und Eigenart ist diese: ich speichere in meinem Kopf die Bilder der Außenwelt auf und vermag aus diesen Bildern ganz allein für mich neue Bilder und Ordnungen herzustellen. Ich kann die ganze Welt in meinem Gehirn denken, also neu schaffen.«

Noah fuhr sich mit der Hand über die Augen.

»Erlaube«, sagte er langsam, »wozu soll das gut sein? Die Welt noch einmal schaffen, die Gott schon erschaffen hat, und ganz für dich allein in deinem kleinen Kopf innen – wozu kann das nützen?«

Alle riefen Beifall und brachen in Fragen aus.

»Wartet!« rief der Europäer. »Ihr versteht mich nicht richtig. Die Arbeit des Verstandes kann man nicht so leicht vorzeigen wie irgendeine Handfertigkeit.«

Der Hindu lächelte.

»O doch, weißer Vetter, das kann man wohl. Zeige uns doch einmal eine Verstandesarbeit, zum Beispiel Rechnen. Laß uns einmal um die Wette rechnen! Also: ein Paar hat drei Kinder, von welchen jedes wieder eine Familie gründet. Jedes von den jungen Paaren bekommt jedes Jahr ein Kind. Wieviel Jahre vergehen, bis die Zahl 100 erreicht ist?«

Neugierig horchten alle zu, begannen an den Fingern zu zählen und krampfhaft zu blicken. Der Europäer begann zu rechnen. Aber schon nach einem Augenblick meldete sich der Chinese, der die Rechnung gelöst hatte.

»Sehr hübsch«, gab der Weiße zu, »aber das sind bloße Geschicklichkeiten. Mein Verstand ist nicht dazu da, solch kleine Kunststücke zu machen, sondern große Aufgaben zu lösen, auf denen das Glück der Menschheit beruht.«

»Oh, das gefällt mir«, ermunterte Noah. »Das Glück zu finden ist gewiß mehr als alle andern Geschicklichkeiten. Da hast du recht. Schnell sage uns, was du über das Glück der Menschheit zu lehren hast, wir werden dir alle dankbar sein.«

Gebannt und atemlos hingen nun alle an den Lippen des weißen Mannes. Nun kam es. Ehre sei ihm, der uns zeigen wird, wo das Glück der Menschheit ruht! Jedes böse Wort sei ihm abgebeten, dem Magier! Was brauchte er die Kunst und Geschicklichkeit von Auge, Ohr und Hand, was brauchte er den Fleiß und die Rechenkunst, wenn er solche Dinge wußte!

Der Europäer, der bisher eine stolze Miene gezeigt hatte, begann bei dieser ehrfürchtigen Neugierde allmählich verlegen zu werden.

»Es ist nicht meine Schuld!« sagte er zögernd, »aber ihr versteht mich immer falsch! Ich sagte nicht, daß ich das Geheimnis des Glückes kenne. Ich sagte nur, mein Verstand arbeitet an Aufgaben, deren Lösung das Glück der Menschheit fördern wird. Der Weg dahin ist lang, und nicht ich noch ihr werdet sein Ende sehen. Viele Geschlechter werden noch über diesen schweren Fragen brüten!«

Die Leute standen unschlüssig und mißtrauisch. Was redete der Mann? Auch Noah schaute zur Seite und runzelte die Stirn.

Der Hindu lächelte dem Chinesen zu, und als alle andern verlegen schwiegen, sagte der Chinese freundlich: »Liebe Brüder, dieser weiße Vetter ist ein Spaßvogel. Er will uns erzählen, daß in seinem Kopfe eine Arbeit geschieht, deren Ertrag die Urenkel unserer Urenkel vielleicht einmal zu sehen bekommen werden, oder auch nicht. Ich schlage vor, wir erkennen ihn als Spaßmacher an. Er sagt uns Dinge, die wir alle nicht recht verstehen können; aber wir alle ahnen, daß diese Dinge, wenn wir sie wirklich verstünden, uns Gelegenheit zu unendlichem Gelächter geben würden. Geht es euch nicht auch so? – Gut denn, ein Hoch auf unsern Spaßmacher!«

Die meisten stimmten ein und waren froh, diese dunkle Geschichte zu einem Schluß gebracht zu sehen. Einige aber waren ungehalten und verstimmt, und der Europäer blieb allein und ohne Zuspruch stehen.

Der Neger aber, begleitet vom Eskimo, vom Indianer und dem Malaien, kam gegen Abend zu dem Patriarchen und sprach also: – »Verehrter Vater, wir haben eine Frage an dich zu richten. Dieser weiße Bursche, der sich heut über uns lustig gemacht hat, gefällt uns nicht. Ich bitte dich, überlege dir: alle Menschen und Tiere, jeder Bär und jeder Floh, jeder Fasan und jeder Mistkäfer sowie wir Menschen, alle haben irgend etwas zu zeigen gehabt, womit wir Gott Ehre darbringen und unser Leben schützen, erhöhen oder verschönen. Wunderliche Gaben haben wir gesehen, und manche waren zum Lachen; aber jedes kleinste Vieh hatte doch irgend etwas Erfreuliches und Hübsches darzubringen – einzig und allein dieser bleiche Mann, den wir zuletzt auffischten, hat nichts zu geben als sonderbare und hochmütige Worte, Anspielungen und Scherze, welche niemand begreift und welche niemandem Freude machen können. – Wir fragen dich daher, lieber Vater, ob es wohl richtig ist, daß ein solches Geschöpf mithelfe, ein neues Leben auf dieser lieben Erde zu begründen? Könnte das nicht ein Unheil geben? Sieh ihn doch nur an! Seine Augen sind trüb, seine Stirn ist voller Falten, seine Hände sind blaß und schwächlich, sein Gesicht blickt böse und traurig, kein heller Klang geht von ihm aus! Gewiß, es ist nicht richtig mit ihm – weiß Gott, wer uns diesen Burschen auf unsere Arche geschickt hat!«

Freundlich hob der greise Erzvater seine hellen Augen zu den Fragenden.

»Kinder«, sagte er leise und voll Güte, so daß ihre Mienen sofort lichter wurden, »liebe Kinder! Ihr habt recht, und habt auch unrecht mit dem, was ihr sagt! Aber Gott hat schon seine Antwort darauf gegeben, noch ehe ihr gefragt habt. Ich muß euch zustimmen, der Mann aus dem Kriegslande ist kein sehr anmutiger Gast, und man sieht nicht recht ein, wozu solche Käuze dasein müssen. Aber Gott, der diese Art nun einmal geschaffen hat, weiß gewiß wohl, warum er es tat. Ihr alle habt diesen weißen Männern viel zu verzeihen, sie sind es, die unsere arme Erde wieder einmal bis zum Strafgericht verdorben haben. Aber seht, Gott hat ein Zeichen dessen gegeben, was er mit dem weißen Manne im Sinne hat. Ihr alle, du Neger und du Eskimo, habt für das neue Erdenleben, das wir bald zu beginnen hoffen, eure lieben Weiber mit, du deine Negerin, du deine Indianerin, du dein Eskimoweib. Einzig der Mann aus Europa ist allein. Lange war ich traurig darüber, nun aber glaube ich, den Sinn davon zu ahnen. Dieser Mann bleibt uns aufbehalten als eine Mahnung und ein Antrieb, als ein Gespenst vielleicht. Fortpflanzen aber kann er sich nicht, es sei denn, er tauche wieder in den Strom der vielfarbigen Menschheit unter. Euer Leben auf der neuen Erde wird er nicht verderben dürfen. Seid getrost!«

Die Nacht brach ein, und am nächsten Morgen stand im Osten spitz und klein der Gipfel des heiligen Berges aus den Wassern.

(1917)

Kinderseele

Manchmal handeln wir, gehen aus und ein, tun dies und das, und es ist alles leicht, unbeschwert und gleichsam unverbindlich, es könnte scheinbar alles auch anders sein. Und manchmal, zu anderen Stunden, könnte nichts anders sein, ist nichts unverbindlich und leicht, und jeder Atemzug, den wir tun, ist von Gewalten bestimmt und schwer von Schicksal.

Die Taten unseres Lebens, die wir die guten nennen und von denen zu erzählen uns leicht fällt, sind fast alle von jener ersten »leichten« Art, und wir vergessen sie leicht. Andere Taten, von denen zu sprechen uns Mühe macht, vergessen wir nie mehr, sie sind gewissermaßen mehr unser als andere, und ihre Schatten fallen lang über alle Tage unseres Lebens.

Unser Vaterhaus, das groß und hell an einer hellen Straße lag, betrat man durch ein hohes Tor, und sogleich war man von Kühle, Dämmerung und steinern feuchter Luft umfangen. Eine hohe, düstere Halle nahm einen schweigsam auf, der Boden von roten Sandsteinfliesen führte leicht ansteigend gegen die Treppe, deren Beginn zuhinterst tief im Halbdunkel lag. Viele tausend Male bin ich durch dies hohe Tor eingegangen, und niemals hatte ich acht auf Tor und Flur, Fliesen und Treppe: dennoch war es immer ein Übergang in eine andere Welt, in »unsere« Welt. Die Halle roch nach Stein, sie war finster und hoch, hinten führte die Treppe aus der dunklen Kühle empor und zu Licht und hellem Behagen. Immer aber war erst die Halle und die erste Dämmerung da: etwas von Vater, etwas von Würde und Macht, etwas von Strafe und schlechtem Gewissen. Tausendmal ging man lachend hindurch. Manchmal aber trat man herein und war sogleich erdrückt und zerkleinert, hatte Angst, suchte rasch die befreiende Treppe.

Als ich elf Jahre alt war, kam ich eines Tages von der Schule her nach Hause, an einem von den Tagen, wo Schicksal in den Ecken lauert, wo leicht etwas passiert. An diesen Tagen scheint jede Unordnung und Störung der eigenen Seele sich in unserer Umwelt zu spiegeln und sie zu entstellen. Unbehagen und Angst beklemmen unser Herz, und wir suchen und finden ihre vermeintlichen Ursachen außer uns, sehen die Welt schlecht eingerichtet und stoßen überall auf Widerstände.

Ähnlich war es an jenem Tage. Von früh an bedrückte mich – wer

weiß woher? vielleicht aus Träumen der Nacht – ein Gefühl wie
schlechtes Gewissen, obwohl ich nichts Besonderes begangen
hatte. Meines Vaters Gesicht hatte am Morgen einen leidenden
und vorwurfsvollen Ausdruck gehabt, die Frühstücksmilch war lau
und fad gewesen. In der Schule war ich zwar nicht in Nöte geraten, aber es hatte alles wieder einmal trostlos, tot und entmuti-
gend geschmeckt und hatte sich vereinigt zu jenem mir schon bekannten Gefühl der Ohnmacht und Verzweiflung, das uns sagt,
daß die Zeit endlos sei, daß wir ewig und ewig klein und machtlos
und im Zwang dieser blöden, stinkenden Schule bleiben werden,
Jahre und Jahre, und daß dies ganze Leben sinnlos und widerwärtig sei.

Auch über meinen derzeitigen Freund hatte ich mich heute ge-
ärgert. Ich hatte seit kurzem eine Freundschaft mit Oskar Weber,
dem Sohn eines Lokomotivführers, ohne recht zu wissen, was
mich zu ihm zog. Er hatte neulich damit geprahlt, daß sein Vater
sieben Mark am Tage verdiene, und ich hatte aufs Geratewohl erwidert, der meine verdiene vierzehn. Daß er sich dadurch hatte
imponieren lassen, ohne Einwände zu machen, war der Anfang
der Sache gewesen. Einige Tage später hatte ich mit Weber einen
Bund gegründet, indem wir eine gemeinsame Sparkasse anlegten,
aus welcher später eine Pistole gekauft werden sollte. Die Pistole
lag im Schaufenster eines Eisenhändlers, eine massive Waffe mit
zwei bläulichen Stahlrohren. Und Weber hatte mir vorgerechnet,
daß man nur eine Weile richtig zu sparen brauche, dann könne
man sie kaufen. Geld gebe es ja immer, er bekomme sehr oft einen
Zehner für Ausgänge, oder sonst ein Trinkgeld, und manchmal
finde man Geld auf der Gasse, oder Sachen mit Geldeswert, wie
Hufeisen, Bleistücke und anderes, was man gut verkaufen könne.
Einen Zehner hatte er auch sofort für unsere Kasse hergegeben,
und der hatte mich überzeugt und mir unseren ganzen Plan als
möglich und hoffnungsvoll erscheinen lassen.

Indem ich an jenem Mittag unseren Hausflur betrat und mir in
der kellerig kühlen Luft dunkle Mahnungen an tausend unbe-
queme und hassenswerte Dinge und Weltordnungen entgegen-
wehten, waren meine Gedanken mit Oskar Weber beschäftigt. Ich
fühlte, daß ich ihn nicht liebte, obwohl sein gutmütiges Gesicht,
das mich an eine Waschfrau erinnerte, mir sympathisch war. Was
mich zu ihm hinzog, war nicht seine Person, sondern etwas anderes, ich könnte sagen, sein Stand – es war etwas, das er mit fast

allen Buben von seiner Art und Herkunft teilte: eine gewisse freche Lebenskunst, ein dickes Fell gegen Gefahr und Demütigung, eine Vertrautheit mit den kleinen praktischen Angelegenheiten des Lebens, mit Geld, mit Kaufläden und Werkstätten, Waren und Preisen, mit Küche und Wäsche und dergleichen. Solche Knaben wie Weber, denen die Schläge in der Schule nicht weh zu tun schienen und die mit Knechten, Fuhrleuten und Fabrikmädchen verwandt und befreundet waren, die standen anders und gesicherter in der Welt als ich; sie waren gleichsam erwachsener, sie wußten, wieviel ihr Vater am Tag verdiene, und wußten ohne Zweifel auch sonst noch vieles, worin ich unerfahren war. Sie lachten über Ausdrücke und Witze, die ich nicht verstand. Sie konnten überhaupt auf eine Weise lachen, die mir versagt war, auf eine dreckige und rohe, aber unleugbar erwachsene und »männliche« Weise. Es half nichts, daß man klüger war als sie und in der Schule mehr wußte. Es half nichts, daß man besser als sie gekleidet, gekämmt und gewaschen war. Im Gegenteil, eben diese Unterschiede kamen ihnen zugute. In die »Welt«, wie sie mir in Dämmerschein und Abenteuerschein vorschwebte, schienen mir solche Knaben wie Weber ganz ohne Schwierigkeiten eingehen zu können, während mir die »Welt« so sehr verschlossen war und jedes ihrer Tore durch unendliches Älterwerden, Schulesitzen, durch Prüfungen und Erzogenwerden mühsam erobert werden mußte. Natürlich fanden solche Knaben auch Hufeisen, Geld und Stücke Blei auf der Straße, bekamen Lohn für Besorgungen, kriegten in Läden allerlei geschenkt und gediehen auf jede Weise.

Ich fühlte dunkel, daß meine Freundschaft zu Weber und seiner Sparkasse nichts war als wilde Sehnsucht nach jener »Welt«. An Weber war nichts für mich liebenswert als sein großes Geheimnis, kraft dessen er den Erwachsenen näher stand als ich, in einer schleierlosen, nackteren, robusteren Welt lebte als ich mit meinen Träumen und Wünschen. Und ich fühlte voraus, daß er mich enttäuschen würde, daß es mir nicht gelingen werde, ihm sein Geheimnis und den magischen Schlüssel zum Leben zu entreißen.

Eben hatte er mich verlassen, und ich wußte, er ging nun nach Hause, breit und behäbig, pfeifend und vergnügt, von keiner Sehnsucht, von keinen Ahnungen verdüstert. Wenn er die Dienstmägde und Fabrikler antraf und ihr rätselhaftes, vielleicht wunderbares, vielleicht verbrecherisches Leben führen sah, so war es ihm kein Rätsel und ungeheures Geheimnis, keine Gefahr, nichts Wildes und Spannendes, sondern selbstverständlich, bekannt und heimatlich wie der Ente das Wasser. So war es. Und ich hingegen, ich würde immer nebendraußen stehen, allein und unsicher, voll von Ahnungen, aber ohne Gewißheit.

Überhaupt, das Leben schmeckte an jenem Tage wieder einmal hoffnungslos fade, der Tag hatte etwas von einem Montag an sich, obwohl es ein Samstag war, er roch nach Montag, dreimal so lang und dreimal so öde als die anderen Tage. Verdammt und widerwärtig war dies Leben, verlogen und ekelhaft war es. Die Erwachsenen taten, als sei die Welt vollkommen und als seien sie selber Halbgötter, wir Knaben aber nichts als Auswurf und Abschaum. Diese Lehrer –! Man fühlte Streben und Ehrgeiz in sich, man nahm redliche und leidenschaftliche Anläufe zum Guten, sei es nun zum Lernen der griechischen Unregelmäßigen oder zum Reinhalten seiner Kleider, zum Gehorsam gegen die Eltern oder zum schweigenden, heldenhaften Ertragen aller Schmerzen und Demütigungen – ja, immer und immer wieder erhob man sich, glühend und fromm, um sich Gott zu widmen und den idealen, reinen, edlen Pfad zur Höhe zu gehen, Tugend zu üben, Böses stillschweigend zu dulden, anderen zu helfen – ach, und immer und immer wieder blieb es ein Anlauf, ein Versuch und kurzer Flatterflug! Immer wieder passierte schon nach Tagen, o schon nach Stunden etwas, was nicht hätte sein dürfen, etwas Elendes, Betrübendes und Beschämendes. Immer wieder fiel man mitten aus den trotzigsten und adligsten Entschlüssen und Gelöbnissen plötzlich unentrinnbar in Sünde und Lumperei, in Alltag und Gewöhnlichkeiten zurück! Warum war es so, daß man die Schönheit und Richtigkeit guter Vorsätze so wohl und tief erkannte und im Herzen fühlte, wenn doch beständig und immerzu das ganze Leben (die Erwachsenen einbegriffen) nach Gewöhnlichkeit stank und überall darauf eingerichtet war, das Schäbige und Gemeine triumphieren zu lassen? Wie konnte es sein, daß man morgens im Bett auf den Knien oder nachts vor angezündeten Kerzen sich mit heiligem Schwur dem Guten und Lichten verbündete, Gott anrief und jedem Laster für immer Fehde ansagte – und daß man dann, vielleicht bloß ein paar Stunden später, an diesem selben heiligen Schwur und Vorsatz den elendesten Verrat üben konnte, sei es auch nur durch das Einstimmen in ein verführerisches Gelächter, durch das Gehör, das man einem dummen Schulbubenwitze lieh? Warum war das so? Ging es andern anders? Waren die Helden, die Römer und Griechen, die Ritter, die ersten Christen – waren diese alle andere Menschen gewesen als ich, besser, vollkommener, ohne schlechte Triebe, ausgestattet mit irgendeinem Organ, das mir fehlte, das sie hinderte, immer wieder aus dem Himmel in den Alltag, aus dem Erhabenen ins Unzulängliche und Elende zurückzufallen? War die Erbsünde jenen Helden und Heiligen unbekannt? War das Heilige und Edle nur Wenigen, Seltenen, Auserwählten möglich? Aber warum war mir, wenn ich nun also kein Auserwählter war, dennoch dieser Trieb nach dem Schönen und Adligen eingeboren, diese wilde, schluchzende Sehnsucht nach Reinheit, Güte, Tugend? War das nicht zum Hohn? Gab es das in Gottes Welt, daß ein Mensch, ein Knabe, gleichzeitig alle hohen und alle bösen Triebe in sich hatte und leiden und verzweifeln mußte, nur so als eine unglückliche und komische Figur, zum Vergnügen des zuschauenden Gottes? Gab es das? Und war dann nicht – ja war dann nicht die ganze Welt ein Teufelsspott, gerade wert, sie anzuspucken?! War dann nicht Gott ein Scheusal, ein Wahnsinniger, ein dummer, widerlicher Hanswurst? – Ach, und während ich mit einem Beigeschmack von Empörerwollust diese Gedanken dachte, strafte mich schon mein banges Herz durch Zittern für die Blasphemie!

Wie deutlich sehe ich, nach dreißig Jahren, jenes Treppenhaus wieder vor mir, mit den hohen, blinden Fenstern, die gegen die nahe Nachbarmauer gingen und so wenig Licht gaben, mit den weißgescheuerten, tannenen Treppen und Zwischenböden und dem glatten, harthölzernen Geländer, das durch meine tausend sausenden Abfahrten poliert war! So fern mir die Kindheit steht, und so unbegreiflich und märchenhaft sie mir im ganzen erscheint, so ist mir doch alles genau erinnerlich, was schon damals, mitten im Glück, in mir an Leid und Zwiespalt vorhanden war. Alle diese Gefühle waren damals im Herzen des Kindes schon dieselben, wie sie es immer blieben: Zweifel am eigenen Wert, Schwanken zwischen Selbstschätzung und Mutlosigkeit, zwischen weltverachtender Idealität und gewöhnlicher Sinneslust – und wie damals, so sah ich auch hundertmal später noch in diesen Zügen meines Wesens bald verächtliche Krankheit, bald Auszeichnung, habe zu Zeiten den Glauben, daß mich Gott auf diesem qualvollen Wege zu besonderer Vereinsamung und Vertiefung führen wolle, und finde zu andern Zeiten wieder in alledem nichts als die Zeichen einer schäbigen Charakterschwäche, einer Neurose, wie Tausende sie mühsam durchs Leben schleppen.

Wenn ich alle die Gefühle und ihren qualvollen Widerstreit auf ein Grundgefühl zurückführen und mit einem einzigen Namen bezeichnen sollte, so wüßte ich kein anderes Wort als: Angst. Angst war es, Angst und Unsicherheit, was ich in allen jenen Stunden des gestörten Kinderglücks empfand: Angst vor Strafe, Angst vor dem eigenen Gewissen, Angst vor Regungen meiner Seele, die ich als verboten und verbrecherisch empfand.

Auch in jener Stunde, von der ich erzähle, kam dies Angstgefühl wieder über mich, als ich in dem heller und heller werdenden Treppenhause mich der Glastür näherte. Es begann mit einer Beklemmung im Unterleib, die bis zum Halse emporstieg und dort zum Würgen oder zu Übelkeit wurde. Zugleich damit empfand ich in diesen Momenten stets, und so auch jetzt, eine peinliche Geniertheit, ein Mißtrauen gegen jeden Beobachter, einen Drang zu Alleinsein und Sichverstecken.

Mit diesem üblen und verfluchten Gefühl, einem wahren Verbrechergefühl, kam ich in den Korridor und in das Wohnzimmer. Ich spürte: es ist heut der Teufel los, es wird etwas passieren. Ich spürte es, wie das Barometer einen veränderten Luftdruck spürt, mit rettungsloser Passivität. Ach, nun war es wieder da, dies Unsägliche! Der Dämon schlich durchs Haus, Erbsünde nagte am Herzen, riesig und unsichtbar stand hinter jeder Wand ein Geist, ein Vater und Richter.

Noch wußte ich nichts, noch war alles bloß Ahnung, Vorgefühl, nagendes Unbehagen. In solchen Lagen war es oft das beste, wenn man krank wurde, sich erbrach und ins Bett legte. Dann ging es manchmal ohne Schaden vorüber, die Mutter oder Schwester kam, man bekam Tee und spürte sich von liebender Sorge umgeben, und man konnte weinen oder schlafen, um nachher gesund und froh in einer völlig verwandelten, erlösten und hellen Welt zu erwachen.

Meine Mutter war nicht im Wohnzimmer, und in der Küche war nur die Magd. Ich beschloß, zum Vater hinaufzugehen, zu dessen Studierzimmer eine schmale Treppe hinaufführte. Wenn ich auch Furcht vor ihm hatte, zuweilen war es doch gut, sich an ihn zu wenden, dem man so viel abzubitten hatte. Bei der Mutter war es einfacher und leichter, Trost zu finden; beim Vater aber war der Trost wertvoller, er bedeutete einen Frieden mit dem richtenden

Gewissen, eine Versöhnung und ein neues Bündnis mit den guten Mächten. Nach schlimmen Auftritten, Untersuchungen, Geständnissen und Strafen war ich oft aus des Vaters Zimmer gut und rein hervorgegangen, bestraft und ermahnt zwar, aber voll neuer Vorsätze, durch die Bundesgenossenschaft des Mächtigen gestärkt gegen das feindliche Böse. Ich beschloß, den Vater aufzusuchen und ihm zu sagen, daß mir übel sei.

Und so stieg ich die kleine Treppe hinauf, die zum Studierzimmer führte. Diese kleine Treppe mit ihrem eigenen Tapetengeruch und dem trockenen Klang der hohlen, leichten Holzstufen war noch unendlich viel mehr als der Hausflur ein bedeutsamer Weg und ein Schicksalstor; über diese Stufen hatten viele wichtige Gänge mich geführt, Angst und Gewissensqual hatte ich hundertmal dort hinaufgeschleppt, Trotz und wilden Zorn, und nicht selten hatte ich Erlösung und neue Sicherheit zurückgebracht. Unten in unserer Wohnung waren Mutter und Kind zu Hause, dort wehte harmlose Luft; hier oben wohnten Macht und Geist, hier waren Gericht und Tempel und das »Reich des Vaters«.

Etwas beklommen wie immer drückte ich die altmodische Klinke nieder und öffnete die Tür halb. Der väterliche Studierzimmergeruch floß mir wohlbekannt entgegen: Bücher- und Tintenduft, verdünnt durch blaue Luft aus halboffnen Fenstern, weiße, reine Vorhänge, ein verlorner Faden von Kölnisch-Wasser-Duft und auf dem Schreibtisch ein Apfel. – Aber die Stube war leer.

Mit einer Empfindung halb von Enttäuschung und halb von Aufatmen trat ich ein. Ich dämpfte meinen Schritt und trat nur mit Zehen auf, so wie wir hier oben manchmal gehen mußten, wenn der Vater schlief oder Kopfweh hatte. Und kaum war dies leise Gehen mir bewußt geworden, so bekam ich Herzklopfen und spürte verstärkt den angstvollen Druck im Unterleib und in der Kehle wieder. Ich ging schleichend und angstvoll weiter, einen Schritt und wieder einen Schritt, und schon war ich nicht mehr ein harmloser Besucher und Bittsteller, sondern ein Eindringling. Mehrmals schon hatte ich heimlich in des Vaters Abwesenheit mich in seine beiden Zimmer geschlichen, hatte sein geheimes Reich belauscht und erforscht und hatte zweimal auch etwas daraus entwendet.

Die Erinnerung daran war alsbald da und erfüllte mich, und ich wußte sofort: jetzt war das Unglück da, jetzt passierte etwas, jetzt tat ich Verbotenes und Böses. Kein Gedanke an Flucht! Vielmehr, ich dachte wohl daran, dachte sehnlich und inbrünstig daran, davonzulaufen, die Treppe hinab und in mein Stübchen oder in den Garten – aber ich wußte, ich werde das doch nicht tun, nicht tun können. Innig wünschte ich, mein Vater möchte sich im Nebenzimmer rühren und hereintreten und den ganzen grauenvollen Bann durchbrechen, der mich dämonisch zog und fesselte. O käme er doch! Käme er doch, scheltend meinetwegen, aber käme er nur, eh es zu spät ist!

Ich hustete, um meine Anwesenheit zu melden, und als keine Antwort kam, rief ich leise: »Papa!« Es blieb alles still, an den Wänden schwiegen die vielen Bücher, ein Fensterflügel bewegte sich im Winde und warf einen hastigen Sonnenspiegel über den Boden. Niemand erlöste mich, und in mir selber war keine Freiheit, anders zu tun, als der Dämon wollte. Verbrechergefühl zog mir den Magen zusammen und machte mir die Fingerspitzen kalt, mein Herz flatterte angstvoll. Noch wußte ich keineswegs, was ich tun würde. Ich wußte nur, es würde etwas Schlechtes sein.

Nun war ich beim Schreibtisch, nahm ein Buch in die Hand und las einen englischen Titel, den ich nicht verstand. Englisch haßte ich – das sprach der Vater stets mit der Mutter, wenn wir es nicht verstehen sollten und auch wenn sie Streit hatten. In einer Schale lagen allerlei kleine Sachen, Zahnstocher, Stahlfedern, Stecknadeln. Ich nahm zwei von den Stahlfedern und steckte sie in die Tasche, Gott weiß wozu, ich brauchte sie nicht und hatte keinen Mangel an Federn. Ich tat es nur, um dem Zwang zu folgen, der mich fast erstickt hätte, dem Zwang, Böses zu tun, mir selbst zu schaden, mich mit Schuld zu beladen. Ich blätterte in meines Vaters Papieren, sah einen angefangenen Brief liegen, ich las die Worte: »es geht uns und den Kindern, Gott sei Dank, recht gut«, und die lateinischen Buchstaben seiner Handschrift sahen mich an wie Augen.

Dann ging ich leise und schleichend in das Schlafzimmer hinüber. Da stand Vaters eisernes Feldbett, seine braunen Hausschuhe darunter, ein Taschentuch lag auf dem Nachttisch. Ich atmete die väterliche Luft in dem kühlen, hellen Zimmer ein, und das Bild des Vaters stieg deutlich vor mir auf, Ehrfurcht und Auflehnung stritten in meinem beladenen Herzen. Für Augenblicke haßte ich ihn und erinnerte mich seiner mit Bosheit und Schadenfreude, wie er zuweilen an Kopfwehtagen still und flach in seinem niederen Feldbett lag, sehr lang und gestreckt, ein nasses Tuch über der Stirn, manchmal seufzend. Ich ahnte wohl, daß auch er, der Gewaltige, kein leichtes Leben habe, daß ihm, dem Ehrwürdigen, Zweifel an sich selbst und Bangigkeit nicht unbekannt waren. Schon war mein seltsamer Haß verflogen, Mitleid und Rührung folgten ihm. Aber inzwischen hatte ich eine Schieblade der Kommode herausgezogen. Da lag Wäsche geschichtet und eine Flasche Kölnisches Wasser, das er liebte; ich wollte daran riechen, aber die Flasche war noch ungeöffnet und fest verstöpselt, ich legte sie wieder zurück. Daneben fand ich eine kleine runde Dose mit Mundpastillen, die nach Lakritzen schmeckten, von denen steckte ich einige in den Mund. Eine gewisse Enttäuschung und Ernüchterung kam über mich, und zugleich war ich doch froh, nicht mehr gefunden und genommen zu haben.

Schon im Ablassen und Verzichten zog ich noch spielend an einer andern Lade, mit etwas erleichtertem Gefühl und mit dem Vorsatz, nachher die zwei gestohlenen Stahlfedern drüben wieder an ihren Ort zu legen. Vielleicht waren Rückkehr und Reue möglich, Wiedergutmachung und Erlösung. Vielleicht war Gottes Hand über mir stärker als alle Versuchung . . .

Da sah ich mit schnellem Blick noch eilig in den Spalt der kaum aufgezogenen Lade. Ach, wären Strümpfe oder Hemden oder alte Zeitungen darin gewesen! Aber da war nun die Versuchung, und sekundenschnell kehrte der kaum gelockerte Krampf und Angstbann wieder, meine Hände zitterten, und mein Herz schlug rasend. Ich sah in einer aus Bast geflochtenen, indischen oder sonst exotischen Schale etwas liegen, etwas Überraschendes, Verlockendes, einen ganzen Kranz von weiß bezuckerten, getrockneten Feigen!

Ich nahm ihn in die Hand, er war wundervoll schwer. Dann zog ich zwei, drei Feigen heraus, steckte eine in den Mund, einige in die Tasche. Nun waren alle Angst und alles Abenteuer doch nicht umsonst gewesen. Keine Erlösung, keinen Trost konnte ich mehr von hier fortnehmen, so wollte ich wenigstens nicht leer ausgehen. Ich zog noch drei, vier Feigen von dem Ring, der davon kaum leichter wurde, und noch einige, und als meine Taschen gefüllt und von dem Kranz wohl mehr als die Hälfte verschwunden war, ordnete ich die übriggebliebenen Feigen auf dem etwas klebrigen Ring lockerer an, so daß weniger zu fehlen schienen. Dann stieß ich, in plötzlichem hellem Schrecken, die Lade heftig zu und rannte davon, durch beide Zimmer, die kleine Stiege hinab und in mein Stübchen, wo ich stehenblieb und mich auf mein kleines Stehpult stützte, in den Knien wankend und nach Atem ringend.

Bald darauf tönte unsre Tischglocke. Mit leerem Kopf und ganz von Ernüchterung und Ekel erfüllt, stopfte ich die Feigen in mein Bücherbrett, verbarg sie hinter Büchern und ging zu Tische. Vor der Eßzimmertür merkte ich, daß meine Hände klebten. Ich wusch sie in der Küche. Im Eßzimmer fand ich alle schon am Tische warten. Ich sagte schnell Gutentag, der Vater sprach das Tischgebet, und ich beugte mich über meine Suppe. Ich hatte keinen Hunger, jeder Schluck machte mir Mühe. Und neben mir saßen meine Schwestern, die Eltern gegenüber, alle hell und munter und in Ehren, nur ich Verbrecher elend dazwischen, allein und unwürdig, mich fürchtend vor jedem freundlichen Blick, den Geschmack der Feigen noch im Munde. Hatte ich oben die Schlafzimmertür auch zugemacht? Und die Schublade?

Nun war das Elend da. Ich hätte mir die Hand abhauen lassen, wenn dafür meine Feigen wieder oben in der Kommode gelegen hätten. Ich beschloß, sie fortzuwerfen, sie mit in die Schule zu nehmen und zu verschenken. Nur daß sie wegkämen, daß ich sie nie wieder sehen müßte!

»Du siehst heut schlecht aus«, sagte mein Vater über den Tisch weg. Ich sah auf meinen Teller und fühlte seine Blicke auf meinem Gesicht. Nun würde er es merken. Er merkte ja alles, immer. Warum quälte er mich vorher noch? Mochte er mich lieber gleich abführen und meinetwegen totschlagen.

»Fehlt dir etwas?« hörte ich seine Stimme wieder. Ich log, ich sagte, ich habe Kopfweh.

»Du mußt dich nach Tisch ein wenig hinlegen«, sagte er. »Wieviel Stunden habt ihr heute nachmittag?«

»Bloß Turnen.«

»Nun, turnen wird dir nicht schaden. Aber iß auch, zwinge dich ein bißchen! Es wird schon vergehen.«

Ich schielte hinüber. Die Mutter sagte nichts, aber ich wußte, daß sie mich anschaute. Ich aß meine Suppe hinunter, kämpfte mit Fleisch und Gemüse, schenkte mir zweimal Wasser ein. Es geschah nichts weiter. Man ließ mich in Ruhe. Als zum Schluß mein Vater das Dankgebet sprach: »Herr, wir danken dir, denn du bist freundlich, und deine Güte währet ewiglich«, da trennte wieder ein ätzender Schnitt mich von den hellen, heiligen, vertrauensvollen Worten und von allen, die am Tische saßen: mein Händefalten war Lüge, und meine andächtige Haltung war Lästerung.

Als ich aufstand, strich mir die Mutter übers Haar und ließ ihre Hand einen Augenblick auf meiner Stirn liegen, ob sie heiß sei. Wie bitter war das alles!

In meinem Stübchen stand ich dann vor dem Bücherbrett. Der Morgen hatte nicht gelogen, alle Anzeichen hatten recht gehabt. Es war ein Unglückstag geworden, der schlimmste, den ich je erlebt hatte. Schlimmeres konnte kein Mensch ertragen. Wenn noch Schlimmeres über einen kam, dann mußte man sich das Leben nehmen. Man müßte Gift haben, das war das beste, oder sich erhängen. Es war überhaupt besser, tot zu sein, als zu leben. Es war ja alles so falsch und häßlich. Ich stand und sann und griff zerstreut nach den verborgenen Feigen und aß davon, eine und mehrere, ohne es recht zu wissen.

Unsre Sparkasse fiel mir in die Augen, sie stand im Bord unter den Büchern. Es war eine Zigarrenkiste, die ich fest zugenagelt hatte; in den Deckel hatte ich mit einem Taschenmesser einen ungefügen Schlitz für die Geldstücke geschnitten. Er war schlecht und roh geschnitten, der Schlitz, Holzsplitter standen heraus. Auch das konnte ich nicht richtig. Ich hatte Kameraden, die konnten so etwas mühsam und geduldig und tadellos machen, daß es aussah wie vom Schreiner gehobelt. Ich aber pfuschte immer nur, hatte es eilig und machte nichts sauber fertig. So war es mit meinen Holzarbeiten, so mit meiner Handschrift und meinen Zeichnungen, so war es mit meiner Schmetterlingssammlung und mit allem. Es war nichts mit mir. Und nun stand ich da und hatte wieder gestohlen, schlimmer als je. Auch die Stahlfedern hatte ich noch in der Tasche. Wozu? Warum hatte ich sie genommen – nehmen müssen? Warum mußte man, was man gar nicht wollte?

In der Zigarrenkiste klapperte ein einziges Geldstück, der Zehner von Oskar Weber. Seither war nichts dazugekommen. Auch diese Sparkassengeschichte war so eine meiner Unternehmungen! Alles taugte nichts, alles mißriet und blieb im Anfang stecken, was ich begann! Mochte der Teufel diese unsinnige Sparkasse holen! Ich mochte nichts mehr von ihr wissen.

Diese Zeit zwischen Mittagessen und Schulbeginn war an solchen Tagen wie heute immer mißlich und schwer herumzubringen. An guten Tagen, an friedlichen, vernünftigen, liebenswerten

Tagen, war es eine schöne und erwünschte Stunde; ich las dann entweder in meinem Zimmer an einem Indianerbuch oder lief sofort nach Tisch wieder auf den Schulplatz, wo ich immer einige unternehmungslustige Kameraden traf, und dann spielten wir, schrien und rannten und erhitzten uns, bis der Glockenschlag uns in die völlig vergessene »Wirklichkeit« zurückrief. Aber an Tagen wie heute – mit wem wollte man da spielen und wie die Teufel in der Brust betäuben? Ich sah es kommen – noch nicht heute, aber ein nächstes Mal, vielleicht bald. Da würde mein Schicksal vollends zum Ausbruch kommen. Es fehlte ja nur noch eine Kleinigkeit, eine winzige Kleinigkeit mehr an Angst und Leid und Ratlosigkeit, dann lief es über, dann mußte es ein Ende mit Schrecken nehmen. Eines Tages, an gerade so einem Tag wie heute, würde ich vollends im Bösen untersinken, ich würde in Trotz und Wut und wegen der sinnlosen Unerträglichkeit dieses Lebens etwas Gräßliches und Entscheidendes tun, etwas Gräßliches, aber Befreiendes, das der Angst und Quälerei ein Ende machte, für immer. Ungewiß war, was es sein würde; aber Phantasien und vorläufige Zwangsvorstellungen davon waren mir schon mehrmals verwirrend durch den Kopf gegangen, Vorstellungen von Verbrechen, mit denen ich an der Welt Rache nehmen und zugleich mich selbst preisgeben und vernichten würde. Manchmal war es mir so, als würde ich unser Haus anzünden: ungeheure Flammen schlugen mit Flügeln durch die Nacht, Häuser und Gassen wurden vom Brand ergriffen, die ganze Stadt loderte riesig gegen den schwarzen Himmel. Oder zu anderen Zeiten war das Verbrechen meiner Träume eine Rache an meinem Vater, ein Mord und grausiger Totschlag. Ich aber würde mich dann benehmen wie jener Verbrecher, jener einzige, richtige Verbrecher, den ich einmal hatte durch die Gassen unsrer Stadt führen sehen. Es war ein Einbrecher, den man gefangen hatte und in das Amtsgericht führte, mit Handschellen gefesselt, einen steifen Melonenhut schief auf dem Kopf, vor ihm und hinter ihm ein Landjäger. Dieser Mann, der durch die Straßen und durch einen riesigen Volksauflauf von Neugierigen getrieben wurde, an tausend Flüchen, boshaften Witzen und herausgeschrienen bösen Wünschen vorbei, dieser Mann hatte in nichts jenen armen, scheuen Teufeln geglichen, die man zuweilen vom Polizeidiener über die Straße begleitet sah und welche meistens bloß arme Handwerksbursche waren, die gebettelt hatten. Nein, dieser war kein Handwerksbursche und sah nicht windig, scheu und weinerlich aus, oder flüchtete in ein verlegen-dummes Grinsen, wie ich es auch schon gesehen hatte – dieser war ein echter Verbrecher und trug den etwas zerbeulten Hut kühn auf einem trotzigen und ungebeugten Schädel, er war bleich und lächelte still verachtungsvoll, und das Volk, das ihn beschimpfte und anspie, wurde neben ihm zu Pack und Pöbel. Ich hatte damals selbst mitgeschrien: »Man hat ihn, der gehört gehängt!«; aber dann sah ich seinen aufrechten, stolzen Gang, wie er die gefesselten Hände vor sich trug, und wie er auf dem zähen, bösen Kopf den Melonenhut kühn wie eine phantastische Krone trug – und wie er lächelte! und da schwieg ich. So wie dieser Verbrecher aber würde auch ich lächeln und den Kopf steif halten, wenn man mich ins Gericht und auf das Schafott führte, und wenn die vielen Leute um mich her drängten und hohnvoll aufschrien – ich würde nicht ja und nicht nein sagen, einfach schweigen und verachten.

Und wenn ich hingerichtet und tot war und im Himmel vor den ewigen Richter kam, dann wollte ich mich keineswegs beugen und unterwerfen. O nein, und wenn alle Engelscharen ihn umstanden und alle Heiligkeit und Würde aus ihm strahlte! Mochte er mich verdammen, mochte er mich in Pech sieden lassen! Ich wollte mich nicht entschuldigen, mich nicht demütigen, ihn nicht um Verzeihung bitten, nichts bereuen! Wenn er mich fragte: »Hast du das und das getan?«, so würde ich rufen: »Jawohl habe ich's getan, und noch mehr, und es war recht, daß ich's getan habe, und wenn ich kann, werde ich es wieder und wieder tun. Ich habe totgeschlagen, ich habe Häuser angezündet, weil es mir Spaß machte, und weil ich dich verhöhnen und ärgern wollte. Ja, denn ich hasse dich, ich spucke dir vor die Füße, Gott. Du hast mich gequält und geschunden, du hast Gesetze gegeben, die niemand halten kann, du hast die Erwachsenen angestiftet, uns Jungen das Leben zu versauen.«

Wenn es mir glückte, mir dies vollkommen deutlich vorzustellen und fest daran zu glauben, daß es mir gelingen würde, genau so zu tun und zu reden, dann war mir für Augenblicke finster wohl. Sofort aber kehrten die Zweifel wieder. Würde ich nicht schwach werden, würde mich einschüchtern lassen, würde doch nachgeben? Oder, wenn ich auch alles tat, wie es mein trotziger Wille war – würde nicht Gott einen Ausweg finden, eine Überlegenheit, einen Schwindel, so wie es den Erwachsenen und Mächtigen ja immer gelang, am Ende noch mit einem Trumpf zu kommen, einen schließlich doch noch zu beschämen, einen nicht für voll zu nehmen, einen unter der verfluchten Maske des Wohlwollens zu demütigen? Ach, natürlich würde es so enden.

Hin und her gingen meine Phantasien, ließen bald mich, bald Gott gewinnen, hoben mich zum unbeugsamen Verbrecher und zogen mich wieder zum Kind und Schwächling herab.

Ich stand am Fenster und schaute auf den kleinen Hinterhof des Nachbarhauses hinunter, wo Gerüststangen an der Mauer lehnten und in einem kleinen winzigen Garten ein paar Gemüsebeete grünten. Plötzlich hörte ich durch die Nachmittagsstille Glockenschläge hallen, fest und nüchtern in meine Visionen hinein, einen klaren, strengen Stundenschlag, und noch einen. Es war zwei Uhr, und ich schreckte aus den Traumängsten in die der Wirklichkeit zurück. Nun begann unsre Turnstunde, und wenn ich auch auf Zauberflügeln fort und in die Turnhalle gestürzt wäre, ich wäre doch schon zu spät gekommen. Wieder Pech! Das gab übermorgen Aufruf, Schimpfworte und Strafe. Lieber ging ich gar nicht mehr hin, es war doch nichts mehr gutzumachen. Vielleicht mit einer sehr guten, sehr feinen und glaubhaften Entschuldigung – aber es wäre mir in diesem Augenblick keine eingefallen, so glänzend mich auch unsre Lehrer zum Lügen erzogen hatten; ich war jetzt nicht imstande, zu lügen, zu erfinden, zu konstruieren. Besser war es, vollends ganz aus der Stunde wegzubleiben. Was lag daran, ob jetzt zum großen Unglück noch ein kleines kam!

Aber der Stundenschlag hatte mich geweckt und meine Phantasiespiele gelähmt. Ich war plötzlich sehr schwach, überwirklich sah mein Zimmer mich an, Pult, Bilder, Bett, Bücherschaft, alles geladen mit strenger Wirklichkeit, alles Zurufe aus der Welt, in der man leben mußte, und die mir heut wieder einmal so feindlich und gefährlich geworden war. Wie denn? Hatte ich nicht die Turnstunde versäumt? Und hatte ich nicht gestohlen, jämmerlich gestohlen, und hatte die verdammten Feigen im Bücherbrett liegen, soweit sie nicht schon aufgegessen waren? Was gingen mich jetzt der Verbrecher, der liebe Gott und das Jüngste Gericht an! Das würde alles dann schon kommen, zu seiner Zeit – aber jetzt, jetzt im Augenblick konnte das Verbrechen entdeckt werden. Vielleicht war es schon soweit, vielleicht hatte mein Vater droben schon jene Schublade gezogen und stand vor meiner Schandtat, beleidigt und erzürnt, und überlegte sich, auf welche Art mir der Prozeß zu machen sei. Ach, er war möglicherweise schon unterwegs zu mir, und wenn ich nicht sofort entfloh, hatte ich in der nächsten Minute schon sein ernstes Gesicht mit der Brille vor mir. Denn er wußte natürlich sofort, daß ich der Dieb war. Es gab keine Verbrecher in unserm Hause außer mir, meine Schwestern taten nie so etwas, Gott weiß warum. Aber wozu brauchte mein Vater da in seiner Kommode solche Feigenkränze verborgen zu haben?

Ich hatte mein Stübchen schon verlassen und mich durch die hintere Haustür und den Garten davongemacht. Die Gärten und Wiesen lagen in heller Sonne, Zitronenfalter flogen über den Weg. Alles sah jetzt schlimm und drohend aus, viel schlimmer als heut morgen. Oh, ich kannte das schon, und doch meinte ich, es nie so qualvoll gespürt zu haben: wie da alles in seiner Selbstverständlichkeit und mit seiner Gewissensruhe mich ansah, Stadt und Kirchturm, Wiesen und Weg, Grasblüten und Schmetterlinge, und wie alles Hübsche und Fröhliche, was man sonst mit Freuden sah, nun fremd und verzaubert war! Ich kannte das, ich wußte, wie es schmeckt, wenn man in Gewissensangst durch die gewohnte Gegend läuft! Jetzt konnte der seltenste Schmetterling über die Wiese fliegen und sich vor meinen Füßen hinsetzen – es war nichts, es freute nicht, reizte nicht, tröstete nicht. Jetzt konnte der herrlichste Kirschbaum mir seinen vollsten Ast herbieten – es hatte keinen Wert, es war kein Glück dabei. Jetzt gab es nichts als fliehen, vor dem Vater, vor der Strafe, vor mir selber, vor meinem Gewissen, fliehen und rastlos sein, bis dennoch unerbittlich und unentrinnbar alles kam, was kommen mußte.

Ich lief und war rastlos, ich lief bergan und hoch bis zum Walde, und vom Eichenberg nach der Hofmühle hinab, über den Steg und jenseits wieder bergauf und durch Wälder hinan. Hier hatten wir unser letztes Indianerlager gehabt. Hier hatte letztes Jahr, als der Vater auf Reisen war, unsre Mutter mit uns Kindern Ostern gefeiert und im Wald und Moos die Eier für uns versteckt. Hier hatte ich einst mit meinen Vettern in den Ferien eine Burg gebaut, sie stand noch halb. Überall Reste von einstmals, überall Spiegel, aus denen mir ein andrer entgegensah, als der ich heute war! War ich das alles gewesen? So lustig, so zufrieden, so dankbar, so kameradschaftlich, so zärtlich mit der Mutter, so ohne Angst, so unbegreiflich glücklich? War das ich gewesen? Und wie hatte ich so werden können, wie ich jetzt war, so anders, so ganz anders, so böse, so voll Angst, so zerstört? Alles war noch wie immer, Wald und Fluß, Farnkräuter und Blumen, Burg und Ameisenhaufen, und doch alles wie vergiftet und verwüstet. Gab es denn gar keinen Weg zurück, dorthin, wo das Glück und die Unschuld waren? Konnte es nie mehr werden, wie es gewesen war? Würde ich jemals wieder so lachen, so mit den Schwestern spielen, so nach Ostereiern suchen?

Ich lief und lief, den Schweiß auf der Stirn, und hinter mir lief meine Schuld und lief groß und ungeheuer der Schatten meines Vaters als Verfolger mit.

An mir vorbei liefen Alleen, sanken Waldränder hinab. Auf einer Höhe machte ich halt, abseits vom Weg, ins Gras geworfen, mit Herzklopfen, das vom Bergaufwärtsrennen kommen konnte, das vielleicht bald besser wurde. Unten sah ich Stadt und Fluß, sah die Turnhalle, wo jetzt die Stunde zu Ende war und die Buben auseinanderliefen, sah das lange Dach meines Vaterhauses. Dort war meines Vaters Schlafzimmer und die Schublade, in der die Feigen fehlten. Dort war mein kleines Zimmer. Dort würde, wenn ich zurückkam, das Gericht mich treffen. – Aber wenn ich nicht zurückkam?

Ich wußte, daß ich zurückkommen würde. Man kam immer zurück, jedesmal. Es endete immer so. Man konnte nicht fort, man konnte nicht nach Afrika fliehen oder nach Berlin. Man war klein, man hatte kein Geld, niemand half einem. Ja, wenn alle Kinder sich zusammentäten und einander hülfen! Sie waren viele, es gab mehr Kinder als Eltern. Aber nicht alle Kinder waren Diebe und Verbrecher. Wenige waren so wie ich. Vielleicht war ich der einzige. Aber nein, ich wußte, es kamen öfters solche Sachen vor wie meine – ein Onkel von mir hatte als Kind auch gestohlen und viel Sachen angestellt, das hatte ich irgendwann einmal erlauscht, heimlich aus einem Gespräch der Eltern, heimlich, wie man alles Wissenswerte erlauschen mußte. Doch das alles half mir nicht, und wenn jener Onkel selber da wäre, er würde mir auch nicht helfen! Er war jetzt längst groß und erwachsen, er war Pastor, und er würde zu den Erwachsenen halten und mich im Stich lassen. So waren sie alle. Gegen uns Kinder waren sie alle falsch und verlogen, spielten eine Rolle, gaben sich anders als sie waren. Die Mutter vielleicht nicht, oder weniger.

Ja, wenn ich nun nicht mehr heimkehren würde? Es könnte ja etwas passieren, ich konnte mir den Hals brechen oder ertrinken oder unter die Eisenbahn kommen. Dann sah alles anders aus. Dann brachte man mich nach Hause, und alles war still und erschrocken und weinte, und ich tat allen leid, und von den Feigen war nicht mehr die Rede. Ich wußte sehr gut, daß man sich selber das Leben nehmen konnte. Ich dachte auch, daß ich das wohl einmal tun würde, später, wenn es einmal ganz schlimm kam. Gut wäre es gewesen, krank zu werden, aber nicht bloß so mit Husten, sondern richtig todkrank, so wie damals, als ich Scharlachfieber hatte.

Inzwischen war die Turnstunde längst vorüber, und auch die Zeit war vorüber, wo man mich zu Hause zum Kaffee erwartete. Vielleicht riefen und suchten sie jetzt nach mir, in meinem Zimmer, im Garten und Hof, auf dem Estrich. Wenn aber der Vater meinen Diebstahl schon entdeckt hatte, dann wurde nicht gesucht, dann wußte er Bescheid.

Es war mir nicht möglich, länger liegenzubleiben. Das Schicksal vergaß mich nicht, es war hinter mir her. Ich nahm das Laufen wieder auf. Ich kam an einer Bank in den Anlagen vorüber, an der hing wieder eine Erinnerung, wieder eine, die einst schön und lieb gewesen war und jetzt wie Feuer brannte. Mein Vater hatte mir ein Taschenmesser geschenkt, wir waren zusammen spazierengegangen, froh und in gutem Frieden, und er hatte sich auf diese Bank gesetzt, während ich im Gebüsch mir eine lange Haselrute schneiden wollte. Und da brach ich im Eifer das neue Messer ab, die Klinge dicht am Heft, und kam entsetzt zurück, wollte es erst verheimlichen, wurde aber gleich danach gefragt. Ich war sehr unglücklich wegen des Messers und weil ich Scheltworte erwartete. Aber da hatte mein Vater nur gelächelt, mir leicht die Schulter berührt und gesagt: »Wie schade, du armer Kerl!« Wie hatte ich ihn da geliebt, wieviel ihm innerlich abgebeten! Und jetzt, wenn ich an das damalige Gesicht meines Vaters dachte, an seine Stimme, an sein Mitleid – was war ich für ein Ungeheuer, daß ich diesen Vater so oft betrübt, belogen und heut bestohlen hatte!

Als ich wieder in die Stadt kam, bei der oberen Brücke und weit von unserm Hause, hatte die Dämmerung schon begonnen. Aus einem Kaufladen, hinter dessen Glastür schon Licht brannte, kam ein Knabe gelaufen, der blieb plötzlich stehen und rief mich mit Namen an. Es war Oskar Weber. Niemand konnte mir ungelegener kommen. Immerhin erfuhr ich von ihm, daß der Lehrer mein Fehlen in der Turnstunde nicht bemerkt habe. Aber wo ich denn gewesen sei?

»Ach nirgends«, sagte ich, »ich war nicht recht wohl.«

Ich war schweigsam und zurückweisend, und nach einer Weile, die ich empörend lang fand, merkte er, daß er mir lästig sei. Jetzt wurde er böse.

»Laß mich in Ruhe«, sagte ich kalt, »ich kann allein heimgehen.«

»So?« rief er jetzt. »Ich kann geradesogut allein gehen wie du, dummer Fratz! Ich bin nicht dein Pudel, daß du's weißt. Aber vorher möchte ich doch wissen, wie das jetzt eigentlich mit unserer Sparkasse ist! Ich habe einen Zehner hineingetan und du nichts.«

»Deinen Zehner kannst du wiederhaben, heut noch, wenn du Angst um ihn hast. Wenn ich dich nur nimmer sehen muß. Als ob ich von dir etwas annehmen würde!«

»Du hast ihn neulich gern genommen«, meinte er höhnisch, aber nicht, ohne einen Türspalt zur Versöhnung offen zu lassen.

Aber ich war heiß und böse geworden, alle in mir angehäufte Angst und Ratlosigkeit brach in hellen Zorn aus. Weber hatte mir nichts zu sagen! Gegen ihn war ich im Recht, gegen ihn hatte ich ein gutes Gewissen. Und ich brauchte jemand, gegen den ich mich fühlen, gegen den ich stolz und im Recht sein konnte. Alles Ungeordnete und Finstere in mir strömte wild in diesen Ausweg. Ich tat, was ich sonst so sorgfältig vermied, ich kehrte den Herrensohn heraus, ich deutete an, daß es für mich keine Entbehrung sei, auf die Freundschaft mit einem Gassenbuben zu verzichten. Ich sagte ihm, daß für ihn jetzt das Beerenessen in unserm Garten und das Spielen mit meinen Spielsachen ein Ende habe. Ich fühlte mich aufglühen und aufleben: Ich hatte einen Feind, einen Gegner, einen, der schuld war, den man packen konnte. Alle Lebenstriebe sammelten sich in diese erlösende, willkommene, befreiende Wut, in die grimmige Freude am Feind, der diesmal nicht in mir selbst wohnte, der mir gegenüberstand, mich mit erschreckten, dann mit bösen Augen anglotzte, dessen Stimme ich hörte, dessen Vorwürfe ich verachten, dessen Schimpfworte ich übertrumpfen konnte.

Im anschwellenden Wortwechsel, dicht nebeneinander, trieben wir die dunkelnde Gasse hinab; da und dort sah man uns aus einer Haustüre nach. Und alles, was ich gegen mich selber an Wut und Verachtung empfand, kehrte sich gegen den unseligen Weber. Als er damit zu drohen begann, er werde mich dem Turnlehrer anzeigen, war es Wollust für mich: er setzte sich ins Unrecht, er wurde gemein, er stärkte mich.

Als wir in der Nähe der Metzgergasse handgemein wurden,

blieben gleich ein paar Leute stehen und sahen unserm Handel zu. Wir hieben einander in den Bauch und ins Gesicht und traten mit den Schuhen gegeneinander. Nun hatte ich für Augenblicke alles vergessen, ich war im Recht, war kein Verbrecher, Kampfrausch beglückte mich, und wenn Weber auch stärker war als ich, so war ich flinker, klüger, rascher, feuriger. Wir wurden heiß und schlugen uns wütend. Als er mir mit einem verzweifelten Griff den Hemdkragen aufriß, fühlte ich mit Inbrunst den Strom kalter Luft über meine glühende Haut laufen.

Und im Hauen, Reißen und Treten, Ringen und Würgen hörten wir nicht auf, uns weiter mit Worten anzufeinden, zu beleidigen und zu vernichten, mit Worten, die immer glühender, immer törichter und böser, immer dichterischer und phantastischer wurden. Und auch darin war ich ihm über, war böser, dichterischer, erfinderischer. Sagte er Hund, so sagte ich Sauhund. Rief er Schuft, so schrie ich Satan. Wir bluteten beide, ohne etwas zu fühlen, und dabei häuften unsre Worte böse Zauber und Wünsche, wir empfahlen einander dem Galgen, wünschten uns Messer, um sie einander in die Rippen zu jagen und darin umzudrehen, wir beschimpften einer des andern Namen, Herkunft und Vater.

Es war das erste und einzige Mal, daß ich einen solchen Kampf im vollen Kriegsrausch bis zu Ende ausfocht, mit allen Hieben, allen Grausamkeiten, allen Beschimpfungen. Zugesehen hatte ich oft und mit grausender Lust diese vulgären, urtümlichen Flüche und Schandworte angehört; nun schrie ich sie selber heraus, als sei ich ihrer von klein auf gewohnt und in ihrem Gebrauch geübt. Tränen liefen mir aus den Augen und Blut über den Mund. Die Welt aber war herrlich, sie hatte einen Sinn, es war gut zu leben, gut zu hauen, gut zu bluten und bluten zu machen.

Niemals vermochte ich in der Erinnerung das Ende dieses Kampfes wieder zu finden. Irgendeinmal war es aus, irgendeinmal stand ich allein in der stillen Dunkelheit, erkannte Straßenecken und Häuser, war nahe bei unserm Hause. Langsam floh der Rausch, langsam hörte das Flügelbrausen und Donnern auf, und Wirklichkeit drang stückweise vor meine Sinne, zuerst nur vor die Augen. Da der Brunnen. Die Brücke. Blut an meiner Hand, zerrissene Kleider, herabgerutschte Strümpfe, ein Schmerz im Knie, einer im Auge, keine Mütze mehr da – alles kam nach und nach, wurde Wirklichkeit und sprach zu mir. Plötzlich war ich tief ermüdet, fühlte meine Knie und Arme zittern, tastete nach einer Hauswand.

Und da war unser Haus. Gott sei Dank! Ich wußte nichts auf der Welt mehr, als daß dort Zuflucht war, Friede, Licht, Geborgenheit. Aufatmend schob ich das hohe Tor zurück.

Da mit dem Duft von Stein und feuchter Kühle überströmte mich plötzlich Erinnerung, hundertfach. O Gott! Es roch nach Strenge, nach Gesetz, nach Verantwortung, nach Vater und Gott. Ich hatte gestohlen. Ich war kein verwundeter Held, der vom Kampfe heimkehrte. Ich war kein armes Kind, das nach Hause findet und von der Mutter in Wärme und Mitleid gebettet wird. Ich war Dieb, ich war Verbrecher. Da droben waren nicht Zuflucht, Bett und Schlaf für mich, nicht Essen und Pflege, nicht Trost und Vergessen. Auf mich wartete Schuld und Gericht.

Damals in dem finstern abendlichen Flur und im Treppenhaus, dessen viele Stufen ich unter Mühen erklomm, atmete ich, wie ich glaube, zum erstenmal in meinem Leben für Augenblicke den kalten Äther, die Einsamkeit, das Schicksal. Ich sah keinen Ausweg, ich hatte keine Pläne, auch keine Angst, nichts als das kalte, rauhe Gefühl: »Es muß sein.« Am Geländer zog ich mich die Treppe hinauf. Vor der Glastür fühlte ich Lust, noch einen Augenblick mich auf die Treppe zu setzen, aufzuatmen, Ruhe zu haben. Ich tat es nicht, es hatte keinen Zweck. Ich mußte hinein. Beim Öffnen der Tür fiel mir ein, wie spät es wohl sei?

Ich trat ins Eßzimmer. Da saßen sie um den Tisch und hatten eben gegessen, ein Teller mit Äpfeln stand noch da. Es war gegen acht Uhr. Nie war ich ohne Erlaubnis so spät heimgekommen, nie hatte ich beim Abendessen gefehlt.

»Gott sei Dank, da bist du!« rief meine Mutter lebhaft. Ich sah, sie war in Sorge um mich gewesen. Sie lief auf mich zu und blieb erschrocken stehen, als sie mein Gesicht und die beschmutzten und zerrissenen Kleider sah. Ich sagte nichts und blickte niemanden an, doch spürte ich deutlich, daß Vater und Mutter sich mit Blicken meinetwegen verständigten. Mein Vater schwieg und beherrschte sich; ich fühlte, wie zornig er war. Die Mutter nahm sich meiner an, Gesicht und Hände wurden mir gewaschen, Pflaster aufgeklebt, dann bekam ich zu essen. Mitleid und Sorgfalt umgaben mich, ich saß still und tief beschämt, fühlte die Wärme und genoß sie mit schlechtem Gewissen. Dann ward ich zu Bett geschickt. Dem Vater gab ich die Hand, ohne ihn anzusehen.

Als ich schon im Bett lag, kam die Mutter noch zu mir. Sie nahm meine Kleider vom Stuhl und legte mir andere hin, denn morgen war Sonntag. Dann fing sie behutsam zu fragen an, und ich mußte von meiner Rauferei erzählen. Sie fand es zwar schlimm, schalt aber nicht und schien ein wenig verwundert, daß ich dieser Sache wegen so sehr gedrückt und scheu war. Dann ging sie.

Und nun, dachte ich, war sie überzeugt, daß alles gut sei. Ich hatte Händel ausgefochten und war blutiggehauen worden, aber das würde morgen vergessen sein. Von dem andern, dem Eigentlichen, wußte sie nichts. Sie war betrübt gewesen, aber unbefangen und zärtlich. Auch der Vater wußte also vermutlich noch nichts.

Und nun überkam mich ein furchtbares Gefühl von Enttäuschung. Ich merkte jetzt, daß ich seit dem Augenblick, wo ich unser Haus betreten hatte, ganz und gar von einem einzigen, sehnlichen, verzehrenden Wunsch erfüllt gewesen war. Ich hatte nichts anderes gedacht, gewünscht, ersehnt, als daß das Gewitter nun ausbrechen möge, daß das Gericht über mich ergehe, daß das Furchtbare zur Wirklichkeit werde und die entsetzliche Angst davor aufhöre. Ich war auf alles gefaßt, zu allem bereit gewesen. Mochte ich schwer gestraft, geschlagen und eingesperrt werden! Mochte er mich hungern lassen! Mochte er mich verfluchen und verstoßen! Wenn nur die Angst und Spannung ein Ende nahmen!

Statt dessen lag ich nun da, hatte noch Liebe und Pflege genossen, war freundlich geschont und für meine Unarten nicht zur Rechenschaft gezogen worden und konnte aufs neue warten und bangen. Sie hatten mir die zerrissenen Kleider, das lange Fortbleiben, das versäumte Abendessen vergeben, weil ich müde war und blutete und ihnen leid tat, vor allem aber, weil sie das andere nicht ahnten, weil sie nur von meinen Unarten, nichts von meinem Verbrechen wußten. Es würde mir doppelt schlimm gehen, wenn es ans Licht kam! Vielleicht schickte man mich, wie man früher einmal gedroht hatte, in eine Besserungsanstalt, wo man altes, hartes Brot essen und während der ganzen Freizeit Holz sägen und Stiefel putzen mußte, wo es Schlafsäle mit Aufsehern geben sollte, die einen mit dem Stock schlugen und morgens um vier mit kaltem Wasser weckten. Oder man übergab mich der Polizei?

Jedenfalls aber, es komme wie es möge, lag wieder eine Wartezeit vor mir. Noch länger mußte ich die Angst ertragen, noch länger mit meinem Geheimnis herumgehen, vor jedem Blick und Schritt im Hause zittern und niemand ins Gesicht sehen können.

Oder war es am Ende möglich, daß mein Diebstahl gar nicht bemerkt wurde? Daß alles blieb, wie es war? Daß ich mir alle diese Angst und Pein vergebens gemacht hatte? – Oh, wenn das geschehen sollte, wenn dies Unausdenkliche, Wundervolle möglich war, dann wollte ich ein ganz neues Leben beginnen, dann wollte ich Gott danken und mich dadurch würdig zeigen, daß ich Stunde für Stunde ganz rein und fleckenlos lebte! Was ich schon früher versucht hatte und was mir mißglückt war, jetzt würde es gelingen, jetzt waren mein Vorsatz und Wille stark genug, jetzt nach diesem Elend, dieser Hölle voll Qual! Mein ganzes Wesen bemächtigte sich dieses Wunschgedankens und sog sich inbrünstig daran fest. Trost regnete vom Himmel, Zukunft tat sich blau und sonnig auf. In diesen Phantasien schlief ich endlich ein und schlief unbeschwert die ganze, gute Nacht hindurch.

Am Morgen war Sonntag, und noch im Bett empfand ich, wie den Geschmack einer Frucht, das eigentümliche, sonderbar gemischte, im ganzen aber so köstliche Sonntagsgefühl, wie ich es seit meiner Schulzeit kannte. Der Sonntagmorgen war eine gute Sache: Ausschlafen, keine Schule, Aussicht auf ein gutes Mittagessen, kein Geruch nach Lehrer und Tinte, eine Menge freie Zeit. Dies war die Hauptsache. Schwächer nur klangen andere, fremdere, fadere Töne hinein: Kirchgang oder Sonntagsschule, Familienspaziergang, Sorge um die schönen Kleider. Damit wurden der reine, gute, köstliche Geschmack und Duft ein wenig verfälscht und zersetzt – so, wie wenn zwei gleichzeitig gegessene Speisen, etwa ein Pudding und der Saft dazu, nicht ganz zusammenpaßten, oder wie zuweilen Bonbons oder Backwerk, die man in kleinen Läden geschenkt bekam, einen fatalen leisen Beigeschmack von Käse oder von Erdöl hatten. Man aß sie, und sie waren gut, aber es war nichts Volles und Strahlendes, man mußte ein Auge dabei zudrücken. Nun, so ähnlich war meistens der Sonntag, namentlich wenn ich in die Kirche oder Sonntagsschule gehen mußte, was zum Glück nicht immer der Fall war. Der freie Tag bekam dadurch einen Beigeschmack von Pflicht und von Langeweile. Und bei den Spaziergängen mit der ganzen Familie, wenn sie auch oft schön sein konnten, passierte gewöhnlich irgend etwas, es gab Streit mit den Schwestern, man ging zu rasch oder zu langsam, man brachte Harz an die Kleider; irgendein Haken war meistens dabei.

Nun, das mochte kommen. Mir war wohl. Seit gestern war eine Masse Zeit vergangen. Vergessen hatte ich meine Schandtat nicht, sie fiel mir schon am Morgen wieder ein, aber es war nun so lange her, die Schrecken waren ferngerückt und unwirklich geworden. Ich hatte gestern meine Schuld gebüßt, wenn auch nur durch Gewissensqualen, ich hatte einen bösen, jammervollen Tag durchlitten. Nun war ich wieder zu Vertrauen und Harmlosigkeit geneigt und machte mir wenig Gedanken mehr. Ganz war es ja noch nicht abgetan, es klangen noch ein wenig Drohung und Peinlichkeit nach, so wie in den schönen Sonntag jene kleinen Pflichten und Kümmernisse mit hineinklangen.

Beim Frühstück waren wir alle vergnügt. Es wurde mir die Wahl zwischen Kirche und Sonntagsschule gelassen. Ich zog, wie immer, die Kirche vor. Dort wurde man wenigstens in Ruhe gelassen und konnte seine Gedanken laufen lassen; auch war der hohe, feierliche Raum mit den bunten Fenstern oft schön und ehrwürdig, und wenn man mit eingekniffenen Augen dort das lange dämmernde Schiff gegen die Orgel sah, dann gab es manchmal wundervolle Bilder; die aus dem Finstern ragenden Orgelpfeifen erschienen oft wie eine strahlende Stadt mit hundert Türmen. Auch war es mir oft geglückt, wenn die Kirche nicht voll war, die ganze Stunde ungestört in einem Geschichtenbuch zu lesen.

Heut nahm ich keines mit und dachte auch nicht daran, mich um den Kirchgang zu drücken, wie ich es auch schon getan hatte. So viel klang von gestern abend noch in mir nach, daß ich gute und redliche Vorsätze hatte und gesonnen war, mich mit Gott, Eltern und Welt freundlich und gefügig zu vertragen. Auch mein Zorn gegen Oskar Weber war ganz und gar verflogen. Wenn er gekommen wäre, ich hätte ihn aufs beste aufgenommen.

Der Gottesdienst begann, ich sang die Choralverse mit, es war das Lied »Hirte deiner Schafe«, das wir auch in der Schule auswendig gelernt hatten. Es fiel mir dabei wieder einmal auf, wie ein Liedervers beim Singen, und gar bei dem schleppend langsamen Gesang in der Kirche, ein ganz anderes Gesicht hatte als beim Lesen oder Hersagen. Beim Lesen war so ein Vers ein Ganzes, hatte einen Sinn, bestand aus Sätzen. Beim Singen bestand er nur noch aus Worten, Sätze kamen nicht zustande, Sinn war keiner da, aber dafür gewannen die Worte, die einzelnen, gesungenen, langhin gedehnten Worte, ein sonderbar starkes, unabhängiges Leben, ja, oft waren es nur einzelne Silben, etwas an sich ganz Sinnloses, die im

Gesang selbständig wurden und Gestalt annahmen. In dem Vers »Hirte deiner Schafe, der von keinem Schlafe etwas wissen mag«, war zum Beispiel heute beim Kirchengesang gar kein Zusammenhang und Sinn, man dachte auch weder an einen Hirten noch an Schafe, man dachte durchaus gar nichts. Aber das war keineswegs langweilig. Einzelne Worte, namentlich das »Schla-afe«, wurden so seltsam voll und schön, man wiegte sich ganz darin, und auch das »mag« tönte geheimnisvoll und schwer, erinnerte an »Magen« und an dunkle, gefühlsreiche, halbbekannte Dinge, die man in sich innen im Leibe hat. Dazu die Orgel!

Und dann kam der Stadtpfarrer und die Predigt, die stets so unbegreiflich lang war, und das seltsame Zuhören, wobei man oft lange Zeit nur den Ton der redenden Stimme glockenhaft schweben hörte, dann wieder einzelne Worte scharf und deutlich samt ihrem Sinn vernahm und ihnen zu folgen bemüht war, solange es ging. Wenn ich nur im Chor hätte sitzen dürfen, statt unter all den Männern auf der Empore. Im Chor, wo ich bei Kirchenkonzerten schon gesessen war, da saß man tief in schweren, isolierten Stühlen, deren jeder ein kleines festes Gebäude war, und über sich hatte man ein sonderbar reizvolles, vielfältiges, netzartiges Gewölbe, und hoch an der Wand war die Bergpredigt in sanften Farben gemalt, und das blaue und rote Gewand des Heilands auf dem blaßblauen Himmel war so zart und beglückend anzusehen.

Manchmal knackte das Kirchengestühl, gegen das ich eine tiefe Abneigung hegte, weil es mit einer gelben, öden Lackfarbe gestrichen war, an der man immer ein wenig klebenblieb. Manchmal summte eine Fliege auf und gegen eines der Fenster, in deren Spitzbogen blaurote Blumen und grüne Sterne gemalt waren. Und unversehens war die Predigt zu Ende, und ich streckte mich vor, um den Pfarrer in seinen engen, dunklen Treppenschlauch verschwinden zu sehen. Man sang wieder, aufatmend und sehr laut, und man stand auf und strömte hinaus; ich warf den mitgebrachten Fünfer in die Opferbüchse, deren blecherner Klang so schlecht in die Feierlichkeit paßte, und ließ mich vom Menschenstrom mit ins Portal ziehen und ins Freie treiben.

Jetzt kam die schönste Zeit des Sonntags, die zwei Stunden zwischen Kirche und Mittagessen. Da hatte man seine Pflicht getan, man war im langen Sitzen auf Bewegung, auf Spiele oder Gänge begierig geworden, oder auf ein Buch, und war völlig frei bis zum Mittag, wo es meistens etwas Gutes gab. Zufrieden schlenderte ich nach Hause, angefüllt mit freundlichen Gedanken und Gesinnungen. Die Welt war in Ordnung, es ließ sich in ihr leben. Friedfertig trabte ich durch Flur und Treppe hinauf.

In meinem Stübchen schien Sonne. Ich sah nach meinen Raupenkästen, die ich gestern vernachlässigt hatte, fand ein paar neue Puppen, gab den Pflanzen frisches Wasser.

Da ging die Tür.

Ich achtete nicht gleich darauf. Nach einer Minute wurde die Stille mir sonderbar; ich drehte mich um. Da stand mein Vater. Er war blaß und sah gequält aus. Der Gruß blieb mir im Halse stekken. Ich sah: er wußte! Er war da. Das Gericht begann. Nichts war gut geworden, nichts abgebüßt, nichts vergessen! Die Sonne wurde bleich, und der Sonntagmorgen sank welk dahin.

Aus allen Himmeln gerissen starrte ich dem Vater entgegen. Ich haßte ihn, warum war er nicht gestern gekommen? Jetzt war ich auf nichts vorbereitet, hatte nichts bereit, nicht einmal Reue und Schuldgefühl. – Und wozu brauchte er oben in seiner Kommode Feigen zu haben?

Er ging zu meinem Bücherschrank, griff hinter die Bücher und zog einige Feigen hervor. Es waren wenige mehr da. Dazu sah er mich an, mit stummer, peinlicher Frage. Ich konnte nichts sagen. Leid und Trotz würgten mich.

»Was ist denn?« brachte ich dann heraus.

»Woher hast du diese Feigen?« fragte er, mit einer beherrschten, leisen Stimme, die mir bitter verhaßt war.

Ich begann sofort zu reden. Zu lügen. Ich erzählte, daß ich die Feigen bei einem Konditor gekauft hätte, es sei ein ganzer Kranz gewesen. Woher das Geld dazu kam? Das Geld kam aus einer Sparkasse, die ich gemeinsam mit einem Freunde hatte. Da hatten wir beide alles kleine Geld hineingetan, das wir je und je bekamen. Übrigens – hier war die Kasse. Ich holte die Schachtel mit dem Schlitz hervor. Jetzt war bloß noch ein Zehner darin, eben weil wir gestern die Feigen gekauft hatten.

Mein Vater hörte zu, mit einem stillen, beherrschten Gesicht, dem ich nichts glaubte.

»Wieviel haben denn die Feigen gekostet?« fragte er mit der zu leisen Stimme.

»Eine Mark und sechzig.«

»Und wo hast du sie gekauft?«

»Beim Konditor.«

»Bei welchem?«

»Bei Haager.«

Es gab eine Pause. Ich hielt die Geldschachtel noch in frierenden Fingern. Alles an mir war kalt und fror.

Und nun fragte er, mit einer Drohung in der Stimme: »Ist das wahr?«

Ich redete wieder rasch. Ja, natürlich war es wahr, und mein Freund Weber war im Laden gewesen, ich hatte ihn nur begleitet. Das Geld hatte hauptsächlich ihm, dem Weber, gehört, von mir war nur wenig dabei.

»Nimm deine Mütze«, sagte mein Vater, »wir wollen miteinander zum Konditor Haager gehen. Er wird ja wissen, ob es wahr ist.«

Ich versuchte zu lächeln. Nun ging mir die Kälte bis in Herz und Magen. Ich ging voran und nahm im Korridor meine blaue Mütze. Der Vater öffnete die Glastür, auch er hatte seinen Hut genommen.

»Noch einen Augenblick!«, sagte ich, »ich muß schnell hinausgehen.«

Er nickte. Ich ging auf den Abtritt, schloß zu, war allein, war noch einen Augenblick gesichert. Oh, wenn ich jetzt gestorben wäre!

Ich blieb eine Minute, blieb zwei. Es half nichts. Man starb nicht. Es galt standzuhalten. Ich schloß auf und kam. Wir gingen die Treppe hinunter.

Als wir eben durchs Haustor gingen, fiel mir etwas Gutes ein, und ich sagte schnell: »Aber heut ist ja Sonntag, da hat der Haager gar nicht offen.«

Das war eine Hoffnung, zwei Sekunden lang. Mein Vater sagte gelassen: »Dann gehen wir zu ihm in die Wohnung. Komm.«

Wir gingen. Ich schob meine Mütze gerade, steckte eine Hand in die Tasche und versuchte neben ihm daherzugehen, als sei nichts Besonderes los. Obwohl ich wußte, daß alle Leute mir ansahen, ich sei ein abgeführter Verbrecher, versuchte ich doch mit tausend Künsten, es zu verheimlichen. Ich bemühte mich, einfach und harmlos zu atmen; es brauchte niemand zu sehen, wie es mir die Brust zusammenzog. Ich war bestrebt, ein argloses Gesicht zu machen, Selbstverständlichkeit und Sicherheit zu heucheln. Ich zog einen Strumpf hoch, ohne daß er es nötig hatte, und lächelte, während ich wußte, daß dies Lächeln furchtbar dumm und künstlich aussehe. In mir innen, in Kehle und Eingeweiden, saß der Teufel und würgte mich.

Wir kamen am Gasthaus vorüber, beim Hufschmied, beim Lohnkutscher, bei der Eisenbahnbrücke. Dort drüben hatte ich gestern abend mit Weber gekämpft. Tat nicht der Riß beim Auge noch weh? Mein Gott! Mein Gott!

Willenlos ging ich weiter, unter Krämpfen um meine Haltung bemüht. An der Adlerscheuer vorbei, die Bahnhofstraße hinaus. Wie war diese Straße gestern noch gut und harmlos gewesen! Nicht denken! Weiter! Weiter!

Wir waren ganz nahe bei Haagers Haus. Ich hatte in diesen paar Minuten einige hundertmal die Szene voraus erlebt, die mich dort erwartete. Nun waren wir da. Nun kam es.

Aber es war mir unmöglich, das auszuhalten. Ich blieb stehen.

»Nun? Was ist?« fragte mein Vater.

»Ich gehe nicht hinein«, sagte ich leise.

Er sah zu mir herab. Er hatte es ja gewußt, von Anfang an. Warum hatte ich ihm das alles vorgespielt und mir so viel Mühe gegeben? Es hatte ja keinen Sinn.

»Hast du die Feigen nicht bei Haager gekauft?« fragte er.

Ich schüttelte den Kopf.

»Ach so«, sagte er mit scheinbarer Ruhe. »Dann können wir ja wieder nach Hause gehen.«

Er benahm sich anständig, er schonte mich auf der Straße, vor den Leuten. Es waren viele Leute unterwegs, jeden Augenblick wurde mein Vater gegrüßt. Welches Theater! Welche dumme, unsinnige Qual! Ich konnte ihm für diese Schonung nicht dankbar sein.

Er wußte ja alles! Und er ließ mich tanzen, ließ mich meine nutzlosen Kapriolen vollführen, wie man eine gefangene Maus in der Drahtfalle tanzen läßt, ehe man sie ersäuft. Ach, hätte er mir gleich zu Anfang, ohne mich überhaupt zu fragen und zu verhören, mit dem Stock über den Kopf gehauen, das wäre mir im Grunde lieber gewesen als diese Ruhe und Gerechtigkeit, mit der er mich in meinem dummen Lügengespinst einkreiste und langsam erstickte. Überhaupt, vielleicht war es besser, einen groben Vater zu haben als so einen feinen und gerechten. Wenn ein Vater, so wie es in Geschichten und Traktätchen vorkam, im Zorn oder in der Betrunkenheit seine Kinder furchtbar prügelte, so war er eben im Unrecht, und wenn die Prügel auch weh taten, so konnte man doch innerlich die Achseln zucken und ihn verachten. Bei meinem Vater ging das nicht, er war zu fein, zu einwandfrei, er war nie im Unrecht. Ihm gegenüber wurde man immer klein und elend.

Mit zusammengebissenen Zähnen ging ich vor ihm her ins Haus und wieder in mein Zimmer. Er war noch immer ruhig und kühl, vielmehr er stellte sich so, denn in Wahrheit war er, wie ich deutlich spürte, sehr böse. Nun begann er in seiner gewohnten Art zu sprechen.

»Ich möchte nur wissen, wozu diese Komödie dienen soll? Kannst du mir das nicht sagen? Ich wußte ja gleich, daß deine ganze hübsche Geschichte erlogen war. Also wozu die Faxen? Du hältst mich doch nicht im Ernst für so dumm, daß ich sie dir glauben würde?«

Ich biß weiter auf meine Zähne und schluckte. Wenn er doch aufhören wollte! Als ob ich selber gewußt hätte, warum ich ihm diese Geschichte vorlog! Als ob ich selber gewußt hätte, warum ich nicht mein Verbrechen gestehen und um Verzeihung bitten konnte! Als ob ich auch nur gewußt hätte, warum ich diese unseligen Feigen stahl! Hatte ich das denn gewollt, hatte ich es denn mit Überlegung und Wissen und aus Gründen getan?! Tat es mir denn nicht leid? Litt ich denn nicht mehr darunter als er?

Er wartete und machte ein nervöses Gesicht voll mühsamer Geduld. Einen Augenblick lang war mir selbst die Lage vollkommen klar, im Unbewußten, doch hätte ich es nicht wie heut mit Worten sagen können. Es war so: Ich hatte gestohlen, weil ich trostbedürftig in Vaters Zimmer gekommen war und es zu meiner Enttäuschung leer gefunden hatte. Ich hatte nicht stehlen wollen. Ich hatte, als der Vater nicht da war, nur spionieren wollen, mich unter seinen Sachen umsehen, seine Geheimnisse belauschen, etwas über ihn erfahren. So war es. Dann lagen die Feigen da, und ich stahl. Und sofort bereute ich, und den ganzen Tag gestern hatte ich Qual und Verzweiflung gelitten, hatte zu sterben gewünscht, hatte mich verurteilt, hatte neue, gute Vorsätze gefaßt. Heut aber – ja, heut war es nun anders. Ich hatte diese Reue und all das nun ausgekostet, ich war jetzt nüchterner, und ich spürte unerklärliche, aber riesenstarke Widerstände gegen den Vater und gegen alles, was er von mir erwartete und verlangte.

Hätte ich ihm das sagen können, so hätte er mich verstanden. Aber auch Kinder, so sehr sie den Großen an Klugheit überlegen sind, stehen einsam und ratlos vor dem Schicksal.

Steif vor Trotz und verbissenem Weh schwieg ich weiter, ließ ihn klug reden und sah mit Leid und seltsamer Schadenfreude zu, wie alles schiefging und schlimm und schlimmer wurde, wie er litt und enttäuscht war, wie er vergeblich an alles Bessere in mir appellierte.

Als er fragte: »Also hast du die Feigen gestohlen?«, konnte ich nur nicken. Mehr als ein schwaches Nicken brachte ich auch nicht über mich, als er wissen wollte, ob es mir leid tue. – Wie konnte er, der große, kluge Mann, so unsinnig fragen! Als ob es mir etwa nicht leid getan hätte! Als ob er nicht hätte sehen können, wie mir das Ganze weh tat und das Herz umdrehte! Als ob es mir möglich gewesen wäre, mich etwa gar noch meiner Tat und der elenden Feigen zu freuen!

Vielleicht zum erstenmal in meinem kindlichen Leben empfand ich fast bis zur Schwelle der Einsicht und des Bewußtwerdens, wie namenlos zwei verwandte, gegeneinander wohlgesinnte Menschen sich mißverstehen und quälen und martern können, und wie dann alles Reden, alles Klugseinwollen, alle Vernunft bloß noch Gift hinzugießen, bloß neue Qualen, neue Stiche, neue Irrtümer schaffen. Wie war das möglich? Aber es war möglich, es geschah. Es war unsinnig, es war toll, es war zum Lachen und zum Verzweifeln – aber es war so.

Genug nun von dieser Geschichte! Es endete damit, daß ich über den Sonntagnachmittag in der Dachkammer eingesperrt wurde. Einen Teil ihrer Schrecken verlor die harte Strafe durch Umstände, welche freilich mein Geheimnis waren. In der dunklen, unbenutzten Bodenkammer stand nämlich tief verstaubt eine Kiste, halb voll mit alten Büchern, von denen einige keineswegs für Kinder bestimmt waren. Das Licht zum Lesen gewann ich durch das Beiseiteschieben eines Dachziegels.

Am Abend dieses traurigen Sonntags gelang es meinem Vater, kurz vor Schlafengehen mich noch zu einem kurzen Gespräch zu bringen, das uns versöhnte. Als ich im Bett lag, hatte ich die Gewißheit, daß er mir ganz und vollkommen verziehen habe – vollkommener als ich ihm. (1918)

Die Fremdenstadt im Süden

Diese Stadt ist eine der witzigsten und einträglichsten Unternehmungen modernen Geistes. Ihre Entstehung und Einrichtung beruht auf einer genialen Synthese, wie sie nur von sehr tiefen Ken-
nern der Psychologie des Großstädters ausgedacht werden
konnte, wenn man sie nicht geradezu als eine direkte Ausstrahlung
der Großstadtseele, als deren verwirklichten Traum bezeichnen
will. Denn diese Gründung realisiert in idealer Vollkommenheit
alle Ferien- und Naturwünsche jeder durchschnittlichen Großstäd-
terseele. Bekanntlich schwärmt der Großstädter für nichts so sehr
wie für Natur, für Idylle, Friede und Schönheit. Bekanntlich aber
sind alle diese schönen Dinge, die er so sehr begehrt und von welchen bis vor kurzem die Erde noch übervoll war, ihm völlig unbe-
kömmlich, er kann sie nicht vertragen. Und da er sie nun dennoch
haben will, da er sich die Natur nun einmal in den Kopf gesetzt
hat, so hat man ihm hier, wie es koffeinfreien Kaffee und nikotin-
freie Zigarren gibt, eine naturfreie, eine gefahrlose, hygienische,
denaturierte Natur aufgebaut. Und bei alledem war jener oberste
Grundsatz des modernen Kunstgewerbes maßgebend, die Forderung nach absoluter »Echtheit«. Mit Recht betont ja das moderne
Gewerbe diese Forderung, welche in früheren Zeiten nicht bekannt war, weil damals jedes Schaf in der Tat ein echtes Schaf war
und echte Wolle gab, jede Kuh echt war und echte Milch gab und
künstliche Schafe und Kühe noch nicht erfunden waren. Nachdem sie aber erfunden waren und die echten nahezu verdrängt
hatten, wurde in Bälde auch das Ideal der Echtheit erfunden. Die
Zeiten sind vorüber, wo naive Fürsten sich in irgendeinem deutschen Tälchen künstliche Ruinen, eine nachgemachte Einsiedelei,
eine kleine unechte Schweiz, einen imitierten Posilipo bauen ließen. Fern liegt heutigen Unternehmern der absurde Gedanke,
dem großstädtischen Kenner etwa ein Italien in der Nähe Lon-
dons, eine Schweiz bei Chemnitz, ein Sizilien am Bodensee vortäuschen zu wollen. Der Naturersatz, den der heutige Städter verlangt, muß unbedingt echt sein, echt wie das Silber, mit dem er
tafelt, echt wie die Perlen, die seine Frau trägt, und echt wie die
Liebe zu Volk und Republik, die er im Busen hegt.

Dies alles zu verwirklichen, war nicht leicht. Der wohlhabende
Großstädter verlangt für den Frühling und Herbst einen Süden,

der seinen Vorstellungen und Bedürfnissen entspricht, einen echten Süden mit Palmen und Zitronen, blaue Seen, malerische Städtchen, und dies alles war ja leicht zu haben. Er verlangt aber auch außerdem Gesellschaft, verlangt Hygiene und Sauberkeit, verlangt Stadtatmosphäre, verlangt Musik, Technik, Eleganz, er erwartet eine dem Menschen restlos unterworfene und von ihm umgestaltete Natur, eine Natur, die ihm zwar Reize und Illusionen gewährt, aber lenkbar ist und nichts von ihm verlangt, in die er sich mit allen seinen großstädtischen Gewohnheiten, Sitten und Ansprüchen bequem hineinsetzen kann. Da nun die Natur das Unerbittlichste ist, was wir kennen, scheint das Erfüllen solcher Ansprüche nahezu unmöglich; aber menschlicher Tatkraft ist bekanntlich nichts unmöglich. Der Traum ist erfüllt.

Die Fremdenstadt im Süden konnte natürlich nicht in einem einzigen Exemplar hergestellt werden. Es wurden dreißig oder vierzig solche Idealstädte gemacht, an jedem irgend geeigneten Ort sieht man eine stehen, und wenn ich eine dieser Städte zu schildern versuche, ist es natürlich nicht diese oder jene, sie trägt keinen Eigennamen, so wenig wie ein Ford-Automobil, sie ist ein Exemplar, ist eine von vielen.

Zwischen langhin gedehnten, sanft geschwungenen Kaimauern liegt mit kleinen, kurzen Wellchen ein See aus blauem Wasser, an dessen Rand findet der Naturgenuß statt. Am Ufer schwimmen unzählige kleine Ruderboote mit farbig gestreiften Sonnendächern und bunten Fähnchen, elegante hübsche Boote mit kleinen netten Kissen und sauber wie Operationstische. Ihre Besitzer gehen auf dem Kai auf und nieder und bieten allen Vorübergehenden unaufhörlich ihre Schiffchen zum Mieten an. Diese Männer gehen in matrosenähnlichen Anzügen mit bloßer Brust und bloßen braunen Armen, sie sprechen echtes Italienisch, sind jedoch imstande, auch in jeder anderen Sprache Auskunft zu geben, sie haben leuchtende Südländeraugen, rauchen lange, dünne Zigarren und wirken malerisch.

Längs dem Ufer schwimmen die Boote, längs dem Seerand läuft die Seepromenade, eine doppelte Straße, der seewärts gekehrte Teil unter sauber geschnittenen Bäumen ist den Fußgängern reserviert, der innere Teil ist eine blendende und heiße Verkehrsstraße, voll von Hotelomnibussen, Autos, Trambahnen und Fuhrwerken. An dieser Straße steht die Fremdenstadt, welche eine Dimension weniger hat als andere Städte, sie erstreckt sich nur in die Länge und Höhe, nicht in die Tiefe. Sie besteht aus einem dichten, stolzen Gürtel von Hotelgebäuden. Hinter diesem Gürtel aber, eine nicht zu übersehende Attraktion, findet der echte Süden statt, dort nämlich steht tatsächlich ein altes italienisches Städtchen, wo auf engem, stark riechendem Markt Gemüse, Hühner und Fische verkauft werden, wo barfüßige Kinder mit Konservenbüchsen Fußball spielen und Mütter mit fliegenden Haaren und heftigen Stimmen die wohllautenden klassischen Namen ihrer Kinder ausbrüllen. Hier riecht es nach Salami, nach Wein, nach Abtritt, nach Tabak und Handwerken, hier stehen in Hemdsärmeln joviale Männer unter offenen Ladentüren, sitzen Schuhmacher auf offener Straße, das Leder klopfend, alles echt und sehr bunt und originell, es könnte auf dieser Szene jederzeit der erste Akt einer Oper beginnen. Hier sieht man die Fremden mit großer Neugierde Entdeckungen machen und hört häufig von Gebildeten verständnisvolle Äußerungen über die fremde Volksseele. Eishändler fahren mit kleinen rasselnden Karren durch die engen Gassen und brüllen ihre Näschereien aus, da und dort beginnt in einem Hofe oder auf einem Plätzchen ein Drehklavier zu spielen. Täglich bringt der Fremde in dieser kleinen, schmutzigen und interessanten Stadt eine Stunde oder zwei zu, kauft Strohflechtereien und Ansichtskarten, versucht Italienisch zu sprechen und sammelt südliche Eindrücke. Hier wird auch sehr viel photographiert.

Noch weiter entfernt, hinter dem alten Städtchen, liegt das Land, da liegen Dörfer und Wiesen, Weinberge und Wälder, die Natur ist dort noch wie sie immer war, wild und ungeschliffen, doch bekommen die Fremden davon wenig zu sehen, denn wenn sie je und je in Automobilen durch diese Natur fahren, sehen sie die Wiesen und Dörfer genau so verstaubt und feindselig am Rand der Autostraße liegen wie überall.

Bald kehrt daher der Fremde von solchen Exkursionen wieder in die Idealstadt zurück. Dort stehen die großen, vielstöckigen Hotels, von intelligenten Direktoren geleitet, mit wohlerzogenem, aufmerksamem Personal. Dort fahren niedliche Dampfer über den See und elegante Wagen auf der Straße, überall tritt der Fuß auf Asphalt und Zement, überall ist frisch gefegt und gespritzt, überall werden Galanteriewaren und Erfrischungen angeboten. Im Hotel Bristol wohnt der frühere Präsident von Frankreich und im Parkhotel der deutsche Reichskanzler, man geht in elegante

Cafés und trifft da die Bekannten aus Berlin, Frankfurt und München an, man liest die heimatlichen Zeitungen und ist aus dem Operetten-Italien der Altstadt wieder in die gute, solide Luft der Heimat getreten, der Großstadt, man drückt frischgewaschene Hände, lädt einander zu Erfrischungen ein, ruft zwischenein am Telephon die heimatliche Firma an, bewegt sich nett und angeregt zwischen netten, gutgekleideten, vergnügten Menschen. Auf Hotelterrassen hinter Säulenbalustraden und Oleanderbäumen sitzen berühmte Dichter und starren mit sinnendem Auge auf den Spiegel des Sees, zuweilen empfangen sie Vertreter der Presse, und bald erfährt man, an welchem Werk dieser und jener Meister nun arbeitet. In einem feinen, kleinen Restaurant sieht man die beliebteste Schauspielerin der heimatlichen Großstadt sitzen, sie trägt ein Kostüm, das ist wie ein Traum, und füttert einen Pekinghund mit Dessert. Auch ist sie entzückt von der Natur und oft bis zur Andacht gerührt, wenn sie abends in Nr. 178 des Palace-Hotels ihr Fenster öffnet und die endlose Reihe der schimmernden Lichter sieht, die sich dem Ufer entlang zieht und träumerisch jenseits der Bucht verliert.

Sanft und befriedigt wandelt man auf der Promenade, Müllers aus Darmstadt sind auch da, und man hört, daß morgen ein italienischer Tenor im Kursaale auftreten wird, der einzige, der sich nach Caruso wirklich hören lassen kann. Man sieht gegen Abend die Dampferchen heimkehren, mustert die Aussteigenden, trifft wieder Bekannte, bleibt eine Weile vor einem Schaufenster voll alter Möbel und Stickereien stehen, dann wird es kühl, und nun kehrt man ins Hotel zurück, hinter die Wände von Beton und Glas, wo der Speisesaal schon von Porzellan, Glas und Silber funkelt und wo nachher ein kleiner Ball stattfinden wird. Musik ist ohnehin schon da, kaum hat man Abendtoilette gemacht, so wird man schon vom süßen, wiegenden Klang empfangen.

Vor dem Hotel erlischt langsam im Abend die Blumenpracht. Da stehen in Beeten, zwischen Betonmauern dicht und bunt die blühendsten Gewächse, Kamelien und Rhododendren, hohe Palmen dazwischen, alles echt, und voll dicker kühlblauer Kugeln die fetten Hortensien. Morgen findet eine große Gesellschaftsfahrt nach -aggio statt, auf die man sich freut. Und sollte man morgen aus Versehen statt nach -aggio an irgendeinen anderen Ort gelangen, nach -iggio oder -ino, so schadet das nichts, denn man wird dort ganz genau die gleiche Idealstadt antreffen, denselben See, denselben Kai, dieselbe malerisch-drollige Altstadt und dieselben guten Hotels mit den hohen Glaswänden, hinter welchen uns die Palmen beim Essen zuschauen, und dieselbe gute weiche Musik und all das, was so zum Leben des Städters gehört, wenn er es gut haben will. (1925)

Vogel

Vogel lebte in früheren Zeiten in der Gegend des Montagsdorfes. Er war weder besonders bunt noch sang er besonders schön, noch war er etwa groß und stattlich; nein, die ihn noch gesehen haben, nennen ihn klein, ja winzig. Er war auch nicht eigentlich schön, eher war er sonderbar und fremdartig, er hatte eben das Sonderbare und Großartige an sich, was alle jene Tiere und Wesen an sich haben, welche keiner Gattung noch Art angehören. Er war nicht Habicht noch Huhn, er war nicht Meise noch Specht noch Fink, er war der Vogel vom Montagsdorf, es gab nirgends seinesgleichen, es gab ihn nur dieses eine Mal, und man wußte von ihm seit Urzeiten und Menschengedenken, und wenn auch nur die Leute der eigentlichen Montagsdörfer Gegend ihn wirklich kannten, so wußte doch auch weithin die Nachbarschaft von ihm, und die Montagsdörfler wurden, wie jeder, der etwas ganz Besonderes zu eigen hat, manchmal auch mit ihm gehänselt. »Die Leute vom Montagsdorf«, hieß es, »haben eben ihren Vogel.« Über Careno bis nach Morbio und weiter wußte man von ihm und erzählte Geschichten von ihm. Aber wie das oft so geht: erst in neuerer Zeit, ja eigentlich erst seit er nicht mehr da ist, hat man versucht, ganz genaue und zuverlässige Auskünfte über ihn zu bekommen, viele Fremde fragten nach ihm, und schon mancher Montagsdörfler hat sich von ihnen mit Wein bewirten und ausfragen lassen, bis er endlich gestand, daß er selber den Vogel nie gesehen habe. Aber hatte auch nicht jeder mehr ihn gesehen, so hatte doch jeder mindestens noch einen gekannt, der Vogel einmal oder öfter gesehen und von ihm erzählt hatte. Das alles wurde nun ausgeforscht und aufgeschrieben, und es war sonderbar, wie verschieden alle die Berichte und Beschreibungen lauteten, sowohl über Aussehen, Stimme und Flug des Vogels wie über seine Gewohnheiten und über die Art seines Umganges mit den Menschen.

In früheren Zeiten soll man Vogel viel öfter gesehen haben, und wem er begegnete, der hatte immer eine Freude, es war jedesmal ein Erlebnis, ein Glücksfall, ein kleines Abenteuer, so wie es ja auch für Freunde der Natur schon ein kleines Erlebnis und Glück ist, wenn sie je und je einen Fuchs oder Kuckuck zu Gesicht bekommen und beobachten können. Es ist dann, wie wenn für Augenblicke entweder die Kreatur ihre Angst vor dem mörderischen

Menschen verloren hätte, oder wie wenn der Mensch selbst wieder in die Unschuld eines vormenschlichen Lebens einbezogen wäre. Es gab Leute, welche wenig auf Vogel achteten, wie es auch Leute gibt, die sich aus dem Fund eines ersten Enzians und aus der Begegnung mit einer alten klugen Schlange wenig machen, andre aber liebten ihn sehr, und jedem war es eine Freude und Auszeichnung, wenn er ihm begegnete. Gelegentlich, wenn auch selten, hörte man die Meinung aussprechen, er sei vielleicht eher schädlich oder doch unheimlich: wer ihn erblickt habe, der sei eine Zeitlang so aufgeregt und träume nachts viel und unruhig, und spüre etwas wie Unbehagen oder Heimweh im Gemüt. Andre stellten das durchaus in Abrede und sagten, es gebe kein köstlicheres und edleres Gefühl als jenes, das Vogel nach jeder Begegnung hinterlasse, es sei einem dann ums Herz wie nach dem Sakrament oder wie nach dem Anhören eines schönen Liedes, man denke an alles Schöne und Vorbildliche und nehme sich im Innern vor, ein anderer und besserer Mensch zu werden.

Ein Mann namens Schalaster, ein Vetter des bekannten Sehuster, der manche Jahre Bürgermeister des Montagsdorfes war, kümmerte sich zeitlebens besonders viel um Vogel. Jedes Jahr, erzählte er, sei er ihm ein oder zwei oder auch mehrere Male begegnet, und es sei ihm dann jedesmal tagelang sonderbar zumute gewesen, nicht eigentlich fröhlich, aber eigentümlich bewegt und erwartungs- oder ahnungsvoll, das Herz schlage an solchen Tagen anders als sonst, beinahe tue es ein klein wenig weh, auf jeden Fall spüre man es in der Brust, während man ja sonst kaum wisse, daß man ein Herz habe. Überhaupt, meinte Schalaster gelegentlich, wenn er darauf zu sprechen kam, es sei eben doch keine Kleinigkeit, diesen Vogel in der Gegend zu haben, man dürfe wohl stolz auf ihn sein, er sei eine große Seltenheit, und man sollte meinen: ein Mensch, dem sich dieser geheimnisvolle Vogel öfter als anderen zeige, der habe wohl etwas Besonderes und Höheres in sich.

(Über Schalaster sei für den Leser der höher gebildeten Stände bemerkt: Er war der Kronzeuge und die vielzitierte Hauptquelle jener eschatologischen Deutung des Vogel-Phänomens, welche inzwischen schon wieder in Vergessenheit geraten ist; außerdem war Schalaster nach dem Verschwinden Vogels der Wortführer jener kleinen Partei im Montagsdorfe, welche unbedingt daran glaubte, daß Vogel noch am Leben sei und sich wieder zeigen werde.)

»Als ich ihn das erstemal gesehen habe«, berichtete Schalaster*, »war ich ein kleiner Knabe und ging noch nicht in die Schule. Hinter unserem Haus im Obstgarten war gerade das Gras geschnitten und ich stand bei einem Kirschenbaum, der einen niederen Ast bis zu mir herunterhangen hatte, und sah mir die harten grünen Kirschen an, da flog Vogel aus dem Baum herunter, und ich merkte gleich, daß er anders sei als die Vögel, die ich sonst gesehen hatte, und er setzte sich in die Grasstoppeln und hüpfte da herum; ich lief ihm neugierig und bewundernd durch den ganzen Garten nach, er sah mich öfter aus seinen Glanzaugen an und hüpfte wieder weiter, es war, wie wenn einer für sich allein tanzt und singt, ich merkte ganz gut, daß er mich damit locken und mir eine Freude machen wolle. Am Hals hatte er etwas Weißes. Er tanzte auf dem Grasplan hin bis zum hinteren Zaun, wo die Brennesseln stehen, über die schwang er sich weg und setzte sich auf einen Zaunpfahl, zwitscherte und sah mich noch einmal sehr freundlich an, dann war er so plötzlich und unversehens wieder verschwunden, daß ich ganz erschrak. Auch später habe ich das oft bemerkt: kein andres Tier vermag so blitzschnell und immer im Augenblick, wo man nicht darauf gefaßt ist, zu erscheinen und wieder zu verschwinden wie Vogel. Ich lief hinein und zur Mutter und erzählte ihr, was mir geschehen war, da sagte sie gleich, das sei der Vogel ohne Namen, und es sei gut, daß ich ihn gesehen habe, es bringe Glück.«

Schalaster beschreibt, hierin von manchen anderen Schilderungen etwas abweichend, Vogel als klein, kaum größer als ein Zaunkönig, und das winzigste an ihm sei sein Kopf, ein wunderlich kleines, kluges und bewegliches Köpfchen, er sehe unscheinbar aus, man kenne ihn aber sofort an seinem graublonden Schopf und daran, daß er einen anschaue, das täten andere Vögel nie. Der Schopf sei, wenn auch weit kleiner, dem eines Hähers ähnlich und wippe oft lebhaft auf und ab, überhaupt sei Vogel sehr beweglich, im Flug wie auch zu Fuße, seine Bewegungen seien geschmeidig und ausdrucksvoll; es scheine immer, als habe er mit den Augen, dem Kopfnicken, dem Schopfrücken, mit Gang und Flug etwas mitzuteilen, einen an etwas zu erinnern, er erscheine immer wie

---

* Siehe Avis montagnolens. res. gestae ex recens. Ninonis p. 285 ff.

im Auftrag, wie ein Bote, und so oft man ihn gesehen habe, müsse man eine Zeitlang an ihn denken und über ihn nachsinnen, was er wohl gewollt habe und bedeute. Auskundschaften und belauern lasse er sich nicht gern, nie wisse man, woher er komme, immer sei er ganz plötzlich da, sitze in der Nähe und tue, als sei er da immer gesessen, und dann habe er diesen freundlichen Blick. Man wisse doch, daß die Vögel sonst harte, scheue und glasige Augen haben und einen nicht anschauen, er aber blicke ganz heiter und gewissermaßen wohlwollend.

Von alters her gab es über Vogel auch verschiedene Gerüchte und Sagen. Heute hört man ja seltener von ihm sprechen, die Menschen haben sich verändert, und das Leben ist härter geworden, die jungen Leute gehen fast alle zur Arbeit in die Stadt, die Familien sitzen nicht mehr die Sommerabende auf der Türstufe und die Winterabende am Herdfeuer beisammen, man hat zu nichts mehr Zeit, kaum kennt so ein junger Mensch von heute noch ein paar Waldblumen oder einen Schmetterling mit Namen. Dennoch hört man auch heute noch gelegentlich eine alte Frau oder einen Großvater den Kindern Vogelgeschichten erzählen. Eine von diesen Vogelsagen, vielleicht die älteste, berichtet: Vogel vom Montagsdorf sei so alt wie die Welt, er sei einstmals dabeigewesen, als Abel von seinem Bruder Kain erschlagen wurde, und habe einen Tropfen von Abels Blut getrunken, dann sei er mit der Botschaft von Abels Tod davongeflogen und teile sie heute noch den Leuten mit, damit man die Geschichte nicht vergesse und sich von ihr mahnen lasse, das Menschenleben heiligzuhalten und brüderlich miteinander zu leben. Diese Abelsage ist auch schon in alten Zeiten aufgezeichnet worden und es gibt Lieder* über sie, aber die Gelehrten sagen, die Sage vom Abelvogel sei zwar uralt, sie werde in vielen Ländern und Sprachen erzählt, aber auf den Vogel vom Montagsdorf sei sie wohl nur irrtümlich übertragen worden. Sie geben zu bedenken, daß es doch ungereimt wäre, wenn der vieltausendjährige Abelvogel sich später in dieser einzigen Gegend niedergelassen und nirgends sonst sich mehr gezeigt hätte.

Wir könnten nun zwar unsrerseits »zu bedenken geben«, daß es in den Sagen nicht immer so vernünftig zuzugehen braucht wie an Akademien, und könnten fragen, ob es nicht gerade die Gelehrten

---

* Vgl. Hesses Gedicht »Das Lied von Abels Tod« (1929)

sind, durch welche in die Frage nach Vogel so viel Ungewißheit und Widersprüche hineingekommen sind; denn früher ist, soweit wir wissen, über Vogel und seine Sagen niemals Streit entstanden, und wenn einer über Vogel anderes erzählte als sein Nachbar, so nahm man das gelassen hin und es diente sogar Vogel zur Ehre, daß die Menschen über ihn so verschieden denken und erzählen konnten. Man könnte noch weitergehen und gegen die Gelehrten den Vorwurf erheben, sie hätten nicht nur die Ausrottung Vogels auf dem Gewissen, sondern seien durch ihre Untersuchungen jetzt auch noch bestrebt, die Erinnerung an ihn und die Sagen von ihm in nichts aufzulösen, wie ja denn das Auflösen, bis nichts übrigbleibe, zu den Beschäftigungen der Gelehrten zu gehören scheine. Allein wer von uns hätte den traurigen Mut, die Gelehrten so gröblich anzugreifen, denen doch die Wissenschaft so manches, wenn nicht alles verdankt?

Nein, kehren wir zu den Sagen zurück, welche früher über Vogel erzählt wurden und von welchen auch heute noch Reste beim Landvolk zu finden sind. Die meisten von ihnen erklärten Vogel für ein verzaubertes, verwandeltes oder verwünschtes Wesen. Auf den Einfluß der Morgenlandfahrer, in deren Geschichte die Gegend zwischen Montagsdorf und Morbio eine gewisse Rolle spielt und deren Spuren man dort allerorten antrifft, mag die Sage zurückzuführen sein, Vogel sei ein verzauberter Hohenstaufe, nämlich jener letzte große Kaiser und Magier aus diesem Geschlecht, der in Sizilien geherrscht und die Geheimnisse der arabischen Weisheit gekannt hat. Meistens hört man sagen, Vogel sei früher ein Prinz gewesen oder auch (wie z. B. Sehuster gehört haben will) ein Zauberer, welcher einst ein rotes Haus am Schlangenhügel bewohnte und in der Gegend Ansehen genoß, bis das neue Flachsenfingische Landrecht in der Gegend eingeführt wurde, wonach mancher brotlos wurde, weil das Zaubern, Versemachen, Sichverwandeln und andre solche Gewerbe für verboten erklärt und mit Infamie belegt wurden. Damals habe der Zauberer Brombeeren und Akazien um sein rotes Haus gesät, das denn auch bald in Dornen verschwand, habe sein Grundstück verlassen und sei, von den Schlangen in langem Zuge begleitet, in den Wäldern verschwunden. Als Vogel kehre er von Zeit zu Zeit wieder, um Menschenseelen zu berücken und wieder Zauberei zu üben. Nichts andres als Zauber sei natürlich der eigentümliche Einfluß, den er auf viele habe; der Erzähler wolle es dahingestellt sein lassen, ob es Zauberei von der weißen oder der schwarzen Art sei, die er treibe.

Ebenfalls auf die Morgenlandfahrer zurückzuführen sind ohne Zweifel jene merkwürdigen, auf eine Schicht mutterrechtlicher Kultur deutenden Sagenreste, in welchen die »Ausländerin«, auch Ninon genannt, eine Rolle spielt. Manche dieser Fabeleien berichten, dieser Ausländerin sei es gelungen, Vogel einzufangen und jahrelang gefangenzuhalten, bis das Dorf sich einst empört und seinen Vogel wieder befreit habe. Es gibt aber auch das Gerücht, Ninon, die Ausländerin, habe Vogel, noch lange ehe er in Vogelgestalt verwunschen wurde, noch als Magier gekannt und habe im roten Hause mit ihm gewohnt, sie hätten dort lange schwarze Schlangen und grüne Eidechsen mit blauen Pfauenköpfen gezüchtet, und noch heute sei der Brombeerenhügel überm Montagsdorf voller Schlangen, und noch heute könne man deutlich sehen, wie jede Schlange und jede Eidechse, wenn sie über jene Stelle komme, wo einst die Schwelle zur Zauberwerkstatt des Magiers gewesen, einen Augenblick innehalte, den Kopf emporhebe und sich dann verneige. Eine längst verstorbene, uralte Frau im Dorf namens Nina soll diese Version erzählt und darauf geschworen haben, sie habe oft und oft auf jenem Dornenhügel Kräuter gesucht und dabei die Nattern sich an jener Stelle verneigen sehen, wo noch jetzt der vielhundertjährige Strunk eines Rosenbäumchens den Eingang zum einstigen Zaubererhaus bezeichne. Dagegen versichern andre Stimmen auf das bestimmteste, Ninon habe mit dem Zauberer nicht das mindeste zu tun gehabt, sie sei erst viel, viel später im Gefolge der Morgenlandfahrer in diese Gegend gekommen, als Vogel längst ein Vogel gewesen sei.

Noch ist kein volles Menschenalter hingegangen, seit Vogel zuletzt gesehen worden ist. Aber die alten Leute sterben so unversehens weg, auch der »Baron« ist jetzt tot und auch der vergnügte Mario geht längst nicht mehr so aufrecht einher, wie wir ihn gekannt haben, und eines Tages wird plötzlich keiner mehr dasein, der die Vogelzeit noch miterlebt hat, darum wollen wir, so verworren sie scheint, die Geschichte aufzeichnen, wie es mit Vogel stand und wie es dann mit ihm ein Ende genommen hat.

Liegt auch das Montagsdorf ziemlich abseits und sind die stillen kleinen Waldschluchten jener Gegend nicht vielen bekannt, wo der Milan den Wald regiert und der Kuckuck allerenden ruft, so sind doch des öfteren auch Fremde Vogels ansichtig und mit seinen Legenden bekannt geworden; der Maler Klingsor soll lange in einer Palastruine dort gehaust haben, die Schlucht von Morbio wurde durch den Morgenlandfahrer Leo bekannt (von ihm soll übrigens, nach einer eher absurden Variante der Sage, Ninon das Rezept des Bischofsbrotes erhalten haben, mit dem sie Vogel fütterte und wodurch sie ihn zähmte). Kurz, es sprach sich über unsre jahrhundertelang so unbekannte und unbescholtene Gegend manches in der Welt herum, und es gab fern von uns in Großstädten und an Hochschulen Leute, welche Dissertationen über den Weg Leos nach Morbio schrieben und sich sehr für die verschiedenen Erzählungen vom Montagsdörfer Vogel interessierten. Es wurde dabei allerlei Voreiliges gesagt und geschrieben, das die ernstere Sagenforschung wieder auszumerzen bemüht ist. Unter andrem tauchte mehr als einmal die absurde Behauptung auf, Vogel sei identisch mit dem bekannten Piktorvogel, welcher in Beziehungen zum Maler Klingsor stand und die Gabe der Verwandlung sowie viel geheimes Wissen besaß. Aber jener durch Piktor bekanntgewordene »Vogel rot und grün, ein Vogel schön und kühn« ist in den Quellen[*] so genau beschrieben, daß man die Möglichkeit einer solchen Verwechslung kaum begreift.

Und endlich spitzte sich dieses Interesse der gelehrten Welt für uns Montagsdörfler und unsern Vogel, und damit zugleich die Geschichte Vogels folgendermaßen zu. Es lief eines Tages bei unsrem damaligen Bürgermeister, es war der schon erwähnte Sehuster, ein Schreiben seiner vorgesetzten Behörde ein des Inhalts, durch seine H. G., den Herrn Gesandten des Ostgotischen Kaiserreichs werde, im Auftrage von Geheimrat Lützkenstett dem Vielwissenden, dem dasigen Bürgermeisteramt folgendes mitgeteilt und zur Bekanntmachung in seiner Gemeinde dringlich empfohlen: Ein gewisser Vogel ohne Namen, in mundartlichen Redewendungen als »Vogel vom Montagsdorf« bezeichnet, werde unter Unterstützung des Kultusministeriums von Geheimrat Lützkenstett erforscht und gesucht. Wer Mitteilungen über den Vogel, seine Lebensweise, seine Nahrung, über die von ihm handelnden Sprichwörter, Sagen usw. zu machen habe, möge sie durch das Bürgermeisteramt an die Kaiserlich Ostgotische Gesandtschaft in Bern richten. Ferner: wer genanntem Bürgermeisteramt, zur Über-

[*] Pictoris cuiusdam de mutationibus, Bibl. av. Montagn. codex LXI.

machung an ebenjene Gesandtschaft, fraglichen Vogel lebendig
und gesund einliefere, solle dafür eine Belohnung von tausend Dukaten in Gold bekommen; für den toten Vogel hingegen oder seinen wohlerhaltenen Balg käme nur eine Entlohnung von hundert
Dukaten in Betracht.

Lange saß der Bürgermeister und studierte dieses amtliche
Schreiben. Es schien ihm unbillig und lächerlich, zu was allem die
Behörden sich da wieder hergaben. Wäre ihm, Sehustern, dieses
selbe Ansinnen von seiten des gelehrten Goten selber oder auch
von seiten der ostgotischen Gesandtschaft zugegangen, so hätte er
es unbeantwortet vernichtet, oder er hätte den Herren kurz ange-
deutet, für solche Spielereien sei Bürgermeister Sehuster nicht zu
haben und sie möchten ihm freundlichst in die Schuhe blasen. So
aber kam das Ansinnen von seiner eigenen Behörde, es war ein
Befehl, und dem Befehl mußte er Folge leisten. Auch der alte Ge-
meindeschreiber Balmelli, nachdem er das Schreiben mit weit-
sichtigen Augen und lang ausgestreckten Armen gelesen, unter-
drückte das spöttische Lächeln, dessen ihm diese Affäre würdig
schien, und stellte fest: »Wir müssen gehorchen, Herr Sehuster, es
hilft nichts. Ich werde den Text für einen öffentlichen Anschlag
aufsetzen.«

Nach einigen Tagen erfuhr es also die ganze Gemeinde durch
Anschlag am Rathausbrett: Vogel war vogelfrei, das Ausland begehrte ihn und setzte Preise auf seinen Kopf, Eidgenossenschaft
und Kanton hatten es unterlassen, den sagenhaften Vogel in
Schutz zu nehmen, wie immer kümmerten sie sich den Teufel um
den kleinen Mann und das, was ihm lieb und wert ist. Dies war
wenigstens die Meinung Balmellis und vieler. Wer den armen Vogel fangen oder totschießen wollte, dem winke hoher Lohn, und
wem es gelang, der war ein wohlhabender Mann. Alle sprachen
davon, alle standen beim Rathaus, drängten sich um das Anschlag-
brett und äußerten sich lebhaft. Die jungen Leute waren höchst
vergnügt, sie beschlossen alsbald Fallen zu stellen und Ruten zu
legen. Die alte Nina schüttelte den greisen Sperberkopf und sagte:
»Es ist eine Sünde, und der Bundesrat sollte sich schämen. Sie würden den Heiland selber ausliefern, diese Leute, wenn es Geld ein-
brächte. Aber sie kriegen ihn nicht, Gott sei Dank, sie kriegen ihn
nicht!«

Ganz still verhielt sich Schalaster, des Bürgermeisters Vetter, als
auch er den Anschlag gelesen hatte. Er sagte kein Wort, las sehr

aufmerksam ein zweites Mal, unterließ darauf den Kirchgang, den er an jenem Sonntagmorgen im Sinn gehabt hatte, schritt langsam gegen das Haus des Bürgermeisters, trat in dessen Garten, besann sich plötzlich eines andern, kehrte um und lief nach Hause.

Schalaster hatte zeitlebens zu Vogel ein besonderes Verhältnis gehabt. Er hatte ihn öfter als andre gesehen und besser beobachtet, er gehörte, wenn man so sagen darf, zu denen, welche an Vogel glaubten, ihn ernst nahmen und eine Art von höherer Bedeutung zuschrieben. Darum wirkte auf diesen Mann die Bekanntmachung sehr heftig und sehr zwiespältig. Im ersten Augenblick freilich empfand er nichts anderes als die alte Nina und als die meisten bejahrten und ans Hergebrachte anhänglichen Bürger: er war erschrocken und war empört darüber, daß auf ausländisches Begehren hin sein Vogel, ein Schatz und Wahrzeichen von Dorf und Gegend, sollte ausgeliefert und gefangen oder getötet werden! Wie, dieser seltene und geheimnisvolle Gast aus den Wäldern, dieses märchenhafte, seit alters bekannte Wesen, wegen dessen das Montagsdorf berühmt und auch bespöttelt worden war und von dem es so mancherlei Erzählungen und Sagen vererbte - dieser Vogel sollte um Geldes und der Wissenschaft willen der mörderischen Neugierde eines Gelehrten hingeopfert werden? Es schien unerhört und schlechthin undenkbar. Es war ein Sakrileg, wozu man da aufgefordert wurde. Indessen jedoch andrerseits, wenn man alles erwog und dies und jenes in diese und jene Waagschale warf: war nicht demjenigen, der das Sakrileg vollzöge, ein außerordentliches und glänzendes Schicksal zugesagt? Und bedurfte es, um des gepriesenen Vogels habhaft zu werden, nicht vermutlich eines besonderen, auserwählten und von lange her vorbestimmten Mannes, eines, der schon von Kindesbeinen an in einem geheimeren und vertrauteren Umgang mit Vogel stand und in dessen Schicksale verflochten war? Und wer konnte dieser auserwählte und einzigartige Mann sein, wer anders als er, Schalaster? Und wenn es ein Sakrileg und ein Verbrechen war, sich an Vogel zu vergreifen, ein Sakrileg vergleichbar dem Verrat des Judas Ischariot am Heilande - war denn nicht ebendieser Verrat, war nicht des Heilands Tod und Opferung notwendig und heilig und seit den ältesten Zeiten vorbestimmt und prophezeit gewesen? Hätte es, so fragte Schalaster sich und die Welt, hätte es das geringste genützt, hätte es Gottes Ratschluß und Erlösungswerk etwa im mindesten ändern oder hindern können, wenn jener Ischariot sich aus Moral- und Vernunftgründen seiner Rolle entzogen und des Verrats geweigert hätte?

Solche Wege etwa liefen die Gedanken Schalasters, und sie wühlten ihn gewaltig auf. In demselben heimatlichen Obstgarten, wo er einst als kleiner Knabe Vogel zum erstenmal erblickt und den wunderlichen Glücksschauer dieses Abenteuers gespürt hatte, wandelte er jetzt auf der Rückseite seines Hauses unruhig auf und nieder, am Ziegenstall, am Küchenfenster, am Kaninchen- verschlag vorbei, mit dem Sonntagsrock die an der Scheunenrück- wand aufgehängten Heurechen, Gabeln und Sensen streifend, von Gedanken, Wünschen und Entschlüssen bis zur Trunkenheit erregt und benommen, schweren Herzens, an jenen Judas den- kend, tausend schwere Traumdukaten im Sack.

Inzwischen ging im Dorfe die Aufregung weiter. Dort hatte sich seit dem Bekanntwerden der Nachricht fast die ganze Gemeinde vor dem Rathaus versammelt, von Zeit zu Zeit trat einer ans Brett, um den Anschlag nochmals anzustarren, alle brachten ihre Mei- nungen und Absichten kraftvoll und mit gutgewählten Beweisen aus Erfahrung, Mutterwitz und Heiliger Schrift zum Ausdruck, nur wenige gab es, welche nicht vom ersten Augenblick an ja oder nein zu diesem Anschlag sagten, der das ganze Dorf in zwei Lager spal- tete. Wohl ging es manchem so wie Schalastern, daß er nämlich die Jagd auf Vogel scheußlich fand, die Dukaten indessen doch gern gehabt hätte, allein es war nicht eines jeden Sache, diesen Zwiespalt so sorgfältig und kompliziert in sich zum Austrag zu bringen. Die jungen Burschen nahmen es am leichtesten. Morali- sche oder heimatschützlerische Bedenken konnten ihre Unterneh- mungslust nicht anfechten. Sie meinten, man müsse es mit Fallen probieren, vielleicht habe man Glück und erwische den Vogel, wenn auch die Hoffnung vielleicht nicht groß sei, man wisse ja nicht, mit welchen Ködern Vogel zu locken sei. Bekäme ihn aber einer zu Gesicht, so tue er wohl daran, unverzüglich zu schießen, denn schließlich seien hundert Dukaten im Beutel immerhin bes- ser als tausend in der Einbildung. Laut wurde ihnen zugestimmt, sie genossen ihre Taten im voraus und stritten sich schon über die Einzelheiten der Vogeljagd. Man solle ihm ein gutes Gewehr ge- ben, schrie einer, und eine kleine Anzahlung von einem halben Dukaten, so sei er bereit, sofort loszuziehen und den ganzen Sonn- tag zu opfern. Die Gegner aber, zu denen fast alle älteren Leute gehörten, fanden das alles unerhört und riefen oder murmelten

Sprüche der Weisheit und Verwünschungen über dies Volk von heute, dem nichts mehr heilig und Treu und Glauben abhanden gekommen sind. Ihnen erwiderten lachend die Jungen, daß es sich hier nicht um Treu und Glauben handle, sondern um das Schießenkönnen, und daß sich ja immer die Tugend und Weisheit bei jenen finde, deren halbblinde Augen auf keine Vögel mehr zielen und deren Gichtfinger keine Flinte mehr halten könnten. Und so ging es munter hin und wider, und das Volk übte seinen Witz an dem neuen Problem, beinah hätten sie die Mittags- und Essensstunde vergessen. In mehr oder weniger naher Beziehung zu Vogel berichteten sie leidenschaftlich und beredt von Erfolgen und von Mißerfolgen in ihren Familien, erinnerten jedermann eindringlich an den seligen Großvater Nathanael, an den alten Schuster, an den sagenhaften Durchmarsch der Morgenlandfahrer, führten Verse aus dem Gesangbuch und gute Stellen aus Opern an, fanden einander unausstehlich und konnten sich doch voneinander nicht trennen, beriefen sich auf Wahlsprüche und Erfahrungssätze ihrer Vorfahren, hielten Monologe über frühere Zeiten, über den verstorbenen Bischof, über durchlittene Krankheiten. Ein alter Bauer z. B. wollte während eines schweren Leidens vom Krankenlager aus durchs Fenster Vogel erblickt haben, nur einen Augenblick, aber von diesem Augenblick an sei es ihm bessergegangen. Sie redeten, teils jeder für sich und an innere Gesichte hingegeben, teils den Dorfgenossen zugewendet, werbend oder anklagend, zustimmend oder verhöhnend, sie hatten im Streit wie in der Einigkeit ein wohltuendes Gefühl von der Stärke, dem Alter, dem ewigen Bestand ihrer Zusammengehörigkeit, kamen sich alt und klug, kamen sich jung und klug vor, hänselten einander, verteidigten mit Wärme und vollem Recht die guten Sitten der Väter, zogen mit Wärme und vollem Recht die guten Sitten der Väter in Zweifel, pochten auf ihre Vorfahren, lächelten über ihre Vorfahren, rühmten ihr Alter und ihre Erfahrung, rühmten ihre Jugend und ihren Übermut, ließen es bis nahe zur Prügelei kommen, brüllten, lachten, kosteten Gemeinschaft und Reibung, wateten alle bis zum Halse in der Überzeugung, recht zu haben und es den andern tüchtig gesagt zu haben.

Mitten in diesen Redeübungen und Parteibildungen, während gerade die neunzigjährige Nina ihren blonden Enkel beschwor, seiner Ahnen zu gedenken und sich doch nicht dieser gottlosen und grausamen, dazu gefährlichen Vogeljagd anzuschließen, und während die Jungen ehrfurchtslos vor ihrem greisen Angesicht eine Jagdpantomime aufführten, imaginäre Büchsen an ihre Wangen legten, mit eingekniffenem Auge zielten und dann piff, paff! schrien, da ereignete sich etwas so ganz Unerwartetes, daß alt und jung mitten im Wort verstummten und wie versteinert stehenblieben. Auf einen Ausruf des alten Balmelli hin folgten alle Blicke der Richtung seines ausgestreckten Armes und Fingers, und sie sahen, in plötzlich eingetretnem tiefen Schweigen, wie vom Dach des Rathauses sich Vogel, der vielbesprochene Vogel, herabschwang, auf der Kante des Anschlagbrettes sich niedersetzte, den runden kleinen Kopf am Flügel rieb, den Schnabel wetzte und eine kurze Melodie zwitscherte, wie er mit dem flinken Schwänzchen auf und niederwippend Triller schlug, wie er das Schöpfchen in die Höhe sträubte und sich, den manche von den Dorfleuten nur vom Hörensagen kannten, vor aller Augen eine ganze Weile putzte und zeigte und den Kopf neugierig hinunterbog, als wolle auch er diesen Anschlag der Behörde lesen und erfahren, wie viele Dukaten auf ihn geboten seien. Es mochten vielleicht bloß ein paar Augenblicke sein, daß er sich aufhielt, es kam aber allen wie ein feierlicher Besuch und eine Herausforderung vor, und niemand machte jetzt piff, paff! sondern sie standen alle und staunten bezaubert auf den kühnen Gast, der da zu ihnen geflogen gekommen war und diesen Ort und Augenblick sichtlich nur gewählt hatte, um sich über sie lustig zu machen. Verwundert und verlegen glotzten sie auf ihn, der sie so überrascht hatte, beseligt und mit Wohlwollen starrten sie den feinen kleinen Burschen an, von welchem da eben soviel gesprochen worden, wegen dessen ihre Gegend berühmt war, der einst ein Zeuge von Abels Tod oder ein Hohenstaufe oder Prinz oder Zauberer gewesen war und in einem roten Haus am Schlangenhügel gewohnt hatte, dort wo noch jetzt die vielen Nattern lebten, ihn, der die Neugierde und Habgier ausländischer Gelehrter und Großmächte erweckt hatte, ihn, auf dessen Gefangennahme ein Preis von tausend Goldstücken gesetzt war. Sie bewunderten und liebten ihn alle sehr, auch die, welche schon eine Sekunde später vor Ärger fluchten und stampften, daß sie nicht ihr Jagdgewehr bei sich gehabt hätten, sie liebten ihn und waren auf ihn stolz, er gehörte ihnen, er war ihr Ruhm, ihre Ehre, er saß, mit dem Schwanze wippend, mit gesträubtem Schöpfchen, dicht über ihren Köpfen auf der Brettkante wie ihr Fürst oder ihr Wappen. Und erst als er plötzlich entschwunden und die von allen

angestarrte Stelle leer war, erwachten sie langsam aus der Bezauberung, lachten einander zu, riefen bravo, priesen den Vogel hoch,
schrien nach Flinten, fragten, nach welcher Richtung er entflogen
sei, erinnerten sich, daß dies derselbe Vogel sei, von dem der alte
Bauer einst geheilt worden, den der Großvater der neunzigjähri-
gen Nina schon gekannt hatte, fühlten etwas Wunderliches, etwas
wie Glück und Lachlust und aber zugleich etwas wie Geheimnis,
Zauber und Grausen, und fingen plötzlich alle an, auseinanderzu-
laufen, um zur Suppe nach Haus zu kommen und um jetzt dieser
aufregenden Volksversammlung ein Ende zu machen, in welcher
alle Gemütskräfte des Dorfes in Wallung gekommen waren und
deren König offenbar Vogel gewesen war. Es wurde still vor dem
Rathaus, und als eine Weile später das Mittagsläuten anhob, lag
der Platz leer und ausgestorben, und auf das weiße besonnte Papier des Anschlags sank langsam Schatten herab, der Schatten der
Leiste, auf welcher eben noch Vogel gesessen war.

Schalaster schritt unterdessen, in Gedanken versunken, hinter
seinem Hause auf und ab, an den Rechen und Sensen, am Kanin-
chen- und am Ziegenstall vorbei; seine Schritte waren allmählich
ruhig und gleichmäßig geworden, seine theologischen und morali-
schen Erwägungen kamen immer näher zum Gleichgewicht und
Stillstand. Die Mittagsglocke weckte ihn, leicht erschrocken und
ernüchtert kehrte er zum Augenblick zurück, erkannte den Glok-
kenruf, wußte, daß nun sogleich die Stimme seiner Frau ihn zum
Essen rufen werde, schämte sich ein klein wenig seiner Verspon-
nenheit und trat härter mit den Stiefeln auf. Und jetzt, gerade in
dem Augenblick, da die Stimme seiner Frau sich erhob, um die
Dorfglocke zu bestätigen, war es ihm mit einemmal, als flimmere
es ihm vor den Augen. Ein schwirrendes Geräusch pfiff dicht an
ihm vorbei und etwas wie ein kurzer Luftzug, und im Kirschbaum
saß Vogel, saß leicht wie eine Blüte am Zweig und wippte spielend
mit seinem Federschopf, drehte das Köpfchen, piepte leise,
schaute dem Mann in die Augen, er kannte den Vogelblick seit
seinen Kinderjahren, und war schon wieder aufgehüpft und durch
Gezweig und Lüfte entschwunden, noch ehe der starr blickende
Schalaster Zeit gehabt hatte, das Schnellerwerden seines Herzschlags richtig zu spüren.

Von dieser sonntäglichen Mittagsstunde an, in welcher Vogel
auf Schalasters Kirschbaum saß, ist er nur noch ein einziges Mal
von einem Menschen erblickt worden, und zwar nochmals von

ebendiesem Schalaster, dem Vetter des damaligen Bürgermeisters. Er hatte es sich fest vorgenommen, Vogels habhaft zu werden und die Dukaten zu bekommen, und da er, der alte Vogelkenner, genau wußte, daß es niemals glücken würde, ihn einzufangen, hatte er eine alte Flinte instand gesetzt und sich einen Vorrat Schrot vom feinsten Kaliber verschafft, den man Vogeldunst nannte. Würde er, so war seine Rechnung, mit diesem feinen Schrot auf ihn schießen, so war es wahrscheinlich, daß Vogel nicht getötet und zerstückt herabfiele, sondern daß eins der winzigen Schrotkörnchen ihn leicht verletzen und der Schreck ihn betäuben würde. So war es möglich, ihn lebendig in die Hände zu bekommen. Der umsichtige Mann bereitete alles vor, was seinem Vorhaben dienen konnte, auch einen kleinen Singvogelkäfig zum Einsperren des Gefangenen, und von nun an gab er sich die erdenklichste Mühe, sich niemals weit von seiner stets geladenen Flinte zu entfernen. Wo immer es anging, führte er sie bei sich, und wo es nicht anging, etwa beim Kirchgang, tat es ihm leid um den Gang.

Trotzdem hatte er in dem Augenblick, da ihm Vogel wieder begegnete – es war im Herbst jenes Jahres –, seine Flinte gerade nicht zur Hand. Es war ganz in der Nähe seines Hauses, Vogel war wie gewohnt lautlos aufgetaucht und hatte ihn erst, nachdem er sich niedergesetzt, mit dem vertrauten Zwitschern begrüßt; er saß vergnügt auf einem knorrigen Aststrunk der alten Weide, von welcher Schalaster stets die Zweige zum Aufbinden des Spalierobstes schnitt. Da saß er, keine zehn Schritte weit, und zwitscherte und schwatzte, und während sein Feind im Herzen noch einmal jenes wunderliche Glücksgefühl spürte (selig und weh zugleich, als würde man an ein Leben gemahnt, das zu leben man doch nicht fähig war), lief ihm zugleich der Schweiß in den Nacken vor Bangigkeit und Sorge, wie er rasch genug zu seinem Schießgewehr kommen sollte. Er wußte ja, daß Vogel niemals lange blieb. Er eilte ins Haus, kam mit der Flinte zurück, sah Vogel noch immer in der Weide sitzen und pirschte sich nun langsam und leise auftretend näher und näher zu ihm hin. Vogel war arglos, ihm machte weder die Flinte noch das wunderliche Benehmen des Mannes Sorge, eines aufgeregten Mannes mit stieren Augen, geduckten Bewegungen und schlechtem Gewissen, dem es sichtlich viel Mühe machte, den Unbefangenen zu spielen. Vogel ließ ihn nahe herankommen, blickte ihn vertraulich an, suchte ihn zu ermuntern, schaute schelmisch zu, wie der Bauer die Flinte hob, wie er ein Auge zudrückte und lange zielte. Endlich krachte der Schuß, und noch hatte das Rauchwölkchen sich nicht in Bewegung gesetzt, so lag Schalaster schon auf den Knien unter der Weide und suchte. Von der Weide bis zum Gartenzaun und zurück, bis zu den Bienenständen und zurück, bis zum Bohnenbeet und zurück suchte er das Gras ab, jede Handbreit, zweimal, dreimal, eine Stunde lang, zwei Stunden lang, und am nächsten Morgen wieder und wieder. Er konnte Vogel nicht finden, er konnte nicht eine einzige Feder von ihm finden. Er hatte sich davongemacht, es war ihm hier zu plump zugegangen, es hatte zu laut geknallt, Vogel liebte die Freiheit, er liebte die Wälder und die Stille, es hatte ihm hier nicht mehr gefallen. Fort war er, auch diesmal hatte Schalaster nicht sehen können, nach welcher Richtung er entflogen war. Vielleicht war er ins Haus am Schlangenhügel heimgekehrt, und die blaugrünen Eidechsen verneigten sich an der Schwelle vor ihm. Vielleicht war er noch weiter in die Bäume und Zeiten zurück entflohen, zu den Hohenstaufen, zu Kain und Abel, ins Paradies.

Seit jenem Tag ist Vogel nicht mehr gesehen worden. Gesprochen wurde noch viel von ihm, das ist auch heute nach allen den Jahren noch nicht verstummt, und in einer ostgotischen Universitätsstadt erschien ein Buch über ihn. Wenn in den alten Zeiten allerlei Sagen über ihn erzählt wurden, so ist er seit seinem Verschwinden selber eine Sage geworden, und bald wird niemand mehr sein, der es wird beschwören können, daß Vogel wirklich gelebt hat, daß er einst der gute Geist seiner Gegend war, daß einst hohe Preise auf ihn ausgesetzt waren, daß einst auf ihn geschossen worden ist. Das alles wird einst, wenn in spätern Zeiten wieder ein Gelehrter diese Sage erforscht, vielleicht als Erfindung der Volksphantasie nachgewiesen und aus den Gesetzen der Mythenbildung Zug um Zug erklärt werden. Denn es ist freilich nicht zu leugnen: überall und immer wieder gibt es Wesen, die von den andern als besonders, als hübsch und anmutig empfunden und von manchen als gute Geister verehrt werden, weil sie an ein schöneres, freieres, beschwingteres Leben mahnen, als wir es führen, und überall geht es dann ähnlich: daß die Enkel sich über die guten Geister der Großväter lustig machen, daß die hübschen anmutigen Wesen eines Tages gejagt und totgeschlagen werden, daß man Preise auf ihre Köpfe oder Bälge setzt, und daß dann ein we-

nig später ihr Dasein zu einer Sage wird, die mit Vogelflügeln wei-
terfliegt.

Niemand kann sagen, welche Formen einst die Kunde von Vogel noch annehmen wird. Daß Schalaster erst in jüngster Zeit auf
eine schreckliche Art verunglückt ist, höchstwahrscheinlich durch
Selbstmord, sei der Ordnung wegen noch berichtet, ohne daß wir
uns erlauben möchten, Kommentare daran zu knüpfen.   (1932)

Chinesische Legende

Von *Meng Hsiä* wird berichtet:

Als ihm zu Ohren kam, daß neuerdings die jungen Künstler sich
darin übten, auf dem Kopfe zu stehen, um eine neue Weise des
Sehens zu erproben, unterzog *Meng Hsiä* sich sofort ebenfalls dieser Übung, und nachdem er es eine Weile damit probiert hatte,
sagte er zu seinen Schülern: »Neu und schöner blickt die Welt mir
ins Auge, wenn ich mich auf den Kopf stelle.«

Dies sprach sich herum, und die Neuerer unter den jungen
Künstlern rühmten sich dieser Bestätigung ihrer Versuche durch
den alten Meister nicht wenig.

Da dieser als recht wortkarg bekannt war und seine Jünger
mehr durch sein bloßes Dasein und Beispiel erzog als durch Lehren, wurde jeder seiner Aussprüche beachtet und weiter verbreitet.

Und nun wurde, bald nachdem jene Worte die Neuerer entzückt, viele Alte aber befremdet, ja erzürnt hatten, schon wieder
ein Ausspruch von ihm bekannt. Er habe, so erzählte man, sich
neuestens so geäußert:

»Wie gut, daß der Mensch zwei Beine hat! Das Stehen auf dem
Kopf ist der Gesundheit nicht zuträglich, und wenn der auf dem
Kopf Stehende sich wieder aufrichtet, dann blickt ihm, dem auf
den Füßen Stehenden, die Welt doppelt so schön ins Auge.«

An diesen Worten des Meisters nahmen sowohl die jungen
Kopfsteher, die sich von ihm verraten oder verspottet fühlten, wie
auch die Mandarine großen Anstoß.

»Heute«, so sagten die Mandarine, »behauptet *Meng Hsiä* dies,
und morgen das Gegenteil. Es kann aber doch unmöglich zwei
Wahrheiten geben. Wer mag den unklug gewordenen Alten da
noch ernst nehmen?«

Dem Meister wurde hinterbracht, wie die Neuerer und wie die
Mandarine über ihn redeten. Er lachte nur. Und da die Seinen ihn
um eine Erklärung baten, sagte er:

»Es gibt die Wirklichkeit, ihr Knaben, und an der ist nicht zu
rütteln. Wahrheiten aber, nämlich in Worten ausgedrückte Meinungen über das Wirkliche, gibt es unzählige, und jede ist ebenso
richtig wie sie falsch ist.«

Zu weiteren Erklärungen konnten ihn die Schüler, so sehr sie sich bemühten, nicht bewegen. (1959)

»Spiegelung der Welt im vereinzelten Ich«

Betrachtungen

Es ist mitten im Winter, der Schnee wechselt mit Föhn und das Eis mit Schmutz, die Feldwege sind ungangbar, man ist von der nächsten Nachbarschaft abgeschnitten. Der See kocht an kalten Morgen weißen Dampf und setzt glasig brüchige Eisränder an, jedoch beim nächsten warmen Winde wogt er wieder schwarz und lebendig und verblaut gegen Osten wie an den schönsten Tagen im Frühjahr.

Und ich sitze in der wohlgeheizten Studierstube, lese unnötige Bücher, schreibe unnötige Artikel und habe unnötige Gedanken. Irgend jemand muß doch am Ende alle die Sachen lesen, die jahraus, jahrein geschrieben und verlegt werden, und da sonst es niemand tut, tue ich es eben, teils aus Interesse und Kollegialität, teils um mich dann als kritischen Schirm und Prellbock zwischen das Publikum und die Bücherlawinen zu stellen. Viele von den Büchern sind auch tatsächlich schön und klug und des Lesens wert. Dennoch scheint mir zuweilen mein Tun überaus überflüssig und mein Wollen auf ganz falsche Ziele gerichtet.

Ich trete häufig für einige Augenblicke ins Schlafzimmer, wo an der Wand die große Karte von Italien hängt, und streife mit begehrlichem Auge über den Po und Apennin hinweg, durch grüne toskanische Täler, an blau und gelben Strandbuchten der Riviera hin, schiele auch etwa nach Sizilien hinab und verirre mich dabei gegen Korfu und Griechenland hin. Lieber Gott, wie ist das alles nah beieinander! Und wie schnell kann man überall sein. Und pfeifend kehre ich in die Studierstube zurück, lese entbehrliche Bücher, schreibe entbehrliche Artikel und denke entbehrliche Gedanken.

Im vergangenen Jahre war ich sechs Monate auf Reisen, im vorhergehenden fünf Monate, und eigentlich ist das für einen Familienvater, Landmann und Gärtner ziemlich reichlich, und als ich neulich das letztemal heimkehrte, nachdem ich unterwegs in der Fremde krank geworden, operiert worden und eine gute Weile gelegen war, da schien es mir an der Zeit, nun für lange hinaus, wenn nicht für ewig, Frieden zu schließen und heimisch und häuslich zu werden. Allein kaum war die ärgste Abmagerung und Müdigkeit überwunden und ersetzt, kaum hatte ich mich wieder ein paar Wochen mit Büchern befaßt und Schreibpapier verbraucht, da schien eines Tages die Sonne wieder so unheimlich gelb und jung auf die alte Landstraße, und über den See lief ein schwarzer Nachen mit einem großen schneeweißen Segel, und ich bedachte die Kürze des Menschenlebens, und plötzlich war von allen Vorsätzen und Wünschen und Erkenntnissen nichts mehr da als eine unheilbare, tolle Reiselust.

Ach, die echte Reiselust ist nicht anders und nicht besser als jene gefährliche Lust, unerschrocken zu denken, sich die Welt auf den Kopf zu stellen und von allen Dingen, Menschen und Ereignissen Antworten haben zu wollen. Die wird nicht mit Plänen und nicht aus Büchern gestillt, die fordert mehr und kostet mehr, man muß schon Herz und Blut daran rücken.

Vor meinem Fenster wühlt der weiche, laue Westwind im schwarzen See, ohne Zweck, ohne Ziel, in seiner Leidenschaft rasend und sich verzehrend, wild und unersättlich. So wild und unersättlich ist die wahre Reiselust, der Erkenntnis- und Erlebensdrang, den kein Erkennen stillt und kein Erleben sättigt. Der ist stärker als wir und als alle Ketten, und über wen er herrscht, von dem will er immer wieder Opfer haben. Gibt es nicht Menschen, die toll und wild bis zum äußersten Wagnis und bis zum Untergang nach Geld jagen und nach Frauen- und nach Fürstengunst? Nun, so jagen auch wir, wir Reiselustigen, nach einem Erfassen und Erleben der Mutter Erde, nach einem Einswerden mit ihr, nach einem so völligen Besitzen und Sichhingeben, wie es nicht zu haben und nicht zu erjagen, wie es nur zu träumen, zu begehren, zu ersehnen ist. Und vielleicht ist diese unsre Jagd und Leidenschaft nicht viel anders und um nichts besser als die des Spielers, des Spekulanten, des Don Juan, des Strebers. Im Hinblick auf die Abendstunde aber scheint mir unsre Leidenschaft doch besser und wertvoller zu sein als manche andre. Wenn uns die Erde ruft, wenn uns Wanderern die Heimkehr, uns Rastlosen die Ruhestatt winkt, so wird das Ende kein Abschiednehmen und zages Sichergeben sein, sondern ein dankbares und durstiges Schlürfen des tiefsten Erlebens. Wir sind neugierig auf Südamerika, auf unentdeckte Buchten der Südsee, auf die Pole der Erde, auf das Verstehen der Winde, Ströme, Blitze, Lawinen – aber wir sind noch unendlich viel neugieriger auf den Tod, auf das letzte und kühnste Erlebnis dieses Daseins. Denn wir glauben zu wissen, daß von allen Erkenntnissen und Erlebnissen nur die wohlverdient und befriedigend sein können, um die wir gern das Leben hingeben.   (1910)

Im Flugzeug

Als ich vor einigen Jahren zum ersten Male auf der Frankfurter Ila einige Eindecker ihre schwachen Flugversuche machen sah, war mein sehnsüchtiger Gedanke: »Sobald das ein bißchen besser geht, mußt du mitfliegen!« Und als ich zwei Jahre später zum ersten Male in die Lüfte hinaufkam, in einem Zeppelinschen Luftschiff, da genoß ich wohl den wunderbaren Taumel der Höhe und die überraschend herrliche Aussicht und den neuen Aspekt der Landschaft, aber mein Flugverlangen war nur stärker erregt, und seitdem war es mein heimlicher Wunsch, nun bald einmal zu fliegen. Aber ich wohnte auf dem Lande und kam immer nur im Winter in große Städte, meine Freunde lachten mich aus und erklärten diese ganze Fliegerei für einen halsbrecherischen, selbstmörderischen Sport, mit dem sich höchstens ehemalige Rennfahrer und entgleiste Turfexistenzen abgäben, und waren der Meinung, ein einigermaßen höherstehender Mensch, welcher Pflichten habe und gar Familienvater sei, dürfe sich unter keinen Umständen »der bloßen Sensation wegen« so einem Satansmöbel anvertrauen.

Diese Reden konnten mein Verlangen nach Fliegeglück nicht kleiner machen, obwohl ich nicht widersprach. Ich las vom Simplonflug, las die Berichte von Pau und Paris und Dübendorf und den italienischen Aviatikern, und verheimlichte meiner Frau die wöchentlich in der Zeitung mitgeteilten Abstürze von Fliegern. Und hundertmal besann ich mich und phantasierte, wie es nun wohl eigentlich so einem Fliegenden zumute sein müsse. Die meisten waren ja abgebrühte Sportratten oder technische Spekulanten, für die gab es nur Windverhältnisse, Pferdekräfte, Umdrehungszahlen und Flugpreise. Aber viele davon waren doch gewiß wirkliche Abenteurer, solche, mit denen ein Dichter sich ohne weiteres eins fühlen oder doch verbrüdern konnte, es war in ihnen etwas von der großen Sehnsucht, die unsereinen zum Wandern und Reisen verlockt und einem das Stillsitzen so sauer macht, und die durch nichts zu stillen ist und durch jede Erfüllung nur tiefer und hungriger wird. Ohne Zweifel war diese Sehnsucht, wenn auch in ihren rohesten Formen, bei vielen dieser Flieger der heimliche Antrieb und Verführer, und die, welche hundert Meter hoch herunter fielen oder über Land geschleift wurden, die in der Luft verbrannten oder im Wasser umkamen, waren nicht Arbeitern gleichzustellen, die in ihrem armen, tapfern Kampf um den täglichen Groschen weggerafft wurden, sondern sie gehörten doch wohl zu der kleinern Schar derer, die als Sklaven jener geheimnisvollen großen Sehnsucht ihr Ende fanden, deren Knochen in Gletscherlöchern liegen oder die in den Wäldern von Afrika, am Südpol oder auf entlegenen Meeren umkommen. Darin bestärkte mich noch die Nachricht vom Tode Lathams, den ich in Frankfurt hatte fliegen sehen, der in den Kanal gefallen war und der schließlich sein Ende als Jäger in den Tropen fand.

Die Zeit verging, und das Fliegen blieb mir Wunsch und Rätsel. Zweimal fielen mir flott und gescheit geschriebene Artikel von Journalisten in die Hand, welche als Passagiere mitgeflogen waren. Ich las sie mit Eifer, aber es stand nichts darin. Diese Herren standen über der Sache, während ich so gern mitten in ihr drin gestanden wäre. Sie wußten Pferdekräfte und Umdrehungen zu zählen, kannten die Vorgeschichte ihres Aviatikers, die Firma, die seinen Motor gebaut hatte, sie wußten von dem Stolz unserer Zeit, von dem uralten Menschheitstraum und seiner Erfüllung durch Blériot zu erzählen. Vom Fliegen selber aber erfuhr man wenig oder nichts. Es standen in diesen Artikeln nur Dinge, die man vorher wußte, oder die wenigstens der Autor schon vorher wissen konnte. Also mußte das Fliegen eigentlich wenig interessant sein; es war ein »stolzes, erhebendes Gefühl«, das erinnerte an Grundsteinlegungen und Jubiläen, man »fühlte sich vollkommen sicher, keine Spur von Angstgefühl oder Schwindel«, das war also ähnlich wie ein Spaziergang von München nach Nymphenburg. Entweder standen die Verfasser jener Artikel eben wirklich auf jenem unpersönlichen, allgemein kulturellen Standpunkt, den ihre Artikel betonten, oder aber es war ungemein schwierig, die eigentlichen Gefühle eines Fliegenden darzustellen. Ich glaube heute, die zweite Annahme war die richtige.

Um nun zur Sache zu kommen: ich bin gestern geflogen. Es kamen Flieger nach Bern, eines Morgens hörte ich über meinem Dach einen Apparat schnurren und sah einen schönen Eindecker so stolz und kühl und nobel über mich wegfahren, daß es mir das Herz umdrehen wollte. Am nächsten Tage bin ich mitgeflogen. Und nun will ich versuchen, einige meiner Eindrücke bei diesem ersten Flug meines Lebens mitzuteilen, soweit das möglich ist, und da die Geschichte vom »erfüllten uralten Menschheits-

traume«, vom »Sieg der Intelligenz über die Materie« und alles das
schon jedermann bekannt ist, will ich den undankbaren und
schwierigen Versuch machen, die Kultur und Technik und alles das
wegzulassen, und lediglich das zu notieren, was ich erlebt habe. Ich
finde mich bei diesem Vorhaben durch eine tiefe Unwissenheit ge-
stützt: ich weiß weder den Namen der Firma, die den Motor gebaut
hat, noch die Zahl seiner Pferdekräfte, noch sein Gewicht, noch
das Gewicht der Belastung. Ich weiß gar nichts, als daß ich nun endlich, endlich geflogen bin, und daß es mir gar nicht selbstverständlich und allgemein kulturell erschienen ist, sondern höchst abenteuerlich. Ich bin tatsächlich »der bloßen Sensation wegen«
geflogen, und die Sensation hat mir eine unbändige Freude gemacht.

Gegen 3 Uhr an einem warmen, hell sonnigen Frühlingstag erschien ich auf dem Flugfelde, wo sich ein paar schwarze Menschen-
knäuel drängten und umeinander drehten. Mitten in einem dieser
Knäuel sah ich den Apparat ragen, mit dem ich fliegen sollte und
der mich erwartete. »Wenn es mir nur nicht übel wird!« dachte ich,
denn ich kann Menschenmengen schlecht vertragen.

Ich drängte mich vor, eine grüne Brille auf der Nase und eine
gelbe Reisetasche in der Hand. Ich legte den Leuten die Hand auf
die Schulter, schob sie leise beiseite, machte ein sachliches Gesicht
und wurde durchgelassen, es ging über Erwarten gut. Das Schlimmste vom Fliegen war nun überstanden. Ich stand beim Apparat, begrüßte den Flieger und zündete eine Zigarre an. Ein französischer
Monteur suchte mich über den Motor zu belehren, ich nickte dankend und kam erst jetzt auf den Gedanken, die Maschine näher anzusehen. Am Kopf des Vogelleibes saß die hölzerne Schraube, dahinter der Motor und Benzinvorrat, dann der Platz des Fliegers,
dann mein Passagiersitz, hinter dem das leichte, hölzerne Bauwerk
sich rasch verjüngte und dem hübschen Schwanzsteuer zustrebte.
Als Spielzeug sah das Ganze entzückend aus, daß es aber zwei Menschen durch die Luft tragen sollte, schien wunderlich, so leicht und
liebenswürdig japanisch sahen die Stänglein und Drähtchen aus,
und auch die Flügel waren so spielerisch und dünn und luftig gebaut, daß man sie nicht anzufassen wagte.

»Nun«, dachte ich, »die Hauptsache ist ja der Motor, und den
kann ich zum Glück nicht taxieren. Es wäre gut, wenn wir bald fahren würden.«

Da winkte mir der Flieger, ich möchte mich nun fertigmachen. Schnell machte ich meine gelbe Handtasche auf und nahm meine Sachen heraus, eine Ski-Mütze, ein Paar Handschuhe, ein wollenes Halstuch. Als ich die Mütze glücklich auf und unter dem Kinn zusammengeknöpft hatte, lächelte der französische Monteur mich freundlich an und sagte, so gehe das nicht, ich müsse die Mütze umgekehrt aufsetzen, mit dem Schirm nach hinten, sonst werde mir das Zeug alsbald vom Kopf gerissen werden. Die Volksmenge lachte und sah mit Interesse zu, wie ich meine Kleidung vollends in Ordnung brachte. Schließlich gab mir der Aviatiker noch einen Mantel und eine Automobilbrille; ich schwitzte in der wollenen Haube und sah so bestrickend aus, daß die Menge wieder aufs munterste lachte. Photographenapparate wurden auf uns gerichtet, und jemand rief mir zu, ich müsse jetzt noch die Nase zubinden, dann könne mir gewiß nichts mehr passieren.

Jetzt stieg der Flieger ein. Es war ernst mit dem Spielzeug, und als der schwere Mann mit seinem braunen Stiefel derb auf das fingerdünne Holzstänglein trat, brach es nicht zusammen, sondern hielt, und es trug auch mich, und nun saßen wir in unsern Sitzen, im leinwandbekleideten Stangengerüste auf bequemen Sesseln, die Menschenmenge wich ein wenig zurück, die Luft wurde besser.

Herrgott, ich hatte meine Handschuhe liegenlassen. Aber nun mochte ich nimmer stören.

In diesem Augenblick begann der Motor zu surren, vor unsern Augen sauste die Flügelschraube ihren glänzenden Kreis, hinter uns spie der große Vogel Rauch und Gestank aus, schreiend floh zu beiden Seiten das Volk hinweg. Wir fuhren elastisch auf unseren beiden Rädchen über den Rasen, merkwürdig lind und wohlig, und plötzlich wurde mir in meiner Wollenhaube wieder wohl und wild gespannt. Wir fliegen, schrie mein Herz, jetzt gleich fliegen wir.

Da war der Rasen weg und wir stiegen schräg in die Höhe, und das war äußerst wohlig und beruhigend. Wir fliegen! Ja, es ist merkwürdig, aber ich hatte es mir aufregender gedacht.

Nein, ich nehme alles zurück. Es war aufregend genug. Als ich mich eben besann, ob jetzt wohl zehn Sekunden oder eine Stunde seit der Abfahrt vergangen seien, duckte sich der Herr Flieger, ich wurde in die Sitzlehne gedrückt und der Apparat machte einen Sprung in die Höhe. Da blieb er eine Weile, während der Luftstrom donnernd an meinen Ohren vorübersauste, und machte nun wieder einen Sprung, einen verfluchten, unerwarteten Sprung.

Ich tat einen Blick auf die kreisende Schraube. Wenn das Luder Launen hat, gehen wir kaputt, dachte ich einen Augenblick, aber mehr nur reproduktiv, ich glaubte nur halb daran, und vergaß es sogleich völlig, denn zufällig fiel mein Blick seitwärts auf die Erde und da sah ich erst, daß wir schon hoch, hoch waren. Der Motor sauste, der Wind schrie, meine Hände froren und meine Nase wurde kalt, und da neben mir, an der dünnen Holzlatte vorbei, sah ich die Stadt Bern und die krumme Aare und Fabriken und Kasernen und Reitplätze und Alleen liegen, drollig klein und schief und hingestreut, und es fiel mir ein, wie dieser Anblick des kleinen Getriebes und des zum Spielzeug gewordenen Menschenwesens mir einst vom Zeppelinschiff aus Spaß gemacht hatte.

Aber das war etwas anderes! Dort war es ein behagliches Zuschauen wie aus einer Loge gewesen. Hier waren die Blicke auf Stadt und Felder, die ganze verkürzte und flächenhaft gewordene Welt durchaus nur zufällige Beigaben. Die Hauptsache war: Wir flogen. Und wie wir flogen! Wir stiegen in Wellenlinien hinan, immer höher, und je und je taten wir plötzlich, wie in einer Atempause, einen kurzen, lautlosen Fall, der Sitz schwand unter mir weg, mein Magen höhlte sich weit. Dann gleich wieder Trieb, Anstieg, Kraftgefühl. Dann wieder der kleine, unberechenbare Fall, Atempause, horchendes Schweigen im Magen.

Die Landschaft ist mir noch immer nicht klar geworden; ich sitze wie ein Knabe, vom Erleben hingenommen, und habe den Verstand daheim gelassen. Ich werfe, von Schauern seliger Bangigkeit unterbrochen, meine Blicke und Atemzüge wie Lieder und Seufzer in die Welt, ich schwebe atemlos mitgerissen in einer ungeheuern Musik durch die Räume, ich bin ganz Kind, ganz Knabe, ganz Abenteurer, ich trinke den berauschenden Wein des Losgerissenseins, der Gleichgültigkeit und Verachtung gegen alles Gestrige, der animalischen Erregung in tiefen Zügen, ich bin Drache und Wolke, Prometheus und Ikarus . . .

O Gott, was ist das? Was steht dort so groß, so wirklich und edel mitten in dieser lausigen Welt, die ich so tief verachte, die so schäbig und winzig und kleinlich eingeteilt zu meinen Füßen liegt? Am Rande der Welt, hinter all dem Gewimmel nichtiger Formen und irdischen Getändels, stehen wunderbar und groß die Berge.

Ich sehe den riesigen Eiger streng und dunkel, das hohe Schreckhorn einsam und vornehm an seinem Orte stehen, und ich ahne beim Anblick des ungeheuer erweiterten Horizontes so etwas wie einen raschen Flug über die Erde hinweg: wie da die großen Gebirge, Wüsten, Meere einzig übrigbleiben, alles andere versinkt und sich als verwesende Moräne kundgibt.

Wir fallen tief, mein Magen hat sich daran gewöhnt, schon nach Minuten hat er sich angepaßt, und läßt das Kitzeln bleiben. Die Berge sind weg, wir hängen schräg nach links über, gegen einen feindlichen Wind, über die Flügel weg sieht man Jurazüge, senkrecht unter uns die Aare, gepflegten Wald, Höfe – am Ende der Kurve unvermutet einen Blick über die ganze Stadt, vom Bärengraben an aufwärts, wie sie auf ihren Felsen im Bogen der Aare liegt.

Wann werde ich über die Alpen fliegen, über das Meer? Ich muß das einmal bis zur Sättigung auskosten! Ich sehe ja nichts, ich ahne und fühle bloß, ich taumle entzückt und beängstigt durch eine andere, jäh vor mir aufgerissene Welt, nur langsam lerne ich wieder denken. Die Welt ist Erhabenheit, erhaben ist Gebirge, Wüste, Meer. Der Mensch bringt den Humor hinein. Ich beginne sie wieder zu lieben, die Menschen, die da drunten so kleinlich und sonderbar wirtschaften, die den Wald frisiert und die Hälfte der Welt in kleine, umzäunte Landfetzchen zerrissen haben. Ich will nicht schwebende Wolke, treibende Schneeflocke, ziehender Vogel sein, ich will nicht die Berge lieben und die Menschen schmähen, deren schwächster ich bin – ich will mit aller Liebe, deren ich fähig bin, mich zu ihren Schwächen und zu ihrem Stolz bekennen. Das sind nicht die Pferdekräfte und nicht die genauen Rechnungen der technischen Wissenschaft, die mich und den Flieger und Blériot und Latham in die Höhe gerissen haben. Das ist die alte große Sehnsucht, das ist der aus Schwäche geborene Trotz, das ist Titanenerbe. Das hat uns fliegen gelehrt. Aber mit dem Fliegen ist keine Sehnsucht erfüllt, der Bogen ist nur stärker und wilder gespannt, die Kreise des Wunsches sind weiter gezogen, das Herz brennt trotziger.

Träume, Bruchstücke von Gedanken, Bruchstücke von großer Musik umgeben mich. Da weckt mich ein unsäglich bangfrohes, gespanntes, überraschtes, mißtrauisches Gefühl, das durch alle Nerven geht. Der Motor schweigt. Wir hängen in der Höhe, wir neigen uns, und nun kommt das Wunderbarste, wir gleiten auf der elastischen Luft, die uns zuweilen mit leiser Schwellung prellt, wir fahren wachsam und flink hinunter wie ein Automobil mit abgestelltem Motor einen Berg hinab und wie ein Skiläufer seine Halde hinunter gleitet. Dächer, Alleen, Schornsteine springen uns entgegen, größer und größer wird der kleine Rasenplatz, auf den wir zielen, und nun sehe ich, er ist das Flugfeld, und die paar trüben Trauben und Haufen schwärzlichen Gewimmels darauf sind die Menschenmenge. Herrgott, wir fahren mitten in sie hinein! Wir stürzen vorwärts wie rasend, immer dem schwarzen Haufen entgegen, ich sehe einzelne Gruppen und Figuren schon deutlich, sie sind schon dicht vor uns, Weiber schreien auf, Kindermägde rennen entsetzt und verzweifelt mit ihren Babywagen davon, Knaben laufen Galopp, fallen, geben es auf. Wir aber nehmen, es geschieht ohne mein Wissen und fährt mir nochmals, zum letzten Male wunderlich kitzelnd durch den Magen, wir nehmen einen kleinen Anlauf, machen einen Sprung und sind wieder in der Luft. Wir haben nur den Platz für die Landung gesucht und umfliegen das große Feld noch einmal im Kreise, niedriger und niedriger streichend. Längst ist der große Horizont versunken, die Erde wallt zu uns herauf, die Menschenhaufen atmen uns entgegen. Nochmals fliehen sie vor unserer Maschine davon, eine Gasse entsteht, wir gleiten nieder.

»Noch nicht! O noch nicht!« will ich flehend rufen. Die kleinen Räder sind schon aufgeprallt, ein Ruck im Sitz, die Erde ist unter uns und nimmt uns auf, und da halten wir schon, tausend Menschen brüllen und stürzen sich auf den Apparat. Mit einem sonderbaren Gefühl von Kleinheit und Scham steige ich aus, klettere auf die Erde hinab, entkleide mich der Brille, der Mütze, des Mantels, gebe dem Flieger die Hand und gehe hinweg, durch das dichte Volk hindurch, keines Gefühls noch Gedankens sicher, aber in allem, was ich an Sehnsucht und Abenteuerbedürfnis und unbezwinglich triebhaftem Fernweh in mir habe, neu erregt und gestärkt und vertieft.   (1912)

Vor einer Sennhütte im Berner Oberland

Wieder steige ich im Morgenlicht durch den hohen Schnee hinan zwischen Hütten und Obstbäumen, die allmählich selten werden und zurückbleiben. Streifen von Tannenwald züngeln über mir den mächtigen Berg hinan bis zur letzten Höhe, wo kein Baum mehr wächst und wo der stille, reine Schnee noch bis zum Sommer liegen wird, in den Mulden tief und sammetglatt verweht, über Felshängen in phantastischen Mänteln und Wächten hängend.

Ich steige, den Rucksack und die Skier auf dem Rücken, in einem steilen Holzweg Schritt für Schritt bergan, der Weg ist glatt und manchmal eisig, und die stählerne Spitze meines Bambusstokkes dringt knirschend und widerwillig ein. Ich werde im Gehen warm, und am Schnurrbart gefriert der Atem.

Alles ist weiß und blau, die ganze Welt ist strahlend kaltweiß und strahlend kühlblau, und die Umrisse der Gipfel stechen hart und kalt in den fleckenlosen Glanzhimmel. Dann trete ich in beengend dichten, finsteren Nadelwald, die Skibretter streifen spärliche Schneereste von lautlosen Zweigen, es ist bitter kalt, ich muß abstellen und den Rock wieder anziehen.

Überm Walde steile Schneehänge. Der Weg ist schmal und schlecht geworden. Ein paarmal breche ich bis zu den Hüften durch den Schnee. Eine launische Fuchsspur geht vom Walde her mit, jetzt rechts, jetzt links vom Pfad, macht eine feine spielerische Schleife und kehrt bergwärts um.

Hier oben will ich Mittagsrast halten. Die letzte Hütte steht auf schmalem Weidebord, Tür und Fensterluken sorgfältig verschlossen, davor nach Süden eine kleine Ruhebank, drüben ein Brunnen, tief unterm Schnee mit dunkel glasigen Tönen läutend. Ich zünde Spiritus an, fülle Schnee in die Kochpfanne, taste im vollen Rucksack nach dem Teepaket. Die Sonne blitzt grell im weißen Aluminium, überm Kochapparat zittert die Luft in blasig quirlenden Formen von der Wärme, der versunkene Brunnen gurgelt schwach unterm Schnee, sonst keine Regung und kein Ton in der weiß und blauen Winterwelt.

Rings um die Hütte, von dem vorstehenden Dach geschützt, läuft eine schneefreie Gasse, da liegen tannene Bretter, Stangen, Spaltklötze umher, sonderbar bloß und nackt mitten in der

Schneeöde. Ruhe, tiefe Ruhe. Erschreckender Lärm für das verwaiste Gehör, wenn am Kocher ein Schneekorn verzischt, wenn von unten aus den spitzen Wipfeln ein Krähenschrei knarrt.

Aber plötzlich – ich hatte halbwach im Sitzen geträumt, ungewiß, ob Minuten oder Viertelstunden – klingt ein unendlich schwacher, unendlich zärtlich-weicher Ton, seltsam befremdend, zauberlösend, in mein Ohr. Unmöglich, ihn zu deuten, aber mit ihm ist alles anders geworden: matter der Schnee, gedehnter die Luft, süßer das Licht, wärmer die Welt. Und wieder der Ton – und wieder, und mit rasch verkürzten Pausen wiederholt – und jetzt erkenne ich ihn, und jetzt lächle ich und sehe, es ist ein Wassertropfen, der vom Dach zum Boden fällt! Und schon fallen drei, sechs, zehn zugleich, gesellig, plaudernd, arbeitsam, und die Starre ist gebrochen; es taut vom Dache. Im Panzer des Winters sitzt ein kleiner Wurm, ein kleiner Zerstörer und Bohrer und Mahner – tik, tak, tak . . .

Und am Boden glitzert breit ein Streifen Feuchtigkeit, und die paar hübschen, runden Pflastersteine fangen zu glänzen an, ein paar dürre Tannennadeln drehen sich schwimmend auf einer winzigen Pfütze, die kleiner ist als meine Hand. Und die ganze Mittagsseite des Hüttendaches entlang fallen lässig die schweren Tropfen, einer in den Schnee, einer klar und kühl auf einen Stein, einer dumpf auf ein trockenes Brett, das ihn gierig schluckt, einer breit und satt auf die nackte Erde, die nur langsam, langsam saugen kann, weil sie so tief gefroren ist. Sie wird sich auftun, in vier, in sechs Wochen, und hier wird ein verblasener Grassame aufgehen, der jetzt unsichtbar schläft, klein und mastig, und zwischen den Steinen zwergiges Unkraut mit feinen Blumen, ein kleiner Hahnenfuß, eine Taubnessel, ein weiches Fünffingerkraut, ein struppiger Löwenzahn.

Wie ist der kleine Platz seit einer Stunde ganz verwandelt! Ringsum liegt immer noch mannshoch der Schnee und wird noch lange liegen. Aber im Bezirk der Hütte, wie atmet da entbundene Kraft begieriges Leben!

Vom Schneerand auf dem Bretterstoß rinnt sacht ein stiller Tropfen um den andern und verrinnt lautlos im saugenden Holz, und das Tauwasser klatscht freudig vom Dach, dessen Schnee doch nicht zu schwinden scheint, und vor der Schwelle dampft der feuchte Boden in der Mittagssonne dünne Wölkchen aus.

Ich habe gegessen und habe den Rock ausgetan und dann die

Weste, und sonne mich und gehöre mit zu der kleinen Frühlingsinsel, und wenn ich auch weiß, daß dieser kleine, spiegelnde See zwischen meinen Schuhen und jeder von diesen glitzernden Tautropfen in wenig Stunden tot und Eis sein wird – ich habe doch den Frühling schon an der Arbeit gesehen.

Der arme karge Bergfrühling, der so viele Feinde und ein so bedrängtes Leben hat, er will doch leben und arbeiten und sich fühlen! Und solange nichts anderes zu tun und an kein Gras und keine Biene, an keine Schlüsselblume und keine kleinste Ameise zu denken ist, so lange spielt der Frühling, wie ein Knabe, begnügsam und eifrig mit dem wenigen, was da ist.

Und jetzt beginnt sein süßestes Spiel. Er hat nichts als die Hütte und ihren winzigen Umkreis, alles andere liegt noch tief begraben. Da hält er sich an das einzige Lebende, was da ist, an das Holz. Er spielt mit dem Holz der Balken und der Türe, mit den Brettern und Schindeln, mit den Hackblöcken und Wurzelstöcken unterm Bretterdach. Er tränkt sie mit Mittagssonne, daß sie durstig werden, er läßt sie Tauwasser trinken, er öffnet ihre verschlafenen Poren, und das Holz, das eben noch tot und ewig vom Kreislauf der Verwandlungen ausgestoßen schien, beginnt Leben zu spüren. Erinnerung an Baum und Sonne, an Wachstum und ferne Jugend. Es atmet schwach in seinem Traum, es saugt verlangend Feuchtigkeit und Sonne, es dehnt sich in erstarrten Fasern, knackt hier und dort und rührt sich träge. Und da ich mich auf die Bretter lege und einzuschlummern beginne, kommt mir aus den halbtoten Hölzern ein wunderbar leichter, inniger Duft entgegen, schwach und kindlich voll von der rührenden Unschuld der Erde, von Frühlingen und Sommern, von Moos und Bach und Tiernachbarschaft.

Und mir, dem einsamen Skiläufer, der an Menschen und Bücher und Musik und Gedichte und Reisen gewöhnt und der aus dem Reichtum des Menschenlebens mit Eisenbahnen und Postwagen, auf Schneeschuhen und zu Fuß hier heraufgekommen ist, mir rührt der leise kindliche Duft des erwarmenden Holzes in der Sonne stärker und bezwingender an die Seele, weckt Erinnerung an fernere, tiefere Kindheiten auf, als alles, was das Menschenreich mir seit langem gab. (1914)

Erinnerung an Asien

Wenn ich mich jetzt, drei Jahre nach meiner malayischen Reise, an den Osten erinnere, so sehe ich die Einzelbilder jener Reise in ihrer Gegenständlichkeit leicht getrübt und verallgemeinert, es ist Colombo von Singapur. Ippoh von Kuala-Lumpur, der Batang Hari vom Moesi nicht mehr so scharf in umrissener Individualität abgetrennt und verschieden. Dafür treten einige große Zusammenhänge deutlicher hervor. Wenn man mich heute nach genauen sichtbaren Einzelheiten aus Palembang oder Penang oder Djambi fragt, so muß ich suchen und habe einige Mühe, Greifbares hervorzubringen; wenn man mich aber nach dem Wert und den Haupteindrücken meiner ganzen Reise fragt, so weiß ich besser und rascher Bescheid als damals gleich nach der Heimkehr.

Von den Wochen, die ich in Städten und Wäldern der Malakka-Halbinsel und Sumatras zugebracht habe, sind mir folgende Haupteindrücke als Erlebnisse geblieben, zusammengeschmolzen und kombiniert aus hundert kleinen gesehenen Einzelheiten. Der erste und vielleicht stärkste äußere Eindruck, das sind die Chinesen. Was ein Volk eigentlich bedeute, wie sich eine Vielzahl von Menschen durch Rasse, Glaube, seelische Verwandtschaft und Gleichheit der Lebensideale zu einem Körper zusammenballe, in dem der Einzelne nur bedingt und als Zelle mitlebt wie die einzelne Biene im Bienenstaat, das hatte ich noch nie wirklich erlebt. Ich hatte Franzosen von Engländern, Deutsche von Italienern, Bayern von Schwaben, Sachsen von Franken zu unterscheiden gewußt; schließlich aber doch nur von den Engländern den Eindruck einer in ihrer Eigenart gepflegten, auf Rasse und Geschichte stolzen Volksgemeinschaft bekommen, und daran war das niedere Volk unbeteiligt. Bei den Chinesen sah ich zum erstenmal die Einheit eines Volkswesens so absolut herrschen, daß alle Einzelerscheinungen darin ganz und gar untergehen. Äußerlich und malerisch kann man von Malayen, Hindus oder Negern denselben Eindruck haben, Farbe, Kostüm und Lebensführung uniformieren alle diese Massen zu höchst sichtbaren Einheiten. Aber bei den Chinesen war von allem Anfang an der Eindruck eines Kulturvolkes da, eines Volkes, das in langer Geschichte geworden und gebildet ist und im Bewußtsein der eigenen Kultur nicht nach rückwärts, sondern in eine tätige Zukunft blickt.

Etwas völlig anderes ist der Eindruck, den die Naturvölker machen. Zu ihnen rechne ich die Malayen, trotz ihres Handels, ihres Mohammedanismus und ihrer äußeren Zivilisationsfähigkeit durchaus mit. Den Chinesen gegenüber war mein Gefühl zwar stets eine tiefe Sympathie, aber gemischt mit einer Ahnung von Rivalität, von Gefahr; mir schien, das Volk von China müssen wir studieren wie einen gleichwertigen Mitbewerber, der uns je nachdem Freund oder Feind werden, jedenfalls aber uns unendlich nützen oder schaden kann. Nichts davon bei den primitiven Völkern. Auch sie erwarben sofort meine Liebe, aber es war die Liebe des Erwachsenen zu jüngeren, schwachen Geschwistern, zugleich auch erwachte das Schuldgefühl des Europäers, der an diesen Völkern bis heute nur Dieb, Eroberer und Ausbeuter geworden ist, noch nicht helfender und führender Bruder, mitleidiger Freund, helfender Führer. Daß aus diesen braunen gutartigen Völkern große Gefahren oder Gewinne für unsere Kultur zu erwarten seien, ist ohne jede Wahrscheinlichkeit. Daß aber die Seele Europas ihnen gegenüber voll von Schuld und ungebüßter Sünden starrt, läßt sich nicht leugnen. Die unterdrückten Völker der Tropenländer stehen unserer Zivilisation als Gläubiger mit älteren und gleichbegründeten Rechten gegenüber wie etwa die Arbeiterklasse in Europa. Wer im eigenen Automobil im Pelz an Arbeitern vorüberfährt, die müde und frierend nach Hause gehen, kann keine ernsteren Gewissensfragen an sich stellen, als wer auf Ceylon oder Sumatra oder Java als Herr zwischen lautlos bedienenden Farbigen lebt.

Der dritte starke Eindruck meiner Reise war der Urwald. Ich kenne die neuesten Theorien über die Urheimat des Menschen nicht; für mich bleibt, zumindest symbolisch, der tropische Urwald die Heimat des Lebens, der einfache primitive Tiegel, in dem aus Sonne und nasser Erde lebendige Formen gebraut werden. Wir, die wir alle in Ländern leben, deren natürliche Produktionskräfte fast bis zur Grenze ausgebeutet, zumindest gekannt und gemessen sind, wir stehen mit unserem an Zahlen und Maße gewöhnten Denken inmitten des Urwaldes wie an der Wiege des Lebens und ahnen dort mit Staunen, daß die Erde noch kein erkalteter Stern in späten schwachen Zuckungen ist, sondern noch zeugenden Urschlamm kennt. Eine Flußfahrt zwischen Krododilen, Reihervölkern, Adlern und großen Katzen, oder ein Waldmorgen, wenn im gelb durchsonnten Geäst der filzigen Waldwildnis große

Affenfamilien den Tag mit Gebrüll begrüßen, das ist für den an scharf begrenzte Felder, sorgsam gezogenen Wald und regulierte Revierjagd Gewöhnten ein wunderbares und mächtiges Erlebnis. Dazu der Geruch von Gefahr und das Gefühl von der Wertlosigkeit des Einzellebens, wenn man im feuchten dampfenden Dschungel nach Vögeln oder Schmetterlingen geht, Geheimnis und mögliche Gefahr auf allen Seiten, geiles Pflanzenwachstum und üppig brütendes Tierleben auf jedem Quadratfuß. Und die alte, selbstverständliche, in Europa doch tausendmal vergessene Herrschaft der Sonne! Das elementare Einbrechen der Nacht, die alles bis zum Grunde verwandelt, und das Aufglühen des raschen Morgens, der das Leben wiederbringt, das unendlich rasche und heftige Entstehen und Austoben der Regen und Gewitter, der warme, leicht animalische Geruch der nassen fruchtbaren Erde, dies alles ist für uns wie eine geheimnisvolle und lehrreiche Rückkehr an die Quellen unseres Lebens.

Schließlich aber ist doch ein menschlicher Eindruck der stärkste. Es ist der der religiösen Ordnung und Gebundenheit all dieser Millionen Seelen. Der ganze Osten atmet Religion, wie der Westen Vernunft und Technik atmet. Primitiv und jedem Zufall preisgegeben scheint das Seelenleben des Abendländers, verglichen mit der geschirmten, gepflegten, vertrauensvollen Religiosität des Asiaten, er sei Buddhist oder Mohammedaner oder was immer. Dieser Eindruck beherrscht alle anderen, denn hier zeigt der Vergleich eine Stärke des Ostens, eine Not und Schwäche des Abendlandes, und hier fühlen sich alle Zweifel, Sorgen und Hoffnungen unserer Seele bestärkt und bestätigt. Überall erkennen wir die Überlegenheit unserer Zivilisation und Technik, und überall sehen wir die religiösen Völker des Ostens noch ein Gut genießen, das uns fehlt und das wir eben darum höher stellen als jene Überlegenheiten. Es ist klar, daß kein Import aus Osten uns hier helfen kann, kein Zurückgehen auf Indien oder China, auch kein Zurückflüchten in ein irgendwie formuliertes Kirchenchristentum. Aber es ist ebenso klar, daß Rettung und Fortbestand der europäischen Kultur nur möglich ist durch das Wiederfinden seelischer Lebenskunst und seelischen Gemeinbesitzes. Ob Religion etwas sei, das überwunden und ersetzt werden könne, mag Frage bleiben. Daß Religion oder deren Ersatz das ist, was uns zutiefst fehlt, das ist mir nie so unerbittlich klar geworden wie unter den Völkern Asiens. (1914)

Musik

Wieder sitze ich auf meinem bescheidenen Eckplatz im Konzertsaal, der mir lieb ist, weil ich niemand hinter mir sitzen habe, und wieder rauscht der leise Lärm und glitzert das reiche Licht des vollen Saales mild und fröhlich auf mich ein, indes ich warte, im Programm lese und die süße Spannung fühle, die nun bald der klopfende Taktstock des Dirigenten aufs höchste treiben und die gleich darauf der erste schwellende Orchesterklang entladen und erlösen wird. Ich weiß nicht, wird er hoch und aufreizend schwirren wie hochsommerlicher Insektentanz in der Julinacht, wird er mit Hörnern einsetzen, hell und freudig, wird er dumpf und schwül in gedämpften Bässen atmen? Ich kenne die Musik nicht, die mich heute erwartet, und ich bin voll Ahnung und suchendem Vorgefühl, voll von Wünschen, wie es sein möge, und voll Vorgenuß und Zuversicht, es werde sehr schön sein. Denn Freunde haben mir das erzählt.

Vorn im großen weißen Saal haben sich die Schlachtreihen geordnet, hoch stehen die Kontrabässe aufgerichtet und schwanken leise mit Giraffenhälsen, gehorsam beugen sich die nachdenklichen Cellisten über ihre Saiten, das Stimmen ist schon fast vorüber, ein letzter probender Laut aus einer Klarinette triumphiert aufreizend herüber.

Jetzt ist der köstliche Augenblick, jetzt steht der Dirigent lang und schwarz gereckt, die Lichter im Saale sind plötzlich ehrfürchtig erloschen, auf dem Pult leuchtet geisterhaft, von unsichtbarer Lampe heftig bestrahlt, die weiße Partitur. Unser Dirigent, den wir alle dankbar lieben, hat mit dem Stäbchen gepocht, er hat beide Arme ausgebreitet und steht steil gespannt in drängender Bereitschaft. Und jetzt wirft er den Kopf zurück, man ahnt selbst von hinten das feldherrnhafte Blitzen seiner Augen, er regt die Hände wie Flügelspitzen, und alsbald ist der Saal und die Welt und mein Herz von kurzen, raschen, schaumigen Geigenwellen überflutet. Hin ist Volk und Saal, Dirigent und Orchester, hin und versunken ist die ganze Welt, um vor meinen Sinnen in neuen Formen wiedergeschaffen zu werden. Weh dem Musikanten, der es jetzt unternähme, uns Erwartungsvollen eine kleine, schäbige Welt aufzubauen, eine unglaubhafte, erklügelte, verlogene!

Aber nein, ein Meister ist am Werk. Aus der Leere und Versunkenheit des Chaos wirft er eine Woge empor, breit und gewaltig, und über der Woge bleibt eine Klippe stehen, ein öder Inselsitz, eine bange Zuflucht überm Abgrund der Welten, und auf der Klippe steht ein Mensch, steht der Mensch, einsam im Grenzenlosen, und in die gleichmütige Wildnis tönt sein schlagendes Herz mit beseelender Klage. In ihm atmet der Sinn der Welt, ihn erwartet das gestaltlose Unendliche, seine einsame Stimme fragt in die leere Weite, und seine Frage ist es, die Gestalt, Ordnung, Schönheit in die Wüste zaubert. Hier steht ein Mensch, ein Meister zwar, aber er steht erschüttert und zweifelnd überm Abgrund, und in seiner Stimme liegt Grauen.

Aber siehe, die Welt tönt ihm entgegen, Melodie strömt in das Unerschaffene, Form durchdringt das Chaos, Gefühl hallt in dem unendlichen Raume wider. Es geschieht das Wunder der Kunst, die Wiederholung der Schöpfung. Stimmen antworten der einsamen Frage, Blicke strahlen dem suchenden Auge entgegen, Herzschlag und Möglichkeit der Liebe dämmert aus der Öde empor, und im Morgenrot seines jungen Bewußtseins nimmt der erste Mensch von der willigen Erde Besitz. Stolz blüht in ihm auf und tiefe freudige Rührung, seine Stimme wächst und herrscht, sie verkündet die Botschaft der Liebe.

Schweigen tritt ein; der erste Satz ist zu Ende. Und wieder hören wir ihn, den Menschen, in dessen Sein und Seele wir einbegriffen sind. Die Schöpfung geht ihren Gang, es entsteht Kampf, es entsteht Not, es entsteht Leiden. Er steht und klagt, daß uns das Herz zittert, er leidet unerwiderte Liebe, er erlebt die furchtbare Vereinsamung durch Erkenntnis. Stöhnend wühlt die Musik im Schmerz, ein Horn ruft klagend wie in letzter Not, das Cello weint verschämt, aus dem Zusammenklang vieler Instrumente gerinnt eine schaudernde Trauer, fahl und hoffnungslos, und aus der Nacht des Leidens steigen Melodien, Erinnerungen vergangener Seligkeit, wie fremde Sternbilder in trauriger Kühle herauf.

Aber der letzte Satz spinnt aus der Trübe einen goldenen Trostfaden heraus. O, wie die Oboe emporsteigt und ausweinend niedersinkt! Kämpfe lösen sich zu schöner Klarheit, häßliche Trübungen schmelzen hin und blicken plötzlich still und silbern, Schmerzen flüchten sich schamvoll in erlösendes Lächeln. Verzweiflung wandelt sich mild in Erkenntnis der Notwendigkeit, Freude und Ordnung kehren erhöht und verheißungsvoller wieder, vergessene Reize und Schönheiten treten hervor und zu neuen Reigen zusammen. Und alles vereinigt sich, Leid und Wonne, und wächst in großen Chören hoch und höher, Himmel tun sich auf, und segnende Götter blicken tröstlich auf die ansteigenden Stürme der Menschensehnsucht nieder. Ausgeglichen, erobert und zum Frieden gebracht, schwebt die Welt einen süßen Augenblick, sechs Takte lang, selig in begnügter Vollendung, in sich beglückt und vollkommen! Und das ist das Ende. Noch vom großen Eindruck betäubt, suchen wir uns durch Klatschen zu erleichtern. Und in dem Getümmel erregter, beifallklatschender Minuten wird uns klar, wird uns jedem von sich selbst und vom andern bestätigt, daß wir etwas Großes und herrlich Schönes erlebt haben.

Manche »fachmännische« Musiker erklären es für falsch und dilettantenhaft, wenn der Hörer während einer musikalischen Aufführung Bilder sieht: Landschaften, Menschen, Meere, Gewitter, Tages- und Jahreszeiten. Mir, der ich so sehr Laie bin, daß ich auch nicht die Tonart eines Stückes richtig erkennen kann, mir scheint das Bildersehen natürlich und gut; ich fand es übrigens schon bei guten Fachmusikern wieder. Selbstverständlich mußte beim heutigen Konzert durchaus nicht jeder Hörer dasselbe sehen wie ich: die große Woge, die Klippeninsel des Einsamen und alles das. Wohl aber, scheint mir, mußte in jedem Zuhörer diese Musik dieselbe Vorstellung eines organischen Wachsens und Seins hervorrufen, eines Entstehens, eines Kämpfens und Leidens und schließlich eines Sieges. Ein guter Wanderer mochte ganz wohl dabei die Bilder einer langen und gefahrvollen Alpentour vor Augen haben, ein Philosoph das Erwachen eines Bewußtseins und sein Werden und Leiden bis zum dankbaren, reifen Jasagen, ein Frommer den Weg einer suchenden Seele von Gott weg und zu einem größeren, gereinigten Gotte zurück. Keiner aber, der überhaupt willig zugehört, konnte den dramatischen Bogen dieses Gebildes verkennen, den Weg vom Kind zum Manne, vom Werden zum Sein, vom Einzelglück zur Versöhnung mit dem Willen des Alls.

In satirischen und humoristischen Romanen oder Feuilletons habe ich manchmal erbärmliche und bedauernswerte Typen von Konzertbesuchern verhöhnt gefunden: den Geschäftsmann, der während des Trauermarsches der Eroica an Wertpapiere denkt, die reiche Dame, die in ein Brahmskonzert geht, um ihren Schmuck zu zeigen, die Mutter, die eine heiratsbedürftige Tochter unter den Klängen Mozarts zu Markte führt, und wie alle diese

Figuren heißen mögen. Ohne Zweifel muß es solche Menschen geben, sonst kehrten ihre Bilder nicht so häufig bei den Schriftstellern wieder.

Mir aber sind sie trotzdem stets unglaublich erschienen und unbegreiflich geblieben. Daß man in ein Konzert gehen kann wie in eine Gesellschaft oder zu einem offiziellen Anlaß: gleichmütig und stumpf oder berechnend mit eigennützigen Absichten oder eitel und protzenhaft, das kann ich begreifen, das ist menschlich und belächelnswert. Ich selber bin, da ich die Musiktage ja nicht selber ansetzen kann, schon manchmal ohne gute und andächtige Stimmung ins Konzert gegangen, müde oder verärgert oder krank oder voll Sorgen.

Aber daß Menschen eine Symphonie von Beethoven, eine Serenade von Mozart, eine Kantate von Bach, wenn erst der Taktstock tanzt und die Tönewellen fluten, mit Gleichmut anhören können, unverändert in der Seele, ohne Ergriffenheit und Aufschwung, ohne Schrecken und Scham oder Trauer, ohne Weh oder Freudenschauer – das ist mir nie verständlich geworden. Man kann schwerlich vom technischen Apparat viel weniger verstehen als ich – kaum daß ich Noten lesen kann! – aber daß es in den Werken der großen Musiker, wenn überhaupt irgendwo in der Kunst, sich um höchstgesteigertes Menschenleben handelt, um das Ernsteste und Wichtigste für mich und dich und jedermann, das müßte doch auch der ärmste Laie noch fühlen können! Das ist ja das Geheimnis der Musik, daß sie nur unsere Seele fordert, die aber ganz, sie fordert nicht Intelligenz und Bildung, sie stellt über alle Wissenschaften und Sprachen hinweg in vieldeutigen, aber im letzten Sinne immer selbstverständlichen Gestaltungen stets nur die Seele des Menschen dar. Je größer der Meister, desto unbeschränkter die Gültigkeit und Tiefe seines Schauens und Erlebens. Und wieder: je vollkommener die rein musikalische Form, desto unmittelbarer die süße Wirkung auf unsere Seele. Mag ein Meister nichts anderes erstreben als den stärksten und schärfsten Ausdruck für seine eigenen seelischen Zustände oder mag er sehnsüchtig von sich selber weg einem Traume reiner Schönheit nachgehen, beidemal wird sein Werk ohne weiteres verständlich und unmittelbar wirken. Das Technische kommt erst viel später. Ob Beethoven in irgendeinem Stück die Geigernoten nicht sehr handgerecht gesetzt hat, ob Berlioz irgendwo mit einem Horneinsatz etwas ungewöhnlich Kühnes wagt, ob die mächtige Wirkung dieser und jener

Stelle auf einem Orgelpunkt beruht oder nur klanglich auf einer Dämpfung der Celli oder auf was immer, das zu wissen ist schön und nützlich, aber es ist für den Genuß einer Musik entbehrlich.

Und ich glaube sogar, gelegentlich urteilt ein Laie über Musik richtiger und reiner als mancher Musiker. Es gibt nicht wenige Stücke, die am Laien als ein angenehmes, doch unwichtiges Spiel ohne großen Eindruck vorüberrauschen, während ihre technische Könnerschaft den Eingeweihten hoch entzückt. So schätzen auch wir Literaten manches Werk der Dichtung, das für Naive gar keine Zauber hat. Aber es ist mir kein großes Werk eines echten Meisters bekannt, das seine Wirkung nur auf Sachverständige übte. Und weiter sind wir Laien so glücklich, ein schönes Werk auch in teilweise mangelhafter Aufführung noch tief genießen zu können. Wir erheben uns mit feuchten Augen und fühlen uns in allen Gründen der Seele geschüttelt, ermahnt, angeklagt, gereinigt, versöhnt, während der Fachmann über eine Tempoauffassung streitet oder wegen eines unpräzisen Einsatzes alle Freude verloren hat.

Gewiß hat dafür der Kenner auch Genüsse, vor denen wir Unkundigen versagen. Indessen gerade die seltenen, klanglich einzigen Höchstleistungen: den Zusammenklang eines Streichquartetts von lauter alten, sehr köstlichen Instrumenten, den süßen Reiz eines seltenen Tenors, die warme Fülle einer außerordentlichen Altstimme, dies alles empfindet ein zartes Ohr, von allem Wissen unabhängig, ganz elementar. Das mitzufühlen ist Sache der sinnlichen Sensibilität, nicht der Bildung, obwohl natürlich auch das sinnliche Genießen geschult werden kann. Und ähnlich ist es mit den Leistungen der Dirigenten. Bei Werken von hohem Wert wird gar nie die technische Meisterschaft des Kapellmeisters allein den Rang seiner Leistung bestimmen, sondern weit mehr seine menschliche Feinfühligkeit, sein seelischer Umfang, sein persönlicher Ernst.

Was wäre unser Leben ohne Musik! Es brauchen ja gar nicht Konzerte zu sein. Es genügt in tausend Fällen ein Tippen am Klavier, ein dankbares Pfeifen, Singen oder Summen oder auch nur das stumme Sicherinnern an unvergeßliche Takte. Wenn man mir, oder jedem halbwegs Musikalischen, etwa die Choräle Bachs, die Arien aus der Zauberflöte und dem Figaro wegnähme, verböte oder gewaltsam aus dem Gedächtnis risse, so wäre das für uns wie der Verlust eines Organes, wie der Verlust eines halben, eines ganzen Sinnes. Wie oft, wenn nichts mehr helfen will, wenn auch

Himmelsblau und Sternennacht uns nimmer erfreuen und kein
Buch eines Dichters mehr für uns vorhanden ist, wie oft erscheint
da aus Schätzen der Erinnerung ein Lied von Schubert, ein Takt
von Mozart, ein Klang aus einer Messe, einer Sonate – wir wissen
nicht mehr, wo und wann wir sie gehört – und leuchtet hell und
rüttelt uns auf und legt uns Liebeshände auf schmerzliche Wun-
den ... Ach, was wäre unser Leben ohne Musik!   (1915)

Sprache

Ein Mangel und Erdenrest, an dem der Dichter schwerer als an allen andern leidet, ist die Sprache. Zu Zeiten kann er sie richtig hassen, anklagen und verwünschen – oder vielmehr sich selbst, daß er zur Arbeit mit diesem elenden Werkzeug geboren ist. Mit Neid denkt er an den Maler, dessen Sprache – die Farben – vom Nordpol bis nach Afrika gleich verständlich zu allen Menschen spricht, oder an den Musiker, dessen Töne ebenfalls jede Menschensprache sprechen und dem von der einstimmigen Melodie bis zum hundertstimmigen Orchester, vom Horn bis zur Klarinette, von der Geige bis zur Harfe soviel neue, einzelne, fein unterschiedene Sprachen gehorchen müssen.

Um eines aber beneidet er den Musiker besonders tief und jeden Tag: daß der Musiker seine Sprache für sich allein hat, nur für das Musizieren! Der Dichter aber muß für sein Tun dieselbe Sprache benutzen, in der man Schule hält und Geschäfte macht, in der man telegraphiert und Prozesse führt. Wie ist er arm, daß er für seine Kunst kein eigenes Organ besitzt, keine eigene Wohnung, keinen eigenen Garten, kein eigenes Kammerfenster, um auf den Mond hinaus zu sehen – alles und alles muß er mit dem Alltag teilen! Sagt er »Herz« und meint damit das zuckende Lebendigste im Menschen, seine innigste Fähigkeit und Schwäche, so bedeutet das Wort zugleich einen Muskel. Sagt er »Kraft«, so muß er um den Sinn seines Wortes mit Ingenieur und Elektriker kämpfen, spricht er von »Seligkeit«, so schaut in den Ausdruck seiner Vorstellung etwas von Theologie mit hinein. Er kann kein einziges Wort gebrauchen, das nicht zugleich nach einer andern Seite schielt, das nicht im selben Atemzug mit an fremde, störende, feindliche Vorstellungen erinnerte, das nicht in sich selber Hemmungen und Verkürzungen trüge und sich an sich selber bräche wie an zu engen Wänden, von denen eine Stimme unausgeklungen und erstickt zurückkehrt.

Wenn also der ein Schelm ist, der mehr gibt als er hat, so kann ein Dichter niemals ein Schelm sein. Er gibt ja kein Zehntel, kein Hundertstel von dem, was er geben möchte, er ist ja zufrieden, wenn der Hörer ihn so ganz obenhin, so ganz von ferne, so ganz beiläufig versteht, ihn wenigstens im Wichtigsten nicht gröblich mißversteht. Mehr erreicht er selten. Und überall, wo ein Dichter

Lob oder Tadel erntet, wo er Wirkung tut oder verlacht wird, wo man ihn liebt oder ihn verwirft, überall spricht man nicht von seinen Gedanken und Träumen selbst, sondern nur von dem Hundertstel, das durch den engen Kanal der Sprache und den nicht weiteren des Leserverständnisses dringen konnte.

Darum wehren sich auch die Leute so furchtbar, so auf Leben und Tod, wenn ein Künstler, oder eine ganze Künstlerjugend, neue Ausdrücke und Sprachen probiert und an ihren peinlichen Fesseln rüttelt. Für den Mitbürger ist die Sprache (jede Sprache, die er mühsam gelernt hat, nicht bloß die der Worte) ein Heiligtum. Für den Mitbürger ist alles ein Heiligtum, was gemeinsam und gemeinschaftlich ist, was er mit vielen, womöglich mit allen teilt, was ihn nie an Einsamkeit, an Geburt und Tod, an das innerste Ich erinnert. Die Mitbürger haben auch, wie der Dichter, das Ideal einer Weltsprache. Aber die Weltsprache der Bürger ist nicht wie die, die der Dichter träumt, ein Urwald von Reichtum, ein unendliches Orchester, sondern eine vereinfachte, telegraphische Zeichensprache, bei deren Gebrauch man Mühe, Worte und Papier spart und nicht am Geldverdienen gehindert wird. Ach, durch Dichtung, Musik und solche Dinge wird man immer am Geldverdienen gehindert!

Hat nun der Mitbürger eine Sprache gelernt, die er für die Sprache der Kunst hält, so ist er zufrieden, meint die Kunst zu verstehen und zu besitzen, und wird wütend, wenn er erfährt, daß diese Sprache, die er so mühsam gelernt hat, nur für eine ganz kleine Provinz der Kunst gültig sei. Zur Zeit unsrer Großväter gab es strebsame und gebildete Leute, die sich dazu durchgerungen hatten, in der Musik neben Mozart und Haydn auch Beethoven gelten zu lassen. Soweit »gingen sie mit«. Aber als nun Chopin kam, und Liszt, und Wagner, und als man ihnen zumutete, nochmals und abermals eine neue Sprache zu lernen, nochmals revolutionär und jung, elastisch und freudig an etwas Neues heranzugehen, da wurden sie tief verdrossen, erkannten den Verfall der Kunst und die Entartung der Zeit, in der zu leben sie verurteilt waren. So wie diesen armen Menschen geht es heute wieder vielen Tausenden. Die Kunst zeigt neue Gesichter, neue Sprachen, neue lallende Laute und Gebärden, sie hat es satt, immerzu die Sprache von gestern und vorgestern zu reden, sie will auch einmal tanzen, sie will auch einmal über die Schnur hauen, sie will auch einmal den Hut schief aufsetzen und im Zickzack gehen. Und die Mitbürger sind darüber wütend, fühlen sich verhöhnt und an der Wurzel in ihrem Wert angezweifelt, werfen mit Schimpfworten um sich und ziehen sich die Decke ihrer Bildung über die Ohren. Und derselbe Bürger, der wegen der leisesten Berührung und Beleidigung seiner persönlichen Würde zum Richter läuft, wird jetzt erfinderisch in furchtbaren Beleidigungen.

Gerade diese Wut und fruchtlose Erregung befreit aber den Bürger nicht, entladet und säubert sein Inneres nicht, hebt in keiner Weise seine innere Unruhe und Unlust. Der Künstler hingegen, der über den Mitbürger nicht minder zu klagen hat als der über ihn, der Künstler nimmt sich die Mühe und sucht und erfindet und lernt für seinen Zorn, seine Verachtung, seine Erbitterung eine neue Sprache. Er fühlt, daß Schimpfen nichts hilft, und sieht, daß der Schimpfende im Unrecht ist. Da er nun in unsrer Zeit kein andres Ideal hat als das seiner selbst, da er nichts will und wünscht als ganz er selbst zu sein und das zu tun und auszusprechen, was Natur in ihm gebraut und bereitgelegt hat, darum macht er aus seiner Feindschaft gegen die Mitbürger das möglichst Persönliche, das möglichst Schöne, das möglichst Sprechende, er spricht seinen Zorn nicht im Geifer heraus, sondern siebt und baut und zieht und knetet sich einen Ausdruck dafür zurecht, eine neue Ironie, eine neue Karikatur, einen neuen Weg, um Unangenehmes und Unlustgefühle in Angenehmes und Schönes zu verwandeln.

Wie unendlich viele Sprachen hat die Natur, und wie unendlich viele haben sich Menschen geschaffen! Die paar tausend simplen Grammatiken, die sich die Völker zwischen dem Sanskrit und dem Volapük gezimmert haben, sind verhältnismäßig ärmliche Leistungen. Sie sind ärmlich, weil sie sich immer mit dem Notwendigsten begnügten – und das, was Mitbürger untereinander für das Notwendigste halten, ist immer Geldverdienen, Brotbacken und dergleichen. Dabei können Sprachen nicht gedeihen. Nie hat eine menschliche Sprache (ich meine Grammatik) halbwegs den Schwung und Witz, den Glanz und Geist erreicht, den eine Katze in den Windungen ihres Schweifes, ein Paradiesvogel im Silbergestäube seiner Hochzeitskleider verschwendet.

Dennoch hat der Mensch, sobald er er selbst war und nicht die Ameisen oder Bienen nachzuahmen strebte, den Paradiesvogel, die Katze und alle Tiere oder Pflanzen übertroffen. Er hat Sprachen ersonnen, die unendlich viel besser mitteilen und mitschwingen lassen als Deutsch, Griechisch oder Italienisch. Er hat Religionen, Architekturen, Malereien, Philosophien hingezaubert, hat Musik geschaffen, deren Ausdrucksspiel und Farbenreichtum weit über alle Paradiesvögel und Schmetterlinge geht. Wenn ich denke »Italienische Malerei« - wie klingt das reich und tausendfach, Chöre voll Andacht und Süßigkeit, Instrumente jeder Art tönen selig auf, es riecht nach frommer Kühle in marmornen Kirchen, Mönche knien inbrünstig, und schöne Frauen herrschen königlich in warmen Landschaften. Oder ich denke »Chopin«: Töne perlen sanft und wehmütig aus der Nacht, einsam klagt Heimweh in der Fremde beim Saitenspiel, feinste, persönlichste Schmerzen sind in Harmonien und Dissonanzen inniger und unendlich viel richtiger und feiner ausgedrückt als der Zustand eines anderen Leidenden durch alle wissenschaftlichen Worte, Zahlen, Kurven und Formeln ausgedrückt werden kann.

Wer glaubt im Ernst daran, daß der Werther und der Wilhelm Meister in derselben Sprache geschrieben seien? Daß Jean Paul dieselbe Sprache gesprochen habe wie unsere Schullehrer? Und das sind bloß Dichter! Sie mußten mit der Armut und Sprödigkeit der Sprache, sie mußten mit einem Werkzeug arbeiten, das für ganz anderes gemacht war.

Sprich das Wort »Ägypten« aus, und du hörst eine Sprache, die Gott in mächtigen, ehernen Akkorden preist, voll Ahnung des Ewigen und voll tiefer Angst vor der Endlichkeit: Könige schauen aus steinernen Augen unerbittlich über Millionen Sklaven hinweg, und sehen über alle und alles hinweg doch immer nur dem Tod ins dunkle Auge - heilige Tiere starren ernst und erdhaft - Lotosblumen duften zart in den Händen von Tänzerinnen. Eine Welt, ein Sternhimmel voll Welten ist allein dies »Ägypten«, du kannst dich auf den Rücken legen und einen Monat lang über nichts anderes phantasieren als darüber. Aber plötzlich fällt dir etwas anderes ein. Du hörst den Namen »Renoir« und lächelst und siehst die ganze Welt in runde Pinselbewegungen aufgelöst, rosig, licht und freudig. Und sagst »Schopenhauer« und siehst dieselbe Welt dargestellt in Zügen leidender Menschen, die in schlaflosen Nächten sich das Leid zur Gottheit machten und mit ernsten Gesichtern eine lange, harte Straße wallen, die zu einem unendlich stillen, unendlich bescheidenen, traurigen Paradiese führt. Oder es fällt dir der Klang »Walt und Vult« ein, und die ganze Welt ordnet sich wolkig und jeanpaulisch-biegsam um ein deutsches Spießernest, wo die Seele der Menschheit, in zwei Brüder gespalten, unbekümmert durch den Angsttraum eines schrulligen Testamentes und die Intrigen eines toll wimmelnden Philister-Ameisenhaufens wandelt.

Gern vergleicht der Bürger den Phantasten mit dem Verrückten. Der Bürger ahnt richtig, daß er selbst sofort wahnsinnig werden müßte, wenn er sich so wie der Künstler, der Religiöse, der Philosoph auf den Abgrund in seinem eigenen Inneren einließe. Wir mögen den Abgrund Seele nennen oder das Unbewußte oder wie immer, aus ihm kommt jede Regung unsres Lebens. Der Bürger hat zwischen sich und seiner Seele einen Wächter, ein Bewußtsein, eine Moral, eine Sicherheitsbehörde gesetzt, und er anerkennt nichts, was direkt aus jenem Seelenabgrund kommt, ohne erst von jener Behörde abgestempelt zu sein. Der Künstler aber richtet sein ständiges Mißtrauen nicht gegen das Land der Seele, sondern eben gegen jede Grenzbehörde, und geht heimlich aus und ein zwischen Hier und Dort, zwischen Bewußt und Unbewußt, als wäre er in beiden zu Hause.

Weilt er diesseits, auf der bekannten Tagesseite, wo auch der Bürger wohnt, dann drückt die Armut aller Sprachen unendlich auf ihn, und Dichter zu sein, scheint ihm ein dorniges Leben. Ist er aber drüben, im Seelenland, dann fließt Wort um Wort ihm zauberhaft aus allen Winden zu, Sterne tönen und Gebirge lächeln, und die Welt ist vollkommen und ist Gottes Sprache, darin kein Wort und Buchstabe fehlt, wo alles gesagt werden kann, wo alles klingt, wo alles erlöst ist. (1917)

Künstler und Psychoanalyse

Seit Freuds »Psychoanalyse« über den engsten Kreis der Nerven-ärzte hinaus Teilnahme erregt hat, seit Freuds Schüler Jung seine Psychologie des Unbewußten und seine Typenlehre ausgebaut und zum Teil veröffentlicht hat, seit vollends die analytische Psy-chologie sich unmittelbar auch dem Volksmythos, der Sage und der Dichtung zuwandte, besteht zwischen Kunst und Psychoana-lyse eine nahe und fruchtbare Berührung. Ob man nun im Einzel-nen und Engeren mit der Lehre Freuds einverstanden war oder nicht, seine unbestreitbaren Funde waren da und wirkten.

Es war zu erwarten, daß besonders die Künstler sich rasch mit dieser neuen, so vielfach fruchtbaren Betrachtungsweise befreun-den würden. Sehr viele mochten schon als Neurotiker sich für die Psychoanalyse interessieren. Aber darüber hinaus war beim Künst-ler mehr Neigung und Bereitschaft vorhanden, sich auf eine völlig neu fundamentierte Psychologie einzulassen, als bei der offiziellen Wissenschaft. Für das genial Radikale ist der Künstler stets leich-ter zu gewinnen als der Professor. Und so ist heute unter der jun-gen Künstlergeneration die Freudsche Gedankenwelt mehr disku-tiert und weiter aufgenommen, als unter den Medizinern und Psychologen vom Fach.

Für den einzelnen Künstler nun, soweit er nicht damit zufrieden war, die Sache als ein neues Diskussionsthema im Kaffeehaus hin-zunehmen, entstand rasch die Bemühung, aus der neuen Psycho-logie auch als Künstler zu lernen – vielmehr es entstand die Frage, ob und wieweit die neuen psychologischen Einsichten dem Schaf-fen selbst zu Gute kommen möchten.

Ich erinnere mich, daß mir vor etwa zwei Jahren ein Bekannter die beiden Romane von Leonhard Frank empfahl, indem er sie nicht nur wertvolle Dichtungen, sondern zugleich auch »eine Art von Einführung in die Psychoanalyse« nannte. Seither las ich man-che Dichtungen, in denen die Spuren der Beschäftigung mit der Freudschen Lehre deutlich sichtbar wurden. Mir selbst, der für die neuere wissenschaftliche Psychologie nie das geringste Interesse gehabt hatte, schien in einigen Schriften von Freud, Jung, Stekel und anderen ein Neues und Wichtiges gesagt, daß ich sie mit le-bendigster Teilnahme las, und ich fand, alles in allem, in ihrer Auf-fassung des seelischen Geschehens fast alle meine aus Dichtern und eigenen Beobachtungen gewonnenen Ahnungen bestätigt. Ich sah ausgesprochen und formuliert, was mir als Ahnung und flüchtiger Einfall, als unbewußtes Wissen zum Teil schon angehörte.

In der Anwendung auf Dichterwerke sowohl wie für die Beobachtung des täglichen Lebens ergab sich die Fruchtbarkeit der neuen Lehre ohne weiteres. Man hatte einen Schlüssel mehr – keinen absoluten Zauberschlüssel, aber doch eine wertvolle neue Einstellung, ein neues vortreffliches Werkzeug, dessen Brauchbarkeit und Zuverlässigkeit sich rasch bewährten. Ich denke dabei nicht an die literarhistorischen Einzelbemühungen, die aus dem Dichterleben eine möglichst detaillierte Krankengeschichte machen. Allein schon die Bestätigungen und Korrekturen, welche Nietzsches psychologische Erkenntnisse und feinnervigen Ahnungen erfuhren, waren uns überaus wertvoll. Die beginnende Kenntnis und Beobachtung des Unbewußten, die psychischen Mechanismen als Verdrängung, Sublimierung, Regression usw. gedeutet, ergaben eine Klarheit des Schemas, die ohne weiteres einleuchtet.

Wenn es nun aber gewissermaßen jedem naheliegt und leicht gemacht wurde, Psychologie zu treiben, so blieb die Verwendbarkeit dieser Psychologie für den Künstler doch recht zweifelhaft. Sowenig historisches Wissen zu Geschichtsdichtung, Botanik oder Geologie zur Landschaftsschilderung fähig machen, sowenig konnte die beste wissenschaftliche Psychologie der Menschendarstellung helfen. Man sah ja, wie die Psychoanalytiker selbst überall die Dichtung der frühern, voranalytischen Zeit als Belege, als Quellen und Bestätigungen benutzten. Es war also das, was die Analyse erkannt und wissenschaftlich formuliert hatte, von den Dichtern stets gewußt worden, ja der Dichter erwies sich als Vertreter einer besonderen Art des Denkens, die eigentlich der analytisch-psychologischen durchaus zuwiderlief. Er war der Träumer, der Analytiker war der Deuter seiner Träume. Konnte also dem Dichter, bei aller Teilnahme an der neuen Seelenkunde etwas anderes übrig bleiben als weiter zu träumen und den Rufen seines Unbewußten zu folgen?

Nein, es blieb ihm nichts anderes. Wer vorher kein Dichter war, wer vorher nicht den inneren Bau und Herzschlag des seelischen Lebens erfühlt hatte, den machte alle Analyse nicht zum Seelendeuter. Er konnte nur ein neues Schema anwenden, konnte damit vielleicht für den Augenblick verblüffen, seine Kräfte aber nicht wesentlich steigern. Das dichterische Erfassen seelischer Vorgänge blieb nach wie vor eine Sache des intuitiven, nicht des analytischen Talents.

Indessen ist die Frage damit nicht erledigt. Tatsächlich vermag der Weg der Psychoanalyse auch den Künstler bedeutend zu fördern. So falsch er daran tut, die Technik der Analyse in die künstlerische hinüberzunehmen, so recht tut er doch daran, die Psychoanalyse ernst zu nehmen und zu verfolgen. Ich sehe drei Bestätigungen und Bestärkungen, die dem Künstler aus der Analyse erwachsen.

Zuerst die tiefe Bestätigung vom Wert der *Phantasie*, der *Fiktion*. Betrachtet der Künstler sich selbst analytisch, so bleibt ihm nicht verborgen, daß zu den Schwächen, an denen er leidet, ein Mißtrauen gegen seinen Beruf gehört, ein Zweifel an der Phantasie, eine fremde Stimme in sich, die der bürgerlichen Auffassung und Erziehung recht geben und sein ganzes Tun »nur« als hübsche Fiktion gelten lassen will. Gerade die Analyse aber lehrt jeden Künstler eindringlich, wie das, was er zu Zeiten »nur« als Fiktion zu schätzen vermochte, gerade ein höchster Wert ist, und erinnert ihn laut an das Dasein seelischer Grundforderungen sowohl wie an die Relativität aller autoritären Maßstäbe und Bewertungen. Die Analyse bestätigt den Künstler vor sich selbst. Zugleich gibt sie ihm ein Gebiet der rein intellektuellen Betätigung in der analytischen Psychologie frei.

Diesen Nutzen der Methode mag wohl auch schon der erfahren, der sie nur von außen her kennenlernt. Die beiden andern Werte aber ergeben sich nur dem, der die Seelenanalyse gründlich und ernsthaft an der eigenen Haut erprobt, dem die Analyse nicht eine intellektuelle Angelegenheit, sondern ein Erlebnis wird. Wer sich damit begnügt, über seinen »Komplex« einige Aufklärungen zu erhalten und nun über sein Innenleben einige formulierbare Auskünfte zu haben, dem entgehen die wichtigsten Werte.

Wer den Weg der Analyse, das Suchen seelischer Urgründe aus Erinnerungen, Träumen und Assoziationen, ernsthaft eine Strecke weit gegangen ist, dem bleibt als bleibender Gewinn, das was man etwa das »innigere Verhältnis zum *eigenen Unbewußten*« nennen kann. Er erlebt ein wärmeres, fruchtbareres leidenschaftliches Hin und Her zwischen Bewußtem und Unbewußtem; er nimmt von dem, was sonst »unterschwellig« bleibt und sich nur in unbeachteten Träumen abspielt, vieles mit ans Licht herüber.

Und das wieder hängt innig zusammen mit den Ergebnissen der Psychoanalyse für das Ethische, für das persönliche Gewissen. Die Analyse stellt, vor allem andern, eine große Grundforderung, deren Umgehung und Vernachlässigung sich alsbald rächt, deren Stachel sehr tief geht und dauernde Spuren lassen muß. Sie fordert eine Wahrhaftigkeit gegen sich selbst, an die wir nicht gewohnt sind. Sie lehrt uns, das zu sehen, das anzuerkennen, das zu untersuchen und ernst zu nehmen, was wir gerade am erfolgreichsten in uns verdrängt hatten, was Generationen unter dauerndem Zwang verdrängt hatten. Das ist schon bei den ersten Schritten, die man in der Analyse tut, ein mächtiges, ja ungeheures Erlebnis, eine Erschütterung an den Wurzeln. Wer standhält und weitergeht, der sieht sich nun von Schritt zu Schritt mehr vereinsamt, mehr von Konvention und hergebrachter Anschauung abgeschnitten, er sieht sich zu Fragen und Zweifeln genötigt, die vor nichts haltmachen. Dafür aber sieht oder ahnt er mehr und mehr hinter den zusammenfallenden Kulissen des Herkommens das unerbittliche Bild der Wahrheit aufsteigen, der Natur. Denn nur in der intensiven Selbstprüfung der Analyse wird ein Stück Entwicklungsgeschichte wirklich erlebt und mit dem blutenden Gefühl durchdrungen. Über Vater und Mutter, über Bauer und Nomade, über Affe und Fisch zurück wird Herkunft, Gebundenheit und Hoffnung des Menschen nirgends so ernst, so erschütternd erlebt wie in einer ernsthaften Psychoanalyse. Gelerntes wird zu Sichtbarkeit, Gewußtes zu Herzschlag, und wie die Ängste, Verlegenheiten und Verdrängungen sich lichten, so steigt die Bedeutung des Lebens und der Persönlichkeit reiner und fordernder empor.

Diese erziehende, fördernde, spornende Kraft der Analyse nun mag niemand fördernder empfinden als der Künstler. Denn ihm ist es ja nicht um die möglichst bequeme Anpassung an die Welt und ihre Sitten zu tun, sondern um das Einmalige, was er selbst bedeutet.

Unter den Dichtern der Vergangenheit standen einige dem Wissen um die wesentlichen Sätze der analytischen Seelenkunde sehr nahe, am nächsten Dostojewski, welcher nicht nur intuitiv diese Wege lang vor Freud und seinen Schülern ging, sondern der auch eine gewisse Praxis und Technik dieser Art von Psychologie schon besaß. Unter den großen deutschen Dichtern ist es Jean Paul, dessen Auffassung von seelischen Vorgängen am nächsten bei dieser heutigen steht. Daneben ist Jean Paul das glänzendste Beispiel des

Künstlers, dem aus tiefer, lebendiger Ahnung der ständige vertrauliche Kontakt mit dem eigenen Unbewußten zur ewig ergiebigen Quelle wird.

Zum Schlusse zitiere ich einen Dichter, den wir zwar zu den reinen Idealisten, nicht aber zu den Träumern und in sich selbst versponnenen Naturen, sondern im ganzen mehr zu den stark intellektuellen Künstlern zu rechnen gewohnt sind. Otto Rank hat zuerst die folgende Briefstelle als eine der erstaunlichsten vormodernen Bestätigungen für die Psychologie des Unbewußten entdeckt. Schiller schreibt an Körner, der sich über Störungen in seiner Produktivität beklagt: »Der Grund Deiner Klagen liegt, wie mir scheint, in dem Zwange, den Dein Verstand Deiner Imagination auferlegt. Es scheint nicht gut und dem Schöpfungswerke der Seele nachteilig zu sein, wenn der *Verstand* die zuströmenden Ideen, gleichsam an den Toren schon, zu scharf mustert. Eine Idee kann, isoliert betrachtet, sehr unbeträchtlich und sehr abenteuerlich sein, aber vielleicht wird sie durch eine, die nach ihr kommt, wichtig, vielleicht kann sie in einer gewissen Verbindung mit andern, die vielleicht ebenso abgeschmackt scheinen, ein sehr zweckmäßiges Glied abgeben: alles das kann der Verstand nicht beurteilen, wenn er sie nicht so lange festhält, bis er sie in Verbindung mit diesen anderen angeschaut hat. Bei einem schöpferischen Kopfe hingegen, deucht mir, hat der Verstand seine Wache von den Toren zurückgezogen, die Ideen stürzen pêle-mêle herein, und alsdann erst übersieht und mustert er den großen Haufen.«

Hier ist das ideale Verhältnis der intellektuellen Kritik zum Unbewußten klassisch ausgedrückt. Weder Verdrängung des aus dem Unbewußten, aus dem unkontrollierten Einfall, dem Traum, der spielenden Psychologie zuströmenden Gutes, noch dauernde Hingabe an die ungestaltete Unendlichkeit des Unbewußten, sondern liebevolles Lauschen auf die verborgenen Quellen, und dann erst Kritik und Auswahl aus dem Chaos – so haben alle großen Künstler gearbeitet. Wenn irgend eine Technik diese Forderung erfüllen helfen kann, so ist es die psychoanalytische.   (1918)

Eigensinn

Eine Tugend gibt es, die liebe ich sehr, eine einzige. Sie heißt Eigensinn. – Von allen den vielen Tugenden, von denen wir in Büchern lesen und von Lehrern reden hören, kann ich nicht so viel halten. Und doch könnte man alle die vielen Tugenden, die der Mensch sich erfunden hat, mit einem einzigen Namen umfassen. Tugend ist: Gehorsam. Die Frage ist nur, *wem* man gehorche. Nämlich auch der Eigensinn ist Gehorsam. Aber alle andern, so sehr beliebten und belobten Tugenden sind Gehorsam gegen Gesetze, welche von Menschen gegeben sind. Einzig der Eigensinn ist es, der nach diesen Gesetzen nicht fragt. Wer eigensinnig ist, gehorcht einem anderen Gesetz, einem einzigen, unbedingt heiligen, dem Gesetz in sich selbst, dem »Sinn« des »Eigenen«.

Es ist sehr schade, daß der Eigensinn so wenig beliebt ist! Genießt er irgendwelche Achtung? O nein, er gilt sogar für ein Laster oder doch für eine bedauerliche Unart. Man nennt ihn bloß da bei seinem vollen, schönen Namen, wo er stört und Haß erregt. (Übrigens: wirkliche Tugenden stören immer und erregen Haß. Siehe Sokrates, Jesus, Giordano Bruno und alle anderen Eigensinnigen.) Wo man einigermaßen den Willen hat, Eigensinn wirklich als Tugend oder doch als hübsche Zierde gelten zu lassen, da schwächt man den rauhen Namen dieser Tugend nach Möglichkeit ab. »Charakter« oder »Persönlichkeit« – das klingt nicht so herb und beinah lasterhaft wie »Eigensinn«. Das tönt schon hoffähiger, auch »Originalität« läßt man sich zur Not gefallen. Letztere freilich nur bei geduldeten Sonderlingen, bei Künstlern und solchen Käuzen. In der Kunst, wo der Eigensinn keinen merklichen Schaden für Kapital und Gesellschaft anrichten kann, läßt man ihn als Originalität sogar sehr gelten, beim Künstler gilt ein gewisser Eigensinn geradezu für wünschenswert; man bezahlt ihn gut. Sonst aber versteht man unter »Charakter« oder »Persönlichkeit« in der heutigen Tagessprache etwas äußerst Verzwicktes, nämlich einen Charakter, der zwar vorhanden ist und gezeigt und dekoriert werden kann, der sich aber bei jedem irgend wichtigen Anlaß sorgfältig unter fremde Gesetze beugt. »Charakter« nennt man einen Mann, der einige eigene Ahnungen und Ansichten hat, aber nicht nach ihnen lebt. Er läßt nur ganz fein so je und je durchblikken, daß er anders denkt, daß er Meinungen hat. In dieser sanften und eitlen Form gilt Charakter auch schon unter Lebenden für Tugend. Hat aber einer eigene Ahnungen und lebt wirklich nach ihnen, so geht er des lobenden Zeugnisses »Charakter« verlustig, und es wird ihm nur »Eigensinn« zuerkannt. Aber nehmen wir doch das Wort einmal wörtlich! Was heißt denn »Eigensinn«? Das, was einen eigenen Sinn hat. Oder nicht?

Einen »eigenen Sinn« nun hat jedes Ding auf Erden, schlechthin jedes. Jeder Stein, jedes Gras, jede Blume, jeder Strauch, jedes Tier wächst, lebt, tut und fühlt lediglich nach seinem »eigenen Sinn«, und darauf beruht es, daß die Welt gut, reich und schön ist. Daß es Blumen und Früchte, daß es Eichen und Birken, daß es Pferde und Hühner, Zinn und Eisen, Gold und Kohle gibt, das alles kommt einzig und allein davon her, daß jedes kleinste Ding im Weltall seinen »Sinn«, sein eigenes Gesetz in sich trägt und vollkommen sicher und unbeirrbar seinem Gesetze folgt.

Einzig zwei arme, verfluchte Wesen auf Erden gibt es, denen es nicht vergönnt ist, diesem ewigen Ruf zu folgen und so zu sein, so zu wachsen, zu leben und zu sterben, wie es ihnen der tief eingeborene eigene Sinn befiehlt. Einzig der Mensch und das von ihm gezähmte Haustier sind dazu verurteilt, nicht der Stimme des Lebens und Wachstums zu folgen, sondern irgendwelchen Gesetzen, die von Menschen aufgestellt sind und die immer von Zeit zu Zeit wieder von Menschen gebrochen und geändert werden. Und das ist nun das Sonderbarste: Jene wenigen, welche die willkürlichen Gesetze mißachteten, um ihren eigenen, natürlichen Gesetzen zu folgen – sie sind zwar meistens verurteilt und gesteinigt worden, nachher aber wurden sie, gerade sie, für immer als Helden und Befreier verehrt. Dieselbe Menschheit, die den Gehorsam gegen ihre willkürlichen Gesetze als höchste Tugend bei den Lebenden preist und fordert, dieselbe Menschheit nimmt in ihr ewiges Pantheon gerade jene auf, die jener Forderung Trotz boten und lieber ihr Leben ließen, als ihrem »eigenen Sinn« untreu wurden.

Das »Tragische«, jenes wunderbar hohe, mystisch-heilige Wort, das so voll von Schauern aus einer mythischen Menschheitsjugend her ist und das jeder Berichterstatter täglich so namenlos mißbraucht, das »Tragische« bedeutet ja gar nichts anderes als das Schicksal des Helden, der daran zugrunde geht, daß er entgegen den hergebrachten Gesetzen dem eigenen Sterne folgt. Dadurch, und einzig dadurch, eröffnet sich der Menschheit immer wieder die Erkenntnis vom »eigenen Sinn«. Denn der tragische Held, der

Eigensinnige, zeigt den Millionen der Gewöhnlichen, der Feiglinge, immer wieder, daß der Ungehorsam gegen Menschensatzung keine rohe Willkür sei, sondern Treue gegen ein viel höheres, heiligeres Gesetz. Anders ausgedrückt: der menschliche Herdensinn fordert von jedermann vor allem Anpassung und Unterordnung – seine höchsten Ehren aber reserviert er keineswegs den Duldsamen, Feigen, Fügsamen, sondern gerade den Eigensinnigen, den Helden.

Wie die Berichterstatter die Sprache mißbrauchen, wenn sie jeden Betriebsunfall in einer Fabrik »tragisch« nennen (was für sie, die Hanswurste, gleichbedeutend ist mit »bedauerlich«), so tut die Mode nicht minder unrecht, wenn sie vom »Heldentod« all der armen, hingeschlachteten Soldaten spricht. Das ist auch so ein Lieblingswort der Sentimentalen, vor allem der Daheimgebliebenen. Die Soldaten, die im Kriege fallen, sind gewiß unseres höchsten Mitgefühls würdig. Sie haben oft Ungeheures geleistet und gelitten, und sie haben schließlich mit ihrem Leben bezahlt. Aber darum sind sie nicht »Helden«, so wenig wie der, der eben noch ein einfacher Soldat war und vom Offizier wie ein Hund angeschrien wurde, durch die tötende Kugel plötzlich zum Helden wird. Die Vorstellung ganzer Massen, ganzer Millionen von »Helden« ist an sich widersinnig.

Der »Held« ist nicht der gehorsame, brave Bürger und Pflichterfüller. Heldisch kann nur der Einzelne sein, der seinen »eigenen Sinn«, seinen edlen, natürlichen Eigensinn zu seinem Schicksal gemacht hat. »Schicksal und Gemüt sind Namen Eines Begriffes«, hat Novalis gesagt, einer der tiefsten und unbekanntesten deutschen Geister. Aber nur der Held ist es, der den Mut zu seinem Schicksal findet.

Würde die Mehrzahl der Menschen diesen Mut und Eigensinn haben, so sähe die Erde anders aus. Unsere bezahlten Lehrer zwar (dieselben, die uns die Helden und Eigensinnigen früherer Zeiten so sehr zu rühmen wissen) sagen, es würde dann alles drüber und drunter gehen. Beweise haben und brauchen sie nicht. In Wirklichkeit würde unter Menschen, die selbständig ihrem inneren Gesetz und Sinn folgen, das Leben reicher und höher gedeihen. In ihrer Welt würde manches Scheltwort und mancher rasche Bakkenstreich vielleicht ungesühnt bleiben, welcher heute ehrwürdige staatliche Richter beschäftigen muß. Es würde auch hin und wieder ein Totschlag passieren – kommt das trotz allen Gesetzen und

Strafen nicht auch heute vor? Manche furchtbare und unausdenklich traurige, irrsinnige Dinge aber, die wir mitten in unserer so wohlgeordneten Welt schauerlich gedeihen sehen, wären dann unbekannt und unmöglich. Zum Beispiel Völkerkriege.

Jetzt höre ich die Autoritäten sagen: »Du predigst Revolution.«

Wieder ein Irrtum, der nur unter Herdenmenschen möglich ist. Ich predige Eigensinn, nicht Umsturz. Wie sollte ich Revolution wünschen? Revolution ist nichts anderes als Krieg, ist genau wie dieser eine »Fortsetzung der Politik mit anderen Mitteln«. Der Mensch aber, der einmal den Mut zu sich selber gefühlt und die Stimme seines eigenen Schicksals gehört hat, ach, dem ist an Politik nicht das mindeste mehr gelegen, sie sei nun monarchisch oder demokratisch, revolutionär oder konservativ! Ihn kümmert anderes. Sein »Eigensinn« ist wie der tiefe, herrliche, gottgewollte Eigensinn jedes Grashalms auf nichts anderes gerichtet als auf sein eigenes Wachstum. »Egoismus«, wenn man will. Allein dieser Egoismus ist ein ganz und gar anderer als der verrufene des Geldsammlers oder des Machtgeizigen!

Der Mensch mit jenem »Eigensinn«, den ich meine, sucht nicht Geld oder Macht. Er verschmäht diese Dinge nicht etwa, weil er ein Tugendbold und resignierender Altruist wäre – im Gegenteil! Aber Geld und Macht und all die Dinge, um derentwillen Menschen einander quälen und am Ende totschießen, sind dem zu sich selbst gekommenen Menschen, dem Eigensinnigen, wenig wert. Er schätzt eben nur Eines hoch, die geheimnisvolle Kraft in ihm selbst, die ihn leben heißt und ihm wachsen hilft. Diese Kraft kann durch Geld und dergleichen nicht erhalten, nicht gesteigert, nicht vertieft werden. Denn Geld und Macht sind Erfindungen des Mißtrauens. Wer der Lebenskraft in seinem Innersten mißtraut, wem sie fehlt, der muß sie durch solche Ersatzmittel, wie Geld, kompensieren. Wer das Vertrauen zu sich selber hat, wer nichts anderes mehr wünscht, als sein eigenes Schicksal rein und frei in sich zu erleben und ausschwingen zu lassen, dem sinken jene überschätzten, tausendmal überzahlten Hilfsmittel zu untergeordneten Werkzeugen herab, deren Besitz und Gebrauch angenehm, aber nie entscheidend sein kann.

Oh, wie ich diese Tugend liebe, den Eigensinn! Wenn man sie erst einmal erkannt und etwas davon in sich gefunden hat, dann werden die vielen bestempfohlenen Tugenden allesamt merkwürdig zweifelhaft.

Der Patriotismus ist so eine. Ich habe nichts gegen ihn. Er setzt an Stelle des Einzelnen einen größeren Komplex. Aber so richtig als Tugend geschätzt wird er doch erst, wenn das Schießen losgeht – dieses naive und so lächerlich unzulängliche Mittel, »die Politik fortzusetzen«. Den Soldat, der Feinde totschießt, hält man doch eigentlich immer für den größeren Patrioten als den Bauern, der sein Land möglichst gut anbaut. Denn letzterer hat davon selber Vorteil. Und komischerweise gilt in unserer verzwickten Moral stets diejenige Tugend für zweifelhaft, die ihrem Inhaber selber wohltut und nützt!

Warum eigentlich? Weil wir gewohnt sind, Vorteile immer auf Kosten anderer zu erjagen. Weil wir voll Mißtrauen meinen, immer gerade das begehren zu müssen, was ein anderer hat.

Der Wildenhäuptling hat den Glauben, die Lebenskraft der von ihm getöteten Feinde gehe in ihn selber über. Liegt nicht dieser selbe arme Negerglaube jedem Krieg zugrunde, jeder Konkurrenz, jedem Mißtrauen zwischen den Menschen? Nein, wir wären glücklicher, wenn wir den braven Bauer mindestens dem Soldaten gleichstellen würden! Wenn wir den Aberglauben aufgeben könnten, das, was ein Mensch oder ein Volk an Leben und Lebenslust gewinne, müsse unbedingt einem andern weggenommen sein!

Nun höre ich den Lehrer sprechen: »Das klingt ja sehr hübsch, aber bitte betrachten Sie die Sache einmal ganz sachlich vom nationalökonomischen Standpunkt aus! Die Weltproduktion ist – «

Worauf ich erwidere: »Nein, danke. Der nationalökonomische Standpunkt ist durchaus kein sachlicher, er ist eine Brille, durch die man mit sehr verschiedenen Ergebnissen schauen kann. Zum Beispiel vor dem Kriege konnte man nationalökonomisch beweisen, daß ein Weltkrieg unmöglich sei oder doch nicht lange dauern könne. Heute kann man, ebenfalls nationalökonomisch, das Gegenteil beweisen. Nein, lasset uns doch einmal Wirklichkeiten denken, statt dieser Phantasien!«

Es ist nichts mit diesen »Standpunkten«, sie mögen heißen, wie sie wollen, und sie mögen von den fettesten Professoren vertreten werden. Sie sind alle Glatteis. Wir sind weder Rechenmaschinen noch sonstwelche Mechanismen. Wir sind Menschen. Und für den Menschen gibt es nur *einen* natürlichen Standpunkt, nur *einen* natürlichen Maßstab. Es ist der des Eigensinnigen. Für ihn gibt es weder Schicksale des Kapitalismus noch des Sozialismus, für ihn gibt es kein England und kein Amerika, für ihn lebt nichts als das stille, unweigerliche Gesetz in der eigenen Brust, dem zu folgen dem Menschen des bequemen Herkommens so unendlich schwerfällt, das dem Eigensinnigen aber Schicksal und Gottheit bedeutet. (1919)

Alemannisches Bekenntnis

Was man unter Alemannen und Alemannentum zu verstehen habe, darüber gibt es verschiedene Meinungen, deren Kritik nicht meine Sache ist. Mein Glaube an »Rassen« ist niemals lebhaft gewesen, und mich in diesem Sinne einen Alemannen zu nennen, würde ich nicht wagen. Dennoch bin ich Alemanne, und bin es stärker und bewußter als die meisten von denen, die es der »Rasse« nach wirklich und zweifellos sind.

Für mich ist die Zugehörigkeit zu einem Lebens- und Kulturkreise, der von Bern bis zum nördlichen Schwarzwald, von Zürich und dem Bodensee bis an die Vogesen reicht, ein erlebtes, erworbenes Gefühl geworden. Dies südwestdeutsch-schweizerische Gebiet ist mir Heimat, und daß durch dies Gebiet mehrere Landesgrenzen und eine Reichsgrenze liefen, bekam ich zwar im kleinen wie im großen oft genug einschneidend zu spüren, doch habe ich diese Grenzen in meinem innersten Gefühl niemals als natürliche empfinden können. Für mich war Heimat zu beiden Seiten des Oberrheins, ob das Land nun Schweiz, Baden oder Württemberg hieß. Im nördlichsten Schwarzwald geboren, kam ich schon als Kind nach Basel, neunjährig wieder in die erste Heimat zurück, und habe mein späteres Leben, von kurzen Reisen abgesehen, ganz in diesem alemannischen Heimatlande verbracht, in Württemberg, in Basel, am Bodensee, in Bern. Auch politisch habe ich beiden Rheinufern angehört: mein Vater stammte aus den baltischen Ostseeprovinzen, meine Mutter war die Tochter eines Stuttgarters und einer französischen Schweizerin; in den achtziger Jahren erwarb mein Vater für die Familie das Bürgerrecht von Basel, und ein Bruder von mir ist heute noch Schweizer, während ich noch als Knabe, der Schulen wegen, in die württembergische Staatsangehörigkeit übertrat.

Ich schreibe es zum Teil diesen Umständen und Herkünften zu, daß ich, bei immer zärtlicher Heimatliebe, nie ein großer Patriot und Nationalist sein konnte. Ich lernte mein Leben lang, und gar in der Kriegszeit, die Grenzen zwischen Deutschland und der Schweiz nicht als etwas Natürliches, Selbstverständliches und Heiliges kennen, sondern als etwas Willkürliches, wodurch ich brüderliche Gebiete getrennt sah. Und schon früh erwuchs mir aus diesem Erlebnis ein Mißtrauen gegen Landesgrenzen, und eine innige, oft leidenschaftliche Liebe zu allen menschlichen Gütern, welche ihrem Wesen nach die Grenzen überfliegen und andere Zusammengehörigkeiten schaffen als politische. Darüber hinaus fand ich mich mit zunehmenden Jahren immer unentrinnbarer getrieben, überall das, was Menschen und Nationen verbindet, viel höher zu werten als das, was sie trennt.

Im kleinen fand und erlebte ich das in meiner natürlichen, alemannischen Heimat. Daß sie von Landesgrenzen durchschnitten war, konnte mir, der ich viele Jahre dicht an solchen Grenzen lebte, nicht verborgen bleiben. Das Vorhandensein dieser Grenzen äußerte sich nirgends und niemals in wesentlichen Verschiedenheiten der Menschen, ihrer Sprache und Sitte, es zeigten sich diesseits und jenseits dieser Grenze weder in der Landschaft noch in der Bodenkultur, weder im Hausbau noch im Familienleben merkliche Unterschiede. Das Wesentliche der Grenze bestand in lauter teils drolligen, teils störenden Dingen, welche alle von unnatürlicher und rein phantastischer Art waren: in Zöllen, Paßämtern und dergleichen Einrichtungen mehr. Diese Dinge zu lieben und heilig zu halten, dagegen aber die Gleichheit von Rasse, Sprache, Leben und Gesittung, die ich zu beiden Seiten der Grenze fand, für nichts zu achten, ist mir nicht möglich gewesen, und so geriet ich, zu meinem schweren Schaden namentlich in der Kriegszeit, immer mehr in das Lager jener Phantasten, denen Heimat mehr bedeutet als Nation, Menschentum und Natur mehr als Grenzen, Uniformen, Zölle, Kriege und dergleichen. Wie verpönt und wie »unhistorisch gedacht« dies sei, wurde mir von vielen Seiten vielmals unter den wildesten Schmähungen mitgeteilt. Ich konnte es jedoch nicht ändern. Wenn zwei Dörfer miteinander verwandt und ähnlich sind wie Zwillinge, und es kommt ein Krieg, und das eine Dorf schickt seine Männer und Knaben aus, verblutet und verarmt, das andere aber behält Frieden und gedeiht ruhig weiter, so scheint mir das keineswegs richtig und gut, sondern seltsam und haarsträubend. Und wenn ein Mensch seine Heimat verleugnen und die Liebe zu ihr opfern muß, um einem politischen Vaterland besser zu dienen, so erscheint er mir wie ein Soldat, der auf seine Mutter schießt, weil er Gehorsam für heiliger hält als Liebe.

Nun, meine Liebe zur Heimat, zu dem Land, durch dessen Mitte der Oberrhein fließt, ist mir nie verkümmert und verdunkelt worden. Wie ich schon als Kind den Basler Rhein und die schwäbische Nagold liebte, Schwarzwälder und Schweizer Mundart erlernte und sprach, so fühle ich mich auch heute noch in allen »alemannischen« Landen zu Hause. Wohl hatte ich sehr oft im Leben einen starken Reisetrieb, stets dem Süden und der Sonne nach. Heimisch gefühlt aber habe ich mich weder in Italien noch in Bremen, weder in Frankfurt noch in München oder Wien, sondern immer nur da, wo Luft und Land, Sprache und Menschenart alemannisch war. Bauernhäuser mit rot gestrichenem Fachwerk, alte Städte mit Brücken über den hellgrünen wilden Rhein, blaue Abendberge, Obstland und Fruchtbarkeit, und in den Lüften etwas, was an nahe Alpen erinnert, auch wenn man sie nicht sieht, das und noch viel anderes spricht zu mir heimatlich und vertrauensvoll, das lebt in mir, dahin gehöre ich. Und dazu die Sprache, die vielfältigen, doch nahverwandten schwäbischen und deutschschweizerischen Mundarten, eine Sprache von besonderem Klang, von besonderer Melodie. Ich kann sie nicht beschreiben, sie ist für mich Heimat und Mutter, Geborgenheit und Vertrauen.

Als Knabe, nachdem ich neunjährig aus der Schweiz in den Schwarzwald zurückgekehrt war, pflegte ich durch manche Jahre eine gewisse romantische Sehnsucht nach Basel und fühlte mich mit einem richtigen Kinderstolz als Fremdling und Ausländer, obwohl ich nach wenigen Wochen den schwäbischen Heimatdialekt wieder vollkommen wie in meinen ersten Lebensjahren sprach. Später kamen Zeiten, in denen ich mir ganz Schwabe zu sein schien und den schweizerischen Zuschuß stark unterschätzte. Erst allmählich wurde mir klar, daß meine gleichmäßige Liebe zu beiden Heimaten meiner Kindheit (zu welchen später noch der Bodensee hinzukam) nicht eine persönliche Laune von mir war, sondern daß es eine Landschaft, Atmosphäre, Volksart und Kultur gab, die ich schon früher von zwei verschiedenen Seiten her kennengelernt und mitgelebt hatte, die aber in sich Eins war. Seither rechne ich mich zu den Alemannen und bin nicht betrübt, sondern froh darüber, daß unser Alemannien nicht ein politisch abgegrenzter Staat ist und nicht auf Landkarten und in Staatsverträgen zu finden ist.

Als Gegner der National-Eitelkeiten darf ich nun die Alemannen nicht rühmen und sie mit Tugenden beladen, wie Völker es gerne voreinander tun. Ich halte weder die Treue noch die Schlauheit, weder die Tapferkeit noch den Humor für reservierte Spezialbegabungen der Alemannen, obwohl sie von alledem gute Proben geliefert haben. Ich liebe auch nicht einen alemannischen Dichter, eine alemannische Bauernstube, ein alemannisches Volkslied mehr als andere solche schöne Dinge auf Erden. Die Alemannen haben weder eine Peterskirche gebaut, noch haben sie einen Dostojewski, und wenn sie aus heimatlichem Dünkel nichts von fremder Art und Kunst wissen wollen, so tue ich nicht mit. Aber alles, was von alemannischer Herkunft ist, hat Heimatgeruch für mich, ist mir ohne weiteres verständlich und nah. Manches gefällt mir bei den Schwaben besser: so die wunderbare Musik bei den schwäbischen Dichtern, bei Hölderlin und Mörike. Anderes liebe ich wieder speziell bei den Schweizern: Phantasie hinter dem Anschein von Nüchternheit wie bei G. Keller. Und noch etwas, worin die Schweizer anderen Alemannen voraus waren: eine bürgerlich-demokratische Mischung der Stände und Gesellschaftsschichten ohne scharfe Grenzen, Selbstbewußtsein und Selbstgenügsamkeit beim »Volk«, und Aufgeschlossenheit des »Gebildeten« gegen Volksgenossen aller Stände. Darin hatten wir auf der reichsdeutschen Seite manches verlernt und versäumt, was wir jetzt neu zu lernen im Begriff sind.

Das alemannische Land hat vielerlei Täler, Ecken und Winkel. Aber jedes alemannische Tal, auch das engste, hat seine Öffnung nach der Welt, und alle diese Öffnungen und Ausgänge zielen nach dem großen Strom, dem Rhein, in den alles alemannische Wasser rinnt. Und durch den Rhein hängt es von alters her mit der großen Welt zusammen. (1919)

Bäume

Bäume sind für mich immer die eindringlichsten Prediger gewesen. Ich verehre sie, wenn sie in Völkern und Familien leben, in Wäldern und Hainen. Und noch mehr verehre ich sie, wenn sie einzeln stehen. Sie sind wie Einsame. Nicht wie Einsiedler, welche aus irgendeiner Schwäche sich davongestohlen haben, sondern wie große, vereinsamte Menschen, wie Beethoven und Nietzsche. In ihren Wipfeln rauscht die Welt, ihre Wurzeln ruhen im Unendlichen; allein sie verlieren sich nicht darin, sondern erstreben mit aller Kraft ihres Lebens nur das Eine: ihr eigenes, in ihnen wohnendes Gesetz zu erfüllen, ihre eigene Gestalt auszubauen, sich selbst darzustellen. Nichts ist heiliger, nichts ist vorbildlicher als ein schöner, starker Baum. Wenn ein Baum umgesägt worden ist und seine nackte Todeswunde der Sonne zeigt, dann kann man auf der lichten Scheibe seines Stumpfes und Grabmals seine ganze Geschichte lesen: in den Jahresringen und Verwachsungen steht aller Kampf, alles Leid, alle Krankheit, alles Glück und Gedeihen treu geschrieben, schmale Jahre und üppige Jahre, überstandene Angriffe, überdauerte Stürme. Und jeder Bauernjunge weiß, daß das härteste und edelste Holz die engsten Ringe hat, daß hoch auf Bergen und in immerwährender Gefahr die unzerstörbarsten, kraftvollsten, vorbildlichsten Stämme wachsen.

Bäume sind Heiligtümer. Wer mit ihnen zu sprechen, wer ihnen zuzuhören weiß, der erfährt die Wahrheit. Sie predigen nicht Lehren und Rezepte, sie predigen, um das Einzelne unbekümmert, das Urgesetz des Lebens.

Ein Baum spricht: In mir ist ein Kern, ein Funke, ein Gedanke verborgen, ich bin Leben vom ewigen Leben. Einmalig ist der Versuch und Wurf, den die ewige Mutter mit mir gewagt hat, einmalig ist meine Gestalt und das Geäder meiner Haut, einmalig das kleinste Blätterspiel meines Wipfels und die kleinste Narbe meiner Rinde. Mein Amt ist, im ausgeprägten Einmaligen das Ewige zu gestalten und zu zeigen.

Ein Baum spricht: Meine Kraft ist das Vertrauen. Ich weiß nichts von meinen Vätern, ich weiß nichts von den tausend Kindern, die in jedem Jahr aus mir entstehen. Ich lebe das Geheimnis meines Samens zu Ende, nichts anderes ist meine Sorge. Ich vertraue, daß Gott in mir ist. Ich vertraue, daß meine Aufgabe heilig ist. Aus diesem Vertrauen lebe ich.

Wenn wir traurig sind und das Leben nicht mehr gut ertragen können, dann kann ein Baum zu uns sprechen: Sei still! Sei still! Sieh mich an! Leben ist nicht leicht, Leben ist nicht schwer. Das sind Kindergedanken. Laß Gott in dir reden, so schweigen sie. Du bangst, weil dich dein Weg von der Mutter und Heimat wegführt. Aber jeder Schritt und Tag führt dich neu der Mutter entgegen. Heimat ist nicht da oder dort. Heimat ist in dir innen, oder nirgends.

Wandersehnsucht reißt mir am Herzen, wenn ich Bäume höre, die abends im Wind rauschen. Hört man still und lange zu, so zeigt auch die Wandersehnsucht ihren Kern und Sinn. Sie ist nicht Fortlaufenwollen vor dem Leide, wie es schien. Sie ist Sehnsucht nach Heimat, nach Gedächtnis der Mutter, nach neuen Gleichnissen des Lebens. Sie führt nach Hause. Jeder Weg führt nach Hause, jeder Schritt ist Geburt, jeder Schritt ist Tod, jedes Grab ist Mutter.

So rauscht der Baum im Abend, wenn wir Angst vor unsern eigenen Kindergedanken haben. Bäume haben lange Gedanken, langatmige und ruhige, wie sie ein längeres Leben haben als wir. Sie sind weiser als wir, solange wir nicht auf sie hören. Aber wenn wir gelernt haben, die Bäume anzuhören, dann gewinnt gerade die Kürze und Schnelligkeit und Kinderhast unserer Gedanken eine Freudigkeit ohnegleichen. Wer gelernt hat, Bäumen zuzuhören, begehrt nicht mehr, ein Baum zu sein. Er begehrt nichts zu sein, als was er ist. Das ist Heimat. Das ist Glück. (1919)

Bergpaß

Über die tapfere kleine Straße weht der Wind. Baum und Strauch sind zurückgeblieben, Stein und Moos wächst hier allein. Niemand hat hier etwas zu suchen, niemand hat hier Besitz, der Bauer hat nicht Heu noch Holz hier oben. Aber die Ferne zieht, die Sehnsucht brennt, und sie hat über Fels und Sumpf und Schnee hinweg diese gute kleine Straße geschaffen, die zu anderen Tälern, anderen Häusern, zu anderen Sprachen und Menschen führt.

Auf der Paßhöhe mache ich halt. Nach beiden Seiten fällt die Straße hinab, nach beiden Seiten rinnt Wasser, und was hier oben nah und Hand in Hand beisammen steht, findet seinen Weg nach zwei Welten hin. Die kleine Lache, die mein Schuh da streift, rinnt nach dem Norden ab, ihr Wasser kommt in ferne kalte Meere. Der kleine Schneerest dicht daneben aber tropft nach Süden ab, sein Wasser fällt nach ligurischen oder adriatischen Küsten hin ins Meer, dessen Grenze Afrika ist. Aber alle Wasser der Welt finden sich wieder, und Eismeer und Nil vermischen sich im feuchten Wolkenflug. Das alte schöne Gleichnis heiligt mir die Stunde. Auch uns Wanderer führt jeder Weg nach Hause.

Noch hat mein Blick die Wahl, noch gehört ihm Nord und Süd. Nach fünfzig Schritten wird nur noch der Süden mir offen stehen. Wie atmet er geheimnisvoll aus bläulichen Tälern herauf! Wie schlägt mein Herz ihm entgegen! Ahnung von Seen und Gärten, Duft von Wein und Mandel weht herauf, alte heilige Sage von Sehnsucht und Romfahrt.

Aus der Jugend klingt mir Erinnerung her wie Glockenruf aus fernen Tälern: Reiserausch meiner ersten Südenfahrt, trunkenes Einatmen der üppigen Gartenluft an den blauen Seen, abendliches Hinüberlauschen über erblassende Schneeberge in die ferne Heimat! Erstes Gebet vor heiligen Säulen des Altertums! Erster traumhafter Anblick des schäumenden Meeres hinter braunen Felsen!

Der Rausch ist nicht mehr da, und nicht mehr das Verlangen, allen meinen Lieben die schöne Ferne und mein Glück zu zeigen. Es ist nicht mehr Frühling in meinem Herzen. Es ist Sommer. Anders klingt der Gruß der Fremde zu mir herauf. Sein Widerhall in meiner Brust ist stiller. Ich werfe keinen Hut in die Luft. Ich singe kein Lied. Aber ich lächle, nicht nur mit dem Munde. Ich lächle mit der Seele, mit den Augen, mit der ganzen Haut, und ich biete dem heraufduftenden Lande andere Sinne entgegen als einstmals, feinere, stillere, schärfere, geübtere, auch dankbarere. Dies alles gehört mir heute mehr als damals, spricht reicher und mit verhundertfachten Nuancen zu mir. Meine trunkene Sehnsucht malt nicht mehr Traumfarben über die verschleierten Fernen, mein Auge ist zufrieden mit dem, was da ist, denn es hat sehen gelernt. Die Welt ist schöner geworden seit damals.

Die Welt ist schöner geworden. Ich bin allein, und leide nicht unter dem Alleinsein. Ich wünsche nichts anders. Ich bin bereit, mich von der Sonne fertig kochen zu lassen. Ich bin begierig, reif zu werden. Ich bin bereit zu sterben, bereit, wiedergeboren zu werden.

Die Welt ist schöner geworden. (1918)

Das erste Dorf auf der Südseite der Berge. Hier beginnt erst recht das Wanderleben, das ich liebe, das ziellose Schweifen, die sonnigen Rasten, das befreite Vagabundentum. Ich neige sehr dazu, aus dem Rucksack zu leben und Fransen an den Hosen zu haben.

Während ich mir Wein aus der Pinte ins Freie bringen lasse, fällt mir plötzlich Ferruccio Busoni ein. »Sie sehen so ländlich aus«, sagte mir der liebe Mensch mit einem Anflug von Ironie, als wir uns das letztemal sahen – es ist gar nicht lange her, in Zürich. Andreä hatte eine Mahler-Symphonie dirigiert, wir saßen im gewohnten Restaurant zusammen, ich freute mich wieder an Busonis fahlem Geistergesicht und an der flotten Bewußtheit dieses glänzendsten Antiphilisters, den wir heut noch haben. – Wie kommt diese Erinnerung hierher? – Ich weiß! Es ist nicht Busoni, an den ich denke, nicht Zürich, und nicht Mahler. Das sind die üblichen Täuschungen des Gedächtnisses, wenn es an Unbequemes kommt; es schiebt dann gern harmlose Bilder in den Vordergrund. Ich weiß jetzt! In jenem Restaurant saß auch eine junge Frau, hellblond und sehr rotwangig, mit der ich kein Wort sprach. Engel du! Sie anzusehen war Genuß und Qual, wie liebte ich sie jene Stunde lang! Ich war wieder achtzehn Jahre alt.

Plötzlich ist alles deutlich! Schöne, hellblonde, lustige Frau! Ich weiß nicht mehr, wie du heißt. Ich habe dich eine Stunde lang geliebt, und ich liebe dich heute am sonnigen Sträßchen des Bergdorfes wieder, eine Stunde lang. Niemand hat dich mehr geliebt als ich, niemand hat dir jemals so viel Macht über sich eingeräumt wie ich, unbedingte Macht. Aber ich bin zur Untreue verurteilt. Ich gehöre zu den Windbeuteln, welche nicht eine Frau, sondern nur die Liebe lieben.

Wir Wanderer sind alle so beschaffen. Unser Wandertrieb und Vagabundentum ist zu einem großen Teil Liebe, Erotik. Die Reiseromantik ist zur Hälfte nichts andres als Erwartung des Abenteuers. Zur andern Hälfte aber ist sie unbewußter Trieb, das Erotische zu verwandeln und aufzulösen. Wir Wanderer sind darin geübt, Liebeswünsche gerade um ihrer Unerfüllbarkeit willen zu hegen, und jene Liebe, welche eigentlich dem Weib gehörte, spielend zu verteilen an Dorf und Berg, See und Schlucht, an die Kinder am Weg, den Bettler an der Brücke, das Rind auf der

Weide, den Vogel, den Schmetterling. Wir lösen die Liebe vom Gegenstand, die Liebe selbst ist uns genug, ebenso wie wir im Wandern nicht das Ziel suchen, sondern nur den Genuß des Wanderns selbst, das Unterwegssein.

Junge Frau mit dem frischen Gesicht, ich will deinen Namen nicht wissen. Meine Liebe zu dir will ich nicht hegen und mästen. Du bist nicht das Ziel meiner Liebe, sondern ihr Antrieb. Ich schenke diese Liebe weg, an die Blumen am Weg, an den Sonnenblitz im Weinglas, an die rote Zwiebel des Kirchturms. Du machst, daß ich in die Welt verliebt bin.

Ach, dummes Gerede! Ich habe heut Nacht, in der Berghütte, von der blonden Frau geträumt. Ich war unsinnig in sie verliebt. Ich hätte den Rest meines Lebens samt allen Wanderfreuden darum gegeben, wenn sie bei mir gewesen wäre. An sie denke ich heut den ganzen Tag. Für sie trinke ich Wein und esse Brot. Für sie zeichne ich Dorf und Turm in mein Büchlein. Für sie danke ich Gott – daß sie lebt, daß ich sie sehen durfte. Für sie werde ich ein Lied dichten und mich an diesem roten Wein betrinken.

Und so war es mir bestimmt, daß meine erste Rast im heitern Süden der Sehnsucht nach einer hellblonden Frau jenseits der Berge gehört. Wie schön war ihr frischer Mund! Wie schön, wie dumm, wie verzaubert ist dies arme Leben! (1919)

Rotes Haus

Rotes Haus, aus deinem kleinen Garten und Weinberg duftet mir der ganze Alpensüden! Mehrmals bin ich an dir vorbeigegangen, und schon beim ersten Mal hat meine Wanderlust sich zuckend ihres Gegenpols erinnert, und wieder einmal spiele ich mit den alten, oft gespielten Melodien: Heimat haben, ein kleines Haus im grünen Garten, Stille ringsum, weiter unten das Dorf. Im Stübchen nach Morgen hin stünde mein Bett, mein eigenes Bett, im Stübchen nach Süden mein Tisch, und dort würde ich auch die kleine alte Madonna aufhängen, die ich einmal, in früheren Reisezeiten, in Brescia gekauft habe.

Wie der Tag zwischen Morgen und Abend, so vergeht zwischen Reisetrieb und Heimatwunsch mein Leben. Vielleicht werde ich einmal so weit sein, daß Reise und Ferne mir in der Seele gehören, daß ich ihre Bilder in mir habe, ohne sie mehr verwirklichen zu müssen. Vielleicht auch komme ich noch einmal dahin, daß ich Heimat in mir habe, und dann gibt es kein Liebäugeln mit Gärten und roten Häuschen mehr. – Heimat in sich haben! – Wie wäre da das Leben anders! Es hätte eine Mitte, und von der Mitte aus schwängen alle Kräfte.

So aber hat mein Leben keine Mitte, sondern schwebt zuckend zwischen vielen Reihen von Polen und Gegenpolen. Sehnsucht nach Daheimsein hier, Sehnsucht nach Unterwegssein dort. Verlangen nach Einsamkeit und Kloster hier, und Drang nach Liebe und Gemeinschaft dort! Ich habe Bücher und Bilder gesammelt, und habe sie wieder weggegeben. Ich habe Üppigkeit und Laster gepflegt, und bin davon weg zur Askese und Kasteiung gegangen. Ich habe das Leben gläubig als Substanz verehrt, und kam dazu, es nur noch als Funktion erkennen und lieben zu können.

Aber es ist nicht meine Sache, mich anders zu machen. Das ist Sache des Wunders. Wer das Wunder sucht, wer es herbeiziehen, wer ihm helfen will, den flieht es nur. Meine Sache ist, zwischen vielen gespannten Gegensätzen zu schweben und bereit zu sein, wenn das Wunder mich ereilt. Meine Sache ist, unzufrieden zu sein und Unrast zu leiden.

Rotes Haus im Grünen! Ich habe dich schon erlebt, ich darf dich nicht nochmals erleben wollen. Ich habe schon einmal Heimat gehabt, habe ein Haus gebaut, habe Wand und Dach gemessen, Wege im Garten gezogen und eigene Wände mit eigenen Bildern behängt. Jeder Mensch hat dazu einen Trieb – wohl mir, daß ich ihm einmal nachleben konnte! Viele meiner Wünsche haben sich im Leben erfüllt. Ich wollte ein Dichter sein, und wurde ein Dichter. Ich wollte ein Haus haben, und baute mir eins. Ich wollte Frau und Kinder haben, und hatte sie. Ich wollte zu Menschen sprechen und auf sie wirken, und ich tat es. Und jede Erfüllung wurde schnell zur Sättigung. Sattsein aber war das, was ich nicht ertragen konnte. Verdächtig wurde mir das Dichten. Eng wurde mir das Haus. Kein erreichtes Ziel war ein Ziel, jeder Weg war ein Umweg, jede Rast gebar neue Sehnsucht.

Viele Umwege werde ich noch gehen, viele Erfüllungen noch werden mich enttäuschen. Alles wird seinen Sinn einst zeigen.

Dort, wo die Gegensätze erlöschen, ist Nirwana. Mir brennen sie noch hell, geliebte Sterne der Sehnsucht. (1919)

Zwischen den Felsen blühen kleine Zwergenkräuter. Ich liege und blicke in den abendlichen Himmel, der seit Stunden sich langsam mit kleinen, stillen, wirren Wölkchen überzieht. Dort oben müssen Winde gehen, von denen man hier nichts spürt. Sie weben die Wolkenfäden wie Garn.

Wie das Verdunsten und das Wiederherabregnen des Wassers über der Erde in einem gewissen Rhythmus erfolgt, wie die Jahreszeiten oder Ebbe und Flut ihre festen Zeiten und Folgen haben, so geht alles auch in unsrem Innern gesetzlich und in Rhythmen vor sich. Es gibt einen Professor Fließ, der gewisse Zahlenfolgen herausgerechnet hat, um die periodische Wiederkehr der Lebensvorgänge zu bezeichnen. Es klingt wie Kabbahla, aber vermutlich ist auch Kabbahla Wissenschaft. Daß sie von den deutschen Professoren belächelt wird, spricht sehr für sie.

Die dunkle Welle in meinem Leben, die ich fürchte, kommt auch mit einer gewissen Regelmäßigkeit. Ich kenne die Daten und Zahlen nicht, ich habe niemals ein fortlaufendes Tagebuch geführt. Ich weiß nicht und will nicht wissen, ob die Zahlen 23 und 27, oder irgendwelche anderen Zahlen damit zu tun haben. Ich weiß nur: Von Zeit zu Zeit erhebt sich in meiner Seele, ohne äußere Ursachen, die dunkle Welle. Es läuft ein Schatten über die Welt, wie ein Wolkenschatten. Die Freude klingt unecht, die Musik schal. Schwermut herrscht, Sterben ist besser als Leben. Wie ein Anfall kommt diese Melancholie von Zeit zu Zeit, ich weiß nicht in welchen Abständen, und überzieht meinen Himmel langsam mit Gewölk. Es beginnt mit Unruhe im Herzen, mit Vorgefühl von Angst, wahrscheinlich mit nächtlichen Träumen. Menschen, Häuser, Farben, Töne, die mir sonst gefielen, werden zweifelhaft und wirken falsch. Musik macht Kopfweh. Alle Briefe wirken verstimmend und enthalten versteckte Spitzen. In diesen Stunden zum Gespräch mit Menschen gezwungen zu sein, ist Qual und führt unvermeidlich zu Szenen. Diese Stunden sind es, wegen deren man keine Schießwaffen besitzt; sie sind es, in denen man sie vermißt. Zorn, Leid und Anklage richten sich gegen alles, gegen Menschen, gegen Tiere, gegen die Witterung, gegen Gott, gegen das Papier des Buches, in dem man liest, und gegen den Stoff des Kleides, das man anhat. Aber Zorn, Ungeduld, Anklage und Haß gelten nicht den Dingen, sie kehren von ihnen allen zurück zu mir selbst. Ich bin es, der Haß verdient. Ich bin es, der Mißklang und Häßlichkeit in die Welt bringt.

Ich ruhe heut von einem solchen Tage aus. Ich weiß, daß nun eine Weile Ruhe zu erwarten ist. Ich weiß, wie schön die Welt ist, daß sie für mich zu Stunden unendlich schöner ist als für irgend jemand sonst, daß die Farben süßer klingen, die Luft seliger rinnt, das Licht zärtlicher schwebt. Und ich weiß, daß ich das bezahlen muß durch die Tage, wo das Leben unerträglich ist. Es gibt gute Mittel gegen die Schwermut: Gesang, Frömmigkeit, Weintrinken, Musizieren, Gedichtemachen, Wandern. Von diesen Mitteln lebe ich, wie der Einsiedler vom Brevier lebt. Manchmal scheint mir, die Schale habe sich gesenkt, und meine guten Stunden seien zu selten und zu wenig gut, um die üblen noch aufzuwiegen. Zuweilen finde ich im Gegenteil, daß ich Fortschritte gemacht habe, daß die guten Stunden zu- und die bösen abgenommen haben. Was ich niemals wünsche, auch in den schlechtesten Stunden nicht, das ist ein mittlerer Zustand zwischen Gut und Schlecht, so eine laue erträgliche Mitte. Nein, lieber noch eine Übertreibung der Kurve – lieber die Qual noch böser, und dafür die seligen Augenblicke noch um einen Glanz reicher!

Abklingend verläßt mich die Unlust, Leben ist wieder hübsch, Himmel ist wieder schön, Wandern wieder sinnvoll. An solchen Tagen der Rückkehr fühle ich etwas von Genesungsstimmung: Müdigkeit ohne eigentlichen Schmerz, Ergebung ohne Bitterkeit, Dankbarkeit ohne Selbstverachtung. Langsam beginnt die Lebenslinie wieder zu steigen. Man summt wieder einen Liedervers. Man bricht wieder eine Blume ab. Man spielt wieder mit dem Spazierstock. Man lebt noch. Man hat es wieder überstanden. Man wird es auch nochmals überstehen, und vielleicht noch oft.

Es wäre mir ganz unmöglich zu sagen, ob dieser bewölkte, still in sich bewegte, vielfädige Himmel sich in meiner Seele spiegelt oder umgekehrt, ob ich von diesem Himmel nur das Bild meines Inneren ablese. Manchmal wird das alles so völlig ungewiß! Es gibt Tage, an denen bin ich überzeugt, daß kein Mensch auf Erden gewisse Luft- und Wolkenstimmungen, gewisse Farbenklänge, gewisse Düfte und Feuchtigkeitsschwankungen so fein, so genau und treu beobachten könne wie ich mit meinen alten, nervösen Dichter- und Wanderersinnen. Und dann wieder, so wie heute, kann es mir zweifelhaft werden, ob ich überhaupt je etwas gese-

hen, gehört und gerochen habe, ob nicht alles, was ich wahrzuneh-
men meine, bloß das nach außen geworfene Bild meines inneren
Lebens sei. (1919)

Winterbrief aus dem Süden

Liebe Freunde in Berlin!

Ja, im Sommer war es hier anders. Da saßen die Landsleute, welche die eleganten Hotels von Lugano füllen, beklommen in den kleinen Schattenkreisen der Platanen am See und dachten bekümmert an Ostende, während unsereiner mit einem Stück Brot im Rucksack den herrlichen Sommer genoß. Und wie liefen damals die glühenden Tage weg, wie waren sie flüchtig und vergänglich!

Immerhin, auch jetzt noch gibt es Sonne hier, und auch jetzt noch sind wir bei ihr zu Gast. Ich schreibe diese Zeilen an einem der letzten Dezembertage, vormittags elf Uhr, im dürren Laub an einer windgeschützten Waldecke an die Sonne gestreckt. Das dauert so bis drei Uhr, auch vier Uhr, aber dann wird es kalt, die Berge hüllen sich in Lila, der Himmel wird so dünn und hell wie nur im Winter hier, und man friert elend, man muß Holz in den Kamin stecken und ist für den Rest des Tages an den Quadratmeter vor der Kaminöffnung gebannt. Man geht früh zu Bett und steht spät auf. Aber diese Mittagsstunden an sonnigen Tagen, die hat man doch, die gehören uns, da heizt die Sonne für uns, da liegen wir im Gras und Laub und hören dem winterlichen Rascheln zu, sehen an den nahen Bergen weiße Schneerinnen niederlaufen, und manchmal findet sich im Heidekraut und welken Kastanienlaub auch noch ein wenig Leben, eine kleine verschlafene Schlange, ein Igel. Auch liegen da und dort noch letzte Kastanien unter den Bäumen, die steckt man zu sich und legt sie am Abend ins Kaminfeuer.

Jenen Schiebern, die im Sommer so bekümmert an Ostende dachten, scheint es recht gut zu gehen. Das Blatt hat sich gewendet, jetzt sind sie obenauf. Ich hatte neulich Gelegenheit, mir das ein wenig anzusehen. Ich war in eines der großen Hotels zum Mittagstisch geladen.

Also ich kam in das große Hotel. Es war herrlich. Ich zog meinen besten Anzug an, meine Wirtin hatte mir schon tags zuvor das kleine Loch im Knie mit etwas blauer Wolle zugestochen. Ich sah gut aus und wurde tatsächlich vom Portier ohne Schwierigkeiten eingelassen. Durch gläserne lautlose Flügeltüren floß man sanft in eine riesige Halle wie in ein luxuriöses Aquarium, da standen tiefe, ernste Sessel aus Leder und aus Samt, und der ganze riesige Raum war geheizt, wohlig warm geheizt, man trat in eine Atmosphäre wie einst im Galle Face auf Ceylon. In den Sesseln da und dort saßen gutgekleidete Schieber mit ihren Gattinnen. Was taten sie? Sie hielten die europäische Kultur aufrecht. In der Tat, hier war sie noch vorhanden, diese zerstörte, vielbeweinte Kultur mit Klubsesseln, Importzigarren, unterwürfigen Kellnern, überheizten Räumen, Palmen, gebügelten Hosenfalten, Nackenscheiteln, sogar Monokeln. Alles war noch da, und vom Wiedersehen ergriffen, wischte ich mir die Augen. Freundlich lächelnd betrachteten mich die Schieber, sie haben das schon gelernt, unsereinem gerecht zu werden. In der Miene, mit der sie mich betrachteten, war Lächeln und leiser Spott sehr diskret mit Artigkeit, Schonung, sogar Anerkennung gemischt. Ich besann mich, wo ich diesen seltsamen Blick schon einmal gesehen habe? Richtig, ich fand es wieder. Diesen Blick, mit dem der Kriegsgewinner das Kriegsopfer betrachtet, hatte ich während des Krieges in Deutschland oft gesehen. Es war der Blick, mit dem damals die Kommerzienrätin auf der Straße den verwundeten Soldaten betrachtete. Halb sagte er »Armer Teufel!«, halb sagte er »Held!« Halb war er überlegen, halb war er scheu.

Mit der Heiterkeit und dem guten Gewissen des Besiegten betrachtete ich mir die Reihen der Schieber. Sie sahen prächtig aus, besonders die Damen. Man dachte an prähistorische Zeiten, an Zeiten vor 1914, wo wir alle diesen elegant-saturierten Zustand für den selbstverständlichen und einzig wünschenswerten hielten.

Mein Gastgeber war noch nicht erschienen. So näherte ich mich einem der Schieber, um ein wenig zu plaudern.

»Grüß Gott, Schieber«, sagte ich. »Wie geht's?«

»Oh, recht gut, nur ein wenig langweilig zuzeiten. Manchmal könnte ich Sie beneiden mit Ihrem blauen Flicken auf dem Knie. Sie sehen aus wie ein Mann, der nichts von Langeweile weiß.«

»Ganz richtig. Ich habe unheimlich viel zu tun, da vergeht die Zeit schnell. Jeder hat eben seine Rolle.«

»Wie meinen Sie das?«

»Nun, ich bin Arbeiter, und Sie sind Schieber. Ich produziere, und Sie telephonieren. Letzteres bringt mehr Geld ein. Dafür ist das Produzieren weit lustiger. Gedichte zu machen oder Bilder zu malen ist ein Genuß; wissen Sie, eigentlich ist es gemein, dafür auch noch Geld zu verlangen. Ihr Beruf ist, angebotene Ware mit hundert Prozent Aufschlag weiter anzubieten. Das ist gewiß weniger beglückend.«

»Ach Sie! Sie haben immer so etwas Mokantes, wenn Sie mit mir reden. Geben Sie nur zu, Männeken, im Grunde beneiden Sie uns sehr. Sie mit Ihren geflickten Hosen!«

»Gewiß«, sagte ich, »ich bin oft neidisch. Wenn ich gerade Hunger habe und sehe euch hinterm Schaufenster Pasteten fressen, dann beneide ich euch. Ich halte viel von Pasteten. Aber sehen Sie, kein Genuß ist so flüchtig, ist so lächerlich vergänglich wie der des Essens. Und so ist es im Grunde auch mit den schönen Kleidern, den Ringen und Broschen, den ganzen Hosen! Es macht ja Spaß, einen schönen neuen Anzug anzuziehen. Aber ich zweifle, ob dieser Anzug Sie den ganzen Tag beschäftigt, erfreut und beglückt. Ich glaube, ihr denkt oft ganze Tage lang an eure Bügelfalten und Brillantknöpfe gerade so wenig wie ich an mein geflicktes Knie. Nicht? Also was habt ihr schon davon? Die Heizung allerdings, um die sind Sie zu beneiden. Aber wenn die Sonne scheint, auch jetzt im Winter, weiß ich eine Stelle bei Montagnola, zwischen zwei Felsen, da ist es dann so windstill und so warm wie hier in Ihrem Hotel und viel bessere Gesellschaft, und kostet nichts. Oft findet man sogar noch eine Kastanie unterm Laub, die man essen kann.«

»Na, mag sein. Aber wollen Sie davon leben?«

»Ich lebe davon, daß ich produziere, daß ich Werte in die Welt setze, seien es noch so kleine. Ich mache zum Beispiel Aquarelle, ich wüßte niemand, der hübschere macht. Man kann von mir für eine Kleinigkeit Gedichtmanuskripte kaufen, die ich selber mit farbigen Zeichnungen schmücke. Ein Schieber kann nichts Klügeres tun, als solche Sachen kaufen. Wenn ich übers Jahr tot bin, sind sie das Dreifache wert.«

Ich hatte es im Scherz gesagt. Aber den Schieber ergriff die Angst, daß ich Geld von ihm haben wolle. Er wurde zerstreut, hustete viel und entdeckte plötzlich am fernsten Ende des Saals einen Bekannten, den er begrüßen mußte.

Liebe Freunde in Berlin, erspart es mir, das Mittagessen zu schildern, das ich nun mit meinem Gastgeber genoß! Weiß und gläsern leuchtete der Speisesaal, und wie hübsch wurde serviert, wie gut aß man, und was für Weine! Ich schweige davon. Es war ergreifend, die Schieber essen zu sehen. Sie legten Wert auf Haltung, sie beherrschten sich schön. Sie aßen die delikatesten Bissen mit Gesichtern voll ernster Pflichterfüllung, ja lässiger Verächtlichkeit, sie schenkten sich Gläser aus alten Burgunderflaschen voll mit gelassenen und etwas leidenden Mienen, als nähmen sie Medizin. Ich wünschte ihnen dies und jenes, während ich zusah. Eine Semmel und einen Apfel steckte ich mir ein, für den Abend.

Ihr fragt, warum ich denn nicht nach Berlin komme? Ja, es ist eigentlich komisch. Aber es gefällt mir tatsächlich hier besser. Und ich bin so eigensinnig. Nein, ich will nicht nach Berlin und nicht nach München, die Berge sind mir dort am Abend zu wenig rosig, und es würde mir dies und jenes fehlen.   (1919)

Kirchen und Kapellen im Tessin

Zu den Zaubern des Südens, die den protestantischen Nordländer in den Gegenden südlich der Alpen begrüßen, gehört auch der Katholizismus. Mir ist es unvergeßlich, wie auf meiner ersten jugendlichen Italienfahrt dies auf mich wirkte, den Sohn eines streng protestantischen Hauses, wie erstaunt und bezaubert ich das mit ansah, dies selbstverständliche, naive Wohnen eines Volkes in seinen Tempeln, in seiner Religion, diese Zentralkraft Kirche, von welcher beständig ein Strom von Farbe, Trost, Musik, von Schwingung und Belebung ausstrahlte. Mag der Katholizismus in Italien und in den Alpenländern auch im Rückgang begriffen sein (im Tessin ist er es offensichtlich, und die Mehrzahl der schönen alten Kirchenbauten wäre heute nicht mehr möglich), so ist doch immer noch, im Vergleich mit dem Norden, die Kirche in ihrer Sichtbarkeit vorhanden und mächtig-mütterlicher Mittelpunkt des Lebens. Und nichts wirkt auf den in Protestantismus und Gewissensplage aufgewachsenen Menschen stärker und rührender als der Anblick naiver, sich zeigender, sich schmückender Frömmigkeit. Einerlei, ob in einem Tempel Ceylons oder Chinas oder in einer Kapelle des Tessins, immer wirkt dieser Anblick auf unsereinen wie eine Erinnerung an verlorene Kindheiten der Seele, an ferne Paradiese, an eine selige Primitivität und Unschuld des religiösen Lebens, und nichts fehlt uns geistig unersättlichen Europäern mehr als eben diese Lust und Unschuld.

Beim Übergang über die Alpen fand ich mich jedesmal, wie vom Anhauch des wärmeren Klimas, den ersten Lauten der klangvolleren Sprache, den ersten Rebenterrassen, so auch vom Anblick der zahlreichen, schönen Kirchen und Kapellen zart und mahnend berührt, wie von Erinnerung an einen sanfteren, milderen, mutternahen Zustand des Lebens; an kindlicheres, einfacheres, frömmeres, froheres Menschentum. Und mehr und mehr wurde es mir unmöglich, im Gefühl die katholische Frömmigkeit von der antiken zu trennen. Genau ebenso wie die uralte, römisch-mittelländische Art der Bodenkultur, der Terrassenbau mit Wein, Maulbeere, Olive, unzerstört in den alten, festen Formen hier unten weiterbesteht, so besteht etwas vom heidnisch-frommen, augenfrohen, bilderglaubigen, gesunden Kult und Glauben der Antike in den Ländern südlich der Alpen noch heute fort. Wo in Römerzeiten ein

Tempel stand, steht jetzt eine Kirche, wo damals die kleine primitive Steinsäule für einen Feldgeist oder Waldgott stand, steht jetzt ein Kreuz, wo damals das kleine ländliche Heiligtum einer Nymphe, einer Quellgöttin, eines Flurgottes stand, steht heute der Bildstock oder die Nische eines Heiligen. Wie vor Alters spielen vor dieser Nische die Kinder, wie vor Alters schmücken sie sie mit Blumen. Wanderer und Hirt rastet an diesem Ort, eine Cypresse oder Eiche steht dabei, und irgendeinmal an einem Sommersonntag kommt im schönen Zug mit blau und goldenen Kleidern der Bischof vorbei und segnet und weiht das kleine Heiligtum, daß es nicht vergessen werde, daß weiterhin Trost und Freude, Mahnung an das Göttliche und Erinnerung an unsre höchsten Ziele von diesem Ort ausgehen möge.

Im Tessin habe ich das immer besonders stark empfunden. Daß man am Südfuß der Alpen ist, daß man das Land der Sonne und der ältesten europäischen Kultur betritt, davon spricht nicht nur die Wärme der Sonne, der Klang der schönen Sprache, der kluge Terrassenbau der Weinberge, sondern ebensosehr all die frommen Bauten, alte und neue, all die Kirchen, Kapellen, Bildstöcke. Alle sind schön, ganz ohne Ausnahme, denn die Tessiner sind vorzügliche Architekten und Maurer von Alters her und haben ja auch in Italien manche der größten Bauten errichten helfen. Schön ist auch immer und ausnahmslos der Standort einer Kirche, man denke an Lugano, an Tesserete, an Ronco, an St. Abbondio bei Gentilino, an Breganzona, an die Madonna del Sasso. Schön und wohlüberlegt ist auch immer der Zugang zum Heiligtum. Straße oder Brücke führt zwischen Mauern mit sanftem Zwang auf die Kirche zu, und immer empfängt uns vor dem Eintritt ein Vorplatz, man kommt nicht atemlos vom Steigen, oder rennend vom Bergablaufen, in eine Kirche hinein, erst nimmt ein ebener, wenn auch noch so kleiner Vorplatz den Pilger auf, ein paar Bäume stehen da, und meistens überschattet und schützt den Eingang eine Vorhalle. Von weitem schon ruft und ladet oft diese Vorhalle, mit drei oder fünf Bögen, schattig und ehrwürdig herüber.

Wie alle Gebäude in diesem steinreichen und holzarmen Lande sind die Kirchen und Kapellen ganz aus Stein. In kleinen Bergdörfern steht das Kirchlein roh und unverputzt, nackte Mauern, auch das Dach aus rohen Gneisplatten, ausgezeichnet nur durch den Giebel und den Glockenturm. An andern Orten ist der Bau verputzt und bemalt, nicht selten wunderschön, obwohl das Klima den Wandmalereien an Außenwänden nicht eben günstig ist. Man sieht wohl arme und schlichte Kirchen, aber kaum jemals eine verfallene.

Wie nun inmitten einer Stadt oder eines Dorfes die Kirche den stärksten Akzent bildet und der Campanile die Silhouette stempelt, so strahlt uralte Frömmigkeit überall ins Land und bis in verlassene und schwer zugängliche Täler und Berge hinein. Auch im entlegensten Gebiet, soweit noch Geißen weiden und Menschen ihren Unterhalt suchen, steht da und dort noch ein kleines Heiligtum, eine Kapelle an der Wegbiegung, unter deren Vordach die Straße durchläuft und wo sich im Regen rasten läßt, ein Bildstock kindlich und hübsch, zwischen altem Gemäuer unterm Steindach eine winzige Bildwand, bemalt mit alten, verblaßten Farben. Im Frühling steht vor jedem ein Glas, ein Becher, eine alte Blechbüchse, von Kindern mit Blumen gefüllt.

Auch ohne je eines der Gotteshäuser zu betreten, findet man sich doch überall an sie gemahnt. Wer am steinigen Bergkamm eine Rast halten will, wer von brennender Landstraße in den Schatten begehrt, der genießt dankbar diese Bauten. Rein als Schmuck der Landschaft, als Rastorte, als Wegweiser, als Ruhepunkte des Auges im Auf und Ab des bergigen Landes kommen sie jedem zugute, sind jedem willkommen. Im Innern aber sind sie oft reich an schönen und seltenen Dingen. Von den Luini-Bildern in Lugano bis in unbekannte kleine Bergkapellen findet man überall in den Tessiner Kirchen irgendein Bild, ein Fresko, ein Altar-Relief, einen Taufstein, eine Stuckfigur, die vom innigen Zusammenhang dieses Berglandes mit der Kultur des klassischen Italien reden und von der alten Begabung der Tessiner für die bildende Kunst. Ich könnte hundert Beispiele nennen, aber ich möchte mit diesen Zeilen nicht auf dies und jenes Einzelne hinweisen und den Führer spielen. Es ist viel schöner, ohne Führer zu gehen, und wer im Tessin wandert, wird bald die beglückende Erfahrung machen, wie überall mitten in den herrlichsten Landschaften noch stille, köstliche Funde an alter Kunst zu machen sind.

Liebe Kirchen im Tessin, liebe Kapellen und Kapellchen, wie viel gute Stunden habt ihr mich bei euch zu Gast gehabt! Wie viel Freude habt ihr mir gegeben, wie viel guten kühlen Schatten, wie viel Beglückung durch Kunst, wie viel Mahnung an das, was not tut, an eine frohe, tapfere, helläugige Lebensfrömmigkeit! Wie manche Messe habe ich in euch gehört, wie manchen Gemeindegesang, wie manche farbige Prozession sah ich aus euren Portalen quellen und in die lichte Landschaft sich verlieren! Ihr gehört zu diesem Lande wie Berge und Seen, wie die tiefgeschnittenen wilden Täler, wie das launisch spielerische Geläut eurer Glockentürme, wie der schattige Grotto im Wald und der alte Roccolo auf dem Hügel. Es lebt sich gut in eurem Schatten, auch für Menschen anderen Glaubens.

(1920)

Haßbriefe

Deutsche Studenten haben stets ihre, oft originellen und lustigen, Weisen gehabt, um nicht nur Verehrung und Bewunderung, sondern auch ihre Verachtung und ihren Haß auszudrücken. Jener Teil der deutschen Studentenschaft, der durch dick und dünn die alten Traditionen zu retten sucht, der politisch reaktionär und extrem nationalistisch gesinnt ist, sendet mir, aus verschiedenen Universitäten, besonders aus Halle, je und je einen Haßbrief zu. Ich kann diese Briefe nicht beantworten, so interessant sie oft auch sind, aber da sie sich, in ziemlich ähnlicher Form, von Zeit zu Zeit wiederholen und eine ehrliche und wohlgemeinte, ja enthusiastische Gesinnung zeigen, welche dennoch in ihrer Richtung überaus gefährlich ist und für unsere Zukunft Böses fürchten läßt, muß ich doch einmal davon sprechen. Ich nehme zur Grundlage den Brief eines Studenten in Halle, dessen Namen ich nicht nenne. Der Briefschreiber hat das Bedürfnis, mir mitzuteilen, daß er (samt zahlreichen Gesinnungsgenossen von ihm) nicht mit mir zufrieden ist, daß er mir eine schwere Verkennung meiner Pflichten vorzuwerfen habe, daß er samt seinen Freunden mich tief verachtet, daß ich für ihn und seine Kameraden tot und begraben bin und ihnen höchstens zum Anlaß des Gelächters dienen kann usw. Einige Sätze, besonders charakteristisch, seien mitgeteilt:

»Ihre Kunst ist ein neurasthenisch-wollüstiges Wühlen in Schönheit, ist lockende Sirene über dampfenden deutschen Gräbern, die sich noch nicht geschlossen haben. Wir hassen diese Dichter, und mögen sie zehnmal reife Kunst bieten, die aus Männern Weiber machen wollen, die uns verflachen und internationalisieren und pazifizieren wollen. Wir sind Deutsche und wollen es ewig bleiben. Wir sind die Jünger eines Schiller und Fichte und Kant und Beethoven und Richard Wagner – jawohl, zehnmal eines Richard Wagner, dessen schmetternde Inbrunst wir in alle Ewigkeiten lieben werden. Wir haben ein Recht zu fordern, daß unsre deutschen Dichter (sind sie verwelscht, dann mögen sie uns gestohlen bleiben!) unser schlummerndes Volk aufrütteln, daß sie es wieder führen zu den heiligen Gärten des deutschen Idealismus, des deutschen Glaubens und der deutschen Treue!«

Man könnte denken, das seien nun eben Stilübungen, wie sie sentimentale Jünglinge einander früher ins Stammbuch schrieben, naive Äußerungen einer jugendhaften Selbstberauschung an knalligen Worten. Aber das wäre zu optimistisch gedacht, hinter solchen Sätzen steht mehr – zwar keine Gesinnungen, aber ein starker, krankhafter, übrigens auch reichlich neurasthenischer Trotz, ein Bekenntnis zu Tendenzen, die in ihrer Weiterwirkung gefährlich, geist- und lebensfeindlich sind. Schon daß ein Student das Bedürfnis fühlt, einem Dichter mitzuteilen: »Sie sind tot für uns, wir lachen über Sie!« ist ja ein seltsames Bedürfnis. Er hat irgend etwas von mir gelesen, was ihm neurasthenisch und ungesund oder »undeutsch« oder »verwelscht« scheint – aber es genügt ihm nicht, das Buch wegzulegen, und sich von diesem Dichter nun eben abzuwenden, nein, er hat in diesem Dichter etwas gespürt, ein Gift, eine Verlockung, etwas von Welsch und International, von Menschlich, von Übernational, etwas, wovon Verlockung ausgeht, was man also desto heftiger bekämpfen und in sich selber ausrotten muß! Daß der verwelschte, pazifistische, undeutsche Dichter für ihn tot ist, daß kein anständiger, patriotisch und schillerisch gesinnter Jüngling auf solche Dichter hört, das muß er ihm (und sich selbst) laut und mit einem verdächtigen Aufwand an Affekt zurufen.

Ich will diesen Brief und die mehreren ähnlichen, die ich bekam, hier natürlich nicht erwidern. Mich interessiert es nicht, ob einige hundert oder tausend Studenten mich lesen oder nicht, mich billigen oder nicht, es gibt ernstere Nöte für mich. Aber es interessiert mich, als Symptom der Zeit, die Reaktion heutiger deutscher Studenten auf die Lektüre verwelschter, pazifistischer Dichter, auf deren Bemühungen um Entbarbarisierung und Humanität.

Interessant ist da vor allem der Satz, welcher beginnt »Wir haben das Recht zu fordern«. Also nach der Meinung dieser Studenten ist ein Dichter nicht ein Wesen, welches das ihm Notwendige tut und das desto vollkommener, desto wertvoller ist, je sicherer und unbeirrbarer es sein Wesen, seine Erkenntnis, seine Wahrheit lebt und darstellt, sondern der Dichter ist ein Funktionär, der sich vom Studenten sagen zu lassen hat, was er tun und verkünden soll. Der Dichter hat zu parieren, wenn der teutsche Bursch mit dem Schläger daherklirrt. Junge, wie hast du dich da verraten!

Noch aufschlußreicher für die Krampfhaftigkeit und gefährliche Verbohrtheit der Einstellung ist aber das Bekenntnis des Briefes zu jenen Deutschen, welche der Briefschreiber als die Großen und Führenden empfindet! Er ist Medizinstudent, und vermutlich war er einige Jahre im Kriege, und da er, wie ich zu seiner Ehre annehme, gewiß viel Fleiß auf sein Studium verwendet, wird er uns nicht im Ernst vormachen wollen, er habe als Student schon alle die von ihm angeführten Literaten ausstudiert. Sondern wir dürfen annehmen, er verdanke sein Wissen über deutsche Geschichte und deutsche Genies einigen alldeutschen Vorträgen, oder dem Lesen einer Tendenzschrift von Chamberlain, Rohrbach oder bestenfalls Naumann. Einige der Namen hat er wieder vergessen, die mit zum Programm gehören, so Luther und Hegel, aber deutlich ist das Programm auch so. Es stört mich einzig der Name Beethoven, ihn würde ich zwar nicht bei einer Aufzählung der deutschen Musiker an erster Stelle nennen, aber er ist mir doch zu heilig, um ihn mit in diese schäbige Sache hineinzuziehen. Lassen wir ihn weg, oder vielmehr, geben wir jenem Studenten zu, daß er unter all den ihm heiligen Namen einen einzigen genannt hat, der auch mir und den mir Gleichgesinnten ehrwürdig ist: Beethoven. Daß weder Mozart noch Bach noch Gluck neben ihm stehen, sondern einzig Wagner, ist freilich schlimm. Aber schließlich ist Musik nicht jedermanns Sache, und warum soll der junge Briefschreiber nicht seine Freude an Lohengrin oder der Rienzi-Ouvertüre haben? Aber daß er von den großen deutschen Dichtern keinen einzigen kennt und nennt, daß alle tiefen, in sich echten, der Konjunktur und Anpassung schwer fähigen und darum einsam gebliebenen Deutschen ihm in dem Augenblicke nicht einfallen, wo er sein Heiligstes nennen möchte, das ist schlimm. Es gibt also für diese Art deutscher Studenten einen deutschen Geist, der eindeutig und strahlend vertreten wird durch Schiller, Fichte, Kant! Kein Goethe, kein Hölderlin, kein Jean Paul, kein Nietzsche! Ich fürchte, der Briefschreiber sei nicht ganz ehrlich gewesen, ich habe ein Gefühl, als wären ihm im Grunde Namen wie Scharnhorst, Blücher, Bismarck, Roon etc. noch näher gelegen. Ich fürchte, von Schiller meine er weniger die revolutionäre als die dekorative Seite, und von Kant habe er die Kritik der reinen Vernunft weniger aufmerksam gelesen als die der praktischen – vielleicht aber kennt er ihn auch nur aus jener bekannten Stelle vom Sternhimmel.

Die sämtlichen von dem Briefschreiber verehrten deutschen Geister gehören, offen gesagt, für mich zu den dekorativen Größen. Ich gebe für zwei Gedichte von Hölderlin den ganzen Schiller und den Fichte dazu, und Kant hat, trotz seiner riesigen Leistung, auf den deutschen Geist einen keineswegs reinen und nur wohltätigen Einfluß gehabt. Wenigstens ist sein unerbittlich kritisches Denken und die Reinlichkeit seiner Methode keineswegs allgemein gültiges Vorbild der seitherigen Philosophen und Professoren Deutschlands geworden, wohl aber sein Ausbiegen nach der Seite der Autoritäts- und Staatsmoral und sein Servilismus dem Landesfürsten gegenüber.

Kurz, der mit so viel Schwung von unserem Briefschreiber bekannte deutsche Glaube zeigt sich mir in nichts verschieden von jenem Glauben des deutschen Durchschnittsgebildeten vergangener Zeit, von jenem bequemen, unselbständigen, streng autoritativen und vor jedem kollektiven Ideal sich verneigenden Bürgerglauben, gegen den Goethe so oft gekämpft und protestiert hat, an dem Hölderlin zerbrochen ist, den Jean Paul ironisiert und Nitzsche so wütend denunziert und an den Pranger gestellt hat. Es ist der Geist, der stets zu haben ist, wenn es gilt, unter Fahnenschwingen und Schwertergeklirr eine »große Zeit« zu eröffnen oder Weltproteste von der Art jener Dreiundneunzig loszulassen.* Es ist der Geist, der Angst vor sich selber hat und jede Verlockung von der gewohnten Fahne weg gleich als satanisch empfindet, der aber diese innere Feigheit hinter lärmendem Säbelrasseln verbirgt. Daß dieser Geist sich für den deutschen Geist ausgeben darf, daß er jahrzehntelang, vom Regime seit 1870 unterstützt, sich in die Welt hineinposaunt hat, dies hat uns andere, die wir diesen Geist nicht lieben und für einen Popanz halten, zu Internationalisten und Pazifisten gemacht. Denn jener deutsche Pseudogeist, um es klar zu sagen, ist es, dem mit Recht die Welt Schuld am Kriege vorwirft. Wer sich zu ihm bekennt, hat weiter Teil an dieser Schuld. Um den Weg aus der Hypnose durch Autorität und aus jenem »Idealismus« der doppelten Wahrheit herauszufinden, braucht man nicht, wie jener Briefschreiber meint, das deutsche Wesen zu verneinen: Man muß sich nur soweit verwelschen und internationalisieren, daß man von Welschen und Ausländern wie Jesus, Franz von Assisi, Dante, Shakespeare zu lernen bereit ist.

Im übrigen kann man die von mir propagierte, vom Briefschreiber für undeutsch und unmännlich gehaltene Gesinnung auch von

---

* Protest von 93 prominenten deutschen Gelehrten und Intellektuellen im Herbst 1914 gegen die Anschuldigung der Illegalität von Deutschlands Einmarsch in das neutrale Belgien.

zahlreichen deutschen Männern, die ihre Verkünder und Märtyrer waren, bestätigt finden. Nur muß man dann einige Schritte tun, die der Briefschreiber zu tun über seinen andern Studien noch nicht Zeit fand: Man muß in der deutschen Vergangenheit etwas weiter zurücksteigen als bloß bis in die klassisch-idealistische Zeit, in welcher von würdigen und zum Teil genialen Männern die Fundamente zu dem geschaffen wurden, was heute als offiziell-deutsche Staatsbeamtengesinnung entartet und antiquiert ist, sondern man muß ein älteres, früheres, ein Deutschland der mittelalterlichen Dome und Dichtung aufsuchen. Und im späteren Deutschland muß man neben Wagner auch Bach und gar Mozart, neben Kant auch Schopenhauer und Nietzsche, neben Schiller auch Goethe, Hölderlin und Jean Paul kennen und anerkennen. Dann kann man ein Mann und ein Deutscher bleiben und doch die Weltgedanken der Menschenliebe und der Menschenvernunft mitdenken und verwirklichen helfen. Mit der Gesinnung jener Briefschreiber, mit dem einseitigen, idealistisch-ideologischen Deutschtum, das nur Kant, Schiller, Fichte, Wagner kennt, geht es freilich nicht. Dies einseitige, verbohrte Deutschtum, das von vielen Kanzeln und Kathedern gelehrt wurde, das mit dem Kriege nicht zusammengebrochen scheint, muß einem unendlich weiteren, elastischeren Deutschtum Platz machen, wenn Deutschland nicht bis in Ewigkeit zwischen den Völkern der Welt einsam, verärgert und weinerlich sitzenbleiben soll. (1921)

Klage um einen alten Baum

Seit bald zehn Jahren, seit dem Ende des frischen, fröhlichen Krieges, hat meine tägliche Gesellschaft, mein dauernder vertraulicher Umgang nicht mehr aus Menschen bestanden. Zwar fehlt es mir nicht an Freunden und an Freundinnen, aber der Umgang mit ihnen ist eine festliche, nicht alltägliche Angelegenheit, sie besuchen mich zuweilen, oder ich besuche sie: das dauernde und tägliche Zusammenleben mit anderen Menschen habe ich mir abgewöhnt. Ich lebe allein, und so kommt es, daß im kleinen und täglichen Umgang an die Stelle der Menschen für mich mehr und mehr die Dinge getreten sind. Der Stock, mit dem ich spazieren gehe, die Tasse, aus der ich meine Milch trinke, die Vase auf meinem Tisch, die Schale mit Obst, der Aschenbecher, die Stehlampe mit dem grünen Schirm, der kleine indische Krischna aus Bronze, die Bilder an der Wand und um das Beste zuletzt zu nennen, die vielen Bücher an den Wänden meiner kleinen Wohnung, sie sind es, die mir beim Aufwachen und Einschlafen, beim Essen und Arbeiten, an guten und bösen Tagen Gesellschaft leisten, die für mich vertraute Gesichter bedeuten und mir die angenehme Illusion von Heimat und Zuhausesein geben. Noch sehr viele andere Gegenstände zählen zu meinen Vertrauten. Dinge, deren Sehen und Anfühlen, deren stummer Dienst, deren stumme Sprache mir lieb ist und unentbehrlich scheint, und wenn eines dieser Dinge mich verläßt und von mir geht, wenn eine alte Schale zerbricht, wenn eine Vase herunterfällt, wenn ein Taschenmesser verlorengeht, dann sind es Verluste für mich, dann muß ich Abschied nehmen und mich einen Augenblick besinnen und ihnen einen Nachruf widmen.

Auch mein Arbeitszimmer mit seinen etwas schiefen Wänden, seiner alten, ganz erblaßten Goldtapete, mit den vielen Sprüngen im Bewurf der Decke gehört zu meinen Kameraden und Freunden. Es ist ein schönes Zimmer, ich wäre verloren, wenn es mir genommen würde. Aber das Schönste an ihm ist das Loch, das auf den kleinen Balkon hinausführt. Von da aus sehe ich nicht nur den See von Lugano bis nach San Mamette hin, mit den Buchten, Bergen und Dörfern, Dutzenden von nahen und fernen Dörfern, sondern ich sehe, und das ist mir das Liebste daran, auf einen alten, stillen, verzauberten Garten hinab, wo alte, ehrwürdige Bäume sich im Wind und im Regen wiegen, wo auf schmalen, steil abfallenden Terrassen schöne, hohe Palmen, schöne, üppige Kamelien, Rhododendren, Magnolien stehen, wo die Eibe, die Blutbuche, die indische Weide, die hohe, immergrüne Sommermagnolie wächst. Dieser Blick aus meinem Zimmer, diese Terrassen, diese Gebüsche und Bäume gehören noch mehr als die Zimmer und Gegenstände zu mir und meinem Leben, sie sind mein eigentlicher Freundeskreis, meine Nächsten, mit ihnen lebe ich, sie halten zu mir, sie sind zuverlässig. Und wenn ich einen Blick über diesen Garten werfe, so gibt er mir – nicht nur das, was er dem entzückten oder gleichgültigen Blick jedes Fremden gibt, sondern unendlich viel mehr, denn dies Bild ist mir durch Jahre und Jahre zu jeder Stunde des Tages und der Nacht, zu jeder Jahreszeit und Witterung vertraut, das Laub jedes Baumes sowie seine Blüte und Frucht ist mir in jedem Zustande des Werdens und Hinsterbens wohlbekannt, jeder ist mein Freund, von jedem weiß ich Geheimnisse, die nur ich und sonst niemand weiß. Einen dieser Bäume zu verlieren, heißt für mich, einen Freund verlieren.

Wenn ich vom Malen oder vom Schreiben, vom Nachdenken oder vom Lesen müde bin, ist der Balkon und der Blick in die zu mir heraufblickenden Wipfel meine Erholung. Hier las ich neulich, mit Bedauern, daß das herrliche Buch schon ein Ende nahm. »Die chymische Rose« von Yeats (deutsch bei J. Hegner in Hellerau), diese zauberhaften Erzählungen aus der gälischen Welt, so voll von alter halbheidnischer Mythik, so geheimnisvoll und dunkelglühend. Hier durchblätterte ich Joachim Ringelnatzens »Reisebriefe eines Artisten« (bei Rowohlt), und freute mich an diesem Mann und seinem Humor, der so gar nicht golden ist, sondern echter Galgenhumor, schwebend zwischen Spaß und Not, zwischen Rausch und Verzweiflung. Sei gegrüßt, Bruder Ringelnatz! Und hier blättere ich auch zuweilen eine halbe Stunde in den zwei Bänden der »Sittengeschichte Griechenlands« von Hans Licht (bei P. Aretz in Dresden erschienen), wo zwischen all den erstaunlichen Bildern, und am meisten durch die Bilder selbst, viel Wissenswertes und viel Beneidenswertes vom Liebesleben der Griechen erzählt wird.

Im Frühling gibt es eine Zeit, da ist der Garten brennend rot von der Kamelienblüte und im Sommer blühen die Palmen, und hoch in den Bäumen klettern überall die blauen Glyzinien. Aber die indische Weide, ein kleiner, fremdartiger Baum, der trotz seiner Kleinheit uralt aussieht und das halbe Jahr zu frieren scheint, die indische Weide traut sich erst spät im Jahre mit den Blättern hervor, und erst gegen Mitte August fängt sie an zu blühen.

Der schönste jedoch von allen diesen Bäumen ist nicht mehr da, er ist vor einigen Tagen durch den Sturm gebrochen worden. Ich sehe ihn liegen, er ist noch nicht weggeschafft, einen schweren alten Riesen mit geknicktem und zerschlissenem Stamm, und sehe an der Stelle, wo er stand, eine große breite Lücke, durch welche der ferne Kastanienwald und einige bisher unsichtbare Hütten hereinschauen.

Es war ein Judasbaum, jener Baum, an dem der Verräter des Heilands sich erhängt hat, aber man sah ihm diese beklommene Herkunft nicht an, o nein, er war der schönste Baum des Gartens, und eigentlich war es seinetwegen, daß ich vor manchen Jahren diese Wohnung hier gemietet habe. Ich kam damals, als der Krieg zu Ende war, allein und als Flüchtling in diese Gegend, mein bisheriges Leben war gescheitert, und ich suchte eine Unterkunft, um hier zu arbeiten und nachzudenken und die zerstörte Welt mir von innen her wieder aufzubauen und suchte eine kleine Wohnung, und als ich meine jetzige Wohnung anschaute, gefiel sie mir nicht übel, den Ausschlag aber gab der Augenblick, wo die Wirtin mich auf den kleinen Balkon führte. Da lag plötzlich unter mir der Garten Klingsors, und mitten darin leuchtete hellrosig blühend ein riesiger Baum, nach dessen Namen ich sofort fragte, und siehe, es war der Judasbaum, und Jahr für Jahr hat er seither geblüht, Millionen von rosigen Blüten, die dicht an der Rinde sitzen, ähnlich etwa wie beim Seidelbast, und die Blüte dauerte vier bis sechs Wochen, und dann erst kam das hellgrüne Laub nach, und später hingen in diesem hellgrünem Laube dunkelpurpurn und geheimnisvoll in dichter Menge die Schotenhülsen.

Wenn man ein Wörterbuch über den Judasbaum befragt, dann erfährt man natürlich nicht viel Gescheites. Vom Judas und vom Heiland kein Wort! Dafür steht da, daß dieser Baum zur Gattung der Leguminosen gehört und Cercis siliquastrum genannt wird, daß seine Heimat Südeuropa sei und daß er da und dort als Zierstrauch vorkomme. Man nenne ihn übrigens auch »falsches Johannisbrot«. Weiß Gott, wie da der echte Judas und der falsche Johannes durcheinander geraten sind! Aber wenn ich das Wort »Zierstrauch« lese, so muß ich lachen, noch mitten in meinem Jammer. Zierstrauch! Ein Baum war es, ein Riese von einem

Baum, mit einem Stamm so dick, wie ich es auch in meinen besten Zeiten nie gewesen bin, und sein Wipfel stieg aus der tiefen Gartenschlucht beinahe zur Höhe meines Balkönchens herauf, es war ein Prachtstück, ein wahrer Mastbaum! Ich hätte nicht unter diesem Zierstrauch stehen mögen, als er neulich im Sturm zusammenbrach und einstürzte wie ein alter Leuchtturm.

Ohnehin schon war die letzte Zeit nicht sehr zu rühmen. Der Sommer war plötzlich krank geworden und man fühlte sein Sterben voraus, und am ersten richtig herbstlichen Regentag mußte ich meinen liebsten Freund (keinen Baum, sondern einen Menschen) zu Grabe tragen, und seither war ich, bei schon kühlen Nächten und häufigem Regen, nicht mehr richtig warm geworden und trug mich schon sehr mit Abreisegedanken. Es roch nach Herbst, nach Untergang, nach Särgen und Grabkränzen.

Und nun kommt da eines Nachts, als späte Nachwehe irgendwelcher amerikanischer und ozeanischer Orkane, ein wilder Südsturm geblasen, reißt die Weinberge zusammen, schmeißt Schornsteine um, demoliert mir sogar meinen kleinen Steinbalkon und nimmt, noch in den letzten Stunden, auch noch meinen alten Judasbaum mit. Ich weiß noch, wie ich als Jüngling es liebte, wenn in herrlichen romantischen Erzählungen von Hauff oder Hoffmann die Aequinoktialstürme so unheimlich bliesen! Ach, genauso war es, so schwer, so unheimlich, so wild und beengend preßte sich der dicke warme Wind, als käme er aus der Wüste her, in unser friedliches Tal und richtete da seinen amerikanischen Unfug an. Es war eine häßliche Nacht, keine Minute Schlaf, außer den kleinen Kindern hat im ganzen Dorf kein Mensch ein Auge zugetan, und am Morgen lagen die gebrochenen Ziegel, die zerschlagenen Fensterscheiben, die geknickten Weinstöcke da. Aber das Schlimmste, das Unersetzlichste, ist für mich der Judasbaum. Es wird zwar ein junger Bruder nachgepflanzt werden, dafür ist gesorgt: aber bis er auch nur halb so stattlich werden wird wie sein Vorgänger, werde ich längst nicht mehr da sein.

Als ich neulich im fließenden Herbstregen meinen lieben Freund begraben habe und den Sarg in das nasse Loch verschwinden sah, da gab es einen Trost: er hatte Ruhe gefunden, er war dieser Welt, die es mit ihm nicht gut gemeint hatte, entrückt, er war aus Kampf und Sorgen heraus an ein anderes Ufer getreten. Bei dem Judasbaum gibt es diesen Trost nicht. Nur wir armen Menschen können, wenn einer von uns begraben wird, uns zum schlechten Troste sagen. »Nun, er hat es gut, er ist im Grunde zu beneiden.« Bei meinem Judasbaum kann ich das nicht sagen. Er wollte gewiß nicht sterben, er hat bis in sein hohes Alter hinein Jahr für Jahr überschwenglich und prahlend seine Millionen von strahlenden Blüten getrieben, hat sie froh und geschäftig in Früchte verwandelt, hat die grünen Schoten der Früchte erst braun, dann purpurn gefärbt und hat niemals jemand, den er sterben sah, um seinen Tod beneidet. Vermutlich hielt er wenig von uns Menschen. Vielleicht kannte er uns, schon von Judas her. Jetzt liegt seine riesige Leiche im Garten und hat im Fallen noch ganze Völker von kleineren und jüngeren Gewächsen zu Tode gedrückt.

(1927)

Wiedersehen mit Nina

Wenn ich nach Monaten der Abwesenheit auf meinen Tessiner Hügel zurückkehre, jedesmal wieder von seiner Schönheit überrascht und gerührt, dann bin ich nicht ohne weiteres einfach wieder zu Hause, sondern muß mich erst umpflanzen und neue Saugwurzeln treiben, muß Fäden wieder anknüpfen, Gewohnheiten wiederfinden und da und dort erst wieder Fühlung mit der Vergangenheit und Heimat suchen, ehe das südliche Landleben wieder zu munden beginnt. Es müssen nicht bloß die Koffer ausgepackt und die ländlichen Schuhe und Sommerkleider hervorgesucht werden, es muß auch festgestellt werden, ob es während des Winters tüchtig ins Schlafzimmer geregnet hat, ob die Nachbarn noch leben, es muß nachgesehen werden, was sich während eines halben Jahres hier wieder verändert hat, und wieviel Schritte der Prozeß vorwärts gegangen ist, der allmählich auch diese geliebte Gegend ihrer lang bewahrten Unschuld entkleidet und mit den Segnungen der Zivilisation erfüllt. Richtig, bei der unteren Schlucht ist wieder ein ganzer Waldhang glatt abgeholzt, und es wird eine Villa gebaut, und an einer Kehre ist unsere Straße verbreitert worden, das hat einem zauberhaften alten Garten den Garaus gemacht. Die letzten Pferdeposten unserer Gegend sind eingegangen und durch Autos ersetzt, die neuen Wagen sind viel zu groß für diese alten, engen Gassen. Also nie mehr werde ich den alten Piero mit seinen beiden strotzenden Pferden sehen, wie er in der blauen Postillonsuniform mit der gelben Kutsche seinen Berg herunter gerasselt kommt, nie mehr werde ich ihn beim Grotto del Pace zu einem Glas Wein und einer kleinen außeramtlichen Ruhepause verführen. Ach, und niemals mehr werde ich über Liguno an dem herrlichen Waldrand sitzen, meinem liebsten Malplatz: ein Fremder hat Wald und Wiese gekauft und mit Draht eingezäunt, und wo die paar schönen Eschen standen, wird jetzt seine Garage gebaut.

Dagegen grünen die Grasstreifen unter den Reben in der alten Frische, und unter den welken Blättern hervor rascheln wie immer die blaugrünen Smaragdeidechsen, der Wald ist blau und weiß von Immergrün, Anemonen und Erdbeerblüte, und durch den junggrünen Wald schimmert kühl und sanft der See herauf. Ich habe die Koffer ausgepackt, habe mir die Dorfneuigkeiten erzählen lassen, habe der Witwe des verstorbenen Cesco kondoliert und der Ninetta zu ihrer schwarzäugigen Bambina Glück gewünscht, ich habe auch meine Malsachen herausgesucht und bereitgelegt, den Rucksack, das Stühlchen, das hübsche körnige Aquarellierpapier, die Bleistifte, die Farben. Das ist immer das hübscheste bei dieser Arbeit: alle die kleinen Vertiefungen meiner Palette mit den frischen, froh leuchtenden Farben anzufüllen, dem beglückenden Kobaltblau, dem lachenden Zinnober, dem zarten Zitrongelb, dem durchsichtigen Gummigutt. Das wäre nun getan. Aber mit dem Wiederbeginn des Malens ist es so eine Sache, ich schiebe es gern noch ein wenig hinaus, bis morgen, bis zum Sonntag, bis zur nächsten Woche. Wenn man nach sechs Monaten zum erstenmal wieder im Grünen sitzt und seinen Pinsel ins Wasser taucht und sich jetzt wieder daran machen will, ein Stück vom Sommer aufs Papier zu bringen, dann sitzt man mit dem entwöhnten Auge und der ungeübten Hand recht hilflos und traurig da, und Gras und Stein, Himmel und Gewölk sind schöner, als sie jemals waren, und unmöglicher und gewagter als je scheint es, sie malen zu wollen. Nein, ich warte damit noch ein wenig.

Immerhin, ein ganzer Sommer und Herbst liegt vor mir, noch einmal hoffe ich es ein paar Monate lang gut zu haben, lange Tage im Freien dahinzuleben, die Gicht wieder ein wenig loszuwerden, mit meinen Farben zu spielen und das Leben etwas fröhlicher und unschuldiger zu leben, als es im Winter und in den Städten möglich ist. Schnell laufen die Jahre weg – die barfüßigen Kinder, die ich vor Jahren bei meinem Einzug in dies Dorf zur Schule laufen sah, sind schon verheiratet oder sitzen in Lugano oder Mailand an Schreibmaschinen oder hinter Ladentischen, und die damaligen Alten, die Dorfgreise, sind inzwischen gestorben.

Da fällt mir die Nina ein – ob die noch am Leben ist? Lieber Gott, daß ich erst jetzt an sie denke! Die Nina ist meine Freundin, eine der wenigen guten Freundinnen, die ich in der Gegend habe. Sie ist 78 Jahre alt und wohnt in einem der hintersten kleinen Dörfchen der Gegend, an welches die neue Zeit noch nicht die Hand gelegt hat. Der Weg zu ihr ist steil und beschwerlich, ich muß in der Sonne einige hundert Meter den Berg hinab und jenseits wieder hinaufsteigen. Aber ich mache mich sofort auf den Weg und laufe erst durch die Weinberge und den Wald bergab, dann quer durchs grüne schmale Tal, dann steil jenseits bergan über die Hänge, die im Sommer voll von Zyklamen und im Winter voll von Christrosen stehen. Das erste Kind im Dorf frage ich, was denn die alte Nina mache. O, wird mir erzählt, die sitze am Abend noch immer an der Kirchenmauer und schnupfe Tabak. Zufrieden gehe ich weiter: sie ist also noch am Leben, ich habe sie noch nicht verloren, sie wird mich lieb empfangen und wird zwar etwas brummen und klagen, mir aber doch wieder das aufrechte Beispiel eines einsamen alten Menschen geben, der sein Alter, seine Gicht, seine Armut und Vereinsamung zäh und nicht ohne Spaß erträgt und vor der Welt keine Faxen und Verbeugungen macht, sondern auf sie spuckt und gesonnen ist, bis zur letzten Stunde weder Arzt noch Priester in Anspruch zu nehmen.

Von der blendenden Straße trat ich an der Kapelle vorbei in den Schatten des uralten finsteren Gemäuers, das da verwinkelt und trotzig auf dem Fels des Bergrückens steht und keine Zeit kennt, kein anderes Heute als die ewig wiederkehrende Sonne, keinen Wechsel als den der Jahreszeiten, Jahrzehnt um Jahrzehnt, Jahrhundert um Jahrhundert. Irgendeinmal werden auch diese alten Mauern fallen, werden diese schönen, finstern, unhygienischen Winkel umgebaut und mit Zement, Blech, fließendem Wasser, Hygiene, Grammophonen und andern Kulturgütern ausgestattet sein, über den Gebeinen der alten Nina wird ein Hotel mit französischer Speisekarte stehen oder ein Berliner seine Sommervilla bauen. Nun, heute stehen sie noch, und ich steige über die hohe Steinschwelle und die gekrümmte steinere Treppe hinauf in die Küche meiner Freundin Nina. Da riecht es wie immer nach Stein und Kühle und Ruß und Kaffee und intensiv nach dem Rauch von grünem Holz, und auf dem Steinboden vor dem riesigen Kamin sitzt auf ihrem niederen Schemel die alte Nina und hat im Kamin ein Feuerchen brennen, von dessen Rauch ihr die Augen etwas tränen, und stopft mit ihren braunen gichtgekrümmten Fingern die Holzreste ins Feuer zurück.

»Hallo, Nina, grüß Gott, kennt Ihr mich noch?«

»Oh, Signor poeta, caro amico, son content di rivederla!«

Sie erhebt sich, obwohl ich es nicht dulden will, sie steht auf und braucht lange dazu, es geht mühsam mit den steifen Gliedern. In der Linken hat sie die hölzerne Tabaksdose zittern, um Brust und Rücken ein schwarzes Wolltuch gebunden. Aus dem alten schönen Raubvogelgesicht blicken traurig-spöttisch die scharfen gescheiten Augen. Spöttisch und kameradschaftlich blickt sie mich an, sie kennt den Steppenwolf, sie weiß, daß ich zwar ein

Signore und ein Künstler bin, daß aber doch nicht viel mit mir los ist, daß ich allein da im Tessin herumlaufe und das Glück ebenso wenig eingefangen habe wie sie selber, obwohl ohne Zweifel wir beide ziemlich scharf darauf aus waren. Schade, Nina, daß du für mich vierzig Jahre zu früh geboren bist. Schade! Zwar scheinst du nicht jedem schön, manchen scheinst du eher eine alte Hexe zu sein, mit etwas entzündeten Augen, mit etwas gekrümmten Gliedern, mit dreckigen Fingern und mit Schnupftabak an der Nase. Aber was für eine Nase in dem faltigen Adlergesicht! Was für eine Haltung, wenn sie sich erst aufgerichtet hat und in ihrer hagern Größe aufrecht steht! Und wie klug, wie stolz, wie verachtend und doch nicht böse ist der Blick deiner schöngeschnittenen, freien, unerschrockenen Augen! Was mußt du, greise Nina, für ein schönes Mädchen, was für eine schöne, kühne, rassige Frau gewesen sein! Nina erinnert mich an den vergangenen Sommer, an meine Freunde, an meine Schwester, an meine Geliebte, die sie alle kennt, sie späht dazwischen scharf nach dem Kessel, sieht das Wasser sieden, schüttet gemahlenen Kaffee aus der Lade der Kaffeemühle hinein, stellt mir eine Tasse her, bietet mir zu schnupfen an, und jetzt sitzen wir am Feuer, trinken Kaffee, spucken ins Feuer, erzählen, fragen, werden allmählich schweigsam, sagen dies und jenes von der Gicht, vom Winter, von der Zweifelhaftigkeit des Lebens.

»Die Gicht! Eine Hure ist sie, eine verfluchte Hure! Sporca puttana! Möge sie der Teufel holen! Möge sie verrecken. Na, lassen wir das Schimpfen! Ich bin froh, daß Ihr gekommen seid, ich bin sehr froh. Wir wollen Freunde bleiben. Es kommen nicht mehr viele zu einem, wenn man alt ist. Achtundsiebzig bin ich jetzt.«

Sie steht nochmals mit Mühen auf, sie geht ins Nebenzimmer, wo am Spiegel die erblindeten Photographien stecken. Ich weiß, jetzt sucht sie nach einem Geschenk für mich. Sie findet nichts und bietet mir eine der alten Photographien als Gastgeschenk an, und als ich sie nicht nehme, muß ich wenigstens noch einmal aus ihrer Dose schnupfen.

Es ist in der verrauchten Küche meiner Freundin nicht sehr sauber und gar nicht hygienisch, der Boden ist vollgespuckt, und das Stroh am Stuhl hängt zerrissen herunter, und wenige von Euch Lesern würden gern aus dieser Kaffeekanne trinken, dieser alten blechernen Kanne, die schwarz von Ruß und grau von Aschenresten ist und an deren Rändern seit Jahren der vertrocknete eingedickte

Kaffee eine dicke Kruste gebildet hat. Wir leben hier außerhalb der heutigen Welt und Zeit, etwas ruppig und schäbig zwar, etwas verkommen und gar nicht hygienisch, aber dafür nahe bei Wald und Berg, nahe bei den Ziegen und Hühnern (sie laufen gackernd in der Küche herum), nahe bei den Hexen und Märchen. Der Kaffee aus der krummen Blechkanne schmeckt wundervoll, ein starker tiefschwarzer Kaffee mit einem leisen, aromatischen Anflug vom bittern Geschmack des Holzrauches, und unser Beisammensitzen und Kaffeetrinken und die Schimpfworte und Koseworte und das tapfere alte Gesicht der Nina sind mir unendlich viel lieber als zwölf Tee-Einladungen mit Tanz, als zwölf Abende mit Literaturgespräch im Kreis berühmter Intellektueller – obwohl ich gewiß auch diesen hübschen Dingen ihren relativen Wert nicht absprechen möchte.

Draußen geht jetzt die Sonne weg. Ninas Katze kommt herein und ihr auf den Schoß gesprungen, wärmer leuchtet der Feuerschein an den gekalkten Steinwänden. Wie kalt, wie grausam kalt muß der Winter in dieser hohen, schattigen, leeren Steinhöhle gewesen sein, nichts drin als das winzige offene Feuerchen, im Kamin flackernd, und die alte einsame Frau mit der Gicht in den Gelenken, ohne andere Gesellschaft als die Katze und die drei Hühner.

Die Katze wird wieder fortgejagt. Nina steht wieder auf, groß und gespenstisch steht sie im Zwielicht, die hagere knochige Gestalt mit dem weißen Schopf über dem streng blickenden Raubvogelgesicht. Sie läßt mich noch nicht fort. Sie hat mich eingeladen, noch eine Stunde ihr Gast zu sein und geht nun, um Brot und Wein zu holen. (1927)

Eine Arbeitsnacht[*]

Der Samstagabend war mir wichtig, ich hatte in dieser Woche mehrere Abende verloren, zwei für Musik, einen für Freunde, einen durch Krankheit, und das Verlieren eines Abends bedeutet für meine Arbeit meistens den Verlust eines Tages, denn ich arbeite am besten in den späten Stunden des Tages. Eine umfangreiche Dichtung, mit der ich seit bald zwei Jahren lebe, ist neuestens in ein Stadium getreten, wo das Wichtigste eines Buches sich entscheidet. Genau erinnere ich mich an die Zeit vor einigen Jahren (es war dieselbe Jahreszeit), wo der »Steppenwolf« in eben diesem gefährlichen und spannenden Stadium war. Bei der Art von Dichtung, wie ich sie übe, gibt es eine eigentlich rationale, vom Willen abhängende, durch Fleiß zu erzwingende Arbeit kaum. Eine neue Dichtung beginnt für mich in dem Augenblick zu entstehen, wo eine Figur mir sichtbar wird, welche für eine Weile Symbol und Träger meines Erlebens, meiner Gedanken, meiner Probleme werden kann. Die Erscheinung dieser mythischen Person (Peter Camenzind, Knulp, Demian, Siddhartha, Harry Haller usw.) ist der schöpferische Augenblick, aus dem alles entsteht. Beinahe alle Prosadichtungen, die ich geschrieben habe, sind Seelenbiographien, in allen handelt es sich nicht um Geschichten, Verwicklungen und Spannungen, sondern sie sind im Grunde Monologe, in denen eine einzige Person, eben jene mythische Figur, in ihren Beziehungen zur Welt und zum eigenen Ich betrachtet wird. Man nennt diese Dichtungen »Romane«. In Wirklichkeit sind sie keineswegs Romane, so wenig wie ihre großen, mir seit der Jünglingszeit heiligen Vorbilder, etwa der »Heinrich von Ofterdingen« des Novalis oder der »Hyperion« Hölderlins, Romane sind.

Wieder einmal also erlebe ich die kurze, schöne, schwere und erregende Zeit, in der eine Dichtung ihre Krisis durchmacht, die Zeit, in der alle Gedanken und Lebensstimmungen, welche irgendauf die »mythische« Figur Bezug haben, in höchster Schärfe, Deutlichkeit und Eindringlichkeit vor mir stehen. Das gesamte Material, die gesamte Masse an Erlebnis und an Gedachtem, die das entstehende Buch auf eine Formel zu bringen sucht, ist in dieser Zeit (und die Zeit dauert nicht lange!) im Zustande des Flus-

---

[*] Geschrieben am 2. Dezember 1928 während der Arbeit an »Narziß und Goldmund«.

ses, der Schmelzbarkeit – jetzt oder nie muß das Material gefaßt und in die Form gebracht werden, sonst ist es zu spät. Bei jedem meiner Bücher hat es eine solche Zeit gegeben, auch bei den niemals fertig gewordenen und niemals gedruckten. Bei ihnen habe ich diese Erntezeit verpaßt, und es kam plötzlich der Augenblick, wo Figur und Problem meiner Dichtung anfing, mir ferner zu rücken und an Dringlichkeit und Wichtigkeit zu verlieren, so wie heute der Camenzind, der Knulp, der Demian für mich keine Aktualität mehr haben. Mehrere Male ist mir eine Arbeit von vielen Monaten auf diese Weise wieder verlorengegangen und mußte verworfen werden.

Dieser Samstagabend nun gehörte mir und meiner Arbeit, und ich hatte den größern Teil des Tages dazu verwendet, mich auf ihn vorzubereiten. Gegen acht Uhr holte ich mein Abendessen aus dem kühlen Nebenzimmer, ein Töpfchen Joghurt und eine Banane, dann setzte ich mich zur kleinen Arbeitslampe und nahm die Feder zur Hand.

Ich tat es nicht gerne, so sehr es notwendig sein mochte. Auf diese heutigen Arbeitsstunden hatte ich mich seit vorgestern nicht gefreut, sondern gefürchtet. Denn meine Erzählung (sie handelte von Goldmund) stand an einer heiklen Stelle, beinahe der einzigen des Buches, wo die Vorgänge selbst das Wort haben, wo es spannend zugeht. Und ich habe vor »spannenden« Handlungen den größten Abscheu, namentlich in meinen eigenen Büchern, in denen ich sie denn auch nach Möglichkeit immer vermieden habe. Diese aber war nicht zu umgehen: das Erlebnis Goldmunds, das ich da erzählen mußte, war kein erfundenes und entbehrliches, sondern es gehörte zu den ersten und wichtigsten Einfällen, aus denen die Figur Goldmunds entstanden war, es gehörte zu seiner Substanz.

Drei Stunden saß ich an meinem Arbeitstisch und plagte mich mit der *einen* »spannenden« Seite, suchte sie so sachlich, so kurz und so wenig spannend wie möglich zu fassen, und ich weiß nicht, ob es mir geglückt ist. Man kann das oft erst sehr viel später sehen. Dann war ich sehr erschöpft und betrübt und saß lange neben meinem vollgekritzelten Papier, von wohlbekannten und unliebsamen Gedankengängen verfolgt. War dies abendliche Schreiben, dies langsame Gestalten einer Figur, die mir vor bald zwei Jahren einst als Vision erschienen war – war diese verzweifelte, beglückende, aufreibende Arbeit wirklich sinnvoll und notwendig? War es notwendig, daß dem Camenzind, dem Knulp, dem Veraguth, dem Klingsor und dem Steppenwolf nun nochmals eine Figur folgte, eine neue Inkarnation, eine etwas anders gemischte und anders differenzierte Verkörperung meines eigenen Wesens im Wort?

Das, was ich da trieb und was ich mein Leben lang getrieben habe, nannte man in früheren Zeiten Dichten, und niemand zweifelte daran, daß es zumindest ebensoviel Wert und Sinn habe wie Afrikareisen oder Tennisspielen. Heute aber nennt man es »Romantik«, und zwar mit einem Ton von heftiger Geringschätzung. Warum denn ist Romantik etwas Minderwertiges? War Romantik nicht das, was die besten Geister Deutschlands getrieben haben, die Novalis, Hölderlin, Brentano, Mörike, und alle deutschen Musiker von Beethoven über Schubert bis Hugo Wolf? Manche neueren Kritiker brauchen für das, was man einst Dichtung und dann Romantik nannte, jetzt sogar die dumme, aber ironisch gemeinte Bezeichnung »Biedermeier«. Sie meinen damit etwas »Bürgerliches« und etwas Uraltmodisches, sentimental Versponnenes, etwas, was inmitten der herrlichen heutigen Zeit dumm und spielerisch anmutet und zum Lachen reizt. So reden sie von allem, was an Geist und Seele über den Tag hinaus sich regt. So als sei das deutsche und europäische Geistesleben eines Jahrhunderts, als sei die Sehnsucht und Vision Schlegels, Schopenhauers und Nietzsches, der Traum Schumanns und Webers, das Dichten Eichendorffs und Stifters eine flüchtige, von uns zu belächelnde, glücklicherweise längst erstorbene Großvätermode gewesen! Aber dieser Traum ging ja nicht um Moden, um Lieblichkeiten und stilistische Bagatellen, er war Auseinandersetzung mit zweitausend Jahren Christentum, mit tausend Jahren Deutschtum, er ging um den Begriff des Menschentums. Warum war das heute so wenig geachtet, warum wurde es von den führenden Schichten unseres Volkes als lächerlich empfunden? Warum gab man Millionen aus für die »Ertüchtigung« unsrer Körper, und auch ziemlich viel für die Routinierung unsres Verstandes – und hatte nichts als Ungeduld oder Gelächter übrig für jede Bemühung um die Bildung unsrer Seele?

War wirklich der Geist, aus dem das Wort gekommen war: »Was hülfe es dir, wenn du die ganze Welt gewännest, und nähmest doch Schaden an deiner Seele?« – war dieser Geist wirklich Romantik, oder gar »Biedermeier«, war er wirklich abgetan, überwunden, durch Besseres ersetzt, erledigt und lächerlich geworden? War wirklich das »heutige Leben« in den Fabriken, an den Börsen, auf den Sportplätzen und Wettbureaus, in den großstädtischen Bars und Tanzmusiksälen – war dies Leben wirklich irgend besser, reifer, klüger, wünschenswerter als das Leben der Menschen, die die »Bhagavad-Gita« oder die gotischen Kathedralen gemacht hatten? Gewiß, es hat auch das heutige Leben und die heutige Mode ihr Recht, ist gut, ist ein Wechsel und Versuch zu Neuem – aber war es wirklich richtig und nötig, alles Bisherige von Jesus Christus an bis zu Schubert oder Corot für dumm, altväterisch, überwunden und belachenswert anzusehen? War dieser heftige, wilde, amokläuferische Haß einer neuen Zeit gegen alles und jedes, was ihr voranging, wirklich ein Beweis für die Stärke dieser neuen Zeit? Waren es nicht die Schwachen, die tief Gefährdeten, die Angstvollen, die zu solchen übertriebenen Schutzregeln neigten?

Und indem ich alle diese Fragen wieder einmal für eine Nachtstunde in mich einließ – nicht um sie zu beantworten, denn die Antwort weiß ich, seit ich lebe –, sondern um ihr Leid in mich einzulassen, um ihren bitteren Trank wieder einmal zu kosten, indem sah ich den Knulp, den Siddhartha, den Steppenwolf und den Goldmund vor meinen Augen, lauter Brüder, lauter nahe Verwandte, und dennoch keine Wiederholungen, lauter Fragende und Leidende, und für mich doch das Beste, was das Leben mir gebracht hat. Ich begrüßte und bejahte sie, und ich wußte einmal wieder, daß die Fragwürdigkeit meines Tuns mich niemals abhalten würde, es dennoch zu tun. Ich wußte wieder, daß alles Glück der Glücklichen, alle Rekorde und alle Gesundheit der Sportleute, alles Geld der Geldleute, alle Berühmtheit der Boxer mir nichts bedeuten würde, wenn ich dafür auch nur das Mindeste von meinem Eigensinn und meiner Leidenschaft hergeben müßte. Ich wußte auch, daß es auf alle die historischen und gedanklichen Begründungen für den Wert meiner »romantischen« Bestrebungen gar nicht ankam, sondern daß ich meine Spiele treiben und meine Figuren gestalten würde, auch wenn aller Verstand, alle Moral und alle Weisheit gegen sie spräche.

Mit dieser Gewißheit ging ich zu Bett, stark wie ein Riese.

(1928)

Floßfahrt

Vermutlich laufen auch heute noch da und dort auf Erden Bäche und Ströme durch Gras und Wald, stehen frühmorgens an Waldrändern im betauten Laubwerk sanftblickende Rehe, vielleicht auch kommt den Kindern von heute ihr Bach mit seinen Zementufern und ihre Wiese mit dem Sportplatz und den Fahrradgestellen ebenso schön und ehrwürdig vor, wie uns Unzeitgemäßen einst, vor einem halben Jahrhundert, ein wirklicher Bach und eine wirkliche Wiese vorkam. Es hat keinen Sinn, darüber zu streiten, vielleicht ist tatsächlich die Welt inzwischen vollkommener geworden. Sei dem, wie ihm wolle, wir Älteren sind dennoch der Meinung, wir hätten vor vierzig bis fünzig Jahren noch etwas eingeatmet, etwas gekostet und miterlebt, was seither vollends aus der vervollkommneten Welt entschwunden ist: den Rest einer Unschuld, den Rest einer Harmlosigkeit und Ländlichkeit, welche damals noch da und dort mitten in Deutschland anzutreffen war, während sie heute auch in Polynesien vergebens gesucht wird. Darum erinnern wir uns gern der Kindheit und genießen froh, dumm und egoistisch das Recht unseres Alters, die vergangenen Zeiten auf Kosten der heutigen zu loben. Eine Erinnerung an die sagenhaft gewordene Kindheit kam mir dieser Tage. Sei willkommen, schöne Erinnerung!

Durch meine Vaterstadt im Schwarzwald floß ein Fluß, ein Fluß, an dem damals nur erst ganz wenige Fabriken standen, wo es viele alte Mühlen und Brücken, Schilfufer und Erlengehölze, wo es viele Fische und im Sommer Millionen von dunkelblauen Wasserjungfern gab. Es ist mir unbekannt, wie sich die Fische und die Wasserjungfern zwischen dem zunehmenden Zementgemäuer der Ufer und den zunehmenden Fabriken gehalten haben, vielleicht sind sie noch immer da. Vermutlich längst verschwunden aber ist etwas, was es damals auf dem Flusse gab, etwas Schönes und Geheimnisvolles, etwas Märchenhaftes, etwas vom Allerschönsten, was dieser schöne sagenhafte Fluß besaß: die Flößerei. Damals, zu unseren Zeiten, wurden die Schwarzwälder Tannenstämme den Sommer über in gewaltigen Flößen alle die kleinen Flüsse bis nach Mannheim und zuweilen noch bis nach Holland hinunter auf dem Wasser befördert, die Flößerei war ein eigenes Gewerbe, und für jedes Städtchen war im Frühjahr das Erscheinen des ersten Floßes noch wichtiger und merkwürdiger als das der ersten Schwalben.

Ein solches Floß (das aber auf Schwäbisch nicht »das Floß« hieß, sondern »der Flooz«) bestand aus lauter langen Tannen- und Fichtenstämmen, sie waren entrindet, aber nicht weiter zugehauen, und das Floß bestand aus einer größeren Anzahl von Gliedern. Jedes Glied umfaßte etwa acht bis zwölf Stämme, die an den Enden verbunden waren, und an jedem Glied hing das nächste Glied elastisch, mit Weiden gebunden, so daß das Floß, war es auch noch so lang, mit seinen beweglichen Gliedern sich den Krümmungen des Flusses anschmiegen konnte. Dennoch passierte es nicht selten, daß ein Floß stecken blieb, eine aufregende Sache für die ganze Stadt und ein hohes Fest für die Jugend. Die Flößer, wegen ihres Mißgeschicks von den Brücken herab und aus den Fenstern der Häuser vielfach verhöhnt, waren wütend und hatten fieberhaft zu arbeiten, wateten schimpfend bis zum Bauch im Wasser, schrien und zeigten die ganze berühmte Wildheit und Rauhigkeit ihres Standes; noch ärgerlicher und böser waren die Müller und Fischer, und alles, was am Ufer sein Leben und seine Arbeit hatte, namentlich die vielen Gerber, rief den Flößern Scherzworte oder Schimpfworte zu. War das Floß unter einem offenen Schleusentor steckengeblieben, dann trabten und schimpften die Müller ganz besonders, und es gab dann zuweilen für uns Knaben ein besonderes Glück: das Flußbett rann eine Strecke weit beinahe leer, und unterhalb der Wehre konnten wir dann die Fische mit der Hand fangen, die breiten, glänzenden Rotaugen, die schnellen, stachligen Barsche und etwa auch ein Neunauge.

Die Flößer gehörten offensichtlich zu den Unseßhaften, Wilden, Wanderern, Nomaden, und Floß und Flößer waren bei den Hütern der Sitte und Ordnung nicht wohlgelitten. Umgekehrt war für uns Knaben, sooft ein Floß erschien, Gelegenheit zu Abenteuern, Aufregungen und Konflikten mit jenen Ordnungsmächten. So wie zwischen Müllern und Flößern ein ewiger Krieg bestand, in dem ich stets zur Partei der Flößer hielt, so bestand bei unseren Lehrern, Eltern, Tanten eine Abneigung gegen das Flößerwesen, und ein Bestreben, uns mit ihm möglichst wenig in Berührung kommen zu lassen. Wenn einer von uns zu Hause mit einem recht unflätigen Wort, einem meterlangen Fluch aufwartete, dann hieß es bei den Tanten, das habe man natürlich wieder bei den Flößern gelernt. Und an manchem Tage, der durch die Durchreise eines Floßes uns zum Fest geworden war, gab es väterliche Prügel, Tränen der Mutter, Schimpfen des Polizisten. Eine schöne Sage, die wir Knaben über alles liebten, war die von einem kleinen Buben, der einst wider alle Verbote ein Floß bestiegen und damit bis nach Holland und ans Meer gekommen sei und erst nach Monaten sich wieder bei seinen trauernden Eltern eingefunden habe. Es diesem Märchenknaben gleichzutun, war jahrelang mein innigster Wunsch.

Weit öfter, als mein guter Vater ahnte, bin ich als kleiner Bub für kurze Strecken blinder Passagier auf einem Floß gewesen. Es war streng verboten, man hatte nicht nur die Erzieher und die Polizei gegen sich, sondern leider meistens auch die Flößer. Schöneres und Spannenderes gibt es für einen Knaben nicht auf der Welt, als eine Floßfahrt. Denke ich daran, so kommt mit hundert zauberhaften Düften die ganze Heimat und Vergangenheit herauf. Ein vorüberfahrendes Floß besteigen konnte man entweder vom Laufsteg eines Schleusentors, einer sogenannten »Stellfalle« aus – das galt für schneidig und forderte einigen Mut, oder aber vom Ufer aus, was oft gar nicht schwierig war, aber doch jedesmal mit einem halben oder ganzen Bad bezahlt werden mußte. Am besten noch ging es an ganz warmen Sommertagen, wenn man ohnehin sehr wenig Kleider und weder Schuhe noch Strümpfe anhatte. Dann kam man leicht aufs Floß, und wenn man Glück hatte und sich vor den Flößern verbergen konnte, war es wunderbar, ein paar Meilen weit zwischen den grünen stillen Ufern den Fluß hinunterzufahren, unter den Brücken und Stellfallen hindurch.

Während des Fahrens aber, wenn nicht gerade ein Flößer freundlich war und einen auf einen Bretterstoß setzte, bekam man sehr bald auch die Unbilden des beneideten Flößerhandwerks zu kosten. Man stand unsicher auf den glitschigen Stämmen, zwischen denen das Wasser ununterbrochen heraufspritzte, man war naß bis auf die Knochen, und wenn es nicht sehr sommerlich war, fing man stets bald an zu frieren. Und dann kam der Augenblick näher, wo man das rasch fahrende Floß wieder verlassen mußte, es ging gegen den Abend, man schlotterte vor nasser Kühle, und man war bis in eine Gegend mitgefahren, wo man die Ufer nicht mehr so genau kannte wie zu Hause. Nun galt es eine Stelle zu erspähen und unverweilt mit raschem Entschluß zu benützen, wo ein Absprung ans Land möglich schien – meistens gab es in diesem letzten Augenblick nochmals ein Bad, auch war es oft gefährlich, und hie und da passierte ein Unglück; auch mir ist bei diesem Anlaß einst der Schauder der Todesgefahr bekannt geworden.

Und wenn man dann glücklich wieder an Land war, Erde und Gras unter den Füßen hatte, dann war es weit, zuweilen sehr weit nach Hause zurück, man stand in nassen Schuhen, nassen Kleidern, man hatte die Mütze verloren, und nun spürte man nach dem langen glitschigen Stehen auf den nassen Baumstämmen eine Schwäche in den Waden und Knien und mußte doch noch eine Stunde oder zwei oder mehr zu Fuß laufen, und alles nur, um dann von schluchzenden Müttern, entsetzten Tanten und einem todernsten Vater empfangen zu werden, welche dem Herrn dafür dankten, daß er wider Verdienst den entarteten Knaben hatte heil entrinnen lassen.

Schon in der Kindheit war es so: man bekam nichts geschenkt, man mußte jedes Glück bezahlen. Und wenn ich heute nachrechne, in was das Glück einer solchen Floßfahrt eigentlich bestand, wenn ich alle die Beschwerden, Anstrengungen, Unbilden abziehe, so bleibt wenig übrig. Aber dieses wenige ist wunderbar; ein stilles, rasch und erregend ziehendes Fahren auf dem kühlen, laut rauschenden Fluß, zwischen lauter spritzendem Wasser, ein traumhaftes Hinwegfahren unter den Brücken, durch dicke, lange Gehänge von Spinnweben, träumerische Augenblicke des Versinkens in ein unsäglich seliges Gefühl von Wanderung, von Unterwegssein, von Entronnensein und Indiewelthineinfahren, mit der Perspektive zum Neckar und zum Rhein und nach Holland hinunter – und dies wenige, diese mit Nässe, Frieren, mit Schimpfworten der Flößer, Predigten der Eltern bezahlte Seligkeit wog doch alles auf, war doch alles wert, was man dafür geben mußte. Man war ein Flößer, man war ein Wanderer, ein Nomade, man schwamm an den Städten und Menschen vorbei, still, nirgends hingehörig, und fühlte im Herzen die Weite der Welt und ein sonderbares Heimweh brennen. O nein, es war gewiß nicht zu teuer bezahlt. (1928)

Wenn man in einem Hotel länger als drei bis vier Wochen wohnt, muß man immer einmal mit irgend einer Störung rechnen. Entweder findet eine Hochzeit im Hause statt, welche mit Musik und Gesang den ganzen Tag und die ganze Nacht andauert, und am Morgen mit gerührten Gruppen Betrunkener in den Korridoren endet. Oder ein Zimmernachbar links macht einen Selbstmordversuch mit Gas, und die Dämpfe dringen zu dir herüber. Oder er erschießt sich, was an sich ja anständiger ist, aber er tut es zu einer Tageszeit, wo Hotelgäste von ihren Nachbarn stilles Betragen erwarten dürften. Manchmal platzt auch eine Wasserröhre, und du mußt dich durch Schwimmen retten, oder eines Morgens um sechs Uhr werden die Leitern vor deinen Fenstern angelegt, und es steigt eine Schar von Männern herauf, welche Auftrag haben, das Dach umzudecken.

Da ich nun schon drei Wochen unbehelligt in meinem alten Heiligenhof in Baden wohnte, konnte ich damit rechnen, daß bald eine Störung fällig sein werde. Es war diesmal eine der harmlosesten: etwas an der Heizung ging kaputt und wir mußten einen Tag lang frieren. Den Vormittag hielt ich heldenhaft aus, erst ging ich ein wenig spazieren, dann begann ich zu arbeiten, im warmen Schlafrock, und freute mich jedesmal, wenn in den kalten Eisenschlangen der Dampfheizung ein Gurgeln oder Pfeifen auf wiedererwachendes Leben zu deuten schien. Aber so rasch ging die Sache doch nicht, und im Lauf des Nachmittags, als mir Hände und Füße kalt geworden waren, gab ich nach und streckte die Waffen. Ich zog mich aus und legte mich ins Bett. Und da nun schon einmal die Ordnung der Dinge durchbrochen und eine Art von Exzeß begangen war, indem ich mich mitten am Tage in die Kissen legte, tat ich auch noch etwas anderes, was ich sonst nicht zu tun pflege. Meine Bekannten und die Beurteiler meiner Schriften sind beinahe alle der Meinung, ich sei ein Mann ohne Grundsätze. Aus irgendwelchen Beobachtungen und aus irgendwelchen Stellen meiner Bücher schließen diese wenig scharfsinnigen Leute, ich führe ein unerlaubt freies, bequemes Leben ins Blaue hinein. Weil ich morgens gern lang liegen bleibe, weil ich mir in der Not des Lebens hie und da eine Flasche Wein erlaube, weil ich keine Besuche empfange und mache, und aus ähnlichen Kleinigkeiten schließen diese schlechten Beobachter, ich sei ein weichlicher, bequemer, verlotterter Mensch, der sich überall nachgibt, sich zu nichts aufrafft und ein unmoralisches, haltloses Leben führt. Sie sagen dies aber nur, weil es sie ärgert und ihnen anmaßend scheint, daß ich mich zu meinen Gewohnheiten und Lastern bekenne, daß ich sie nicht verheimliche. Wollte ich (was ja leicht wäre) der Welt einen ordentlichen, bürgerlichen Lebenswandel vortäuschen, wollte ich auf die Weinflasche eine Kölnischwasser-Etikette kleben, wollte ich meinen Besuchen, statt ihnen zu sagen, sie seien mir lästig, vorlügen, ich sei nicht zu Haus, kurz, wollte ich schwindeln und lügen, so wäre mein Ruf der beste, und der Ehrendoktor würde mir schon bald verliehen werden.

In Wirklichkeit nun ist es so, daß ich, je weniger ich mir die bürgerlichen Normen gefallen lasse, desto strenger meine eigenen Grundsätze halte. Es sind Grundsätze, die ich für vortrefflich halte und deren Befolgung keinem meiner Kritiker auch nur einen Monat lang möglich wäre. Einer von ihnen ist der Grundsatz, keine Zeitungen zu lesen – nicht etwa aus Literatenhochmut oder aus dem irrtümlichen Glauben, die Tagesblätter seien schlechtere Literatur als das, was der heutige Deutsche »Dichtung« nennt, sondern einfach, weil weder Politik, noch Sport, noch Finanzwesen mich interessieren, und weil es mir seit Jahren unerträglich wurde, Tag für Tag machtlos zuzusehen, wie die Welt neuen Kriegen entgegenläuft.

Wenn ich nun meine Gewohnheit, keine Zeitungen anzusehen, wenige Male im Jahr für eine halbe Stunde unterbreche, habe ich außerdem den Genuß einer Sensation, ebenso wie beim Kino, das ich auch nur, mit heimlichen Schaudern, etwa einmal im Jahr betrete. An diesem etwas trostlosen Tage nun, ins Bett geflüchtet und leider nicht mit anderer Lektüre versehen, las ich zwei Zeitungen. Die eine, eine Zürcher Zeitung, war noch ziemlich neu, erst vier oder fünf Tage alt, und ich besaß sie, weil ein Gedicht von mir in dieser Nummer abgedruckt stand. Die andere Zeitung war etwa eine Woche älter und hatte mich ebenfalls nichts gekostet, sie war in der Form von Einwickelpapier in meine Hände gelangt. In diesen beiden Zeitungen las ich nun mit Neugierde und Spannung, das heißt ich las natürlich nur jene Teile, deren Sprache mir verständlich ist. Jene Gebiete, zu deren Darstellung eine besondere Geheimsprache erforderlich ist, mußte ich mir entgehen lassen, also Sport, Politik und Börse. Es blieben also die kleinen Nachrichten und das Feuilleton übrig. Und wieder begriff ich mit allen Sinnen, warum die Menschen Zeitungen lesen. Ich begriff, bezaubert vom vielmaschigen Netz der Mitteilungen, den Zauber des verantwortungslosen Zuschauens und fühlte mich eine Stunde lang in der Seele eins mit jenen vielen alten Leuten, die jahrelang herumsitzen und nur deshalb nicht sterben können, weil sie Radio-Abonnenten sind und von Stunde zu Stunde Neues erwarten.

Dichter sind meistens ziemlich phantasiearme Menschen, und so war ich denn wieder berauscht und überrascht von allen diesen Nachrichten, von denen ich kaum eine selbst zu erfinden imstande gewesen wäre. Ich las höchst merkwürdige Dinge, über die ich Tage und Nächte lang werde nachzudenken haben. Nur wenige der hier mitgeteilten Nachrichten ließen mich kalt: daß man noch immer heftig und erfolglos gegen die Krebskrankheit kämpfe, setzte mich ebensowenig in Erstaunen wie die Meldung von einer neuen amerikanischen Stiftung zugunsten der Ausrottung des Darwinismus. Aber drei- oder viermal las ich aufmerksam eine Notiz aus einer Schweizer Stadt, wo ein junger Mensch wegen fahrlässiger Tötung seiner eigenen Mutter verurteilt wurde, und zwar zu einer Geldstrafe von hundert Franken. Diesem armen Menschen war das Unglück passiert, daß er, vor den Augen seiner Mutter, sich mit einer Schießwaffe beschäftigte, daß die Waffe losging und die Mutter tötete. Der Fall ist traurig, aber nicht unausdenklich, es stehen schlimmere und unheimlichere Nachrichten in jeder Zeitung. Aber wieviele Viertelstunden ich mit Nachberechnungen dieser Geldstrafe verschwendet habe, schäme ich mich einzugestehen. Ein Mensch erschießt seine Mutter. Tut er es absichtlich, so ist er ein Mörder, und wie die Welt nun einmal ist, wird er nicht einem weisen Sarastro übergeben, der ihn über die Dummheit seines Mordes aufklärt und ihn zum Menschen zu machen versucht, sondern man wird ihn für eine gute Weile einsperren, oder in Ländern, wo noch die guten alten Barbarenfürsten Geltung haben, wird man ihm, um Ordnung zu schaffen, seinen törichten Kopf abhacken. Nun ist ja dieser Mörder aber gar kein Mörder, er ist ein Pechvogel, dem etwas ungewöhnlich Trauriges passiert ist. Auf Grund welcher Tabellen nun, auf Grund welcher Taxierungen vom Wert eines Menschenlebens oder von der erzieherischen Kraft der Geldstrafe ist das Gericht dazu gekommen, dieses fahrlässig zerstörte Leben gerade mit dem Geldbetrag von hundert Franken einzuschätzen? Ich habe mir keinen Augenblick erlaubt, an der Redlichkeit und dem guten Willen des Richters zu zweifeln, ich bin überzeugt, daß er sich große Mühe gab, ein gerechtes Urteil zu finden, und daß er zwischen seinen vernünftigen Erwägungen und dem Wortlaut der Gesetze in schwere Konflikte kam. Aber wo in der Welt ist ein Mensch, der die Nachricht von diesem Urteil mit Verständnis oder gar mit Befriedigung lesen könnte?

Im Feuilleton fand ich eine andere Nachricht, sie bezog sich auf einen meiner berühmten Kollegen. Von »unterrichteter Seite« wurde uns da mitgeteilt, daß der große Unterhaltungsschriftsteller M. zur Zeit in S. weile, um Verträge über die Verfilmung seines letzten Romans abzuschließen, und daß ferner Herr M. geäußert habe, sein nächstes Werk werde ein nicht minder wichtiges und spannendes Problem behandeln, aber er werde kaum vor Ablauf von zwei Jahren imstande sein, diese große Arbeit fertigzustellen. Auch diese Nachricht beschäftigte mich lang. Wie treu, wie gut und sorgsam muß dieser Kollege täglich seine Arbeit leisten, damit er solche Voraussagungen machen kann! Aber warum macht er sie? Könnte nicht vielleicht während der Arbeit doch ein anderes, heftiger brennendes Problem ihn erfassen und zu anderer Arbeit zwingen? Könnte nicht seine Schreibmaschine eine Panne erleiden oder seine Sekretärin erkranken? Und wozu war dann die Vorausankündigung gut? Wie steht er dann da, wenn er nach zwei Jahren bekennen muß, daß er nicht fertig geworden sei? Oder wie, wenn die Verfilmung seines Romans ihm soviel Geld einbringt, daß er das Leben eines reichen Mannes zu führen beginnt? Dann wird weder sein nächster Roman, noch sonst jemals wieder ein Werk von ihm fertig werden, es sei denn, daß die Sekretärin die Firma weiterführe.

Aus einer andern Zeitungsnotiz erfahre ich, daß ein Zeppelin-Luftschiff unter der Führung von Dr. Eckener im Begriff sei, von Amerika zurückzufliegen. Also muß es vorher auch hinübergeflogen sein. Eine schöne Leistung! Diese Nachricht erfreut mich. Und wie viele Jahre habe ich nicht mehr an den Dr. Eckener gedacht, unter dessen Führung ich einst vor 18 Jahren meinen ersten Zeppelin-Flug über dem Bodensee und dem Arlberg machte. Ich erinnere mich eines kräftigen, eher wortkargen Mannes mit einem festen, zuverlässigen Kapitänsgesicht, dessen Gesicht und Namen ich mir damals gemerkt habe, obwohl ich nur wenige Worte mit ihm wechselte. Und nun ist also, nach all diesen vielen Jahren und

Schicksalen, dieser Mann noch immer an der Arbeit, er hat weiter gemacht und ist schließlich bis Amerika geflogen, und weder Krieg, noch Inflation, noch persönliche Schicksale haben ihn abhalten können, seinen Dienst zu tun und seinen festen Kopf durchzusetzen. Ich sehe ihn noch deutlich vor mir, wie er damals, im Jahr 1910, mir einige freundliche Worte sagte (er hielt mich vermutlich für einen Berichterstatter) und dann in seine Führergondel kletterte. Er ist im Krieg nicht General, er ist in der Inflation nicht Bankier geworden, er ist immer noch Schiffbauer und Kapitän, er ist seiner Sache treu geblieben. Inmitten so vieler verwirrender Neuigkeiten, die aus den beiden Zeitungen in mich eingeströmt sind, ist diese Nachricht beruhigend.

Aber nun ist es genug. Einen ganzen Nachmittag habe ich mit den zwei Zeitungsblättern verbracht. Die Heizung ist noch immer kalt, ich will also ein wenig zu schlafen versuchen. (1929)

Brief an einen Kommunisten

Meine persönliche Stellung zum Kommunismus läßt sich nicht schwer formulieren. Der Kommunismus (worunter ich im wesentlichen die Ziele und Gedanken des alten Marxischen Manifestes verstehe) ist im Begriff, seine Verwirklichung in der Welt durchzusetzen, die Welt ist reif dafür, seit nicht nur das kapitalistische System so deutliche Zeichen des Verfalles zeigt, sondern namentlich auch seit die »Mehrheits«-Sozialdemokratie die revolutionäre Fahne vollkommen verlassen hat.

Ich halte den Kommunismus nicht nur für berechtigt, sondern ich halte ihn für selbstverständlich – er würde kommen und siegen, auch wenn wir alle dagegen wären. Wer heute auf seiten des Kommunismus steht, der bejaht die Zukunft.

Außer diesem Ja, das mein Verstand zu Ihrem Programm sagt, hat auch, seit ich lebe, eine Stimme in mir für die Leidenden gesprochen, ich bin immer für die Unterdrückten gegen die Unterdrücker, für den Angeklagten gegen die Richter, für die Hungernden gegen die Fresser gewesen. Nur hätte ich allerdings diese mir natürlich scheinenden Gefühle niemals kommunistisch genannt, sondern eher christlich.

Also: ich glaube mit Ihnen, daß der marxistische Weg über den sterbenden Kapitalismus hinweg zur Befreiung des Proletariates der Weg der Zukunft ist, und daß die Welt ihn gehen muß, sie mag wollen oder nicht.

Soweit sind wir einig.

Nun aber fragen Sie vermutlich: Warum ich, wenn ich doch an die Richtigkeit des Kommunismus glaube und es mit den Unterdrückten gut meine, denn nicht mit Ihnen in den Kampf ziehe und meine Feder in den Dienst Ihrer Partei stelle.

Darauf ist schwieriger zu antworten, denn hier handelt es sich um Dinge, die für mich heilig und bindend sind, die aber für Sie kaum existieren. Ich lehne es vollkommen und entschieden ab, als Parteimitglied einzutreten oder meine Schriftstellerei in den Dienst Ihres Programms zu stellen, obwohl die Aussicht auf Brüder und Kameraden, auf die Gemeinschaft mit einer Welt von Gleichgesinnten lockend genug wäre.

Aber wir sind eben nicht gleichgesinnt. Denn wenn ich auch Ihre Ziele billige, oder, um deutlich zu sein: wenn ich auch daran glaube, daß der Kommunismus reif ist, die Herrschaft und damit die ungeheure Verantwortung zu übernehmen, beginnend mit dem Aufsichladen von Blut und Krieg – so ist das für mich nicht anders als wenn ich im November daran glaube, daß jetzt bald der Winter kommt. Ich glaube an den Kommunismus als Programm für die kommende Menschheits-Stunde, ich halte ihn für unentbehrlich und unumgänglich. Aber ich glaube deswegen keineswegs daran, daß der Kommunismus auf die großen Lebensfragen bessere Antworten habe als irgendeine frühere Weisheit. Ich glaube, daß er nach hundert Jahren Theorie, und dem großen russischen Versuch, jetzt nicht nur das Recht, sondern die Pflicht habe, sich in der Welt zu verwirklichen, und ich glaube und hoffe aufrichtig, daß es ihm gelingen werde, den Hunger abzuschaffen und einen großen Alpdruck von der Menschheit zu nehmen. Aber daß damit das geleistet werde, was die Religionen, Gesetzgebungen und Philosophien früherer Jahrtausende nicht leisten konnten, das glaube ich nicht. Daß der Kommunismus über die Verkündigung vom Recht eines jeden Menschen auf Brot und auf Geltung hinaus recht habe und besser sei als irgendeine frühere Glaubensform, das glaube ich nicht. Er hat seine Wurzeln im neunzehnten Jahrhundert, mitten im Boden der dürrsten und dünkelhaftesten Verstandesherrschaft, eines besserwissenden, phantasielosen und lieblosen Professorentums. Karl Marx hat das Denken in dieser Schule gelernt, seine Geschichtsbetrachtung ist die eines Nationalökonomen, eines großen Spezialisten, aber sie ist keineswegs »sachlicher« als irgendeine andre Art der Betrachtung, sie ist außerordentlich einseitig und unelastisch: ihre Genialität und Rechtfertigung liegt nicht in ihrem höheren Rang an Geist, sondern in ihrer Entschlossenheit zur Tat.

Wenn wir heute 1831 schreiben würden statt 1931, so würde ich wahrscheinlich als Dichter und Schriftsteller sehr stark von den Wehen und Erschütterungen des Morgen und Übermorgen beunruhigt sein und würde der Erkenntnis des sich vorbereitenden Umsturzes für eine gewisse Zeit alle meine Kräfte widmen. So hat es damals der Dichter Heinrich Heine getan, und er wurde für eine gewisse Zeit, vielleicht für die fruchtbarste seines Lebens, in Paris der Freund und Mitarbeiter des jungen Karl Marx. Heute aber würde derselbe Heine sich eben auch wieder mehr für das Morgen und Übermorgen interessieren als für die Ausführung dessen, was längst als richtig und ausführenswert erkannt ist. Er würde heute ohne weiteres erkennen, daß der Sozialismus seine Schule hinter sich hat und entweder die Weltherrschaft antreten muß oder erledigt ist. Und er würde diesen Vorgang, die kommunistische Welteroberung, billigen und richtig finden, würde aber keinen Antrieb spüren, an diesem mit voller Wucht rollenden Wagen selber mitzuziehen.

Der Dichter ist weder etwas Besseres noch etwas Geringeres als der Minister, als der Ingenieur, als der Volksredner, aber er ist etwas vollkommen anderes als sie. Ein Beil ist ein Beil, und man kann damit Holz spalten oder auch Köpfe. Eine Uhr aber oder ein Barometer sind zu anderen Zwecken da, und wenn man mit ihnen Holz oder Köpfe spalten will, gehen sie kaputt, ohne daß irgend jemand davon Nutzen hat.

Es ist hier nicht der Ort, um die Aufgaben und Funktionen des Dichters, als eines besonderen Werkzeuges der Menschheit, aufzuzählen und zu erklären. Er ist vielleicht eine Art von Nerv im Körper der Menschheit, ein Organ, um auf zarte Anrufe und Bedürfnisse zu reagieren, ein Organ zum Wecken, zum Warnen, zum Aufmerksammachen. Aber er ist nicht ein Organ, um damit Plakate zu verfassen und anzunageln, er eignet sich nicht zum Ausrufer auf dem Markt, denn seine Stärke liegt ja gar nicht in der lauten Stimme, das kann Hitler viel besser. Jedenfalls aber, seine Aufgaben mögen nun diese oder jene sein: einen Wert hat er nur dann und ernst zu nehmen ist er nur dann, wenn er sich nicht verkauft und nicht mißbrauchen läßt, wenn er lieber leidet oder stirbt als dem untreu zu werden, was er als seine Berufung in sich fühlt.

Karl Marx hat für die Dichtung und Kunst der Vergangenheit, z. B. für die griechische, recht viel Verständnis gehabt, und wenn er je in irgendeinem Punkt seiner Lehre vielleicht nicht vollkommen aufrichtig war, dann war es darin, daß er trotz besseren Wissens die Künste nicht als ein Organ der Menschheit anerkannte, sondern bloß als ein Stückchen vom »ideologischen Überbau«.

Nein, ich möchte Euch Kommunisten im Gegenteil eher vor Dichtern warnen, die sich Euch anbieten, die sich zu Ausrufern und Mitkämpfern eignen. Der Kommunismus ist eine sehr wenig dichterische Angelegenheit, er war es schon bei Marx und ist es heute noch viel mehr. Der Kommunismus wird, wie jede große Welle materieller Macht, sogar die Poesie sehr in Gefahr bringen, er wird wenig Sinn für Qualität haben und mit ruhigem Schritt eine Menge von Schönem tottreten, ohne es zu bedauern. Er wird allerlei Umsturz und Neuordnung bringen, bis das neue Haus für die neue Gesellschaft gebaut ist, es wird viel Schutt herumliegen, und wir Künstler werden als Handlanger dabei nicht am rechten Orte sein. Man wird noch mehr über uns und unsre zarten Sorgen lachen und uns oft noch weniger ernst nehmen, als es im Zeitalter des Bourgeois geschah.

Aber es wird im neuen Hause der Menschheit sehr bald wieder Unzufriedenheit entstehen, und sobald die Furcht vor dem Hunger gebannt ist, wird sich zeigen, daß auch der Zukunfts- und Massenmensch eine Seele hat, und daß diese ihre Arten von Hunger und Bedürfnis, von Trieb und Zwang in sich ausbildet, und daß die Triebe, Bedürfnisse, Wünsche und Träume dieser Seele einen überaus großen Anteil an allem haben, was die Menschheit denkt und tut und anstrebt. Und wenn dann Seelenverständige da sein werden: Künstler, Dichter, Versteher, Tröster, Wegweiser, so wird es gut für die Menschheit sein.

Im Augenblick sind Eure Aufgaben klar zu erkennen. Ihr Kommunisten habt ein klares Programm zu erfüllen, und habt Euch dafür einzusetzen. Im Augenblick scheinen Eure Aufgaben viel klarer, viel notwendiger und ernster als die unsern. Das wird sich wieder ändern, wie es sich schon oft geändert hat.

Ihr werdet mit dem Recht des Kriegführenden vielleicht diesen oder jenen Dichter totschlagen, weil er für Eure Feinde Kampflieder dichtet; wahrscheinlich wird sich nachher zeigen, daß es gar kein Dichter war, sondern bloß ein Plakatverfasser. Aber Ihr werdet Euch zu Eurem Schaden täuschen, wenn Ihr glaubt, ein Dichter sei ein Instrument, dessen sich die jeweils herrschende Klasse beliebig im Sinn eines Sklaven oder eines käuflichen Talentes bedienen könne. Ihr würdet mit dieser Meinung mit Euren Dichtern schwer hereinfallen und es würden gerade die wertlosen an Euch hängenbleiben. Die echten Künstler und Dichter aber werdet Ihr, falls Ihr Euch später einmal darum bekümmern wollt, daran erkennen, daß sie einen unbändigen Drang nach Unabhängigkeit haben und sofort zu arbeiten aufhören, wenn man sie zwingen will, die Arbeit anders als allein nach dem eigenen Gewissen zu machen. Sie werden weder für Zuckerbrot noch für hohe Ämter käuflich sein und sich lieber totschlagen als mißbrauchen lassen. Daran werdet Ihr sie erkennen können. (1931)

Mein Glaube

Ich habe nicht nur in Aufsätzen gelegentlich Bekenntnis abgelegt, sondern ich habe auch einmal, vor etwas mehr als zehn Jahren, den Versuch gemacht, meinen Glauben in einem Buche niederzulegen. Das Buch heißt »Siddhartha«, und sein Glaubensinhalt ist von indischen Studenten und japanischen Priestern häufig geprüft und diskutiert worden, nicht aber von deren christlichen Kollegen.

Daß mein Glaube in diesem Buch einen indischen Namen und ein indisches Gesicht hat, ist kein Zufall. Ich habe in zwei Formen Religion erlebt, als Kind und Enkel frommer rechtschaffener Protestanten und als Leser indischer Offenbarungen, unter denen ich obenan die Upanishaden, die Bhagavad Gita und die Reden des Buddha stelle. Und auch das war kein Zufall, daß ich, inmitten eines echten und lebendigen Christentums aufgewachsen, die ersten Regungen eigener Religiosität in indischer Gestalt erlebte. Mein Vater sowohl wie meine Mutter und deren Vater waren ihr Leben lang im Dienst der christlichen Mission in Indien gestanden, und obwohl erst in einem meiner Vettern und mir die Erkenntnis durchbrach, daß es nicht eine Rangordnung der Religionen gebe, so war doch schon in Vater, Mutter und Großvater nicht bloß eine reiche und ziemlich gründliche Kenntnis indischer Glaubensformen vorhanden, sondern auch eine nur halb eingestandene Sympathie für diese indischen Formen. Ich habe das geistige Indertum ganz ebenso von Kind auf eingeatmet und miterlebt wie das Christentum.

Dagegen lernte ich das Christentum in einer einmaligen, starren, in mein Leben einschneidenden Form kennen in einer schwachen und vergänglichen Form, die schon heute überlebt und beinahe verschwunden ist. Ich lernte es kennen als pietistisch gefärbten Protestantismus, und das Erlebnis war tief und stark; denn das Leben meiner Voreltern und Eltern war ganz und gar vom Reich Gottes her bestimmt und stand in dessen Dienst. Daß Menschen ihr Leben als Lehen von Gott ansehen und es nicht in egoistischem Trieb, sondern als Dienst und Opfer vor Gott zu leben suchen, dies größte Erlebnis und Erbe meiner Kindheit hat mein Leben stark beeinflußt. Ich habe die »Welt« und die Weltleute nie ganz ernst genommen, und tue es mit den Jahren immer weniger. Aber so groß und edel dies Christentum meiner Eltern als gelebtes Leben, als Dienst und Opfer, als Gemeinschaft und Aufgabe war – die konfessionellen und zum Teil sektiererischen Formen, in denen wir Kinder es kennenlernten, wurden mir schon sehr früh verdächtig und zum Teil ganz unausstehlich. Es wurden da manche Sprüche und Verse gesagt und gesungen, die schon den Dichter in mir beleidigten, und es blieb mir, als die erste Kindheit zu Ende war, keineswegs verborgen, wie sehr Menschen wie mein Vater und Großvater darunter litten und sich damit plagten, daß sie nicht wie die Katholiken ein festgelegtes Bekenntnis und Dogma hatten, nicht ein echtes, bewährtes Ritual, nicht eine echte, wirkliche Kirche.

Daß die sogenannte »protestantische« Kirche nicht existierte, vielmehr in eine Menge kleiner Landeskirchen zerfiel, daß die Geschichte dieser Kirchen und ihrer Oberhäupter, der protestantischen Fürsten, um nichts edler war als die der geschmähten päpstlichen Kirche, daß sich ferner beinahe alles wirkliche Christentum, nahezu alle wirkliche Hingabe an das Reich Gottes nicht in diesen langweiligen Winkelkirchen vollzog, sondern in noch winkligeren, aber dafür durchglühten, aufgerüttelten Konventikeln von zweifelhafter und vergänglicher Form – dies alles war mir schon in ziemlich früher Jugend kein Geheimnis mehr, obwohl im Vaterhaus von der Landeskirche und ihren hergebrachten Formen nur mit Hochachtung gesprochen wurde (eine Hochachtung, die ich als nicht ganz echt empfand und früh beargwöhnte). Ich habe auch tatsächlich während meiner ganzen christlichen Jugend von der Kirche keinerlei religiöse Erlebnisse gehabt. Die häuslichen, persönlichen Andachten und Gebete, die Lebensführung meiner Eltern, ihre königliche Armut, ihre offene Hand für das Elend, ihre Brüderlichkeit gegen die Mitchristen, ihre Sorge um die Heiden, der ganze begeisterte Heroismus ihres Christenlebens empfing seine Speisung zwar aus der Bibellesung, nicht aber von der Kirche, und die sonntäglichen Gottesdienste, der Konfirmandenunterricht, die Kinderlehre brachten mir nichts an Erlebnis.

Im Vergleich nun mit diesem so eng eingeklemmten Christentum, mit diesen etwas süßlichen Versen, diesen meist so langweiligen Pfarrern und Predigten, war freilich die Welt der indischen Religion und Dichtung weit verlockender. Hier bedrängte mich keine Nähe, hier roch es weder nach nüchternen graugestrichenen Kanzeln noch nach pietistischen Bibelstunden, meine Phantasie hatte Raum, ich konnte die ersten Botschaften, die mich aus der indischen Welt erreichten, ohne Widerstände in mich einlassen, und sie haben lebenslang nachgewirkt.

Später hat meine persönliche Religion ihre Formen noch oft verändert, niemals plötzlich im Sinn einer Bekehrung, stets aber langsam im Sinn von Zuwachs und Entwicklung. Daß mein »Siddhartha« nicht die Erkenntnis, sondern die Liebe obenan stellt, daß er das Dogma ablehnt und das Erlebnis der Einheit zum Mittelpunkt macht, mag man als ein Zurückneigen zum Christentum, ja als einen wahrhaft protestantischen Zug empfinden.

Später erst als die indische Geisteswelt wurde die chinesische mir bekannt, und es gab neue Entwicklungen; der klassische chinesische Tugendbegriff, der mir Kung Fu Tse und Sokrates als Brüder erscheinen ließ und die verborgene Weisheit des Lao Tse mit ihrer mystischen Dynamik haben mich stark beschäftigt. Es kam auch nochmals eine Welle christlicher Beeinflussung, durch den Umgang mit einigen Katholiken von hohem geistigem Rang, namentlich mit meinem Freunde Hugo Ball, dessen unerbittliche Kritik der Reformation ich anerkennen konnte, ohne doch Katholik zu werden. Ich sah damals auch ein wenig vom Betrieb und der Politik der Katholiken, und ich sah, wie ein Charakter von der Reinheit und Größe Hugo Balls von seiner Kirche und ihren geistigen und politischen Vertretern, je nach der Konjunktur, bald propagandistisch benutzt, bald fallengelassen und verleugnet wurde. Es war offenbar auch diese Kirche kein idealer Raum für Religion, es war offenbar auch hier Streben und Wichtigtun, Gezänk und roher Machtwille am Werk, es zog sich offenbar auch hier das christliche Leben gern ins Private und Verborgene zurück.

In meinem religiösen Leben spielt also das Christentum zwar nicht die einzige, aber doch eine beherrschende Rolle, mehr ein mystisches Christentum als ein kirchliches, und es lebt nicht ohne Konflikte, aber doch ohne Krieg neben einer mehr indisch-asiatisch gefärbten Gläubigkeit, deren einziges Dogma der Gedanke der Einheit ist. Ich habe nie ohne Religion gelebt, und könnte keinen Tag ohne sie leben, aber ich bin mein Leben lang ohne Kirche ausgekommen. Die konfessionell und politisch getrennten Sonderkirchen sind mir immer, und am meisten während des Weltkrieges, als Karikaturen des Nationalismus erschienen, und die Unfähigkeit der protestantischen Bekenntnisse zu einer überkonfessionellen Einheit schien mir immer ein anklagendes Symbol für die deutsche Unfähigkeit zur Einigkeit zu sein. In früheren Jahren blickte ich bei solchen Gedanken mit einiger Verehrung und einigem Neid zur römisch-katholischen Kirche hinüber, und meine Protestantensehnsucht nach fester Form, nach Tradition, nach Sichtbarwerdung des Geistes hilft mir auch heute noch, meine Verehrung für dies größte kulturelle Gebilde des Abendlandes aufrechtzuerhalten. Aber auch diese bewundernswerte katholische Kirche ist mir nur in der Distanz so verehrungswürdig, und sobald ich ihr nähertrete, riecht sie wie jede menschliche Gestaltung sehr nach Blut und Gewalt, nach Politik und Gemeinheit. Immerhin, gelegentlich beneide ich den Katholiken um die Möglichkeit, sein Gebet vor einem Altar zu sprechen statt in dem oft so engen Kämmerlein, und seine Beichte in das Loch eines Beichtstuhles hinein zu sagen, statt sie immer nur der Ironie der einsamen Selbstkritik auszusetzen.

(1931)

Ein Stückchen Theologie

Aus Gedanken und Notizen verschiedener Jahre schreibe ich heute einige Sätze auf, in denen ich zwei meiner Lieblingsvorstellungen miteinander in Beziehung bringe: die Vorstellung von den drei mir bekannten Stufen der Menschwerdung und die Vorstellung von zwei Grundtypen des Menschen. Die erste dieser beiden Vorstellungen ist mir wichtig, ja heilig, ich halte sie für Wahrheit schlechthin. Die zweite ist rein subjektiv und wird von mir, wie ich hoffe, nicht ernster genommen als sie verdient, tut mir aber je und je beim Beobachten des Lebens und der Geschichte gute Dienste. Der Weg der Menschwerdung beginnt mit der Unschuld (Paradies, Kindheit, verantwortungsloses Vorstadium). Von da führt er in die Schuld, in das Wissen um Gut und Böse, in die Forderungen der Kultur, der Moral, der Religionen, der Menschheitsideale. Bei jedem, der diese Stufe ernstlich und als differenziertes Individuum durchlebt, endet sie unweigerlich mit Verzweiflung, nämlich mit der Einsicht, daß es ein Verwirklichen der Tugend, ein völliges Gehorchen, ein sattsames Dienen nicht gibt, daß Gerechtigkeit unerreichbar, daß Gutsein unerfüllbar ist. Diese Verzweiflung führt nun entweder zum Untergang oder aber zu einem dritten Reich des Geistes, zum Erleben eines Zustandes jenseits von Moral und Gesetz, ein Vordringen zu Gnade und Erlöstsein, zu einer neuen, höheren Art von Verantwortungslosigkeit, oder kurz gesagt: zum Glauben. Einerlei welche Formen und Ausdrücke der Glaube annehme, sein Inhalt ist jedesmal derselbe: daß wir wohl nach dem Guten streben sollen, soweit wir vermögen, daß wir aber für die Unvollkommenheit der Welt und für unsere eigene nicht verantwortlich sind, daß wir uns selbst nicht regieren, sondern regiert werden, daß es über unsrem Erkennen einen Gott oder sonst ein »Es« gibt, dessen Diener wir sind, dem wir uns überlassen dürfen.

Dies ist europäisch und beinahe christlich ausgedrückt. Der indische Brahmanismus (der, wenn man seine Gegenwelle, den Buddhismus, miteinrechnet, wohl das Höchste ist, was die Menschheit an Theologie geschaffen hat) hat andere Kategorien, die sich aber ganz gleich deuten lassen. Dort geht die Stufenfolge etwa so: der naive Mensch, beherrscht von Angst und Begierde, sehnt sich nach Erlösung. Mittel und Weg dazu ist Yoga, die Erziehung zur Beherrschung der Triebe. Einerlei ob Yoga als ganz materielle und mechanische Bußübung betrieben wird oder als höchster geistiger Sport – stets bedeutet es: Erziehung zur Verachtung der Schein- und Sinnenwelt, Besinnung auf den Geist, den Atman, der uns innewohnt und der eins ist mit dem Weltgeist. Yoga entspricht genau unserer zweiten Stufe, es ist Streben nach Erlösung durch Werke. Es wird vom Volke bewundert und überschätzt, der naive Mensch neigt immer dazu, im Büßer den Heiligen und Erlösten zu sehen. Yoga ist aber nur Stufe und endet mit Verzweiflung. Die Buddhalegende (und hundert andre) stellt dies in deutlichen Bildern dar. Erst indem Yoga der Gnade weicht, indem es als Zweckstreben, als Beflissenheit, als Gier und Hunger erkannt wird, indem der aus dem Traum des Scheinlebens Erwachende sich als ewig und unzerstörbar, als Geist vom Geiste, als Atman erkennt, wird er unbeteiligter Zuschauer des Lebens, kann er beliebig tun oder nichttun, genießen oder entbehren, ohne daß sein Ich mehr davon berührt wird. Sein Ich ist ganz zum Selbst geworden. Dies »Erwachtsein« der Heiligen (gleichbedeutend mit dem »Nirwana« Buddhas) entspricht unserer dritten Stufe. Es ist, wieder in etwas anderer Symbolik, eben derselbe Stufengang bei Lao Tse zu finden, dessen »Weg« der Weg vom Gerechtigkeitsstreben zum Nichtmehrstreben von der Schuld und Moral zum Tao ist, und für mich hängen die wichtigsten geistigen Erlebnisse damit zusammen, daß ich allmählich und mit Jahren und Jahrzehnten der Pausen, im Wiederfinden derselben Deutung des Menschendaseins bei Indern, Chinesen und Christen die Ahnung eines Kernproblems bestätigt und überall in analogen Symbolen ausgedrückt fand. Daß mit dem Menschen etwas gemeint sei, daß Menschennot und Menschensuchen zu allen Zeiten auf der ganzen Erde eine Einheit sei, wurde mir durch nichts so sehr bestätigt wie durch diese Erlebnisse. Dabei ist es gleichgültig, ob wir, wie viele Heutige, den religiös philosophischen Ausdruck menschlichen Denkens und Erlebens als den einer veralteten, heute überwundenen Epoche betrachten. Was ich hier »Theologie« nenne, ist meinetwegen zeitgebunden, ist meinetwegen Produkt eines Stadiums der Menschheit, das einmal überwunden und vergangen sein wird. Auch die Kunst, auch die Sprache sind vielleicht Ausdrucksmittel, welche nur bestimmten Stufen der Menschengeschichte eigen sind, auch sie mögen überwindbar und ersetzbar sein. Auf jeder Stufe aber wird den Menschen, so scheint mir, im Streben nach Wahrheit nichts so wichtig und so tröstlich sein, wie die

Wahrnehmung, daß der Spaltung in Rassen, Farben, Sprachen und Kulturen eine Einheit zugrunde liegt, daß es nicht verschiedene Menschen und Geister gibt, sondern nur Eine Menschheit, nur Einen Geist.

Nochmals skizziert: Der Weg führt aus der Unschuld in die Schuld, aus der Schuld in die Verzweiflung, aus der Verzweiflung entweder zum Untergang oder zur Erlösung: nämlich nicht wieder hinter Moral und Kultur zurück ins Kinderparadies, sondern über sie hinaus in das Lebenkönnen kraft seines Glaubens.

Aus jedem Stadium kann natürlich auch wieder ein Rückschritt erfolgen. Selten zwar wird es dem wach Gewordenen gelingen, aus dem Reich, wo Gut und Böse gilt, wieder in die Unschuld zurückzuflüchten. Sehr häufig aber wird, wer schon das Erlebnis der Gnade und Erlösung kennt, wieder auf die zweite Stufe zurückfallen und wieder deren Gesetzen, der Angst, den nie erfüllbaren Forderungen anheimfallen.

Soweit kann ich die Stadien einer Menschwerdung einer Entwicklungsgeschichte der Seele erkennen. Ich kenne sie aus der eigenen Erfahrung und kenne sie aus den Zeugnissen vieler anderer Seelen. Immer, zu allen Zeiten der Geschichte und in allen Religionen und Lebensformen, sind es dieselben typischen Erlebnisse, immer in derselben Stufung und Reihenfolge: Verlust der Unschuld, Bemühung um Gerechtigkeit unter dem Gesetz, daraus folgende Verzweiflung im vergeblichen Ringen um das Überwinden der Schuld durch Werke oder durch Erkenntnis und endlich Auftauchen aus der Hölle in eine veränderte Welt und in eine neue Art von Unschuld. Hundertmal hat die Menschheit sich diesen Entwicklungsgang in großartigen Sinnbildern vorgezeichnet: das uns geläufigste dieser Bilder ist der Weg vom paradiesischen Adam bis zum erlösten Christen.

Viele dieser sinnbildlichen Zeichnungen freilich zeigen uns auch noch weitere, höhere Stufen der Entwicklung: zum Mahatma, zum Gott, zum reinen Sein des Geistes, dem nichts von Materie und nichts von Werdequal mehr anhängt. Alle Religionen kennen diese Wunschbilder, auch mir ist er oft als bestes Wunschbild erschienen: der Vollkommene, Schmerzlose, Makellose, Unsterbliche. Ob aber dies Wunschbild anders sei als holder Traum, ob es jemals Erfahrung und Wirklichkeit geworden sei, ob jemals wirklich ein Mensch Gott geworden sei; darüber weiß ich nichts. Von jenen Hauptstufen der Seelengeschichte aber weiß ich, und von ihnen weiß und wußte jeder, der sie erlebt hat; sie sind Wirklichkeiten. Möge es nun jene erträumten noch höheren Stufen der Menschwerdung geben oder nicht: es sei uns willkommen, daß sie als Traum, als Wunschbild, als Dichtung, als ideales Ziel vorhanden sind. Wurden sie jemals von Menschen wirklich erlebt, so waren es Erlebnisse, über welche diese Menschen geschwiegen haben und die in ihrer Art nach dem, der sie nicht erlebt hat, unverständlich und unmitteilbar sind. In Heiligenlegenden aller Religionen finden sich Andeutungen solcher Erlebnisse, welche überzeugend klingen. In den Irrlehren kleiner Sektierer und falscher Propheten finden wir häufig Andeutungen solcher Erlebnisse, die alle Kennzeichen der Halluzination oder des bewußten Schwindels tragen.

Übrigens sind es keineswegs nur jene mystischen letzten Stufen und Erlebnismöglichkeiten der Seele, die sich dem Verständnis und der eindeutigen Mitteilbarkeit entziehen. Auch die früheren, auch die allerersten Schritte auf dem Weg der Seele sind verständlich und mitteilbar einzig für den, der sie an sich erlebt hat. Wer noch in der ersten Unschuld lebt, wird niemals die Bekenntnisse aus den Reichen der Schuld, der Verzweiflung, der Erlösung verstehen, sie werden ihm ebenso unsinnig klingen wie einem unbewanderten Leser die Mythologien fremder Völker. Dagegen erkennt jeder die typischen Seelenerlebnisse, die er selbst gehabt hat, unfehlbar und augenblicklich wieder, wo er sie in den Berichten anderer antrifft – auch da, wo er aus fremden und unvertrauten Theologien übersetzen muß. Jeder Christ, der wirklich etwas erlebt hat, erkennt dieselben Erfahrungen bei Paulus, Pascal, Luther, Ignatius unfehlbar wieder. Und jeder Christ, der noch ein Stück näher ans Zentrum des Glaubens gekommen und darum dem Bereich der bloß »christlichen« Erlebnisse entwachsen ist, findet bei den Gläubigen anderer Religionen, nur in anderer Bildsprache, alle jene Grunderlebnisse der Seele mit allen Kennzeichen unfehlbar wieder.

Meine eigene, im Christlichen beginnende Seelengeschichte zu erzählen, aus ihr meine persönliche Art von Glauben systematisch zu entwickeln, wäre ein unmögliches Unternehmen; Ansätze dazu sind alle meine Bücher. Unter ihren Lesern finden sich manche, für welche diese Bücher einen ganz bestimmten Sinn und Wert haben: den nämlich, daß sie ihre eigenen wichtigsten Erlebnisse, Siege und Niederlagen in ihnen bestätigt und verdeutlicht finden.

Groß ist ihre Zahl nicht, aber sehr groß ist überhaupt die Zahl der Menschen nicht, welche Seelenerlebnisse haben. Die Mehrzahl wird ja nie Mensch, sie bleibt im Urzustand, im kindlichen Diesseits der Konflikte und der Entwicklungen; die Mehrzahl lernt niemals vielleicht auch nur die »zweite Stufe« kennen, sondern bleibt in der verantwortungslosen Tierwelt ihrer Triebe und Säuglingsträume stehen und die Sage von einem Zustand jenseits ihrer Dämmerung, von einem Gut und Böse, von einer Verzweiflung an Gut und Böse, von einem Auftauchen aus der Not in Lichter der Gnade klingt ihnen lächerlich.

Es mag tausend Arten geben, auf welche sich Individuation und Seelengeschichte des Menschen vollziehen kann. Der Weg dieser Geschichte aber und seine Stufenfolge ist stets derselbe. - Zu beobachten, wie dieser unweigerlich starre Weg auf so verschiedene Arten, von so verschiedenen Menschenarten erlebt, erkämpft, erlitten wird, ist wohl die beglückendste Leidenschaft des Historikers, des Psychologen und des Dichters. -

Unter den Versuchen unseres Verstandes, dies bunte Bilderbuch rational zu erfassen und systematisch einzuteilen, steht obenan der uralte Versuch, die Menschheit nach Typen einzuteilen und zu ordnen. Wenn auch ich, aus meiner Art und Erfahrung heraus, es nun versuche, zwei gegensätzliche Grundtypen von Menschen darzustellen und damit zwei grundsätzlich verschiedene Arten, wie der unveränderliche Menschheitsweg erlebt werden kann, so ist mir dabei bewußt, daß jedes Aufstellen von sogenannten Grundtypen des Menschen lediglich ein Spiel ist. Es gibt nicht eine beschränkte oder unbeschränkte Zahl von feststehenden Typen, in welche die Menschen eingeordnet werden könnten; nichts kann dem Philosophen verhängnisvoller werden als der Buchstabenglaube an irgendeine Typenlehre. Wohl aber gibt es – von den meisten Menschen unbewußt stets gehandhabt - die Typeneinteilung als Spiel, als Versuch, unsere Erfahrungsmasse zu bewältigen, als gebrechliches Mittel zum Ordnen unserer Erlebniswelt. Schon das kleine Kind unterscheidet vermutlich alle Menschen, die in seinen Gesichtskreis treten, nach Typen, deren Urbilder Vater, Mutter, Amme sind. Mir hat sich aus Erfahrung und Lektüre eine Einteilung der Menschen in zwei Haupttypen ergeben, ich nenne sie die Vernünftigen und die Frommen. Ohne weiteres ordnet sich mir nach diesem sehr groben Schema die Welt. Aber natürlich ordnet sie sich durch dies Hilfsmittel immer bloß für einen Augenblick, um dann sofort wieder zum undurchdringlichen Rätsel zu werden. Der Glaube ist mir längst abhanden gekommen, daß uns an Erkenntnis und an Einblick ins Chaos des Weltgeschehens mehr gegönnt sei, als diese Scheinordnung eines glücklichen Augenblicks, als dieses je und je erlebbare kleine Glück: für eine Sekunde das Chaos sich als Kosmos vorzutäuschen.

Wenn ich in einem solchen glücklichen Moment mein Schema »Vernunft oder Frommsein« auf die Weltgeschichte anwende, so besteht für mich in diesem Augenblick die Menschheit nur aus diesen beiden Typen. Von jeder historischen Gestalt glaube ich zu wissen, welchem Typus sie angehört, und auch von mir selbst glaube ich es dann genau zu wissen: nämlich, daß ich zur Art der Frommen gehöre, nicht zu der der Vernünftigen. Aber im nächsten Augenblick, wenn das hübsche Gedankenerlebnis vorüber ist, stürzt mir die herrlich geordnete Welt wieder zum sinnlosen Wirrwarr zusammen, und was ich eben noch so klar zu sehen glaubte, nämlich welchem meiner beiden Typen Buddha oder Paulus oder Cäsar oder Lenin angehörte, das weiß ich jetzt durchaus nicht mehr; und leider weiß ich auch über mich selbst durchaus nicht mehr Bescheid. Eben noch wußte ich genau, daß ich ein Frommer sei – und nun entdeckte ich Zug um Zug an mir die Merkmale des Vernunftmenschen und besonders deutlich die unangenehmsten Merkmale.

Es ist mit allem Wissen nicht anders. Wissen ist Tat. Wissen ist Erlebnis. Es beharrt nicht. Seine Dauer heißt Augenblick. – Ich versuche nun, unter Verzicht auf alle Systematik die beiden Typen ungefähr zu zeichnen, die mir das Schema zu meinen Gedankenspielen geben.

Der Vernünftige glaubt an nichts so sehr als an die menschliche Vernunft. Er hält sie nicht nur für eine hübsche Gabe, sondern für das schlechthin Höchste.

Der Vernünftige glaubt den »Sinn« der Welt und seines Lebens in sich selber zu besitzen. Er überträgt den Anschein von Ordnung und Zweckgebundenheit, den ein vernünftig geordnetes Einzelleben hat, auf die Welt und Geschichte. Er glaubt darum an Fortschritt. Er sieht, daß die Menschen heute besser schießen und schneller reisen können als früher, und er will und darf nicht sehen, daß diesen Fortschritten tausend Rückschritte gegenüberstehen. Er glaubt, der Mensch von heute sei entwickelter und höher als Konfuzius, Sokrates oder Jesus, weil der Mensch von heute gewisse technische Fähigkeiten stärker ausgebildet hat. Der Vernünftige glaubt, daß die Erde dem Menschen zur Ausbeutung ausgeliefert sei. Sein gefürchtetster Feind ist der Tod, der Gedanke an die Vergänglichkeit seines Lebens und Tuns. An ihn zu denken, vermeidet er, und wo er dem Todesgedanken nicht entgehen kann, flüchtet er in die Aktivität und setzt dem Tode ein verdoppeltes Streben entgegen: nach Gütern, nach Erkenntnissen, nach Gesetzen, nach rationaler Beherrschung der Welt. Sein Unsterblichkeitsglaube ist der Glaube an jenen Fortschritt; als tätiges Glied in der ewigen Kette des Fortschritts glaubt er sich vor dem völligen Verschwinden bewahrt.

Der Vernünftige neigt gelegentlich zu Haß und Eifer gegen die Frommen, die an seinen Fortschritt nicht glauben und der Verwirklichung seines rationalen Ideals im Wege stehen. Man denke an den Fanatismus der Revolutionäre, man erinnere sich an die Äußerungen heftigster Ungeduld gegen Andersgläubige bei allen fortschrittlichen, demokratisch-vernünftigen, sozialistischen Autoren. –

Der Vernünftige scheint im praktischen Leben seines Glaubens sicherer zu sein als der Fromme. Er fühlt sich, im Namen der Göttin Vernunft, berechtigt zum Befehlen und Organisieren, zur Vergewaltigung der Mitmenschen, denen er ja nur Gutes aufzuzwingen glaubt: Hygiene, Moral, Demokratie usw.

Der Vernünftige strebt nach Macht, sei es auch nur, um das »Gute« durchzusetzen. Seine größte Gefahr liegt hier, im Streben nach Macht, in ihrem Mißbrauch, im Befehlenwollen, im Terror. Trotzki, dem es ganz unerträglich ist, einen Bauern prügeln zu sehen, läßt seiner Idee zuliebe ohne Skrupel Hunderttausende schlachten.

Der Vernünftige verliebt sich leicht in Systeme. Die Vernünftigen, da sie die Macht suchen und haben, können den Frommen nicht nur verachten oder hassen, sie können ihn auch verfolgen, ihm den Prozeß machen, ihn töten. Sie verantworten es, Macht zu haben und sie »zum Guten« anzuwenden, und alle Mittel bis zu den Kanonen sind ihnen dazu recht. Der Vernünftige kann gelegentlich verzweifeln, wenn Natur und das, was er »Dummheit« nennt, immer wieder so stark sind. – Er kann darunter, daß er verfolgen, strafen und töten muß, zu Zeiten schwer leiden.

Seine hohen Augenblicke sind die, da er trotz aller Widersprüche den Glauben in sich stark fühlt, daß im Grunde eben doch die Vernunft Eins sei mit dem Geist, der die Welt schuf und regiert.

Der Vernünftige rationalisiert die Welt und tut ihr Gewalt an. Er neigt stets zu grimmigem Ernst. Er ist Erzieher.

Der Vernünftige ist immer geneigt, seinen Instinkten zu mißtrauen.

Der Vernünftige fühlt sich der Natur und der Kunst gegenüber stets unsicher. Bald blickt er verächtlich auf sie herab, bald überschätzt er sie abergläubisch. Er ist es, der die Millionenpreise für alte Kunstwerke zahlt oder Reservationen für Vögel, Raubtiere, Indianer einrichtet.

Der Grund des Glaubens und Lebensgefühl beim Frommen ist die Ehrfurcht. Sie äußert sich unter andrem in zwei Hauptmerkmalen: in einem starken Natursinn und in dem Glauben an eine überrationale Weltordnung. Der Fromme schätzt in der Vernunft zwar eine hübsche Gabe, sieht in ihr aber nicht ein zulängliches Mittel zur Erkenntnis oder gar zur Beherrschung der Welt.

Der Fromme glaubt, daß der Mensch ein dienender Teil der Erde sei. Der Fromme flüchtet, wenn das Grauen vor Tod und Vergänglichkeit ihn faßt, in den Glauben, daß der Schöpfer (oder die Natur) seine Zwecke auch mit diesen uns erschreckenden Mitteln anstrebe und sieht nicht im Vergessen oder Bekämpfen des Todesgedankens eine Tugend, sondern in der schauernden, aber ehrfürchtigen Hingabe in einen höheren Willen.

An Fortschritt glaubt er nicht, da sein Vorbild nicht die Vernunft, sondern die Natur ist, und da er in der Natur keinen Fortschritt gewahren kann, sondern nur ein Sichausleben und Sichverwirklichen unendlicher Kräfte ohne erkennbares Endziel.

Der Fromme neigt gelegentlich zu Haß und Eifer gegen die Vernünftigen, die Bibel ist voll von krassen Beispielen ungebärdigen Eifers gegen den Unglauben und die weltlichen Ideale. Doch erlebt der Fromme in seltenen hohen Augenblicken auch den Blitz jenes geistigen Erlebnisses, das ihm den Glauben gibt, daß auch alle Fanatismen und Wildheiten der Vernünftigen, alle Kriege, alle Verfolgungen und Knechtungen in Namen hoher Ideale am Ende Gottes Zwecken dienen müssen.

Der Fromme strebt nicht nach Macht, er scheut davor zurück, andre zu zwingen. Er mag nicht befehlen. Dies ist seine größte Tugend. Dafür ist er häufig allzu lau in der Arbeit an wirklich erstrebenswerten Dingen, er neigt leicht zu Quietismus und Nabelbeschauung. Er begnügt sich oft gerne mit dem Hegen seiner Ideale, ohne sich für ihre Verwirklichung anzustrengen. Da Gott (oder die Natur) doch stärker ist als wir, mag er nicht eingreifen.

Der Fromme verliebt sich leicht in Mythologien. Der Fromme kann hassen oder verachten, er verfolgt und tötet aber nicht. Nie wird Sokrates oder Jesus der Verfolgende und Tötende sein, stets der Leidende. Dagegen nimmt der Fromme, oft leichtsinnig, nicht minder große Verantwortungen auf sich. Er verantwortet nicht nur seine Lauheit im Verwirklichen guter Ideen, er verantwortet auch seinen eigenen Untergang und die Schuld, die der Feind durch seine Tötung auf sich nimmt.

Der Fromme mythologisiert die Welt und nimmt sie häufig darüber nicht ernst genug. Er neigt stets etwas zum Spielen. Er erzieht die Kinder nicht, sondern preist sie selig. Der Fromme ist stets geneigt, seinem Verstande zu mißtrauen.

Der Fromme fühlt sich der Natur und der Kunst gegenüber stets sicher und bei ihnen zu Hause, dafür ist er unsicher der Bildung und dem Wissen gegenüber. Bald verachtet er sie als dummes Zeug und tut ihnen unrecht, bald wieder überschätzt er sie abergläubisch. Bei einem äußersten Fall des Zusammenpralls: etwa ein Frommer in die Vernunft-Maschine hinein gerät und entweder in einem Prozeß oder in einem Krieg, den er wider Willen, auf Befehl des Vernünftigen mitmacht, umkommt – in einem solchen Fall sind immer beide Parteien schuldig. Der Vernünftige ist daran schuld, daß es Todesstrafen, Gefängnisse, Kriege, Kanonen gibt. Der Fromme hat aber nichts dazu getan, dies alles unmöglich zu machen. Die beiden Prozesse der Weltgeschichte, in denen deutlicher und symbolkräftiger als sonst ein Frommer von den Vernünftigen getötet wurde; die Prozesse des Sokrates und des Heilands zeigen Momente von einer schauerlichen Zweideutigkeit. Hätten nicht die Athener und hätte nicht Pilatus ganz leicht die Gebärde finden können, mit der der Angeklagte ohne Verlust an Prestige zu entlassen war? Und hätte nicht Sokrates ebenso wie Jesus statt mit einer gewissen heroischen Grausamkeit den Gegner schuldig werden lassen und sterbend über ihn zu triumphieren – hätten sie nicht mit wenig Aufwand die Tragödie verhindern können? Gewiß. Aber Tragödien sind nie zu verhindern, denn sie sind nicht Unglücksfälle, sondern Zusammenstöße gegensätzlicher Welten.

Wenn ich in den obigen Rubriken überall den »Frommen« dem

»Vernünftigen« entgegenstelle, so möge der Leser sich stets der rein psychologischen Bedeutung dieser Benennungen bewußt sein. Natürlich haben scheinbar sehr oft gerade die »Frommen« das Schwert geführt und die »Vernünftigen« haben geblutet (etwa in der Inquisition). Aber ich verstehe natürlich nicht unter den Frommen die Priester und unter den Vernünftigen nicht die, die Freude am Denken haben. Wenn ein spanisches Ketzergericht einen »Freidenker« verbrannte, so war der Inquisitor der Vernünftige, der Organisator, der Mächtige, sein Opfer aber war der Fromme.

Übrigens liegt es mir trotz gewisser Gewaltsamkeiten meines Schemas natürlich ferne, dem Frommen die Tüchtigkeit, dem Vernünftigen die Genialität abzusprechen. In beiden Lagern gedeiht Genie, gedeiht Idealismus, Heroismus, Opfersinn. Die »Vernünftigen«, Hegel, Marx, Lenin (am Ende sogar Trotzki) halte ich alle für Genies. Andrerseits hat ein Frommer und Gewaltloser wie Tolstoi immerhin dem »Verwirklichen« größte Opfer gebracht.

Überhaupt scheint es mir ein Kennzeichen des genialen Menschen zu sein, daß er zwar seinen Typus als besonders geglücktes Exemplar darstellt, zugleich aber ein geheimes Verlangen nach dem Gegenpol, eine stille Achtung für den gegensätzlichen Typ in sich trägt. Der Nur-Zahlenmensch ist nie genial, ebensowenig der Nur-Stimmungsmensch. Manche Ausnahmemenschen scheinen geradezu zwischen den beiden Grundtypen hin- und herzuschwanken und von tief gegensätzlichen Begabungen beherrscht zu sein, die sich gegenseitig nicht ersticken, sondern bestärken; zu den vielen Beispielen dafür gehören die frommen Mathematiker (Pascal).

Und so, wie das fromme und das vernünftige Genie einander recht wohl kennen, einander heimlich lieben, einer vom andern angezogen werden, so ist auch das höchste geistige Erlebnis, dessen wir Menschen fähig sind, stets eine Versöhnung zwischen Vernunft und Ehrfurcht, ein Sich-als-Gleich-Erkennen der großen Gegensätze.

SCHLUSSBETRACHTUNG

Wenden wir nun zum Schluß die beiden Schemata aufeinander an: das Schema der drei Menschwerdungsstufen auf die beiden menschlichen Grundtypen, so werden wir zwar finden, daß die Bedeutung der drei Stufen für beide Typen die gleiche ist. Wir werden aber auch sehen, daß die Gefahren und Hoffnungen beider Typen auch hier verschieden sind. Es wird der Stand der Kindheit und natürlichen Unschuld bei beiden Typen sich ähnlich darstellen. Doch schon der erste Schritt der Menschwerdung, der Eintritt in das Reich von Gut und Böse, hat nicht für beide Typen das gleiche Gesicht. Der Fromme wird kindlicher sein, er wird mit weniger Ungeduld und mit mehr Widerstreben das Paradies verlassen und das Schuldigwerden erleben. Dafür aber wird er auf der nächsten Stufe, auf dem Weg von der Schuld zur Gnade, kräftigere Flügel haben. Er wird überhaupt der mittleren Stufe (Freud nennt sie das »Unbehagen der Kultur«) möglichst wenig gedenken und sich ihr möglichst entziehen. Durch sein wesentliches Sichfremdfühlen im Reich der Schuld und des Unbehagens wird ihm unter Umständen der Aufschwung zur nächsten erlösenden Stufe erleichtert. Es wird ihm aber auch gelegentlich das infantile Zurückfliehen ins Paradies, in die verantwortungslose Welt ohne Gut und Böse naheliegen und gelingen. Für den Vernünftigen hingegen ist die zweite Stufe, die Stufe der Schuld, die Stufe der Kultur, der Aktivität und Zivilisation, recht eigentlich die Heimat. Ihm hängt nicht lang und störend ein Rest von Kindheit nach, er arbeitet gern, er trägt gern Verantwortung, und er hat weder Heimweh nach der verlorenen Kindheit, noch begehrt er sehr heftig nach dem Befreitwerden von Gut und Böse, obwohl dies Erlebnis auch ihm ersehnbar und erreichbar ist. Leichter als der Fromme erliegt er dem Glauben, es werde sich mit den von Moral und Kultur gestellten Aufgaben schon fertig werden lassen; schwerer als der Fromme erreicht er den Zwischenzustand der Verzweiflung, das Scheitern seiner Anstrengungen, das Wertloswerden seiner Gerechtigkeit. Dafür wird er, wenn die Verzweiflung erst da ist, vielleicht weniger leicht als der Fromme jener Versuchung zur Flucht in die Vorwelt und Unverantwortlichkeit erliegen.

Auf der Stufe der Unschuld bekämpfen sich Fromm und Vernünftig so, wie Kinder von verschiedener Veranlagung sich bekämpfen.

Auf der zweiten Stufe bekämpfen sich, wissend geworden, die beiden Gegenpole mit der Heftigkeit, Leidenschaft und Tragik der Staatsaktionen.

Auf der dritten Stufe beginnen die Kämpfer einander zu erkennen, nicht mehr in ihrer Fremdheit, sondern in ihrem Aufeinanderangewiesensein. Sie beginnen einander zu lieben, sich nacheinander zu sehen. Von hier führt der Weg in Möglichkeiten des Menschentums, deren Verwirklichung bisher von Menschenaugen noch nicht erblickt worden ist.   (1932)

Falterschönheit

Alles Sichtbare ist Ausdruck, alle Natur ist Bild, ist Sprache und farbige Hieroglyphenschrift. Wir sind heute, trotz einer hoch entwickelten Naturwissenschaft, für das eigentliche Schauen nicht eben gut vorbereitet und erzogen, und stehen überhaupt mit der Natur eher auf Kriegsfuß. Andere Zeiten, vielleicht alle Zeiten, alle früheren Epochen bis zur Eroberung der Erde durch die Technik und Industrie, haben für die zauberhafte Zeichensprache der Natur ein Gefühl und Verständnis gehabt, und haben sie einfacher und unschuldiger zu lesen verstanden als wir. Dies Gefühl war durchaus nicht ein sentimentales, das sentimentale Verhältnis des Menschen zur Natur ist noch ziemlich neuen Datums, ja es ist vielleicht erst aus unserem schlechten Gewissen der Natur gegenüber entstanden.

Der Sinn für die Sprache der Natur, der Sinn für die Freude am Mannigfaltigen, welche das zeugende Leben überall zeigt, und der Drang nach irgendeiner Deutung dieser mannigfaltigen Sprache, vielmehr der Drang nach Antwort ist so alt wie der Mensch. Die Ahnung einer verborgenen, heiligen Einheit hinter der großen Mannigfaltigkeit, einer Urmutter hinter all den Geburten, eines Schöpfers hinter all den Geschöpfen, dieser wunderbare Urtrieb des Menschen zum Weltmorgen und zum Geheimnis der Anfänge zurück ist die Wurzel aller Kunst gewesen und ist es heute wie immer. Wir scheinen heute der Naturverehrung in diesem frommen Sinn des Suchens nach einer Einheit in der Vielheit unendlich fern zu stehen, wir bekennen uns zu diesem kindlichen Urtrieb nicht gern und machen Witze, wenn man uns an ihn erinnert. Aber wahrscheinlich ist es dennoch ein Irrtum, wenn wir uns und unsere ganze heutige Menschheit für ehrfurchtslos und für unfähig zu einem frommen Erleben der Natur halten. Wir haben es nur zur Zeit recht schwer, ja es ist uns unmöglich geworden, die Natur so harmlos in Mythen umzudichten, und den Schöpfer so kindlich zu personifizieren und als Vater anzubeten, wie es andere Zeiten tun konnten. Vielleicht haben wir auch nicht unrecht, wenn wir gelegentlich die Formen der alten Frömmigkeit ein wenig seicht und spielerisch finden, und wenn wir zu ahnen glauben, daß die gewaltige, schicksalhafte Neigung der modernen Physik zur Philosophie im Grund ein frommer Vorgang sei.

Nun, ob wir uns fromm-bescheiden oder frech-überlegen benehmen mögen, ob wir die früheren Formen des Glaubens an die Beseeltheit der Natur belächeln oder bewundern: unser tatsächliches Verhältnis zur Natur, sogar dort wo wir sie nur noch als Ausbeutungsobjekt kennen, ist eben dennoch das des Kindes zur Mutter, und zu den paar uralten Wegen, die den Menschen zur Seligkeit oder zur Weisheit zu führen vermögen, sind keine neuen Wege hinzugekommen. Einer von ihnen, der einfachste und kindlichste, ist der Weg des Staunens über die Natur und des ahnungsvollen Lauschens auf ihre Sprache.

»Zum Erstaunen bin ich da!« sagt ein Vers von Goethe. Mit dem Erstaunen fängt es an, und mit dem Erstaunen hört es auch auf, und ist dennoch kein vergeblicher Weg. Ob ich ein Moos, einen Kristall, eine Blume, einen goldenen Käfer bewundere oder einen Wolkenhimmel, ein Meer mit den gelassenen Riesen-Atemzügen seiner Dünungen, einen Schmetterlingsflügel mit der Ordnung seiner kristallenen Rippen, den Schnitt und den farbigen Einfassungen seiner Ränder, der vielfältigen Schrift und Ornamentik seiner Zeichnung und unendlichen, süßen, zauberhaft gehauchten Übergängen und Abtönungen der Farben – jedesmal wenn ich mit dem Auge oder mit einem andern Körpersinn ein Stück Natur erlebe, wenn ich von ihm angezogen und bezaubert bin und mich seinem Dasein und seiner Offenbarung für einen Augenblick öffne, dann habe ich in diesem selben Augenblick die ganze habsüchtige blinde Welt der menschlichen Notdurft verlassen und vergessen, und statt zu denken oder zu befehlen, statt zu erwerben oder auszubeuten, zu bekämpfen oder zu organisieren, tue ich für diesen Augenblick nichts anderes als »erstaunen« wie Goethe, und mit diesem Erstaunen bin ich nicht nur Goethes und aller andern Dichter und Weisen Bruder geworden, nein ich bin auch der Bruder alles dessen was ich bestaune und als lebendige Welt erlebe: des Falters, des Käfers, der Wolke, des Flusses und Gebirges, denn ich bin auf dem Weg des Erstaunens für einen Augenblick der Welt der Trennungen entlaufen und in die Welt der Einheit eingetreten, wo ein Ding und Geschöpf zum andern sagt: Tat twam asi. (»Das bist Du.«)

Wir sehen auf das harmlosere Verhältnis früherer Generationen zur Natur manchmal mit Wehmut, ja mit Neid, aber wir wollen unsere Zeit nicht ernster nehmen als sie es verdient, und wir wollen uns nicht etwa darüber beklagen, daß das Beschreiten der einfachsten Wege zur Weisheit an unseren Hochschulen nicht gelehrt wird, ja daß dort statt des Erstaunens vielmehr das Gegenteil gelehrt wird: das Zählen und Messen statt des Entzückens, die Nüchternheit statt der Bezauberung, das starre Festhalten am losgetrennten Einzelnen statt des Angezogenseins vom Ganzen und Einen. Diese Hochschulen sind ja nicht Schulen der Weisheit, sie sind Schulen des Wissens; aber stillschweigend setzen sie das von ihnen nicht Lehrbare, das Erlebenkönnen, das Ergriffenseinkönnen, das Goethesche Erstaunen eben doch voraus, und ihre besten Geister kennen kein edleres Ziel, als wieder Stufe zu ebensolchen Erscheinungen wie Goethe und andere echte Weise zu sein.

(1935)

Erinnerung an Hans

Zu den unvergeßlichen Augenblicken eines Lebens gehören jene seltenen, in welchen der Mensch sich selber wie von außen sieht und plötzlich Züge an sich erkennt, welche gestern noch nicht da oder ihm doch unbekannt waren: mit einem Zusammenzukken und leisen Erschrecken nehmen wir wahr, daß wir nicht das immer gleiche festgeprägte und ewige Wesen sind, als das der Mensch sich meistens fühlt, wir erwachen aus diesem süß lügenden Traum für einen Augenblick, sehen uns verändert, gewachsen oder geschwunden, entwickelt oder verkümmert, sehen und wissen uns für einen Augenblick, sei es entsetzt oder beseligt, mit in dem unendlichen Strom der Entwicklung, der Veränderung, der rastlos zehrenden Vergänglichkeit schwimmen, von welchem wir zwar wohl wissen, von welchem wir aber gewöhnlich uns selber und etwa einige unserer Ideale ausnehmen. Denn wären wir wach, dehnten jene Sekunden oder Stunden des Erwachens sich zu Monaten und Jahren, so vermöchten wir nicht zu leben, wir ertrügen es auf keine Weise, und vermutlich kennen die meisten Menschen auch jene kurzen Blicke, jene Sekunden des Wachwerdens nicht, sondern wohnen zeitlebens im Turm ihres scheinbar unveränderlichen Ich wie Noah in der Arche, sehen den Lebensstrom, den Todesstrom an sich vorübertosen, sehen Fremde und Freunde von ihm fortgerissen, rufen ihnen nach, beweinen sie, und glauben selbst immerzu festzustehen und vom Ufer her zuzuschauen, nicht mitzuströmen und mitzusterben. Jeder Mensch ist Mittelpunkt der Welt, um jeden scheint sie sich willig zu drehen, und jeder Mensch und jedes Menschen Lebenstag ist der End- und Höhepunkt der Weltgeschichte: hinter ihm die Jahrtausende und Völker sind abgewelkt und dahingesunken, und vor ihm ist nichts, einzig dem Augenblick, dem Scheitelpunkt der Gegenwart scheint der ganze riesige Apparat der Weltgeschichte zu dienen. Der primitive Mensch empfindet jede Störung dieses Gefühls, daß er Mittelpunkt sei, daß er am Ufer stehe, während die anderen vom Strom hinabgerissen werden, als Bedrohung, er lehnt es ab, erweckt und belehrt zu werden, er empfindet das Erwachen, das Berührtwerden von der Wirklichkeit, er empfindet den Geist als feindlich und hassenswert, und wendet sich mit erbittertem Instinkt von jenen ab, die er von Zuständen des Wachwerdens befallen sieht, von den Sehern, Problematikern, Genies, Propheten, Besessenen.

Von jenen Augenblicken eines Erwachens oder Sehendwerdens, so scheint es mir heute, habe auch ich nicht sehr viele gehabt, und manche von ihnen hat mein Gedächtnis durch lange Strecken meines Lebens hin verleugnet und immer wieder mit Staub zu bedecken gesucht. Die paar Erlebnisse des Wachwerdens, welche in meine jungen Jahre fallen, waren die stärksten. Später freilich, wenn wieder einmal eine Mahnung kam, war ich erfahrener, war klüger, oder war doch weiserer und besser formulierter Reflexionen fähig, aber die Erlebnisse selbst, die Zuckungen jener wachen Momente, waren in der Jugend elementarer und überraschender, sie wurden blutiger und leidenschaftlicher erlebt. Und wenn zu einem Achtzigjährigen ein Erzengel träte und ihn anredete, so würde das greise Herz auch nicht banger und nicht seliger zu schlagen vermögen als einst, da er jung war und zum erstenmal vor einer abendlichen Gartentür auf Lise oder Berta wartete.

Das Erlebnis, dessen ich mich heute erinnere, hat nicht einmal Minuten gedauert, nur Sekunden. Aber in den Sekunden des Erwachens und Sehendwerdens sieht man viel, und das Erinnern und Aufzeichnen braucht, wie bei Träumen, das Vielfache an Zeit als das Erleben selbst.

Es war in unsrem Vaterhaus in Calw, und es war Weihnachtsabend im »schönen Zimmer«, die Kerzen brannten am hohen Baum, und wir hatten das zweite Lied gesungen. Der feierlichste und höchste Augenblick war schon vorüber, der war das Vorlesen des Evangeliums: da stand unser Vater hoch aufgerichtet vor dem Baum, das kleine Testament in der Hand, und halb las er, halb sprach er auswendig mit festlicher Betonung die Geschichte von Jesu Geburt: »und es waren Hirten daselbst auf dem Felde bei den Hürden, die hüteten des Nachts ihre Herde . . .« Dies war das Herz und der Kern unsres Christfestes: das Stehen um den Baum, die bewegte Stimme des Vaters, der Blick in die Ecke des Zimmers, wo auf halbrundem Tisch zwischen Felsen und Moos die Stadt Bethlehem aufgebaut war, die letzte freudige Spannung auf die Bescherung, auf die Geschenke, und bei alledem im Herzen der leise Widerstreit, der zu allen unsern Festen gehörte, der sie uns ein wenig verdarb und störte und sie zugleich erhöhte und steigerte: der Widerstreit zwischen Welt und Gottesreich, zwischen natürlicher Freude und frommer Freude. War es auch nicht so schlimm wie an Ostern, und war auch am Geburtsfest des Herrn Jesus ohne Zweifel Freude nicht nur erlaubt, sondern geboten, so war doch die Freude über Jesu Geburt im Stalle zu Bethlehem und die Freude am Baum und Kerzenlicht und am Duft der Lebkuchen und Zimmetsterne, und die drängende Spannung im Herzen, ob man wirklich das seit Wochen Gewünschte auf dem Gabentisch finden werde, eine wunderlich unreine Mischung. Indessen das war nun so, zu den Festen gehörte ebenso wie die Kerzen und die Lieder auch die leise Betretenheit und dieser sanftbange kleine Beigeschmack von schlechtem Gewissen. Wenn ein Geburtstag im Hause gefeiert wurde, so begann die Feier stets mit dem Singen eines Liedes, das mit der zweifelnden Frage anhob:

> Ist's auch eine Freude,
> Mensch geboren sein?

Nun, es war eine Freude, trotzdem, und als Kind hatte ich Jahr um Jahr über das Fragezeichen hinweggesungen und war überzeugt gewesen, daß das »Mensch geboren sein« wirklich eine Freude sei, zumal an Geburtstagen. Und so waren wir auch heut, an diesem Christabend, alle von Herzen fröhlich.

Das Evangelium war gesprochen, das zweite Lied war gesungen, ich hatte schon während des Singens die Tischecke erspäht, wo meine Geschenke aufgebaut waren, und jetzt näherte sich jeder seinem Platze, die Mägde wurden von der Mutter an die ihren geführt. Es war im Zimmer schon warm geworden und die Luft ganz überfüllt vom Geflimmer der Kerzen, vom Wachs- und Harzgeruch und vom starken Duft des Backwerks. Die Mägde flüsterten aufgeregt miteinander und zeigten sich und bestasteten ihre Sachen, eben hatte meine jüngere Schwester ihre Geschenke entdeckt und stieß einen lauten Jubelruf aus. Ich war damals entweder dreizehn oder vierzehn Jahre alt.

Ich hatte mich, wie wir alle, vom Christbaume weg und den Tischen zugewendet, wo die Geschenke lagen, ich hatte meinen Platz mit suchenden Augen entdeckt und strebte jetzt auf ihn zu. Dabei mußte ich meinen kleinen Bruder Hans und ein niedriges Kinder-Spieltischchen umgehen, auf dem seine Bescherung aufgebaut war. Mit einem Blick streifte ich seine Geschenke, ihr Mittelpunkt und Prunkstück war ein Satz von winzig kleinem Tongeschirr; drollig liliputanische Tellerchen, Krügchen, Täßchen standen da beisammen, komisch und rührend in ihrer hübschen Kleinheit, jede Tasse war kleiner als ein Fingerhut. Über dieses tönerne Zwerggeschirr gebeugt, mit vorgestrecktem Kopf, stand mein kleiner Bruder, und im Vorbeigehen sah ich eine Sekunde lang sein Kindergesicht – er war fünf Jahre jünger als ich – und habe es in dem halben Jahrhundert, das seitdem vergangen ist, manche Male in Erinnerung so wiedergesehen, wie es mir in jener Sekunde sich offenbarte: ein still strahlendes, leicht zum Lächeln zusammengenommenes, von Glück und Freude ganz und gar verklärtes und verzaubertes Kindergesicht.

Dies war das ganze Erlebnis. Es war schon vorüber, als ich mit dem nächsten Schritt bei meinen Geschenken angekommen war und von ihnen in Anspruch genommen wurde, Geschenke, von denen ich heute keins mehr mir vorstellen und benennen kann, während ich Hansens Töpfchen noch in genauester Erinnerung habe. Im Herzen blieb das Bild bewahrt, bis heute, und im Herzen geschah alsbald, kaum daß mein Auge das Brudergesicht wahrgenommen hatte, eine mannigfaltige Bewegung und Erschütterung. Die erste Regung im Herzen war die einer starken Zärtlichkeit gegen den kleinen Hans, gemischt jedoch mit einem Gefühl von Abstand und Überlegenheit, denn hübsch und entzückend zwar, aber kindisch erschien mir solche Verklärtheit und Beseligung über diesen kleinen tönernen Kram, den man beim Hafner für ein paar Groschen haben konnte. Indessen widersprach schon die nächste Zuckung des Herzens wieder: sofort nämlich, oder eigentlich schon gleichzeitig empfand ich meine Verachtung für diese Krügelchen und Täßchen als etwas Schmähliches, ja Gemeines, und noch schmählicher war mein Gefühl von Klügersein und von Überlegenheit über den Kleineren, der sich noch so bis zur Entrücktheit zu freuen vermochte und für den die Weihnacht, die Täßchen und das alles noch den vollen Zauberglanz und die Heiligkeit hatten, die sie einst auch für mich gehabt hatten. Das war der Kern und Sinn dieses Erlebnisses, das Aufweckende und Erschreckende: es gab den Begriff »Einst« für mich! Hans war ein Kind, ich aber wußte plötzlich, daß ich keines mehr sei und nie mehr sein würde! Hans erlebte sein Gabentischchen wie ein Paradies, und ich war nicht nur solchen Glückes nicht mehr fähig, sondern ich fühlte mich ihm mit Stolz entwachsen, mit Stolz und doch auch beinah mit Neid. Ich blickte zu meinem Bruder, der eben noch meinesgleichen gewesen war, aus einer Distanz hinüber, von oben und kritisch, und fühlte zugleich Scham darüber, daß ich ihn und sein Tongeschirr so hatte betrachten können, so zwischen Mitleid und Verachtung, so zwischen Überheblichkeit und Neid. Ein Augenblick hatte diese Distanz geschaffen, hatte diese tiefe Kluft aufgerissen. Ich sah und wußte plötzlich: ich war kein Kind mehr, ich war älter und klüger als Hans, und war auch böser und kälter.

Es war an jenem Christabend nichts geschehen, als daß ein kleines Stück Wachstum in mir drängte und Unbehagen schuf, daß im Prozeß meiner Ichwerdung einer von tausend Ringen sich schloß – aber er tat es nicht, wie fast alle, im Dunkeln, ich war einen Augenblick wach und mit Bewußtsein dabei, und ich wußte zwar nicht, konnte es aber am Widerstreit meiner Empfindungen deutlich spüren, daß es kein Wachstum gibt, das nicht ein Sterben enthält. Es fiel in jenem Augenblick ein Blatt vom Baum, es welkte eine Schuppe von mir ab. Dies geschieht in jeder Stunde unseres Lebens, es ist des Werdens und Welkens kein Ende, aber nur sehr selten sind wir wach und achten einen Augenblick auf das, was in uns vorgeht. Seit der Sekunde, in der ich das Entzücken im Gesicht meines Bruders gesehen, wußte ich über mich und über das Leben eine Menge Dinge, die ich beim Eintritt in dies festlich duftende Zimmer und beim Mitsingen des Weihnachtsliedes noch nicht gewußt hatte.

Bei den vielen späteren Malen, in denen ich mich des Erlebnisses erinnerte, war es mir jedesmal merkwürdig, wie genau in ihm die beiden gegensätzlichen Hälften ausgewogen waren: dem gesteigerten Selbstgefühl entsprach ein dunkles Gefühl von Schuld, dem Gefühl von Erwachsensein ein Gefühl von Verarmung, dem Klugsein und Überlegensein eine Regung von schlechtem Gewissen, der spöttischen Distanz zum kleineren Bruder ein Bedürfnis, ihn dafür um Verzeihung zu bitten und seine Unschuld als den höheren Wert anzuerkennen. Das klingt alles recht unnaiv und kompliziert, aber in den Momenten des Wachseins sind wir eben keineswegs naiv; in den Momenten, in denen wir nackt der Wahrheit gegenüberstehen, fehlt uns stets die Sicherheit eines guten Gewissens und das Behagen des unbedingten Glaubens an uns selber. Im Augenblick des Wachseins könnte möglicherweise ein Mensch sich töten, niemals aber einen andern. Im Augenblick des Wachseins ist der Mensch stets sehr gefährdet, denn er steht nun offen und muß die Wahrheit in sich einlassen, und die Wahrheit lieben zu lernen und als Lebenselement zu empfinden, dazu gehört viel, denn zunächst einmal ist der Mensch Kreatur und steht der Wahrheit durchaus als Feind gegenüber. Und in der Tat ist ja die Wahrheit niemals so, wie man sie sich wünschen und wählen würde, aber immer ist sie unerbittlich.

Und so hatte auch mich in der Sekunde des Wachseins die Wahrheit angeblickt. Man konnte sie gleich nachher wieder zu vergessen suchen, man konnte sie nachträglich mildern und beschönigen, und das tat man denn auch, jedesmal tat man es. Dennoch blieb von jedem Erwachen ein Blitz zurück, ein Sprung in der glatten Oberfläche des Lebens, ein Schreck, eine Mahnung. Und sooft man sich eines Erwachens später erinnert, sind es nicht die Reflexionen und Beschönigungen, deren man wieder inne wird, sondern das Erlebnis selbst: der Blitz, der Schreck.

Ich hatte, selbst beinah noch Kind, plötzlich die von mir abgewelkte Kindheit leibhaftig vor mir gesehen, im Gesicht des Brüderchens, und die Betrachtungen und Erkenntnisse, die sich mir daraus in den folgenden Stunden und Tagen ergaben, waren nur abblätternde Schalen, sie lagen schon alle im Erlebnis selber. Das meine war eigentlich ein hübsches und freundliches gewesen; was ich gesehen hatte und wofür mir für einen Moment die Augen geöffnet worden waren, war ein liebenswertes, sanftes und holdes Bild. Die Seligkeit auf einem Kindergesicht hatte ich gesehen. Trotzdem war es Blitz und Schreck, denn der Inhalt eines jeden Wachwerdens ist der gleiche, es gibt Millionen Gesichter der Wahrheit, aber nur *eine* Wahrheit. Mir war gezeigt worden, daß der kleine Hans etwas besaß, etwas sehr Schönes und Kostbares. Ich aber hatte es verloren, ich besaß es nicht mehr, und vielleicht hatte ich damit das Allerbeste, das einzige wirklich Wertvolle verloren, denn selig werden ja die Kinder gepriesen, und zu den Erwachsenen wird gesagt, wenn sie ins Reich Gottes wollen: »Wahrlich, so ihr nicht werdet wie dieser Kinder eines . . .« Ich hatte das Glück und die Unschuld verloren, und hatte es nur daran gemerkt, daß ich es mit Augen, außerhalb meiner, auf dem Gesicht eines andern gesehen hatte. Auch diese Einsicht gehörte zur Frucht des Erlebnisses: Was man besitzt, das sieht man nicht und davon weiß man kaum. Auch ich war ein Kind gewesen und hatte nichts davon gewußt. Jetzt hatte ich Augen bekommen und sah. In Gestalt eines Lächelns und Augenschimmers, in Gestalt eines zarten Leuchtens hatte ich das Glück zu sehen bekommen, das Glück, das man nur besitzen kann, solange man es nicht sieht. Es sah wunderbar strahlend und herzgewinnend aus, das Glück. Aber es hatte auch etwas, worüber man lächeln und dem man sich überlegen fühlen konnte, es war kindlich, und ich war sogar geneigt, es etwas kindisch zu finden, etwas dümmlich. Es forderte zum Neid heraus, aber auch zum Spott, und wenn ich schon des Glücks nicht mehr fähig war, so war ich dafür des Spottes fähig und der Kritik. Und wahrscheinlich hatten die Jünger des Heilands einst genau so auf die seliggepriesenen Kinder geblickt wie ich auf Hans, mit Neid nämlich und zugleich mit etwas Spottlust. Sie wußten sich erwachsen, wußten sich klüger, erfahrener, wissender, sie waren überlegen. Nur daß eben die Erwachsenheit, Klugheit und Überlegenheit kein Glück war und nicht seliggepriesen wurde und keinen ins Reich Gottes führen konnte.

Dies war das Bittere und Anklagende, das mir der Blitz des Wachwerdens gebracht hatte. Aber es war noch etwas anderes Bitteres in der Wahrheit enthalten. Das erste ging nur mich selber an und war moralisch, es war eine Beschämung und Lektion für mich. Das andere aber war allgemeiner, tat im Augenblick weniger weh und ging am Ende doch tiefer – es war nun einmal so mit der Wahrheit, sie war unangenehm und unerbittlich. Nämlich: auch das Glück, das Bruder Hans besaß und von dem sein Gesicht so leuchtend gewesen war, auch dieses Glück war nichts Zuverlässiges, es konnte welken, es konnte verlorengehen, auch ich hatte es ja gehabt und hatte es verloren, und auch Hans, der es noch hatte, würde es einmal verlieren. Davon, daß ich dies wußte, kam es, daß ich außer dem Neid und außer der Spottlust auch noch etwas andres gegen Hans empfand, nämlich Mitleid. Nicht ein brennendes und heftiges Mitleid, sondern ein sanftes, aber herzbewegendes, dasselbe Mitleid, das man mit den Blumen einer Wiese haben konnte, die schon der Schnitter zu mähen begonnen hat.

Ich sage es nochmals: natürlich standen die Begriffe, mit welchen ich jenen seelischen Vorgang darzustellen und zu deuten versuche, mir damals noch nicht zur Verfügung. Ich konnte damals mein Erlebnis nicht analysieren, begann aber allerdings die Versuche dazu noch am selben Abend, und habe sie je und je wieder fortgesetzt, bis heute, wo ich zum erstenmal etwas davon niederschreibe. Von manchen meiner heutigen Gedanken weiß ich nicht, ob ich sie damals schon hatte oder ob sie erst viel später hinzugekommen sind, wie zum Beispiel der Gedanke an den Tod, den ich damals bestimmt nicht gehabt habe. Ich fühlte mich zwar durch den Anblick meines lächelnden Bruders an die Vergänglichkeit gemahnt, sogar ungemein stark, aber Vergänglichkeit und Tod sind für Kinder noch weit auseinander. Daß meine Kindheit im Verwelken begriffen sei, daß ich das Beste von ihr schon hinter mir und verloren hätte, dies sagte mein Erwachen mir deutlich, und es sagte mir sogar: auch er, auch dein Brüderchen wird es verlieren, auch er unterliegt dem Gesetz. Daß dies Gesetz aber Tod heiße, das wurde mir von keiner Stimme gesagt, denn ich wußte damals nichts vom Tod und glaubte nicht an ihn. Um die Vergänglichkeit aber wußte ich schon genau, sie war mir aus der Natur und aus den Dichtern sehr wohl bekannt, ich hatte das Fallen der Blätter schon oft genug gesehen. Daß jedes »Erwachen«, jede Berührung mit der Wirklichkeit und den Gesetzen unter andrem auch eine Berührung mit dem Tod bedeute, davon wußten meine Gedanken nichts, wenn auch das innerste Empfinden in mir mit Schauern davon wissen mochte.

Als ich diese Aufzeichnung begann, hatte ich nichts im Sinn, als mir jenen Augenblick in der heimatlichen Weihnachtsstube einmal wieder vor Augen zu rufen, schriftlich dieses Mal, denn manchmal nimmt ein Erlebnis oder Gedanke beim Versuch des Aufschreibens ein etwas anderes Gesicht an, zeigt neue Seiten und geht neue Verbindungen ein. Nun sehe ich aber, daß ich zwar jenes kleine Erlebnis selbst noch mit aller Deutlichkeit vor Augen habe, als sei es von gestern, daß es aber so für sich allein kein volles Leben hat, ja eigentlich nicht einmal recht mitteilbar ist. Auch wenn ich ein großer Dichter wäre, könnte ich den Schein von Glück und Unschuld über dem lieben Kindergesicht meines Bruders nicht so darstellen, daß es einem andern, einem Leser ernstlich etwas bedeuten könnte. Gibt auch das Erlebnis Gelegenheit, allerlei zu erzählen und zu sagen, so handelt dies alles doch nur von mir; nicht auf dem strahlenden Hansgesicht ging das vor, worauf es hier ankommt, sondern einzig in mir selbst. Durch sein Strahlen wurde der kleine Hans mir, ohne davon zu wissen und es je zu erfahren, Anlaß zu einem Erlebnis, zu einer Erweckung und Erschütterung. Und hier stoße ich, überrascht, auf einen kleinen Fund: nicht bloß dieses eine Mal hat Bruder Hans mir, ohne es zu ahnen, den Anstoß zu Erlebnis und Erschütterung gegeben, sondern mehrmals. Wenn ich dem Erlebnis vom Weihnachtsbaum gerecht werden will, darf ich es nicht isolieren und abschnüren, ich muß – auf die Gefahr hin, auch hier wieder mehr von mir selbst zu sprechen als von ihm – die Gestalt und das Leben meines Bruders im ganzen betrachten. Ich bin nicht Künstler genug, um ein einheitliches Bildnis von ihm zu zeichnen – das hieße, mir selbst den Glauben zu suggerieren, daß ich Hans wirklich und ganz gekannt und verstanden habe. Aber ich habe einige Erlebnisse und Begegnungen mit ihm gehabt, und wir hatten das gleiche Blut und manche Familienähnlichkeiten, und obwohl ich ihm niemals ganz nahegekommen bin, habe ich ihn doch sehr geliebt. Ich versuche also von seinem Leben so viel mitzuteilen, als ich verstehend miterleben konnte. Das ist nur ein ganz kleiner Teil seiner wirklichen Biographie, die ich nicht sehr genau kenne, aber er muß Wesentliches von ihm enthalten, denn merkwürdigerweise und obwohl wir vom Ende der Kindheit an nie mehr intim miteinander gewesen sind, haben unsere Lebensläufe sich mehrmals an wichtigen Punkten einander genähert, und so sehr verschieden sein Leben von dem meinen war, hat es doch immer wieder für das meine Bedeutung gehabt, und einige Male erschien es mir wie ein ganz leicht verzeichnetes Spiegelbild des meinen.

Hans war nicht auf den Namen Hans getauft, er hieß nach unsrem Vater Johannes. Niemals hätte ein Mensch den Einfall haben können, unsern Vater Hans zu nennen; für ihn war Johannes genau der richtige Name, ein Name, welcher Autorität und Würde hat und dennoch nicht einer großen Zärtlichkeit entbehrt: Johannes hieß der »gnostische« Evangelist, und der Lieblingsjünger des Herrn. Der Name war zugleich vornehm, zart und geistig. Hingegen kam niemand auf den Einfall, unsern Hans Johannes zu nennen. Er war Hans, er war eine nahe, vertraute, liebe und harmlose Gestalt, an ihm schien nichts Fremdes und Geheimnisvolles zu sein wie an Johannes, seinem Vater, er wurde darum vertraulich und bürgerlich Hans genannt, sein ganzes Leben lang. Und doch war er nicht so ganz eins mit seinem behaglichen Namen, und war gar nicht so geheimnislos wie es schien. Auch er hatte sein Geheimnis, und auch er hatte Teil an der Vornehmheit seines Vaters, hatte manche Anlagen sowohl zum Ritter wie zum Don Quichotte.

Als jüngstes meiner Geschwister wuchs er zwischen uns auf, von allen als der Jüngste geliebt, befürsorgt und zuweilen gehänselt, und hat in den Kinderjahren unsern Eltern nur einmal ernste

Sorge gemacht, da er als etwa Vierjähriger eines Tages verlorenging. Wir wohnten damals am äußersten Rande der Stadt Basel, da wo jenseits des Spalenrings und der alten Elsässer Bahnlinie die Stadt sich ins Ländliche auflöste. Einmal nun spazierte der Kleine allein von Hause weg, über die Bahnlinie und stadteinwärts, wo er sich schon nach der ersten Straßenbiegung in einer unbekannten und interessanten Welt befand, in welche er neugierig eindrang. Irgendwo traf er auf spielende Kinder seines Alters, schloß sich ihnen an und spielte ihre Spiele mit, lehrte sie vermutlich auch neue, denn das Spielen war seine eigentliche Begabung, sie ist ihm sein Leben lang treu geblieben. Er gefiel seinen neuen Spielkameraden und hat sie wahrscheinlich dazu verführt, auch ihrerseits ganz im Spiel aufzugehen und die lästigen Ordnungen der Welt zu vergessen; sie spielten bis es dunkelte und die Kinder von ihren Eltern heimgeholt wurden, und da ging Hans mit, und weil die Kinder nicht von ihm lassen wollten und er auch den Eltern gefiel, behielt man ihn da, vorerst beim Abendessen, und weil er zwar seinen Namen, nicht aber die Adresse seiner Eltern sagen konnte, auch über die Nacht. Wir verbrachten diese Nacht ohne Hans, er fehlte, war verschwunden, vielleicht in den Rhein geraten, vielleicht geraubt worden, es war ein großes Abenteuer, und den Eltern war recht bange. Am Morgen dann meldeten Hansens freundliche Gastgeber die Anwesenheit des fremden Kindes der Polizei, und da Hans dort schon als vermißt gemeldet war, konnte er abgeholt werden. Seine Wirte rühmten sein Betragen und namentlich sein andächtiges Beten bei Tisch und beim Schlafengehen, er schien sie ungern zu verlassen. Wir aber freuten uns sehr, ihn wiederzuhaben, und erzählten die Geschichte von unsrem interessanten verlorengegangenen Bruder oft und mit Stolz.

Viel später erst, wir waren inzwischen nach Calw zum Großvater übersiedelt und Hans war in die Lateinschule eingetreten, wurde er je und je wieder zum Sorgenkinde. Die Lateinschule, welche auch mir viele Konflikte gebracht hatte, wurde für ihn mit der Zeit zur Tragödie, auf andere Weise und aus anderen Gründen als für mich, und wenn ich später als junger Schriftsteller in der Erzählung »Unterm Rad« nicht ohne Erbitterung mit jener Art von Schulen abrechnete, so war das leidensschwere Schülertum meines Bruders dazu beinah ebensosehr Ursache wie mein eigenes. Hans war durchaus gutwillig, folgsam und zum Anerkennen der Autorität bereit, aber er war kein guter Lerner, mehrere Lehrfächer fielen ihm sehr schwer, und da er weder das naive Phlegma besaß, die Plagereien und Strafen an sich ablaufen zu lassen, noch die Gerissenheit des Sich-Durchschwindelns, wurde er zu einem jener Schüler, von denen die Lehrer, namentlich die schlechten Lehrer, gar nicht loskommen können, welche sie nie in Ruhe lassen können, sondern immer wieder plagen, höhnen und strafen müssen. Es sind mehrere recht schlechte Lehrer dagewesen, und einer von ihnen, ein richtiger kleiner Teufel, hat ihn bis zur Verzweiflung gequält. Dieser Mann hatte unter andern bösen Gewohnheiten die, daß er sich beim Abfragen dicht und drohend vor dem Schüler aufstellte, ihn mit schrecklichem Richtergesicht anbrüllte und dann, wenn der verängstigte Schüler natürlich versagte und ins Stottern geriet, seine Frage viele Male wiederholte, in einem rhythmischen Singsang, und dazu im Takt mit seinem eisernen Hausschlüssel auf des Schülers Kopf losschlug. Ich weiß aus späteren Erzählungen meines Bruders, daß dieser böse kleine Tyrann mit seinem Hausschlüssel zwei Jahre lang den kleinen Hans nicht nur Tag für Tag, sondern oft auch bis in die Angstträume der Nacht hinein gepeinigt hat. Oft kam er in einem hoffnungslosen Krampf von Kopfweh und Todesangst aus der Schule nach Hause. Ich war in jener schlimmsten Zeit seines Schulelendes schon fort von zu Hause, und machte, auch ich, den Eltern zeitweise Sorge genug.

Viele Jahre später hat Hans mir versichert, er sei von unsrem Vater strenger erzogen worden als ich. Vielleicht täuschte er sich, ich glaube aber, daß er recht hatte, und zwar waren es ohne Zweifel die schlechten Erfahrungen, die man mit mir gemacht hatte, welche der Jüngere hat büßen müssen. Übrigens war auch mir meine Erziehung nicht leicht und sanft erschienen, trotz der unerschöpflichen Liebeskraft der Mutter und dem ritterlichen, delikaten und zarten Wesen des Vaters. Streng und hart waren nicht sie, sondern das Prinzip. Es war das pietistisch-christliche Prinzip, daß des Menschen Wille von Natur und Grund aus böse sei und daß dieser Wille also erst gebrochen werden müsse, ehe der Mensch in Gottes Liebe und in der christlichen Gemeinschaft das Heil erlangen könne. So wurden wir – denn unsre Eltern liebten uns sehr und waren beide nichts weniger als hart – zwar nicht spartanisch erzogen und wurden körperlich weniger oft und weniger schwer gezüchtigt als viele unsrer Schulkameraden, deren Väter weder Christen waren noch Ideale hatten, jedoch mit Prügeln und Einsperren schnell bei der Hand waren; aber wir lebten unter einem strengen Gesetz, das vom jugendlichen Menschen, seinen natürlichen Neigungen, Anlagen, Bedürfnissen und Entwicklungen sehr mißtrauisch dachte und unsre angeborenen Gaben, Talente und Besonderheiten keineswegs zu fördern oder gar ihnen zu schmeicheln bereit war. Indessen war der Raum, in welchem wir diesem harten Gesetz unterstellt wurden, nicht ein Kerker oder eine nüchtern strenge Erziehungsanstalt, sondern ein mit Liebe, mit Bildung und Geistigkeit und mancherlei Kultur gesättigtes Elternhaus, in dem es außer jenem Gesetz auch eine Menge schöner, lebendiger, liebenswerter und interessanter Gewohnheiten, Übungen, Spiele und Tätigkeiten gab; Singen und Musizieren, Märchenerzählen und Bücherlesen, einen Blumengarten, abendliche Spiele, an welchen die ganze Familie teilnahm und deren manche der Vater selbst ersonnen hatte, Spaziergänge und Freude an Landschaft, Bäumen und Blumen, geschmückte Zimmer an festlichen Tagen. Und vor allem waren da die Eltern, verehrte Vorbilder zwar der christlichen Lebensführung, aber nicht Heiligenfiguren, sondern lebendige, begabte, originelle, warme Menschen, mancher schönen und liebenswürdigen Künste kundig, beide hervorragende Erzähler und Briefschreiber, die Mutter zuzeiten Dichterin, der Vater ein Gelehrter und großer Freund der Sprache und Sprachen, Erfinder von Schreibspielen, Improvisator von Rätseln und Wortspielen. Trotz des Gesetzes, trotz des stets gespannten Zwiespaltes zwischen Unschuld und Gewissen, war das Leben in diesem Hause reich und mannigfaltig und war weder düster noch langweilig. Es gab Konflikte und Bangigkeiten, man stand unter dem Gesetz, aber es gab auch Fröhlichkeit und Feste, an Besuchen und Gästen war niemals Mangel.

Aus dem Reichtum dieses Lebens, in dem jeder Tag mit Bibelwort, Gesang und Gebet begann und endete, nahm von uns Kindern jedes das Seine. Ich nehme an, daß Bruder Hans, ohnehin von der Schule her mit dem Geistigen auf gespanntem Fuß und im Selbstvertrauen geschwächt, von der starken und vielseitig angeregten Geistigkeit des Hauses gelegentlich sich bedrückt fühlte. Ich könnte mir denken, daß er zuzeiten den Vater und den Großvater, der über seiner indischen Gelehrsamkeit saß und etwa einen jungen Indologen dadurch erschrecken und entzücken konnte, daß er ihn in Sanskrit anredete, sowie manchen ihrer Gäste und Hausfreunde als mahnende Vorbilder empfand, als Leute, welche allzuviel Latein, Griechisch und Hebräisch konnten, als daß man hätte hoffen können, sie jemals zu erreichen, da doch schon das Latein und Rechnen in der Schule so mühsam ging. Ich weiß es nicht, ich vermute es nur. Dafür streckte seine bedrängte und gefährdete Natur die Wurzeln nach andrer Nahrung im Elternhaus aus, es gab ihrer genug, und vor allem war es die Hausmusik und das gesellige Spiel, worin er Freude fand und keine Bestätigungen seiner Minderwertigkeitsgefühle zu fürchten brauchte. Beim Singen konnte er ganz und gar dabei sein, sich hingeben und ausströmen, und dieses Glück ist ihm bis in seine letzten Zeiten geblieben. Und im Spielen erschien er oft wie ein Besessener und oft wie ein Künstler. Es waren nicht jene seßhaften bürgerlichen Spiele, in welchen es gilt, den Spielgegner an Wachsamkeit, Aufmerksamkeit, Ausdauer und Kombinationskraft zu übertreffen und ihn am Ende beschämt und besiegt zu sehen, nicht jene Brett- und Figurenspiele, bei welchen man einander mit meditierenden oder vom Denken überanstrengten Stirnen gegenübersitzt - nicht diese Spiele waren es, die Hans liebte und in denen er zum Meister wurde. Er bevorzugte die Spiele, die man selber erfindet. Beim Spielen konnte der ruhige und zuweilen ängstliche Knabe sich ganz und gar vergessen, vielmehr ganz und gar er selbst werden und die Welt und Schule vergessen, aufblühen und sich steigern bis zum Genialen. Die Welt der ihm aufgenötigten, halb oder gar nicht verstandenen Zwecke und Regeln zu verlassen und sich in eine selbstgeschaffene Welt sinnvoller, von ihm ersonnener und mit Sinn gefüllter Zwecke und Gesetze zu begeben, ist jedem begabten Kind Bedürfnis, und bei Hans handelte es sich zu manchen Zeiten um mehr, es ging ums Leben; um gegen eine von den Erwachsenen ausgesonnene oder von einem unverständlichen Gott geschaffene Weltordnung aufzukommen und nicht von ihr hoffnungslos totgewalzt zu werden, mußte man sich selber seine Welt und Ordnung schaffen.

Es gab Spiele, zu deren Zustandekommen es der Freiheit und Freizeit bedurfte, wie es Spiele gab, die man nicht ohne Apparate, Figuren, Bälle und so weiter spielen konnte. Es gab aber auch Spiele, welche sich nur im Spieler selbst abspielten, welche man überall und zu jeder Zeit und noch mitten unter der Aufsicht ahnungsloser Lehrer oder Eltern spielen konnte. Man ging seinen Weg in die Schule, wenn man nicht gerade verspätet war, nicht selten in einem bestimmten Rhythmus, nach einer ungeschriebenen Musik, und komplizierte und ornamentierte diesen Marsch noch durch besondere Regeln und Verbote, man durfte bestimmte Steine oder Lagen des Straßenpflasters nicht betreten, es gab erlaubte und verbotene Passagen. Manchmal wurde aus dem Schulweg ein solenner Tanz oder eine geometrische Figur. Während der Lektion in der Schule ließ der Tanz sich mit den Fingern auf der Bank, das Takthalten sich mit rhythmischem Atmen weiterspielen. Oder man verabredete mit einem Kameraden vor der Schulstunde: Sobald der Lehrer dies oder jenes Wort sagt, so bedeutet es: ich bin ein Affe. Dann, wenn das Wort fiel und der Lehrer sich als Affe bekannt hatte, brauchte man nur einander einen Blick zuzuschicken, und man hatte mitten in der ödesten Schulstunde eine Sensation, einen Spaß, ein Gefühl von Freude und Triumph.

Am liebsten aber spielten wir Scharade und Theater. Wir haben nie eine Bühne gehabt und niemals Stücke auswendig gelernt, aber wir haben viele Rollen gespielt, manchmal vor den Geschwistern und Kameraden, häufiger allein. Manchmal begaben wir uns in Rollen, die wir tage- und wochenlang nicht wieder losließen. War die Schule, das Gebet, die Mahlzeit zu Ende, war ich wieder mit Hans allein, so waren wir alsbald wieder Räuber, Indianer, Zauberer, Walfischjäger, Geisterbeschwörer. Wenn sich ein paar Zuschauer fanden, spielten wir am liebsten Zauberer. Ich war der Hexenmeister, Hans war der Adept und Famulus. Doch konnten wir diese Vorführungen nur am Abend richtig und wirkungsvoll bewerkstelligen, teils weil wir selber und unsre Zuschauer erst am Abend in die richtige Stimmung kamen, teils weil bei den Zauberstücken das Dunkel unser bester Bundesgenosse und Helfer war. Es gab in unsrem großen alten Hause einen Saal; in dem spielten wir, er war im vorigen Jahrhundert ein Tanzsaal gewesen, mit einer hohen balkonartigen Galerie für die Tanzmusik. Die Zuschauer, Kinder und Mägde, saßen im Dunkeln hinten gekauert auf einer Bank und ein paar Truhen, ich als Zauberer stand am andern Ende des Saales neben einem Tischchen, auf dem meine Zauberwerkzeuge lagen und eine Erdöllampe stand. Hans war mein Schüler und Gehilfe, mußte meine Befehle ausführen und mir bei meinen heimlichen Manipulationen behilflich sein. Wir verfügten über lange, feierliche Zauber- und Beschwörungsformeln, die ich beständig weiter ausbaute, und welche für uns beide eigentlich die Hauptsache waren; das Murmeln oder Brüllen dieser Formeln und Anrufungen erzeugte in uns die Stimmung von gewagten nächtlichen und magischen Unternehmungen und hätte uns an sich schon genügt. Die Zuschauer allerdings wollten uns nicht nur deklamieren, psalmodieren oder schauerlich flüstern hören, obwohl manche kleine Base oder Nachbarstochter auch dabei schon in Ekstase oder Todesangst geriet; wir mußten auch den Augen etwas bieten. Wenn ich, im kleinen Lichtkreis der Lampe stehend, phantastisch gekleidet und mit einer spitzen Papiermütze auf dem Kopf, meine Beschwörungen und Evokationen in die finstere Tiefe des Saales richtete, etwa einen Geist oder Teufel beschwor, und wenn sich dann endlich, zögernd, in kleinen Rucken und Stößen dort hinten im Finstern etwas zu regen begann und etwa ein Stuhl oder Schemel mit leisem Scharren sich zu nähern anschickte (er wurde von Hans an einem Faden gezogen), dann waren wir alle verzaubert, und mancher Zuschauer brach in einen Angstschrei aus. Einmal, als ich tief im Deklamieren war und mich ganz als Magier fühlte, schrie ich den Famulus Hans an, er solle mir leuchten. Er packte die schwere Petroleumlampe, balancierte sie etwas zögernd und hielt wieder inne. Ich, ungeduldig, rief ihm mit Donnerstimme zu: »Ha, du zögerst? Hierher, sag' ich dir, hierher, sterblicher Wurm!« Dieser Anruf wirkte so stark, daß Hans die Lampe fallen ließ und um ein Haar wir alle samt Saal und Haus verbrannt wären.

Alles in allem war damals mein brüderliches Verhältnis zu Hans das natürliche und normale, ich habe mich seiner nicht zu schämen. Es ging nicht immer fein und lieblich zu, es gab auch Streit und Balgerei und Schimpfreden; ich war der viel Ältere, der Große, Starke, und Hans war mir gegenüber der Kleine und Schwache, daran war nichts zu ändern. Nun aber steht mir, sobald ich an Hans und an jene Jahre denke, jedesmal ein Bild vor Augen, das diese angenehmen Erinnerungen Lügen straft.

Es ist ein Bild, ebenso scharf und überdeutlich und mir für Lebenszeit eingeprägt wie jenes etwas frühere Bild des entzückten kleinen Hans unterm Weihnachtsbaum. Ich sehe Hans vor mir stehen, den Kopf geduckt und zwischen die Schultern gezogen, denn ich war wütend und wollte ihm eben einen Schlag versetzen. Nun wendet er mir wortlos ein ergebenes und leidendes Gesicht zu, mit einem Vorwurf in den Augen. Wieder ein Erlebnis und ein Erwachen! Jener Blick mit seinem Vorwurf traf mich tief, obwohl er zu spät kam, um mich am Schlagen zu verhindern. Ich ließ die Faust niederfallen, auf eine seiner Schultern, dann lief ich weg, verstört, plötzlich erwacht. Voll Selbstgefühl und Sicherheit, voll Herrengefühl und gerechter Empörung über irgendein Versagen, irgendeine Gehorsamsverweigerung hatte ich die Faust geballt und erhoben, ganz Zorn, ganz Krieger, ganz eins mit mir – und fallen ließ ich sie schon mit Widerwillen und schlechtem Gewissen, uneins mit mir, mich meines Zornes und meiner Gewalttätigkeit schämend, mich andrer Schläge, andrer Mißbräuche meiner Kraft und meines Altersranges erinnernd. Aus den Augen meines Bruders Hans, aus diesem Blick, den ich so gern wieder vergessen hätte und nie mehr vergessen konnte, hatte mich wieder einmal die Wirklichkeit angeblickt, es hatte mich alles Leiden und alle Wehrlosigkeit angeblickt und angeklagt, und meine schöne Wut und Sicherheit war dahin und in einem schrecklichen Erwachen untergegangen: zum erstenmal im Leben hatte ich beim Schlagen den Schmerz und die Beleidigung des Geschlagenen mitgefühlt, und hatte im Grund des Herzens gewünscht, er möge nicht so stumm dulden und mir dann verzeihen, sondern aufflammen und Rache an mir nehmen.

Dies sind die beiden Bildnisse meines Bruders, die mir aus der Zeit seiner Kindheit eingebrannt blieben, sie allein von tausend andern sind übriggeblieben: das Kind Hans, über seine irdenen Weihnachtstöpfchen entzückt und wie ein Engel strahlend, und der Knabe Hans, meinen Schlag erwartend und durch seinen stumm anklagenden Blick auf mich zurückwerfend. In manchen Stunden, wenn ich dazu neigte, mein Leben als verfehlt und wertlos anzusehen, stiegen die beiden Bilder auf: der kindlich Strahlende und der kindlich Leidende, und beiden stand ich gegenüber als der scheinbar Überlegene, Ältere, Starke, heimlich aber Beschämte und Gerichtete.

Ich glaube nicht, daß ich nachher Hans je wieder geschlagen habe. Es waren ja jene mit Erlebnis überladenen Augenblicke nur Augenblicke gewesen, im übrigen lebten wir ja gut und freundlich miteinander, besser als viele andere Brüder miteinander lebten. Aber trotz allem schien jenes Augenblicksbild vom geschlagenen Hans mehr Wahrheit zu enthalten als alle die Monate und Jahre. Ich war nicht böser und nicht schuldiger als jedermann, ich kannte viele, die mit weit größeren Sünden unbeschwert dahinlebten; aber ich war wissend geworden, jene Augenblicke hatten mir gezeigt, wie es ist, wie es zugeht, wie wir Menschen leben, wie immer der Größere und Stärkere dem Schwächeren Gewalt antut, wie immerzu die Schwachen unterliegen und dulden müssen, und wie dennoch alle Überlegenheiten und Vorrechte dahinfallen, wie dennoch immer wieder das Recht bei den Duldenden ist, wie stumpf und leichthin man das Unrecht begeht, wie es aber aus einem Augenblick, aus dem einzigen Blick eines Auges auf uns zurückstrahlen und uns strafen kann.

Inzwischen waren die Zeiten schon vorüber, in denen ich in meines Bruders täglichem Leben eine Rolle spielte. Ich war fort und kehrte nur für Ferienwochen oder Festtage zurück. Ich wußte wenig mehr von Hans, ich hatte Freunde meines Alters, und noch lieber solche, die mir im Alter voraus waren; und Hans selber hatte seine Schulsorgen, und hatte selber seine Freunde, und eines Tages bekam er, da ich keinen Musikunterricht mehr nahm, meine Violine und wurde ein eifriger Musikschüler. Von seinen schweren Schulsorgen wußte ich damals kaum, erst viel später hat er mir davon erzählt. Für mich war er noch ein Kind und bedeutete mir eine Mahnung an meine eigene Kindheit, auch als er längst im Schatten der Sorge und des Leides ging. In jenen Ferienzeiten, die an sich schon jedesmal eine Art freundlicher Rückkehr in meine Kinderwelt waren, suchte ich auch je und je aus einem dunklen Bedürfnis die Freuden und Spiele der Knabenzeit wieder auf, und dann war Hans mein Spielkamerad, und es war an manchen Tagen, als wären Jahre wieder ausgelöscht. Dann spielten wir die Knabenspiele wieder, die allgemein üblichen mit Murmeln oder Schlagball und auch unsre privaten, von uns selbst erdachten. Und je mehr ich ein Erwachsener wurde und meine Ziele in der Zukunft und Ferne sah, desto mehr lernte ich Hans als einen ungewöhnlichen Spielkünstler schätzen. Noch immer konnte er sich dem Spiel ganz hingeben; es war, wenn er spielte, nicht ein Teil von ihm doch dem Spiel entwachsen, es war nicht ein Teil seiner Gedanken oder Träume anderswo, bei »ernsteren« oder »wichtigeren« Dingen, sondern er war mit ganzer Seele und mit vollem Ernst beim Spiel.

Der Hans, den ich damals kannte und mit dem ich in den Ferien halbe Tage spielte, schien mir rund und ganz, aber ich sah und kannte nur die Hälfte von ihm, nur die freundliche Seite seines Lebens, das schon damals sehr viel schwerer war als ich wußte. Daß er in der Schule schwer mitkam und viel geplagt wurde, war mir zwar nicht unbekannt, aber ich hatte es nicht mit angesehen und konnte mich da nicht recht hineindenken, fühlte auch keinen Antrieb dazu, ich war von meinen eigenen, zuzeiten recht verworrenen und bedrängenden Nöten, Wünschen und Hoffnungen genug in Atem gehalten.

Die Schulzeit meines Bruders ging zu Ende, er freute sich sehr darauf und die Eltern nicht minder. Es war nun die Frage, was aus ihm werden solle. Bei seiner Schulmüdigkeit und ausgesprochenen Ablehnung aller Studien und verstandesmäßigen Bildung schien eine Handwerkslehre vielleicht angezeigt, aber seine Freude an Musik und anderen schönen Dingen, und schon seine Herkunft aus einem Geschlecht von Gebildeten und Gelehrten schien es doch zu verbieten, ihn so früh in einen Beruf und Lebenskreis abwandern zu lassen, der ihm vielleicht später doch nicht genügen mochte. Man war in Verlegenheit, es zeigte sich schon damals, daß unser Hans es sehr schwer damit haben werde, einen Weg und Platz im Leben zu finden; vermutlich hat unsre Mutter manches Gebet gesprochen und manchen sorglichen Brief geschrieben und hat die Familie manche Beratung abgehalten, bis der Entschluß gefaßt wurde, den Knaben einem Kaufmann in die Lehre zu geben. Das war, wie mein Vater sich ausdrückte, ein »praktischer« Beruf, man konnte ihn ausüben wie ein Handwerk, nämlich im Kaufladen, während doch in seinen Hintergründen auch etwas wie eine Theorie und Wissenschaft vorhanden war, mit Kanzleien, Archiven, Büros, aus welchen eine Hierarchie von Dienern und Priestern Merkurs sich emporstufte bis zu den ehrwürdigen Ministern und Königen des Welthandels. Vorläufig begann es mit der Handarbeit und dem Laden, Hans wurde Lehrling in einem Laden und lernte Ballen schleppen, Kisten öffnen und zunageln, auf der Leiter turnen und mit der Waage umgehen.

Jetzt schien auch für ihn die Kindheit gründlich zu Ende gegangen zu sein. Zwar hatte die Lateinschule ihn entlassen, aber er hatte sich dafür in ein neues Joch begeben müssen, das sich mit der Zeit als nicht weniger drückend erwies und das er bis zum letzten Tag seines Lebens tragen mußte. Er war in einen Beruf hineingeraten, an dem er keine Freude, zu dem er keine Berufung und wenig Geschick hatte, dem er sich immer wieder einzupassen bemüht war, ohne daß es richtig glückte, und in den er sich schließlich als in ein bittres und unentrinnbares Los ergab.

Ich kenne nicht alle Stationen dieses Weges, obwohl wir die Verbindung nie ganz verloren. Ich versuche, diesen Weg vereinfacht nachzuzeichnen, so wie er mir erscheint, so wie ich ihn abzulesen und zu deuten versuchte. Es gab auf diesem Wege manche

Ortsveränderung und manchen Wechsel in der Arbeit, es gab manches Versagen oder unwillige Abbrechen und manche immer neue Anläufe und Versuche. Nach der Lehrzeit versuchte er es wieder in einem Laden, in einem alten gediegenen Hause in der nächsten großen Stadt; dann erschien es ihm notwendig, die formalen Methoden seines Berufes und namentlich der Buchführung gründlicher zu erlernen, es gab Kurse auf Handelsschulen, dann neue Anstellungen, Kurse in Stenographie und Englisch, und schließlich blieb er Sekretär und Korrespondent, meistens in industriellen Betrieben. Nirgends war ihm wohl, nirgends vermochte die Arbeit, so ernst und gewissenhaft er sie nahm, ihn tiefer zu interessieren und ihm Freude zu machen, oft genug mag er an sich und an seinem Leben verzweifelt sein. Aber er hatte die Musik, er spielte Violine, fand manchmal Kameraden zum Singen, und viele Jahre hatte er einen Herzensfreund, seinen Vetter, mit dem er fleißig Briefe wechselte und sich in den Ferien traf. Einmal, Hans war noch in den Zwanzigern und in einer Fabrik im Schwarzwald beschäftigt, überkam ihn Elend und Überdruß allzusehr, er schmiß die Arbeit hin und lief davon, wir waren alle erschrocken und in Sorge. Ich war seit kurzem verheiratet und lebte in einem kleinen Dorf am Bodensee, ich lud ihn ein, sich bei mir zu erholen. Er kam und war mitgenommener und geplagter, als er zugeben wollte, ich half ihm sein Köfferchen auspacken, da kam auch ein Revolver zum Vorschein. Er lachte verlegen, ich auch, dann nahm ich das Ding an mich, um es aufzubewahren, bis er wieder reise. Wir hatten damals eine gute brüderliche Kameradschaft miteinander, er war mehrere Wochen mein Gast, wurde kräftiger und heiterer, und begann allmählich sich wieder nach einer Arbeit umzusehen. Aber es scheint mir heute, als sei schon damals etwas nicht ganz Geklärtes in unsrem brüderlichen Verhältnis zueinander gewesen und als habe ich schon damals etwas von der Verschiebung und Entfremdung gespürt, welche dies Verhältnis dann mit den Jahren erfuhr, ohne daß einer von uns es wissentlich verschuldet hätte.

Meine Laufbahn war ebensowenig glatt und ungebrochen gewesen wie die des Bruders, es hatte eine Schultragödie gegeben, auch bei mir, wennschon aus andern Gründen, ich war ungeduldig und gewaltsam aus der Bahn gebrochen, hatte die Eltern schwer bekümmert, und war überhaupt dem Bruder darin ähnlich, daß ich mir selber das Leben erschwerte und daß ich zur Bewunderung anderer Charaktere und Leistungen und zum Zweifel

an meinen eigenen leicht bereit war. Outsiders waren wir beide.
Dagegen hatte ich, anfangs unklar und nur mit halbem Glauben,
dann immer energischer und konzentrierter mich auf die Zukunft
hin bewegt, von der ich seit Knabenzeiten träumte. Auch als ich,
nach schweren Kämpfen, den Eltern nachgab und mich einem Beruf und einer Lehrzeit unterzog, als Buchhändler, hatte ich es im
Blick auf mein Ziel getan, es war eine Anpassung, ein vorläufiger
Kompromiß gewesen. Ich war Buchhändler geworden, um zunächst einmal von den Eltern unabhängig zu werden, auch um ihnen zu zeigen, daß ich im Notfall mich beherrschen und etwas im
bürgerlichen Leben leisten könne, aber es war für mich von Anfang an nur ein Sprungbrett und Umweg zu meinem Ziel gewesen.
Und schließlich hatte ich das Ziel erreicht, hatte mich erst vom
Vaterhaus, dann vom vorläufigen Beruf befreit, war Schriftsteller
geworden, konnte davon leben, hatte mich mit dem Vaterhaus
und der bürgerlichen Welt versöhnt und war von ihnen anerkannt.
Ich hatte geheiratet, mich fern von allen Städten in einer schönen
Landschaft niedergelassen, lebte nach meinem Geschmack, ein
Freund der Natur und ein Freund der Bücher, und die Konflikte
und Schwierigkeiten, deren auch dies frei gewählte Leben genug
enthielt, waren noch nicht ernsthaft, und waren mir damals noch
kaum bewußt geworden. Für Hans, der damals mein Gast war,
mit mir spazierenging oder Ruderfahrten auf dem See unternahm,
für Hans war ich ein arrivierter Mann, dem seine Sache geglückt
war. Er, so fühlte er, würde niemals arrivieren, ihm würde seine
Sache niemals glücken. In einen Beruf verirrt, in dem er es nie weit
bringen würde, von der eigenen Unzulänglichkeit überzeugt, ohne
Selbstvertrauen, den Frauen gegenüber hoffnungslos schüchtern,
ohne einen Traum im Herzen, an dessen Verwirklichung er hätte
glauben können, sah er zwischen sich und mir eine Kluft, die für
mich kaum sichtbar war, die sich nun aber mit den Jahren vergrö-
ßerte und später auch mir immer fühlbarer wurde.

Natürlich hatte er auch seinen Traum in der Seele, seine Vorstellung von Glück und wahrem Leben, aber das Wunschbild ließ sich
nicht nach vorn ins Leben projizieren, es wies zurück ins Paradies,
in die Kindheit. Als Jüngster war er daran gewöhnt, der Kleinere
und Unwissendere zu sein, die Schule hatte ihn noch kleiner gemacht, im Beruf sah er andre ihn überholen, die ihm nur durch
Härte und Selbstvertrauen überlegen waren. Und so ist er, während er nach außen allmählich lernte, sich dem Notwendigen zu

fügen und wenigstens sein Brot zu verdienen, in seinem inneren Leben immer nach rückwärts gewendet geblieben, zur Kindheit hin, zu jener unschuldigen, seelenhaften, aber kampflosen Welt der Träume und Spiele, des Singens, des Lachens um nichts, des Wanderns ohne Ziel.

Er fand wieder eine Anstellung, trieb wieder Englisch, spielte Violine, sang in einem Chor mit. Und außer der Musik gab es noch etwas, worin er atmen und schwimmen und sich entfalten und aufblühen konnte, das war der Umgang mit Kindern. Wohnte in erreichbarer Nähe seiner jeweiligen Arbeitsstätte eine befreundete oder verwandte Familie mit Kindern, so brachte er unfehlbar dort seine Sonntage zu, ein immer spielfroher, alle Kinderlaunen und Kinderwünsche verstehender Kamerad und Onkel. Er wurde sehr geliebt, und die Kinder und jungen Leute, mit denen er musizierte oder Scharaden aufführte und die er in seine wahrhaft dichterische Spielwelt einführte, waren ihm für immer zugetan und wußten nichts davon, daß ihr Onkel und Freund ein enttäuschter und oft schwermütiger Mann war. Selbst Kinder zu haben, hat er sich sehnlich gewünscht. Aber da war vieles im Wege. Wovon eine Frau ernähren und kleiden, eine Wohnungsmiete bezahlen? Um das zu können, mußte man zu denen gehören, welche vorwärtskommen und von Stelle zu Stelle nach oben aufrücken. Und dann waren die Frauen so unnahbar, oder so enttäuschend, und wie sollte man es denn auf sich nehmen, fürs ganze Leben einer Frau das Brot und das Glück zu versprechen, wo man sich selbst so wenig trauen konnte?

Manche Jahre lang sahen wir uns nur noch sehr selten, wir wohnten weit voneinander entfernt, schrieben einander zu den Geburtstagen, sonst selten. Wenn ein Buch von mir erschien, schickte ich es ihm, er bedankte sich jedesmal, hat sich aber nie über eines geäußert, ich erfuhr nie, ob eines von ihnen ihm gefallen hat. Drei Jahre vor dem großen Krieg probierte er es noch einmal mit einem Ortswechsel, seinem letzten. Er fand Arbeit in einem Städtchen im Aargau, und ich zog ein Jahr später nach Bern, nun waren wir näher beieinander, ein paarmal kam er über einen Sonntag auf dem Fahrrad zu uns, saß mit uns in der Laube, spielte mit unsern Knaben, man sprach von Basel und Calw, vom Vaterhaus. Hans arbeitete jetzt in einer großen Fabrik, da saß er als Korrespondent in einem der vielen Büros, klagte hie und da ein wenig über die Öde der langen Tage, erzählte von Verwandten in Zürich, bei denen er viele Sonntage mit den Kindern verbrachte. Als der Krieg ausbrach, sprach ich einmal über die Weltpolitik mit ihm, er hörte zu und schüttelte den Kopf, er las selten eine Zeitung und nahm nirgends Partei. Es war merkwürdig mit ihm, halb war er ein Knabe, der Knabe Hans, den ich einmal am Christabend in der Verklärung der Freude gesehen, mit dem ich gespielt und der mich einmal, als ich wütend war und ihn schlug, so stumm mit anklagenden Augen angeblickt hatte, halb war er ein bescheiden kleinbürgerlich aussehender Mann mit einer tiefen Stimme, der den Kopf etwas vorneigte und resigniert einer Arbeit oblag, die ihm nur eben das Brot brachte, ein geduldiger Arbeiter und kleiner Angestellter.

Immerhin hatte er, außer seiner Violine und seinen Sonntagen, die er mit den Neffen in Zürich verspielte oder verwanderte, andre Reserven, aus denen seine Seele sich erneuerte, aus denen er lebte und immer wieder Mut schöpfte. Er war nicht nur im Herzen ein Kind, er war auch fromm geblieben, fromm im doppelten Sinn der Herzensreinheit und der Pietät gegen die Menschen und gegen die Weltordnung, und fromm auch als Christ und Mitglied einer Gemeinde. Er nahm es auf sich, daß er schlecht in die Welt der Geschäfte und Arbeit paßte, daß er auf kleinen und untergeordneten Posten blieb, er anerkannte sein Schicksal, und in den Zeiten, wo es ihm schwer zu ertragen schien, haderte er mehr mit sich selber als mit Gott und der Welt, den Einrichtungen, den Vorgesetzten. Er blieb vollkommen unpolitisch und erlaubte sich keine Kritik, er lebte zwar nicht asketisch oder abstinent, aber äußerst bescheiden, war auch sparsam, denn seine Groschen waren mühsam verdient. Einen Abend oder zwei in der Woche war er im Kirchenchor seiner Gemeinde, übte Choräle und studierte neue Lieder, ein brauchbarer und zuverlässiger Sänger.

Mit dem Weltkrieg kam eine Zeit, in der es Hans besser zu gehen schien als mir. Das Politische berührte ihn nicht, seine Existenz war bescheiden, aber gesichert, und die Welt, wie er sie sah, wurde nicht von den Ministern und Generälen, sondern von Gott regiert. Einmal während des Krieges fanden wir Geschwister uns alle noch einmal zusammen, um unsern Vater zu begraben. Da waren wir alle versammelt, nicht im einstigen Vaterhaus mehr, aber doch um den Vater, sprachen uns aus und waren im Schmerz dieser Tage wieder eins wie in der Kindheit, aufeinander angewiesen, um gemeinsam Leid zu tragen und zugleich das Glück der Zusammengehörigkeit zu fühlen.

In der letzten Zeit des Krieges war von der Freiheit und Sorglosigkeit, in der ich früher gelebt hatte, nichts mehr übriggeblieben. Mein Arbeitszimmer war längst ein Büro geworden, mein Wohlstand dahin, meine bald arbeitsame, bald genießerische Zurückgezogenheit von der Welt zu Ende, ich war dem Krampf und Leid der Welt verflochten und hingegeben, und auch das, was sonst noch mein letzter und innigster Trost gewesen war, die Musik, konnte ich nicht mehr ertragen. Und jetzt wurde meine Frau schwerkrank, ich mußte die Kinder weggeben, es schien alles zusammenbrechen zu wollen, in einem verödeten Hause und Leben saß ich und sah Schlimmes kommen. Gerade in dieser Zeit nun, im Herbst 1918, kam der Brief von Hans, in dem er mich bat, zu seiner Hochzeit zu kommen. Er hatte sich verlobt, ein Strahl Licht war in sein Leben gefallen, er wollte es noch einmal versuchen, sich ein Glück aufzubauen.

Mir nun fiel die Aufgabe zu, bei seiner Hochzeit unsre Familie zu vertreten, die andern waren alle in Deutschland drüben, die Grenze gesperrt, das trennte mehr als zwanzig Breitegrade. Es fiel mir sehr schwer, diesem Ruf zu folgen, ich war in der Arbeitslast, in der Hetze und Seelennot der Kriegsjahre ein scheuer und verzweifelnder Mensch geworden, zur Not noch fähig, sich Tag um Tag mit lästiger Pflichtarbeit zu beladen und zu betäuben, aber schon seit langer Zeit nicht mehr fähig, irgendwo mitzuschwingen, sich zu freuen oder gar ein Fest zu feiern. Auch das hätte man ja für einen Tag hinunterwürgen können, aber es war mir vor dieser Hochzeit nicht nur meinetwegen bange. Mein eigenes Eheglück war eben erst endgültig gescheitert; mir schien, es wäre tausendmal besser gewesen, wenn ich nie geheiratet hätte, heftig erinnerte ich mich jetzt der inneren Widerstände, mit welchen ich vor vierzehn Jahren mich zur Heirat entschlossen und meine Hochzeit gefeiert hatte. Nein, meine Anwesenheit bei Hansens Hochzeit konnte kein Glück bringen. Es konnte ja doch nichts Gutes daraus werden, wenn unsereiner heiratete und den Bürger spielte, wir taugten dazu nicht, wir taugten zu Einsiedlern, zu Gelehrten oder Künstlern, meinetwegen zu Wüstenheiligen, aber nicht zu Gatten und Vätern. Man hatte sich, als wir Kinder waren, viele Mühe damit gegeben, uns den »Willen zu brechen«, wie die fromme Pädagogik das damals nannte, und man hatte in der Tat allerlei in uns gebrochen und zerstört, aber gerade nicht den Willen, gerade nicht das Einmalige und mit uns Geborene, nicht jenen Funken, der uns zu Outsiders und Sonderlingen machte.

Indessen war an Absage und Ausrede gar nicht zu denken. Ich spürte selbst, wie nervös und in mein eigenes Unglück versponnen ich war, und wie töricht und unrecht es wäre, dem Bruder das endlich gefundene Glück nicht von Herzen zu gönnen oder es durch mein Fernbleiben von seinem Fest zu trüben, ihm Teilnahme und Segen gewissermaßen zu versagen. Es war mir auch von frühern Beispielen her bekannt, wie wenig angenehm es für einen Hochzeiter ist, völlig allein ohne Familie und Anhang dem Aufgebot der Brautverwandtschaft gegenüberzustehen. Ich fuhr also schwarz gekleidet ins Aargau zu Hans und schämte mich meiner Hypochondrie, denn es war ein schöner und rührender Anblick, den Bruder still, glücklich und etwas befangen neben seiner freundlich-ernsten Braut zu sehen, und dazu fanden sich ihre Schwestern und Schwäger ein, die mich alle sehr artig aufnahmen und mir alle gefielen, es war eine rüstige und hochgewachsene Rasse, und noch ehe wir zum Festmahl ins Haus des Brautvaters in ein nahegelegenes Dorf hinausfuhren, zwischen herbstlichen Wäldern und Weinbergen bergan, hatte ich schon den Eindruck gewonnen, es stehe gut mit Hans und seiner Zukunft. Es war seit geraumer Zeit die erste Freude, die ich erlebte, und die ganze ländliche, gesunde und friedliche Welt, bei welcher ich da zu Gast war, schien tausend Meilen weit von allen Kriegen, Revolutionen und Weltuntergängen zu liegen. Es war ein schönes und heiteres Fest, ich wurde nicht nur beruhigt, sondern vergnügt, und das Gefühl, den Bruder nach so langem Suchen und Darben versorgt und eingereiht zu wissen, tat mir gründlich wohl. Das einzige, was mir nicht gefiel und was ich nur der Höflichkeit wegen loben half, war die Stadtwohnung des neuen Paares, im Erdgeschoß an einer lärmigen Straße.

Für mich kam nun eine Zeit, in der ich an Hans wenig denken konnte. Es kam das Ende des Kriegs, und die Revolution, ein sorgenvoll durchfrorener Winter in meinem gespenstisch gewordenen Hause, und der Zusammenbruch meiner damaligen Existenz. Im Frühling erst war es so weit, daß ich meine Bücher, meinen alten Schreibtisch und ein paar Andenken zusammenpacken und den Versuch zu einem neuen Lebensbeginn machen konnte. Hans aber war zufrieden, ein guter Ehemann, der am Abend nach seinem grauen Arbeitstag eine kleine Heimat auf sich warten wußte.

Es wurden ihm zwei Söhne geboren, und nun besaß er in seiner kleinen Wohnung alles das, was er viele Jahre lang nur als Gast und an Sonntagen in fremden Häusern gefunden hatte.

Vier oder fünf Jahre nach jenem Hochzeitsfest fügte es sich, daß ich mich einige Zeit in der Stadt aufhalten mußte, wo Hans wohnte, er war nun schon ein Dutzend Jahre am selben Ort und in derselben Fabrik tätig, ist auch vollends dort geblieben, die Jahre der Unrast waren vorüber. Ich fand Hans mit seiner kleinen Familie in einer anderen Wohnung als jener, die mir so mißfallen hatte, er schien mir ruhiger geworden und etwas gealtert, es gab natürlich auch Sorgen. Nach seiner Verheiratung – das erzählte er mir aber nicht, ich erfuhr es erst viel später – hatte der Vorstand seines Büros ihn einmal zu sich bestellt und ihm freundlich auseinandergesetzt, er sei ja nun schon manches Jahr hier angestellt, habe sich auch als fleißig und zuverlässig erwiesen, doch sei seine Tätigkeit ja nur eine subalterne, und da er jetzt Familie habe, müsse er sich klarmachen, daß die Beamtenschaft der Fabrik eine Hierarchie bilde, in welcher er sich bisher mit seinem Platz auf einer der untersten Stufen begnügt habe. Wer aber guten Willen und einige Gaben besitze, der strebe nach oben, wo man nicht nur zu gehorchen, sondern auch zu befehlen lernen müsse, wo man nicht mehr nur beaufsichtigt werde, sondern auch Aufsicht über andre zu führen habe. Man wolle einem Angestellten, der sich brav gehalten und jetzt geheiratet habe, den Weg zu den höheren Stufen nicht versperren, wenn er strebsam sei und sich zutraue, mehr und Wichtigeres als bisher zu leisten, es werde dann auch an einem entsprechend höheren Lohn nicht fehlen. Und so biete man ihm also an, für eine gewisse Probezeit es mit einer etwas verantwortungsvolleren und besser bezahlten Arbeit zu versuchen. Man hoffe, er freue sich über dies Anerbieten und werde sich in der Probezeit bewähren. Der gute Hans hörte dieses ehrerbietig an, stellte auch einige schüchterne Fragen, und bat dann um eine Bedenkzeit. Der Vorgesetzte, ein wenig verwundert, daß er nicht sofort zugriff, ließ ihm die gewünschte Frist, und Hans ging an seine Arbeit zurück. Dann war er einige Tage sorgenvoll und in sich gekehrt und kämpfte um seinen Entschluß. Nach abgelaufener Frist meldete er sich und bat, man möge ihn auf seinem bisherigen Posten lassen. Nun erzählte er es auch seiner Frau und hatte einige Mühe, sie davon zu überzeugen, daß er nicht anders habe handeln können. Von da an blieb er, ohne mit weitern Vorschlägen behelligt zu werden, für immer auf seinem bescheidenen Posten an der Schreibmaschine sitzen.

Davon wußte ich damals noch nichts. Ich besuchte Hans ein paarmal, machte mit ihm und den Seinigen einen Sonntagsausflug, hatte ihn einen Abend zum Plaudern und Essen bei mir im Hotel, und jetzt wollte ich auch einmal die Stätte seiner Arbeit sehen. Aber da war kein Zutritt möglich. Hans wehrte erschrocken ab, und der Portier der Fabrik, den ich dann aufsuchte, konnte es mir auch nicht gestatten. So stellte ich mich denn, um wenigstens irgendeine Vorstellung von meines Bruders geheimnisvollem Alltagsleben zu bekommen, eines Tages kurz vor der Mittagsstunde am Eingang zur Fabrik auf, um ihn herauskommen zu sehen und abzuholen. Es war ein gewaltiger Eingang wie zu einer Festung, dahinter saß im Fenster seines Wärterhäuschens der Pförtner und bewachte die Straße. Eine dreifache Straße führte vom Eingangstor zur Fabrik, welche weit hinten lag, eine kleine Stadt von Gebäuden, Höfen und Schloten. In der Mitte lief eine Fahrstraße, rechts und links je ein breiter Gehsteig. Außen vor dem Tore stand ich und wartete, blickte die leere breite Straße hinauf gegen die Gebäude und stellte mir vor, daß in einem von ihnen Tag um Tag und Jahr um Jahr mein Bruder in einem Saal mit vielen Schreibmaschinen sitze und Briefe schreibe. Es war eine sehr ernste, strenge und etwas düstere Welt, in welche ich da blickte, und wenn ich mir dachte, ich müsse mein Leben lang jeden Morgen und jeden Nachmittag pünktlich hier erscheinen, durch dieses Tor die breite Straße hinan und in eines der großen kahlen Gebäude gehen und dort in einem Büro Befehle und Diktate entgegennehmen und Briefe und Rechnungen schreiben, so mußte ich mir gestehen, daß ich das nicht vermöchte. Gewiß, als Besitzer oder Leiter oder Ingenieur oder Werkmeister hier zu arbeiten, als einer, der das Ganze dieser großen Maschinerie übersah und sich ihm gewachsen fühlte, das war mir vorstellbar. Aber als kleiner Angestellter auf einer der niederen Stufen, als Arbeiter, der nie etwas Ganzes zu machen bekommt, der immer die gleichen Handgriffe zu tun hat oder die gleichen Briefe diktiert bekommt – das war ein Angsttraum. Ich blickte angestrengt durch das Fabriktor hinein, dachte an Hans und sah einen Augenblick sein still verklärtes, leuchtendes Kindergesicht an jenem unendlich fernen Christabend wieder, und das Herz zog sich mir zusammen.

Jetzt sah ich weit hinten zwischen den Gebäuden sich etwas regen, es kamen ein paar Menschen heraus, dann mehr, dann viele, die bewegten sich dem Tore und mir entgegen, und als die ersten schon an mir vorübergegangen waren und sich in die Straßen nach der Stadt hin verloren, quoll von dort innen ein dichter, ununterbrochener Menschenstrom heraus, dunkel floß er in gleichmäßigem Trott heran und an mir vorbei, viele Dutzende, viele Hunderte, auf beiden Gehsteigen kamen sie geströmt, und auf der breiten Straße dazwischen hundert Fahrräder, Motorräder und je und je ein Automobil. Es waren Männer und Frauen, aber viel mehr Männer, manche junge Leute mit bloßen Köpfen, forsch und vergnügt, manche plaudernd, die meisten aber ernst, schweigend, etwas müde, vorwärtsgetrieben im Tempo, das ihnen der große Strom aufzwang. Ich hatte bei den ersten Dutzend mir die Gesichter angesehen, ob Hans unter ihnen sei, aber da es auf allen drei Straßen quoll und quoll und in dem Strom der Gesichter längst nicht mehr die einzelnen zu fassen möglich war, ließ ich die Ströme vorüberziehen und mußte darauf verzichten, den Bruder herauszufinden. Ich stand und schaute zu, wohl eine gute Viertelstunde lang, bis die Flut versiegte und ein Ende nahm und Straßen und Höfe wieder öde lagen, die Rückkehr der Scharen erwartend.

Später habe ich bei jedem Besuche in jener Stadt einige Male diese mittägliche Anabasis abgewartet, manchmal gelang es mir, Hans abzufangen, manchmal war er es, der mich entdeckte und anrief, manchmal auch mußte ich wie jenes erste Mal weggehen, ohne ihn gesehen zu haben. Es war jedesmal eine Qual und eine Lektion für mich. Wenn ich meinen Bruder in der Menge entdeckte und ihn zwischen den andern trotten sah, den Kopf etwas gesenkt, fühlte ich jedesmal ein bittres, nutzloses Mitleid, und wenn er mich dann erblickte und mit einem kleinen, freundlichen Lächeln sein stilles Gesicht erhob und mir die Hand entgegenstreckte, kam ich mir jedesmal einen Augenblick wie der Jüngere und Unfertigere von uns vor. Seine Zugehörigkeit zu diesen tausend Männern, sein geduldiger Schritt und das etwas müde, aber freundliche, so geduldig gewordene Gesicht gaben ihm, den ich bis in seine Mannesjahre immer ein wenig wie ein Kind betrachtet hatte, eine traurige Würde, einen Stempel von Ergebenheit und Geprüftsein, der mich rührte und beschämte.

Obwohl ich jetzt sein Leben besser kannte, das aus den Tagen in der Fabrik und den Abenden in seiner Familie bestand, habe ich doch noch ein paarmal den Versuch gemacht, ihm auch ein Stück von meinem Leben zu zeigen und ihn einmal in meine Kreise zu bringen. Er war ja ein Freund der Musik und selber ein wenig Musikant, und wenn er von Literatur und Philosophie, auch von Politik nichts wissen wollte, so wollte ich doch einmal mit ihm gute Musik hören, ihn für einen Abend oder Sonntag aus seinem Kleinbürgerleben zu uns Künstlern herüberholen, ihn mit nach Zürich in eine Oper, zu einem Oratorium oder Symphoniekonzert nehmen, und nachher zu ein paar geselligen und musikalischen Stunden mit meinen Freunden, den Musikern. Ich habe den Versuch damals gemacht und habe ihn bei meinen späteren Besuchen drei-, viermal wiederholt, habe ihn herzlich und dringlich eingeladen und ihm zugeredet, aber es ist mir nicht geglückt, und am Ende gab ich es auf und war enttäuscht. Hans mochte nicht, es lag ihm nichts an der Oper und dem Konzert, nichts an dem Zusammenkommen mit meinen Freunden. Ich aber hatte schon wieder vergessen, wie mir damals, im dritten und vierten Jahr des Krieges, die Musik und die Geselligkeit und jedes Erinnertwerden an die Welt der Kunst unerträglich geworden war, denn das Leben war für mich damals nur noch zu ertragen, wenn man diese köstlichen Dinge vollkommen vergaß und verdrängte; schon bei ein paar Takten Schubert oder Mozart, die einem in einem müßigen Augenblick einfielen, war man ja nah am Weinen. Ich hatte das wieder vergessen, oder sah und spürte doch nicht, daß es vermutlich meinem Bruder nicht anders erging als damals mir, daß sein ganzes tapferes Durchhalten in der Tretmühle des Berufs vielleicht in Frage gestellt und gefährdet worden wäre durch ein rauschhaftes Kunsterlebnis, eine Hingabe an »Die Zauberflöte« oder »Das Oboenquartett«. Ich war enttäuscht, daß Hans allen meinen Einladungen sich zu entziehen wußte, es schien mir schade um ihn, daß er der Verlockung nicht folgte, daß er mit seinem kleinen engen Leben zufrieden war, das späte Nachhausekommen fürchtete und sich offenbar vor den Leuten, zu denen ich ihn da bringen wollte, genierte. Es wurde nicht mehr davon gesprochen. Allmählich erfuhr und merkte ich dann auch, daß Hans es nicht gern hörte, wenn ihn jemand aus seiner Bekanntschaft nach seinem Bruder, dem Dichter, fragte. Er hatte mich gern und ist in diesen Jahren nie anders als lieb und freundlich mit mir gewesen, aber meine Schriftstellerei, meine Künstlerfreundschaften, meine geistigen, artistischen, historischen Interessen, das alles war ihm lästig, er wollte damit verschont sein, er lehnte es mit freundlicher Beharrlichkeit ab, daran teilzunehmen.

Ich habe mir darüber manchmal Gedanken gemacht, denn unser Umgang litt darunter; nicht selten, wenn wir uns nach einer Pause von einem oder zwei Jahren wiedersahen, hatten wir nach den Erkundigungen über Gesundheit und Familie nichts Rechtes mehr miteinander zu sprechen. Ich weiß auch heute über die Gründe dieses Mißverhältnisses nicht genau Bescheid, wenn ich auch manche Vermutungen darüber anstellte. Mir gegenüber war mein Bruder, daran war nicht zu zweifeln, schwer gehemmt, und er zeigte sich mir interesseloser und philiströser, als er wirklich war. Denn in seinem eigenen Kreise war er, wie ich gelegentlich erfuhr, durchaus kein Langweiler, galt vielmehr für einen guten und interessanten Kameraden, der durch Laune, Phantasie und Witz überraschen konnte. Es scheint, daß ich für ihn zeitlebens der ältere Bruder geblieben bin, der fortgeschrittnere und für klüger gehaltene, und daß ich für ihn immer etwas von der Geistigkeit darstellte, mit welcher er im Vaterhaus und in der Schule in Konflikt gekommen war. Es war in ihm wie in mir eine Anlage zum Künstlertum und zum Fabulieren; diese Anlage sah er bei mir zum anerkannten Beruf ausgebildet, ich war ein Artist und Fachmann geworden, während sie bei ihm ein freies und gelegentliches Spiel geblieben war und die Unschuld und Unverantwortlichkeit des Kinderspiels behalten hatte. Aber die psychologische Erklärung will mir nicht genügen. Es war im Leben des Bruders noch eine andre Macht vorhanden, die religiöse. Sie war auch bei mir vorhanden, und sie hatte bei uns beiden dieselbe Wurzel und Herkunft. Aber während ich in der Jugend erst Freidenker, dann Pantheist geworden war und mir manche alte und fremde Theologie und Mythologie angeeignet hatte, und auch bei meiner langsam sich entwickelnden Versöhnung mit der christlichen Frömmigkeit immer kontemplativ und einsam geblieben war, hatte Hans den Glauben der Eltern behalten oder nach einer Zeit der Entfremdung wiedergewonnen, und war nicht nur in Gedanken und im Herzen fromm, sondern war es auch in der Gemeinschaft. Ich weiß, daß er auch dort zuzeiten Zweifel hatte und sich gelegentlich mit einer privaten und manchmal eher abenteuerlichen Theologie befaßte; aber er praktizierte seinen Glauben, er war viele Jahre lang und bis zu seinem Ende ein treues Gemeindeglied und ging regelmäßig zu Gottesdienst und Abendmahl.

Diese Frömmigkeit, zusammen mit dem Verantwortungsgefühl für Frau und Kinder, hat ihm die Kraft gegeben, auf seinem so sehr verfehlten und freudlosen Platz im praktischen Leben auszuharren. Und diese beiden Mächte bewahrten ihn auch davor, verbittert zu werden. So wenig er über die Automobile und Villen der Fabrikdirektoren und das Verhältnis ihrer Gehälter zu seinem nachgrübelte, so wenig verlor er die Freundlichkeit und Achtung gegen die Mitmenschen. Seine Arbeit tat er ungern, aber folgsam und sorgfältig, und wenn er abends mit dem großen Menschenstrom die Fabrik verlassen hatte, ließ er diese Arbeit und die Gedanken an sie ebenfalls hinter sich, er sprach zu Hause nie von ihr. Da gab es andere Sorgen, Krankheit, Geldsorgen, Schulfragen, und es gab Singen und Musizieren, Abendgebet, den Gottesdienst am Sonntag und den Ausflug mit seinen Knaben, wobei er stets ein kleines Liederbuch in der Tasche mit sich trug. Gelegentlich klagte er mir, wenn wir uns wiedersahen, über Veränderungen in seinem Büro, einmal über einen harten Vorgesetzten; damals war es mir mit Hilfe von Freunden möglich, die Spannung auszugleichen. Es schien ihm jahrelang recht gut zu gehen. Nur wenn ich bei meinen gelegentlichen Besuchen in jener Stadt mich zur Mittagszeit am Fabriktor aufstellte und ihn abholte, schien er mir zuweilen etwas allzu alt und erloschen, allzu ergeben und müde. Und als es in der Fabrik anfing an Arbeit zu mangeln, als immer wieder Leute entlassen und die Gehälter kleiner wurden, als seine Augen empfindlich zu werden begannen und im Winter das vielstündige Arbeiten bei künstlichem Licht oft nur schwer ertrugen, fand ich ihn einige Male tief niedergedrückt.

Und nun komme ich in meinem Bericht zu den Tagen unsres letzten Wiedersehens.

Ich war wieder für kurze Zeit in die Stadt gekommen, es war im November; ich wohnte im selben Hotel, wo ich im Lauf der Jahre manchen Aufenthalt genommen und manchen Abend mit Hans verbracht hatte. Es ging mir wenig gut, und als ich den Weg zur Fabrik einschlug und am Tor auf den Bruder wartete, wollte es mir scheinen, ich sei nun oft genug an dieser Einfahrt gestanden und habe oft genug dem guten Hans aufgelauert und ihn aus dem grauen Strome gefischt, sei oft genug hierher in diese Stadt und dann wieder heim in mein Haus im Tessin gefahren, es wäre nicht schade, wenn das alles sich nicht immer wiederholte, sondern einmal ein Ende nehme. Ob ich nun noch fünfmal oder noch zehnmal in meinen Geschäften hierher gereist käme, ob ich noch ein Buch oder zwei schriebe oder keines mehr, das schien mir belanglos, ich war müde und krank und hatte in diesem Jahr nicht viel Freude an meinem Leben gehabt. Ich besann mich, ob es denn recht sei, in dieser Stimmung von Unlust und Schwäche meinen Bruder zu begrüßen, ob ich nicht eine bessere Stunde dafür abwarten sollte. Aber da schickte der mittägliche Menschenstrom schon seine ersten Wellen heraus, ich blieb, ich fand Hans und nickte ihm zu, er kam wie immer und schüttelte mir die Hand, und wir gingen miteinander stadteinwärts, suchten eine ruhige Seitengasse und gingen da ein wenig auf und ab. Hans wollte hören, wie es mir gehe, aber ich kam nicht recht zum Berichten, ich wußte, wie kurz seine Mittagszeit war und daß seine Frau und sein Essen auf ihn warteten. Wir verabredeten uns für einen Abend ins Hotel und trennten uns bald.

Pünktlich fand Hans sich in meinem Hotelzimmer ein, und nach einigem Zögern und Herumreden fing er plötzlich mit gepreßter Stimme an, mir zu schildern, wie er es jetzt in seinem Büro habe, es sei oft kaum zu ertragen, die Augen machten ihm zu schaffen, es ginge bergab mit ihm, und es sei ihm dort auch niemand wohlgesinnt, es seien jetzt so viele junge Angestellte da, die machten hinter seinem Rücken Bemerkungen über ihn, es werde wohl nächstens dazu kommen, daß man ihn entlasse. Ich erschrak, ich hatte ihn in diesem Ton seit Jahren nicht mehr sprechen hören. Ich fragte, ob etwas Besonderes vorgefallen sei. Ja, gab er zu, es sei etwas passiert, er habe eine kleine Dummheit begangen. Es sei da ein Augenblick gekommen, da habe ein Kollege ihn unfreundlich behandelt, und er habe deutlich gemerkt, daß sie alle gegen ihn wären, und da habe er für einen Augenblick die Gewalt über sich verloren und habe zornig gesagt, man solle ihm nur kündigen, er habe ohnehin von allem genug.

Er blickte düster vor sich hin. »Aber Hans«, sagte ich, »das ist doch wahrhaftig nicht so schlimm! Wann war es denn, gestern, oder heute?«

Nein, sagte er leise, es sei schon vor ein paar Wochen gewesen. Ich erschrak nochmals. Ich sah, es stand gar nicht gut mit Hans. Daß er sich so beargwöhnt und verfolgt fühlte! Und daß er sich wochenlang mit der Furcht vor den Folgen eines unbeherrschten Augenblicks schleppen konnte! Ich erklärte ihm: wenn seine Vorgesetzten damals seine paar Worte wirklich ernst genommen und ihn hätten entlassen wollen, so hätten sie das inzwischen längst getan. Ich redete ihm eine Weile zu. Daß ihm die jungen Angestellten keinen Respekt zeigten, nun das sei eben so, er solle sich doch nur erinnern, wie auch wir als junge Burschen uns oft über ältere Leute lustig gemacht und sie komisch gefunden hätten mit ihrem Ernst und ihrer Pedanterie. Mir gehe das, wenn ich unter jüngere Leute komme, manchmal ebenso, man komme sich eingerostet und langweilig vor, und sobald die Jungen das spüren, spielen sie sich gern auf und lassen einen merken, daß wir Alten ihnen nicht imponieren könnten. Und so weiter; ich hielt ihm eine richtige Ermunterungs- und Trostrede. Und Hans ging darauf ein. Er gab zu, das mit den jungen Kollegen sei vielleicht nicht ganz so schlimm, aber er fühle sich seiner Arbeit oft nicht mehr gewachsen, sie mache ihm oft so große Mühe, und Freude habe er ja ohnehin nie an ihr gehabt. Ob ich es nicht für möglich halte, fragte er, daß er an einem anderen Ort Arbeit finde, und ob ich ihm nicht dabei helfen würde, etwas zu finden, ich habe doch manche Freunde und Beziehungen.

Auch das gab mir einen Stich. So gern ich bereit war, ihm jeden Dienst zu tun, und so lieb es mir hätte sein müssen, von ihm darum gebeten zu werden – ich wußte allzu gut, wie schwer er eine solche Bitte aussprach. Er mußte in großer Seelennot sein, wenn er sich so an mich wandte. Offenbar wollte er um jeden Preis fort, es war ihm hier alles entleidet und unerträglich geworden – aber warum hatte er dann doch wieder diese Furcht vor dem Entlassenwerden?

Ich suchte ihn nochmals zu beruhigen. Vor allem versprach ich ihm, daß er auf mich rechnen könne, und wenn er wirklich seinen Posten durchaus nicht behalten wolle, dann müßten wir eben einen andern suchen; aber ich erinnerte ihn auch daran, daß das heute nicht so leicht sei, überall würden Leute entlassen. Jedenfalls möge er doch ja seine Stelle nicht aufgeben, ehe ihm eine andre gewiß sei, er habe doch Frau und Kinder. Darauf ging er ein, ja er war plötzlich von diesem Gedanken wie eingeschüchtert, und schien alles wieder ungesagt zu wünschen. Aber ich bestand darauf, daß er sich ausspreche und mir sage, was er sich denn eigentlich wünsche. Jetzt gestand er mir, er wünsche nichts andres als hier herauszukommen, aus diesem Büro, einerlei wohin, nur fort. Er wisse, wie schwer es jetzt sei, eine Stelle zu finden, aber er würde auch mit einem geringeren Lohn und einer geringeren Arbeit zufrieden sein. Er würde zum Beispiel auf eine Stelle als Korrespondent oder Sekretär keinen Wert legen, er würde ebenso gern, oder viel lieber, etwa ein Warenlager beaufsichtigen oder Bürodiener sein, den Boden reinhalten, die Pulte aufräumen, Post wegtragen und dergleichen.

Es läutete zum Abendessen. Seine Not war mir zu Herzen gegangen, ich tröstete ihn nochmals, erinnerte ihn an frühere Male, wo ihm auch alle Wege verbaut schienen und sich dennoch wieder einer geöffnet hatte. Ich schlug ihm vor, wir wollten, solang ich hier in der Stadt sei, seine Sache weiter beraten und durchsprechen, und wenn wir einen Plan fänden, könne er auf meine Hilfe zählen. Sein Gesicht erhellte sich, er war einverstanden. Wir gingen zu Tisch, tranken ein Glas Wein zum Abendessen und sprachen von alten Zeiten, Hans wurde heiterer, beinah vergnügt. In der Halle fanden wir ein Brettspiel, damit setzten wir uns in bequeme Stühle und probierten die alten Spiele einmal wieder, Mühleziehen, Dame, Wolf und Schaf. Wir hatten beide die Übung in diesen Spielen verloren, aber wunderlich versetzten mich der Anblick der Spielfelder und Steine, die Handbewegungen beim Ziehen, das Rückbesinnen auf die Spielregeln in die Kindheit zurück; es fielen mir Dinge ein, an die ich in Jahrzehnten nicht mehr gedacht hatte: der Geruch unsres eichenen Eß- und Spieltisches in Basel, die starken eisernen Scharniere, um die man ihn zusammenklappen konnte, das weiße Lamm im Innern einer Glaskugel, die ich damals besaß, und auf dem Deckelinnern von Mutters Harmonium die Inschrift »Strasbourg – Rue des enfants«, über welche ich als Kind eine Zeitlang viel nachgedacht und phantasiert hatte, und die für mich etwa »Ruhe des Infanten« bedeutete. O ferne, lebensprühende Welt, Urwald der Kindheit! Und wenn ich meines Bruders Gesicht ansah, das sich bei der Entdeckung, daß seine Partie verloren sei, zu einem knabenhaften, bedauernden Lachen zusammenzog, dann spürte ich, daß auch er ein wenig unter dem Zauber stand. Wie duftete es aus den verschollenen Zeiten herüber! Und wie war es möglich, daß aus uns beiden, denen einst das Paradies geblüht hatte, diese beiden alternden Männer geworden waren, welche da in einer Hotelhalle beim Brettspiel saßen und nicht aus ihren Sorgen herausfanden!

Früh wie immer sagte Hans Gutnacht, ich stieg zu meinem Zimmer hinauf, und noch ehe ich im Bett war, hatte der Schimmer von Heiterkeit und Harmlosigkeit, den die letzte Stunde gehabt hatte, sich verloren. Ich vergaß unser Brettspiel und unser Abendessen, und hörte nur noch die gepreßte Stimme, mit der mir Hans seine

Not und Angst geklagt hatte. So hatte ich ihn seit vielen Jahren nicht mehr sprechen hören. Es war Ernst, das hatte ich sofort gespürt, das Leben meines Bruders stand in einer schweren Krise. Und wie zugleich bitter und furchtsam er von den jungen Leuten im Büro gesprochen hatte – als hätten sie wirklich Macht über ihn! Da war ein Schatten von angstvoller Unvernunft, von Verfolgungswahn zu spüren. Und dieses Hin und Her zwischen seiner Furcht vor einer Kündigung und der Lust, selber zu kündigen und sich davonzumachen! Daß er daran dachte, statt Briefschreiber lieber Bürodiener zu werden, konnte ich verstehen, auch ich hätte wohl lieber den Boden gefegt und die Post weggetragen als Geschäftsbriefe oder Lohnlisten geschrieben. Dieser Wunsch, so schien es mir, war nicht krankhaft, er war in Hansens Geständnis das Positive und Brauchbare. Ich fing an, nachzusinnen, bei welchem meiner Bekannten ich ihm vielleicht einen Platz würde verschaffen können. Aber da war keiner, der nicht seit geraumer Zeit Leute hatte entlassen müssen, keiner, dem nicht das Halten seiner alten Angestellten, besonders der verheirateten, eine ernste Sorge war. Und wenn es wider alles Erwarten gelänge, ihn an einen andern Posten zu bringen, wie lang würde er sich dort halten, wo man ihn nicht kannte, wo er sich nicht, wie hier, auf mehr als zwanzig Dienstjahre berufen konnte? Aber, ob er nun blieb oder wegging, ich wußte ihn seinem alten Feind verfallen, dem Zweifel an sich selber, der ratlosen Furcht vor der Kompliziertheit und Grausamkeit der Welt. Ich lag und plagte mich die halbe Nacht, dann wurde ich des Nachdenkens müde, und jetzt sah ich nur noch das zu mir erhobene Kindergesicht des Bruders, damals als ich ihn geschlagen hatte. Das ging mit mir bis in den Schlaf hinein.

Der nächste Tag brachte mir unerwartete Aufgaben und Arbeiten, ich hatte den ganzen Tag mit Post und Telephon zu tun, und so ging es einige Tage, und als ich Hans kurz wiedersah, waren wir nicht allein, auch fand ich ihn nicht mehr so gedrückt und erregt wie an jenem Abend. Meine Tage waren ausgefüllt, Besuche kamen und gingen. Hinter allem blieb die Beunruhigung um Hans bestehen; ich war entschlossen, keinesfalls wieder abzureisen, ehe ich seine Sache mit ihm zu Ende besprochen und womöglich geklärt hatte. Vielleicht hätte die Stimmung von Krisis und Gefahr, die ich bei Hans empfand, mich weniger offen und aufmerksam gefunden, wäre sie nicht mit einer ähnlichen Stimmung in meinem eigenen Leben zusammengetroffen. Bedrohungen meiner Existenz von außen und von innen her trafen zusammen, um mir den Blick für ähnliche Konstellationen auch bei andern zu öffnen, und daß der seit Jahren gegen mich so schweigsam gewordene Bruder sich mir jetzt mitgeteilt und erschlossen hatte, beruhte wohl auch auf einer Witterung für das Verwandte in meiner eigenen augenblicklichen Lage.

Es kam nun für mich eine freundliche Unterbrechung in diese schwierigen Tage; zwei meiner Söhne kamen, wie es seit einer Weile schon verabredet war, über einen Sonntag zu mir auf Besuch. Sie kamen am Sonnabend, und ich bat sie, mit mir am Nachmittag ihren Onkel aufzusuchen, ich dachte, es würde ihm eine freundliche und vielleicht wohltuende und aufmunternde Überraschung sein. Wir wurden in der guten Stube empfangen, es waren alle zu Hause, Hans und seine Frau, einer seiner Knaben und, statt des zweiten, ein Pensionär, ein Schüler aus der welschen Schweiz, der zum Deutschlernen hier war und dessen Eltern dafür den zweiten Sohn meines Bruders eingetauscht hatten. Meine Söhne unterhielten sich mit den Jünglingen, und ich saß neben Hans auf dem Kanapee. Hans saß da und hörte auf seine freundliche Art allem zu, was wir erzählten und schwatzten, war aber sichtlich sehr müde nach seiner Arbeitswoche, ich sah ihn des öfteren verstohlen gähnen. Er sah sehr friedlich aus, müde und gedankenlos, aber nicht geplagt oder unzufrieden, er fröstelte ein wenig, stand ein paarmal auf, ging zum erlöschenden Ofen und hielt eine Weile beide Hände an die Röhre, um sie zu wärmen. Auch als wir nach einer Stunde wieder aufstanden und uns empfahlen, stand er während unsrer Abschiedsreden beim Ofen, beide Hände um die Röhre gelegt, etwas vornübergebeugt mit seinem müden, aber freundlichen Gesicht. Dann gaben wir uns die Hände. So sehe ich ihn noch, beim Ofen stehend, müde und etwas fröstelnd, offenbar mit seinen Wünschen den Abend und das Bett erwartend.

Keine Ahnung sagte mir, daß ich ihn nie mehr wiedersehen werde. Vielmehr hatte diese Stunde, in der wir nichts als Alltägliches gesprochen hatten und die nichts war als ein artiger Besuch bei Verwandten, meine Sorge um Hans merkwürdig eingeschläfert. Seine gutartige Müdigkeit, sein Gähnen, sein stilles Stehen an der Ofenröhre, seine feierabendliche Dösigkeit hatten mich wie angesteckt, ich sah an diesem Abend weder den Hans mit dem anklagend erhobenen Kinderblick, noch den Hans im grauen Strom der Fabrikleute, noch den Hans, der kürzlich bei mir mit so gepreßter Stimme über so unheimlich verworrene Dinge geklagt hatte, ich sah heute nur den Hans des Alltags, vielmehr des Sonnabends, den auf seinem Kanapee etwas dösenden Familienvater, der einen unerwarteten Besuch zwar artig empfängt, aber doch eher durch ihn geniert ist; ich wußte das Bett und dann den Sonntag auf ihn warten, auf den er sich freute, wie ich mich auf den morgigen Tag mit meinen Söhnen freute. Nichts warnte mich, keine Unruhe trieb mich dazu, ihn schon für übermorgen zu mir zu bitten, um seine Sorgen weiterzubesprechen. Wir drei gingen vergnügt und hatten einen heiteren Abend und Sonntag miteinander.

Wenige Tage darauf saß ich am kleinen Schreibtisch meines Hotelzimmers, nach dem Bade noch in Hausschuhen und Schlafrock, und schrieb Briefe, da klopfte es, und man meldete, es sitze unten ein Herr, ein Pfarrer, der mich sprechen wolle. Es störte mich ein wenig, aber an den Briefen konnte ich ja nachher weiterschreiben. Ich zog mich an und ging hinunter. Im Lesezimmer saß ein graubärtiger Herr, und ich sah beim ersten Blick, daß das kein Höflichkeitsbesuch sei. Er stellte sich vor, es war der Pfarrer, dessen Gemeinde mein Bruder angehörte. Er fragte, ob etwa Hans heute bei mir gewesen sei, und nun wußte ich sofort Bescheid und spürte, während wir uns setzten, ein kaltes Unbehagen, eine einschnürende Bangigkeit im Innern. Hans war heut morgen, etwas früher als sonst, von Hause fortgegangen, trotz der Kühle ohne Mantel, und eine Stunde darauf hatte sein Büro nach ihm fragen lassen, er war dort ausgeblieben. Ich sagte dem Pfarrer, was Hans mir neulich erzählt hatte. Er wußte das alles und wußte mehr als ich. Die Furcht, man werde ihn wegen jener unbeherrschten Worte entlassen, war ein Wahn; längst war Hans, noch ehe er mir von der Sache erzählt hatte, zu seinem Vorgesetzten gegangen und hatte die Versicherung erhalten, man denke nicht daran, ihm zu kündigen. Das hatte er also, als er bei mir war, wieder vergessen oder nicht wahrhaben wollen. Ich erzählte dem Pfarrer einiges aus meines Bruders Jugendzeit, er nickte dazu, er kannte ihn sehr gut, er sah die Sache nicht anders an als ich. Wir waren beide in großer Sorge, aber wir ließen nicht sofort den schlimmsten Vermutungen Raum, und vor allem dachten wir an meines Bruders Frau. Wir nahmen vorläufig an, Hans laufe draußen in den Wäldern herum, kämpfe mit seinen Anfechtungen, protestiere durch seine Flucht gegen das Büro, und werde, wenn er sich tüchtig müde gelaufen, wiederkommen. Dahin kamen wir überein, und nun lief ich schnell zu Hansens Frau. Ich weiß nicht, ob es die Kraft meines Vorsatzes war, es war wohl eher ein listiger Instinkt, der es mir möglich machte, für diesen ersten Tag nicht nur der tapfern Frau Hoffnung einzureden, sondern selber an die Rückkehr des Vermißten zu glauben. Ich vertraute auf das Kindliche und Gläubige in Hans; so wie er die politischen und sozialen Zustände und Ordnungen hinnahm und anerkannte, auch wo er ihr Opfer war, so anerkannte er auch Gottes Ordnungen, und würde sein Leben nicht selbst auslöschen. Er würde seine Mutlosigkeit und Verzweiflung draußen auf den Landstraßen und Waldwegen herumtragen, sich tüchtig müde laufen, einen Tag oder auch zwei Tage lang, dann würde er zurückkommen, vielleicht klein und beschämt und trostbedürftig, aber heil. Heil am Leibe wenigstens, denn daß er am Gemüt nicht mehr heil war, wußten wir beide, seine Frau noch besser als ich. Sie erzählte mir mehrere beklemmende Vorkommnisse aus der letzten Zeit, die es bestätigten. Kürzlich hatte er sich aus einem nächtlichen Angsttraum mit einem so furchtbaren Schrei losgerissen, daß das ganze Haus aufwachte. Und einmal hatte er aus der Nachbarschaft eine klagende oder weinende Stimme vernommen oder zu vernehmen gemeint, hatte in die Richtung gedeutet, aus der sie ihm zu kommen schien, und zu seiner Frau gesagt: »Siehst du, das ist Frau B., die so schrecklich weint. Sie weint aus Mitleid mit uns, sie weiß, daß ich bald entlassen werde und wir unser Brot verlieren.« – Und sie bestätigte mir, daß die Versicherung seiner Vorgesetzten, man sei mit ihm zufrieden und werde ihn nicht entlassen, ihn damals nur für Augenblicke beruhigt habe. Er habe sie nicht geglaubt.

Und gestern abend beim Zubettgehen habe er das Nachtgebet nicht selbst sprechen wollen, sondern habe sie gebeten, es zu tun. Nur das Amen habe er laut mitgesprochen. Heut früh sei er etwas zeitiger als sonst aufgestanden und sei fortgegangen, als sie noch zu Bett war. Nachher habe sie gesehen, daß er seinen Mantel dagelassen habe. Es sei gar nicht zu begreifen, daß er ihr diesen Schrecken habe antun können, er müsse verwirrt gewesen sein, er sei gegen sie immer die Rücksicht selbst gewesen.

Als ich später wiederkam und noch keine Nachricht von Hans da war, mußte besprochen werden, ob man sein Verschwinden der Polizei melden solle. Am Ende entschlossen wir uns dazu. Tagsüber hatte sein Sohn schon weiterum auf dem Fahrrad die

Gegend durchstreift und nach ihm gesucht und gerufen. Es war nach laufeuchten Tagen heute sehr kühl geworden. Am Abend, als ich ins Gasthaus zurückkehrte, hatte es sachte zu schneien begonnen, dünn und zögernd sanken die Flocken durch das Abendgrau. Mir war kalt, und ich dachte mit beklommenem Herzen an Hans; es stand ihm und uns eine böse Nacht bevor. In meines Bruders Wohnung blieb in dieser Nacht bis zum Morgen das Licht brennen, damit er es sähe, wenn er draußen irrte, und immer saß jemand wach im erwärmten Zimmer, falls er etwa käme. Seiner Frau stand jetzt eine ihrer Schwestern bei, sie hielt sich in all ihrer Not aufrecht und tapfer.

Die Nacht war hingegangen, das Licht gelöscht, der graue kalte Tag gekommen, der zweite Tag ohne Hans. Ich war wieder in seinem Hause gewesen, meine Frau war hergekommen, wir saßen im Hotel und versuchten, etwas zu arbeiten. Da kam ein Besuch, ein junger Dichter fand sich ein, mit dem ich dieser Tage Briefe gewechselt hatte, nun wollte er mich kennenlernen. Es war keine günstige Stunde, seit dreißig Stunden warteten wir, liefen herum und telephonierten, ich hatte keine Hoffnung mehr. Wir gingen in die Halle hinab, und so wenig es uns um Gespräch und Geselligkeit zu tun war, tat es uns doch wohl, das Warten unterbrochen und einen Mann bei uns zu sehen, dessen Gedichte wir vor kurzem erst mit Freude gelesen hatten. Er hatte das Manuskript eines Buches bei sich, das eben gedruckt werden sollte, er kam aus Zürich mit Grüßen von einem gemeinsamen Bekannten, und wie seine Gedichte uns beiden gefallen hatten, so gefiel uns nun auch er selbst. Aber wir waren noch keine halbe Stunde beisammengesessen, da sah ich durch die Glastür jemand sich nähern, einen ehrwürdig und bekümmert aussehenden Mann mit grauem Bart, es war der Pfarrer. Ich ging ihm rasch entgegen, er gab mir die Hand und sagte: »Jetzt ist Nachricht da. Man hat Ihren Bruder gefunden.« Ich blickte ihn an, ich wußte schon. »Er ist nicht mehr am Leben«, sagte er. Die Polizei hatte ihn im Felde draußen gefunden, etwas abseits der Straße, nicht sehr weit von Hause. Den Revolver von einstmals hatte er längst nicht mehr besessen, sein Taschenmesser hatte ihm genügt.

Als Hans sich vor siebzehn Jahren verheiratet hatte, war es mir zugefallen, dem Entfremdetsten und Familienfernsten der Geschwister, dabeizusein und als einziger die Familie zu vertreten. Ungern war ich zu jenem Fest gekommen, mit tiefem Mißtrauen gegen alles, was Familie, Ehe und bürgerliches Glück heißt, aber doch hatte ich an jenem Tage meine Zugehörigkeit zu Hans und unsre Blutsverwandtschaft als eine starke Macht im Herzen empfunden und war am Abend von der Hochzeit zurückgekommen voll Freude über Hansens Glück, und für mein eigenes Leben gestärkt. Alles dieses wiederholte sich nun bei seinem Begräbnis. Auch dieses Mal war es keinem andern der Geschwister möglich, dabeizusein, auch dieses Mal schien niemand in der Welt mir ungeeigneter als ich, an diesem Sarg zu stehen, Bruder und Schwager und Vertreter einer Sippe zu sein. Auch dieses Mal nahm ich die Aufgabe mit Widerstreben auf mich, und auch dieses Mal war alles ganz anders, als ich gedacht hatte.

Es war der letzte Tag des November. Der Schnee war schon wieder vergangen, es regnete leise in den graukühlen Morgen hinein, naß glänzte um das Grab her die lehmige Erde. In seinem Sarge lag Hans, und er hatte ein Lächeln auf dem Gesicht. Nun war der Sarg geschlossen und wurde ins Grab hinabgeseilt. Wir standen unter Regenschirmen auf dem zertretenen Rasen, es war ein großes Trauergeleite mit auf den ländlichen Friedhof gekommen. Der Kirchenchor, in dem Hans so viele Jahre mitgesungen hatte, war da und sang ihm den Abschiedschoral, und jetzt trat der graubärtige Pfarrer vor das Grab, und war der Choral schön gewesen, so war das Abschiedswort des Pfarrers noch schöner, und daß ich seinen und meines Bruders Glauben nicht so völlig teilte, war jetzt von keiner Bedeutung. Es war ein trauriges Fest, aber doch ein Fest, ein warmer und würdiger Abschied. Da waren viele Menschen, manche weinten; sie alle, die ich nicht kannte, hatten Hans gekannt und hatten ihn gern gehabt, manche von ihnen waren ihm seit Jahren näher gewesen und hatten ihm mehr bedeutet als ich, und doch war ich der einzige, der von seinem Geschlecht war und der sich in seinem Gedächtnis frühe Kinderbildnisse dieses Toten bewahrte und seinen Weg bis in die gemeinsamen Herkünfte zurück kannte und verstand. Je weiter zurück, desto besser verstand ich ihn. Auch unsre Base aus Zürich war gekommen, in deren Hause Hans einst manche Jahre lang seine Sonntage zugebracht hatte, und von den Kindern, deren Onkel und geliebter Spielkamerad er damals gewesen war, standen zwei mit mir beim Grabe, längst erwachsene Männer. Auch nach dem Amen des Pfarrers blieben wir noch lange stehen, ich hörte von manchem Mund einen Nachklang der Liebe, die Hans erweckt und genossen, und des kindlichen Zaubers, den er für viele gehabt hatte. Da war mehr gewesen, als ich gewußt hatte, und wenn mir das Glück geworden war, meinen Beruf mehr zu lieben und im Dienst einer edleren Arbeit zu stehen als mein Bruder, so hatte ich das doch mit einem guten Stück Leben bezahlt, mit einem allzu großen vielleicht, und ich durfte nicht hoffen, daß um mein Grab her einst so viel Strahlung und Liebeswärme walten werde wie um dieses Grab, in das ich jetzt, Abschied nehmend, noch einmal blickte. Diese Stunde auf dem Friedhof, die ich ein wenig gefürchtet hatte, war merkwürdig schnell hingegangen und merkwürdig schön gewesen. Ich hatte zu dem Sarg anfangs nicht ohne jenen Neid hinabgeblickt, mit welchem man im Altern manchmal den betrachtet, der die Ruhe schon gefunden hat. Auch dies Gefühl war jetzt erloschen. Ich war einverstanden, ich wußte mein Brüderchen geborgen, und wußte auch mich nicht am falschen Ort: Ich hätte viel versäumt, wenn ich nicht diese bangen Tage mitgelebt und mit an diesem Grabe gestanden hätte.   (1936)

Kaminfegerchen

Am Karnevals-Dienstagnachmittag mußte meine Frau rasch nach Lugano. Sie redete mir zu, ich möchte mitkommen, dann könnten wir eine kleine Weile dem Flanieren der Masken oder vielleicht einem Umzug zusehen. Mir war es nicht danach zumute, seit Wochen von Schmerzen in allen Gelenken geplagt und halb gelähmt spürte ich Widerwillen schon beim Gedanken, den Mantel anziehen und in den Wagen steigen zu müssen. Aber nach einigem Widerstreben bekam ich doch Courage und sagte zu. Wir fuhren hinunter, ich wurde bei der Schifflände abgesetzt, dann fuhr meine Frau weiter, einen Parkplatz zu suchen, und ich wartete mit Kato, der Köchin, in einem dünnen und doch spürbaren Sonnenschein, inmitten eines lebhaft, aber gelassen flutenden Verkehrs. Lugano ist schon an gewöhnlichen Tagen eine ausgesprochen fröhliche und freundliche Stadt, heute aber lachte sie einen auf allen Gassen und Plätzen übermütig und lustig an, die bunten Kostüme lachten, die Gesichter lachten, die Häuser an der Piazza mit menschen- und maskenüberfüllten Fenstern lachten, und es lachte heut sogar der Lärm. Er bestand aus Schreien, aus Wogen von Gelächter und Zurufen, aus Fetzen von Musik, aus komischem Gebrüll eines Lautsprechers, aus Gekreische und nicht ernst gemeinten Schreckensrufen von Mädchen, die von den Burschen mit Fäusten voll Konfetti beworfen wurden, wobei die Hauptabsicht offenbar die war, den Beschossenen möglichst einen Haufen der Papierschnitzel in den Mund zu zwingen. Überall war das Straßenpflaster mit dem vielfarbigen Papierkram bedeckt, unter den Arkaden ging man darauf weich wie auf Sand oder Moos.

Bald war meine Frau zurück, und wir stellten uns an einer Ecke der Piazza Riforma auf. Der Platz schien Mittelpunkt des Festes zu sein. Platz und Trottoirs standen voll Menschen, zwischen deren bunten und lauten Gruppen aber außerdem ein fortwährendes Kommen und Gehen von flanierenden Paaren oder Gesellschaften lief, eine Menge kostümierter Kinder darunter. Und am jenseitigen Rande des Platzes war eine Bühne aufgeschlagen, auf der vor einem Lautsprecher mehrere Personen lebhaft agierten: Ein Conférencier, ein Volkssänger mit Gitarre, ein feister Clown und andre. Man hörte zu oder nicht, verstand oder verstand nicht, lachte aber auf jeden Fall mit, wenn der Clown wieder einen wohlbekannten Nagel auf den wohlbekannten Kopf getroffen hatte. Akteurs und Volk spielten zusammen, Bühne und Publikum regten einander gegenseitig an, es war ein dauernder Austausch von Wohlwollen, Anfeuerung, Spaßlust und Lachbereitschaft. Auch ein Jüngling wurde vom Conférencier seinen Mitbürgern vorgestellt, ein junger Künstler, Dilettant von bedeutenden Gaben, er entzückte uns durch die virtuose Nachahmung von Tierstimmen und anderen Geräuschen.

Höchstens eine Viertelstunde, hatte ich mir ausbedungen, wollten wir in der Stadt bleiben. Wir blieben aber eine gute halbe Stunde, schauend, hörend, zufrieden. Für mich ist schon der Aufenthalt in einer Stadt, unter Menschen, und gar in einer festlichen Stadt, etwas ganz Ungewohntes und halb Beängstigendes, halb Berauschendes, ich lebe wochen- und monatelang allein in meinem Atelier und meinem Garten, sehr selten noch raffe ich mich auf, den Weg bis in unser Dorf, oder auch nur bis ans Ende unsres Grundstücks, zurückzulegen. Nun auf einmal stand ich, von einer Menge umdrängt, inmitten einer lachenden und spaßenden Stadt, lachte mit und genoß den Anblick der Menschengesichter, der so vielartigen, abwechslungs- und überraschungsreichen, wieder einmal einer unter vielen, dazugehörig, mitschwingend. Es würde natürlich nicht lange dauern, bald würden die kalten schmerzenden Füße, die müden schmerzenden Beine genug haben und heimbegehren, bald auch würde der kleine holde Rausch des Sehens und Hörens, das Betrachten der tausend so merkwürdigen, so schönen, so interessanten und liebenswerten Gesichter und das Horchen auf die vielerlei Stimmen, die sprechenden, lachenden, schreienden, kecken, biederen, hohen, tiefen, warmen oder scharfen Menschenstimmen mich ermüdet und erschöpft haben; der heiteren Hingabe an die üppige Fülle der Augen- und Ohrengenüsse würde die Ermattung und jene dem Schwindel nah verwandte Furcht vor dem Ansturm der nicht mehr zu bewältigenden Eindrücke folgen. »Kenne ich, kenne ich«, würde hier Thomas Mann den Vater Briest zitieren. Nun, es war, wenn man sich die Mühe nahm, ein wenig nachzudenken, nicht allein die Altersschwäche schuld an dieser Furcht vor dem Zuviel, vor der Fülle der Welt, vor dem glänzenden Gaukelspiel der Maja. Es war auch nicht bloß, um mit dem Vokabular der Psychologen zu sprechen, die Scheu des Introvertierten vor dem Sichbewähren der Umwelt gegenüber. Es lagen auch andre, gewissermaßen bessere Gründe für diese leise, dem Schwindel so ähnliche Angst und Ermüdbarkeit vor. Wenn ich meine Nachbarn ansah, die während jener halben Stunde auf der Piazza Riforma neben mir standen, so wollte es mir scheinen, sie weilten wie Fische im Wasser, lässig, müde, zufrieden, zu nichts verpflichtet; es wollte mir scheinen, als nähmen ihre Augen die Bilder und ihre Ohren die Laute so auf, als säße nicht hinter dem Auge ein Film, ein Gehirn, ein Magazin und Archiv und hinterm Ohr eine Platte oder ein Tonband, in jeder Sekunde beschäftigt, sammelnd, raffend, aufzeichnend, verpflichtet nicht nur zum Genuß, sondern weit mehr zum Aufbewahren, zum etwaigen späteren Wiedergeben, verpflichtet zu einem Höchstmaß an Genauigkeit im Aufmerken. Kurz, ich stand hier wieder einmal nicht als Publikum, nicht als verantwortungsloser Zuschauer und Zuhörer, sondern als Maler mit dem Skizzenbuch in der Hand, arbeitend, angespannt. Denn eben dies war ja unsre, der Künstler, Art von Genießen und Festefeiern, sie bestand aus Arbeit, aus Verpflichtung, und war dennoch Genuß – so weit eben die Kraft hinreichte, soweit eben die Augen das fleißige Hin und Her zwischen Szene und Skizzenbuch ertrugen, soweit eben die Archive im Gehirn noch Raum und Dehnbarkeit besaßen. Ich würde das meinen Nachbarn nicht erklären können, wenn es von mir verlangt würde, oder wenn ich es versuchen wollte, so würden sie vermutlich lachen und sagen: »Caro uomo, beklagen Sie sich nicht zu sehr über Ihren Beruf! Er besteht im Anschauen und eventuellen Abschildern lustiger Dinge, wobei Sie sich angestrengt und fleißig vorkommen mögen, während wir andern für Sie Feriengenießer, Gaffer und Faulenzer sind. Wir haben aber tatsächlich Ferien, Herr Nachbar, und sind hier, um sie zu genießen, nicht um unsern Beruf auszuüben wie Sie. Unser Beruf aber ist nicht so hübsch wie der Ihre, Signore, und wenn Sie ihn gleich uns einen einzigen Tag lang in unseren Werkstätten, Kaufläden, Fabriken und Büros ausüben müßten, wären Sie schnell erledigt.« Er hat recht, mein Nachbar, vollkommen recht; aber es hilft nichts, auch ich glaube recht zu haben. Doch sagen wir einander unsre Wahrheiten ohne Groll, freundlich und mit etwas Spaß; jeder hat nur den Wunsch, sich ein wenig zu rechtfertigen, nicht aber den Wunsch, dem andern weh zu tun.

Immerhin, das Auftauchen solcher Gedanken, das Imaginieren solcher Gespräche und Rechtfertigungen war schon der Beginn des Versagens und Ermüdens; es würde gleich Zeit sein heimzukehren und die versäumte Mittagsruhe nachzuholen. Ach, und wie wenige von den schönen Bildern dieser halben Stunde waren ins Archiv gelangt und gerettet! Wieviel hunderte, vielleicht die schönsten, waren meinen untüchtigen Augen und Ohren schon ebenso spurlos entglitten wie denen, die ich glaubte als Genießer und Gaffer ansehen zu dürfen!

Eins der tausend Bilder ist mir dennoch geblieben und soll für die Freunde ins Skizzenbüchlein gebracht werden.

Beinahe die ganze Zeit meines Aufenthalts auf der festlichen Piazza stand mir nahe eine sehr stille Gestalt, ich hörte sie während jener halben Stunde kein Wort sagen, sah sie kaum einmal sich bewegen, sie stand in einer merkwürdigen Einsamkeit oder Entrücktheit mitten in dem bunten Gedränge und Getriebe, ruhig wie ein Bild, und sehr schön. Es war ein Kind, ein kleiner Knabe, wohl höchstens etwa sieben Jahre alt, ein hübsches kleines Figürchen mit unschuldigem Kindergesicht, für mich dem liebenswertesten Gesicht unter den hunderten. Der Knabe war kostümiert, er steckte in schwarzem Gewand, trug ein schwarzes Zylinderhütchen und hatte den einen seiner Arme durch ein Leiterchen gesteckt, auch eine Kaminfegerbürste fehlte nicht, es war alles sorgfältig und hübsch gearbeitet, und das kleine liebe Gesicht war ein wenig mit Ruß oder andrem Schwarz gefärbt. Davon wußte er aber nichts. Im Gegensatz zu allen den erwachsenen Pierrots, Chinesen, Räubern, Mexikanern und Biedermeiern, und ganz und gar im Gegensatz zu den auf der Bühne agierenden Figuren, hatte er keinerlei Bewußtsein davon, daß er ein Kostüm trage und einen Kaminfeger darstelle, und noch weniger davon, daß das etwas Besonderes und Lustiges sei und ihm so gut stehe. Nein, er stand klein und still auf seinem Platz, auf kleinen Füßen in kleinen braunen Schuhen, das schwarz lackierte Leiterchen über der Schulter, vom Gewoge umdrängt und manchmal ein wenig gestoßen, ohne es zu merken, er stand und staunte mit träumerisch entzückten, hellblauen Augen aus dem glatten Kindergesicht mit den geschwärzten Wangen empor zu einem Fenster des Hauses, vor dem wir standen. Dort im Fenster, eine Mannshöhe über unsern Köpfen, war eine vergnügte Gesellschaft von Kindern beisammen, etwas größer als er, die lachten, schrien und stießen sich, alle in bunten Vermummungen, und von Zeit zu Zeit ging aus ihren Händen und Tüten ein Regen von Konfetti über uns nieder. Gläubig, entrückt, in seliger Bewunderung blickten die Augen des Knaben staunend empor, gefesselt, nicht zu sättigen, nicht loszulösen. Es war kein Verlangen in diesem Blick, keinerlei Begierde, nur staunende Hingabe, dankbares Entzücken. Ich vermochte nicht zu erkennen, was es sei, das diese Knabenseele so staunen und das einsame Glück des Schauens und Bezaubertseins erleben ließ. Es mochte die Farbenpracht der Kostüme sein, oder ein erstmaliges Innewerden der Schönheit von Mädchengesichtern, oder das Lauschen eines Einsamen und Geschwisterlosen auf das gesellige Gezwitscher der hübschen Kinder dort droben, vielleicht auch waren die Knabenaugen nur entzückt und behext von dem sacht rieselnden Farbenregen, der von Zeit zu Zeit aus den Händen jener Bewunderten herabsank, sich dünn auf unsern Köpfen und Kleidern und dichter auf dem Steinboden sammelte, den er schon wie feiner Sand bedeckte.

Und ähnlich wie dem Knaben ging es mir. So wie er weder von sich selbst und den Attributen und Intentionen seiner Verkleidung noch von der Menge, dem Clownstheater und den das Volk wie in Wogengängen durchpulsenden Schwellungen des Gelächters und Beifalls etwas wahrnahm, einzig dem Anblick im Fenster hörig, so war auch mein Blick und mein Herz mitten im werbenden Gedränge so vieler Bilder immer wieder dem einen Bilde zugehörig und hingegeben, dem Kindergesicht zwischen schwarzem Hut und schwarzem Gewand, seiner Unschuld, seiner Empfänglichkeit für das Schöne, seinem unbewußten Glück.   (1953)

Kafka-Deutungen

Unter den Briefen, die meine Leser mir schreiben, gibt es eine bestimmte Kategorie, die immer mehr anwächst und die ich als Symptom für die zunehmende Intellektualisierung des Verhältnisses zwischen Leser und Dichtung beobachte. Die Briefe dieser Art, meist von Lesern jüngeren Alters kommend, zeigen ein leidenschaftliches Bemühen um Deutungen und Erklärungen; ihre Verfasser stellen endlose Fragen. Sie wollen wissen, warum der Autor hier dieses Bild, dort jene Vokabel gewählt, was er mit seinem Buch »gewollt« und »gemeint« habe, wie er auf den Einfall geraten sei, gerade dies Thema zu wählen. Sie wollen von mir wissen, welches meiner Bücher mir das beste scheine, welches mir das liebste sei, welches meine Anschauungen und Absichten am deutlichsten zum Ausdruck bringe, warum ich über gewisse Phänomene und Probleme mich mit 30 Jahren anders geäußert habe als mit 70, wie es um die Beziehungen zwischen Demian und Jungscher oder Freudscher Psychologie stehe, und so weiter und weiter. Manche dieser Fragen kommen von Schülern der höheren Schulen und scheinen unter dem Einfluß von Lehrern zu stehen, die Mehrzahl aber scheint aus echtem, eigenem Bedürfnis geboren, und alle zusammen zeigen jene Wandlung im Verhältnis zwischen Buch und Leser, die überall auch in der öffentlichen Kritik zur Geltung kommt. Erfreulich daran ist die Aktivierung der Leser; sie mögen nicht mehr passiv genießen, sie wollen ein Buch und ein Kunstwerk nicht mehr einfach schlucken, sie wollen es sich erobern und analysierend zu eigen machen.

Die Sache hat aber auch ihre Kehrseite: das Klügeln und Gescheitreden über Kunst und Dichtung ist zum Sport und Selbstzweck geworden, und unter der Begierde, sie durch kritische Analyse zu bewältigen, hat die elementare Fähigkeit zur Hingabe, zum Schauen, zum Lauschen sehr gelitten. Wenn man damit zufrieden ist, einem Gedicht oder einer Erzählung den Gehalt an Gedanken, an Tendenz, an Erziehlichem oder Erbaulichem abzunötigen, dann ist man mit wenig zufrieden, und das Geheimnis der Kunst, das Wahre und Eigentliche, geht einem verloren.

Kürzlich schrieb mir ein junger Mann, Schüler oder Student, einen Brief mit der Bitte, ihm eine Reihe von Fragen über Franz Kafka zu beantworten. Er wollte wissen, ob ich Kafkas »Schloß«,

seinen »Prozeß«, sein »Gesetz« für religiöse Symbole halte – ob ich
Bubers Meinung über Kafkas Verhältnis zu seinem Judentum teile
– ob ich an eine Verwandtschaft zwischen Kafka und Paul Klee
glaube – und noch manches andre. Meine Antwort war diese:

Lieber Herr B.

. . . Leider muß ich Sie ganz und gar enttäuschen. Ihre Fragen
und die ganze Art, wie Sie sich der Dichtung gegenüber verhalten,
kommen mir zwar nicht überraschend; Sie haben Tausende von
ähnlich denkenden Kollegen. Aber Ihre ohne Ausnahme unlösba-
ren Fragen kommen alle aus derselben Fehlerquelle.

Kafkas Erzählungen sind nicht Abhandlungen über religiöse,
metaphysische oder moralische Probleme, sondern Dichtungen.
Wer fähig ist, einen Dichter wirklich zu lesen, nämlich ohne Fragen, ohne intellektuelle oder moralische Resultate zu erwarten, in
einfacher Bereitschaft, das aufzunehmen, was der Dichter gibt,
dem geben diese Werke in ihrer Sprache jegliche Antwort, die er
sich nur wünschen kann. Kafka hat uns weder als Theologe noch
als Philosoph etwas zu sagen, sondern einzig als Dichter. Daß
seine großartigen Dichtungen heute Mode geworden sind, daß sie
von Menschen gelesen werden, die nicht begabt und nicht gewillt
sind, Dichtung aufzunehmen, daran ist er unschuldig.

Mir, der ich seit Kafkas frühsten Werken zu seinen Lesern gehöre, bedeutet keine Ihrer Fragen etwas. Kafka gibt keine Antwort
auf sie. Er gibt uns die Träume und Visionen seines einsamen,
schweren Lebens, Gleichnisse für seine Erlebnisse, seine Nöte
und Beglückungen, und diese Träume und Visionen einzig sind es,
die wir bei ihm zu suchen und von ihm anzunehmen haben, nicht
die »Deutungen«, die diesen Dichtungen von scharfsinnigen Inter-
preten gegeben werden können. Dies »Deuten« ist ein Spiel des
Intellekts, ein oft ganz hübsches Spiel, gut für kluge, aber kunst-
fremde Leute, die Bücher über Negerplastik oder Zwölftonmusik
lesen und schreiben können, aber nie ins Innere eines Kunstwer-
kes Zugang finden, weil sie am Tor stehen, mit hundert Schlüsseln
daran herumprobieren und gar nicht sehen, daß das Tor ja offen
ist.

Dies etwa ist meine Reaktion auf Ihre Fragen. Ich glaubte Ihnen
eine Antwort schuldig zu sein, weil Sie es ernst meinen.   (1956)

»Glück und Unglück wird Gesang«

Gedichte

Widmungsverse zu einem Gedichtbuch

Blätter wehen vom Baume,
Lieder vom Lebenstraume
Wehen spielend dahin;
Vieles ist untergegangen,
Seit wir zuerst sie sangen,
Zärtliche Melodien.
Sterblich sind auch die Lieder,
Keines tönt ewig wieder,
Alle verweht der Wind:
Blumen und Schmetterlinge,
Die unvergänglicher Dinge
Flüchtiges Gleichnis sind.

*

Soirée

Man hatte mich eingeladen,
Ich wußte nicht warum;
Viel Herren mit schmalen Waden
Standen im Saal herum.

Es waren Herren von Namen
Und von gewaltigem Ruf,
Von denen der eine Dramen,
Der andre Romane schuf.

Sie wußten sich flott zu betragen
Und machten ein groß Geschrei.
Da schämte ich mich zu sagen,
Daß ich auch ein Dichter sei.

*

Landstreicherherberge

Wie fremd und wunderlich das ist,
Daß immerfort in jeder Nacht
Der leise Brunnen weiterfließt,
Vom Ahornschatten kühl bewacht.

Und immer wieder wie ein Duft
Der Mondschein auf den Giebeln liegt
Und durch die kühle, dunkle Luft
Die leichte Schar der Wolken fliegt!

Das alles steht und hat Bestand,
Wir aber ruhen eine Nacht
Und gehen weiter über Land,
Wird uns von niemand nachgedacht.

Und dann, vielleicht nach manchem Jahr,
Fällt uns im Traum der Brunnen ein
Und Tor und Giebel, wie es war
Und jetzt noch und noch lang wird sein.

Wie Heimatahnung glänzt es her
Und war doch nur zu kurzer Rast
Ein fremdes Dach dem fremden Gast,
Er weiß nicht Stadt nicht Namen mehr.

Wie fremd und wunderlich das ist,
Daß immerfort in jeder Nacht
Der leise Brunnen weiterfließt,
Vom Ahornschatten kühl bewacht!

  *

Kennst du das auch?

Kennst du das auch, daß manchesmal
Inmitten einer lauten Lust,
Bei einem Fest, in einem frohen Saal,
Du plötzlich schweigen und hinweggehn mußt?

Dann legst du dich aufs Lager ohne Schlaf
Wie Einer, den ein plötzlich Herzweh traf;
Lust und Gelächter ist verstiebt wie Rauch,
Du weinst, weinst ohne Halt – Kennst du das auch?

*

Schwarzwald

Seltsam schöne Hügelfluchten,
Dunkle Berge, helle Matten,
Rote Felsen, braune Schluchten,
Überflort von Tannenschatten!

Wenn darüber eines Turmes
Frommes Läuten mit dem Rauschen
Sich vermischt des Tannensturmes,
Kann ich lange Stunden lauschen.

Dann ergreift wie eine Sage,
Nächtlich am Kamin gelesen,
Das Gedächtnis mich der Tage,
Da ich hier zu Haus gewesen.

Da die Ferne edler, weicher,
Da die tannenforstbekränzten
Berge seliger und reicher
Mir im Knabenauge glänzten.

*

Weiße Wolken

O schau, sie schweben wieder
Wie leise Melodien
Vergessener schöner Lieder
Am blauen Himmel hin!

Kein Herz kann sie verstehen,
Dem nicht auf langer Fahrt
Ein Wissen von allen Wehen
Und Freuden des Wanderns ward.

Ich liebe die Weißen, Losen
Wie Sonne, Meer und Wind,
Weil sie der Heimatlosen
Schwestern und Engel sind.

*

Im Nebel

Seltsam, im Nebel zu wandern!
Einsam ist jeder Busch und Stein,
Kein Baum sieht den andern,
Jeder ist allein.

Voll von Freunden war mir die Welt,
Als noch mein Leben licht war;
Nun, da der Nebel fällt,
Ist keiner mehr sichtbar.

Wahrlich, keiner ist weise,
Der nicht das Dunkel kennt,
Das unentrinnbar und leise
Von allem ihn trennt.

Seltsam, im Nebel zu wandern!
Leben ist Einsamsein.
Kein Mensch kennt den andern,
Jeder ist allein.

*

Allein

Es führen über die Erde
Straßen und Wege viel,
Aber alle haben
Dasselbe Ziel.

Du kannst reiten und fahren
Zu zwein und zu drein,
Den letzten Schritt mußt du
Gehen allein

Drum ist kein Wissen
Noch Können so gut,
Als daß man alles Schwere
Alleine tut.

*

Glück

Solang du nach dem Glücke jagst,
Bist du nicht reif zum Glücklichsein,
Und wäre alles Liebste dein.

Solange du um Verlornes klagst
Und Ziele hast und rastlos bist,
Weißt du noch nicht, was Friede ist.

Erst wenn du jedem Wunsch entsagst,
Nicht Ziel mehr noch Begehren kennst,
Das Glück nicht mehr mit Namen nennst,

Dann reicht dir des Geschehens Flut
Nicht mehr ans Herz, und deine Seele ruht.

*

Spruch

So mußt du allen Dingen
Bruder und Schwester sein,
Daß sie dich ganz durchdringen,
Daß du nicht scheidest Mein und Dein.

Kein Stern, kein Laub soll fallen –
Du mußt mit ihm vergehn!
So wirst du auch mit allen
Allstündlich auferstehn.

*

Die Flamme

Ob du tanzen gehst in Tand und Plunder,
Ob dein Herz sich wund in Sorgen müht,
Täglich neu erfährst du doch das Wunder,
Daß des Lebens Flamme in dir glüht.

Mancher läßt sie lodern und verprassen,
Trunken im verzückten Augenblick,
Andre geben sorglich und gelassen
Kind und Enkeln weiter ihr Geschick.

Doch verloren sind nur dessen Tage,
Den sein Weg durch dumpfe Dämmrung führt,
Der sich sättigt in des Tages Plage
Und des Lebens Flamme niemals spürt.

   *

Reiselied

Sonne leuchte mir ins Herz hinein,
Wind verweh mir Sorgen und Beschwerden!
Tiefere Wonne weiß ich nicht auf Erden,
Als im Weiten unterwegs zu sein.

Nach der Ebne nehm ich meinen Lauf,
Sonne soll mich sengen, Meer mich kühlen;
Unsrer Erde Leben mitzufühlen
Tu ich alle Sinne festlich auf.

Und so soll mir jeder neue Tag
Neue Freunde, neue Brüder weisen,
Bis ich leidlos alle Kräfte preisen,
Aller Sterne Gast und Freund sein mag.

   *

Der Blütenzweig

Immer hin und wider
Strebt der Blütenzweig im Winde,
Immer auf und nieder
Strebt mein Herz gleich einem Kinde
Zwischen hellen, dunklen Tagen,
Zwischen Wollen und Entsagen.

Bis die Blüten sind verweht
Und der Zweig in Früchten steht,
Bis das Herz, der Kindheit satt,
Seine Ruhe hat
Und bekennt: voll Lust und nicht vergebens
War das unruhvolle Spiel des Lebens.

*

Keine Rast

Seele, banger Vogel du,
Immer wieder mußt du fragen:
Wann nach so viel wilden Tagen
Kommt der Friede, kommt die Ruh?

O ich weiß: kaum haben wir
Unterm Boden stille Tage,
Wird vor neuer Sehnsucht dir
Jeder liebe Tag zur Plage.

Und du wirst, geborgen kaum,
Dich um neue Leiden mühen
Und voll Ungeduld den Raum
Als der jüngste Stern durchglühen.

*

Bekenntnis

Holder Schein, an deine Spiele
Sieh mich willig hingegeben;
Andre haben Zwecke, Ziele,
Mir genügt es schon, zu leben.

Gleichnis will mir alles scheinen,
Was mir je die Sinne rührte,
Des Unendlichen und Einen,
Das ich stets lebendig spürte.

Solche Bilderschrift zu lesen,
Wird mir stets das Leben lohnen,
Denn das Ewige, das Wesen,
Weiß ich in mir selber wohnen.

*

Bücher

Alle Bücher dieser Welt
Bringen dir kein Glück,
Doch sie weisen dich geheim
In dich selbst zurück.

Dort ist alles, was du brauchst,
Sonne, Stern und Mond,
Denn das Licht, danach du frugst,
In dir selber wohnt.

Weisheit, die du lang gesucht
In den Bücherein,
Leuchtet jetzt aus jedem Blatt –
Denn nun ist sie dein.

*

Voll Blüten

Voll Blüten steht der Pfirsichbaum,
Nicht jede wird zur Frucht,
Sie schimmern hell wie Rosenschaum
Durch Blau und Wolkenflucht.

Wie Blüten gehn Gedanken auf,
Hundert an jedem Tag –
Laß blühen! laß dem Ding den Lauf!
Frag nicht nach dem Ertrag!

Es muß auch Spiel und Unschuld sein
Und Blütenüberfluß,
Sonst wär die Welt uns viel zu klein
Und Leben kein Genuß.

*

Vergänglichkeit

Vom Baum des Lebens fällt
Mir Blatt um Blatt,
O taumelbunte Welt,
Wie machst du satt,
Wie machst du satt und müd,
Wie machst du trunken!
Was heut noch glüht,
Ist bald versunken.
Bald klirrt der Wind
Über mein braunes Grab,
Über das kleine Kind
Beugt sich die Mutter herab.
Ihre Augen will ich wiedersehn,
Ihr Blick ist mein Stern,
Alles andre mag gehn und verwehn,
Alles stirbt, alles stirbt gern.
Nur die ewige Mutter bleibt,
Von der wir kamen,
Ihr spielender Finger schreibt
In die flüchtige Luft unsre Namen.

*

Gestutzte Eiche

Wie haben sie dich, Baum, verschnitten,
Wie stehst du fremd und sonderbar!
Wie hast du hundertmal gelitten,
Bis nichts in dir als Trotz und Wille war!
Ich bin wie du, mit dem verschnittnen,
Gequälten Leben brach ich nicht
Und tauche täglich aus durchlittnen
Roheiten neu die Stirn ins Licht.
Was in mir weich und zart gewesen,
Hat mir die Welt zu Tod gehöhnt,
Doch unzerstörbar ist mein Wesen,
Ich bin zufrieden, bin versöhnt,
Geduldig neue Blätter treib ich
Aus Ästen hundertmal zerspellt,
Und allem Weh zu Trotze bleib ich
Verliebt in die verrückte Welt.

*

Der Mann von fünfzig Jahren

Von der Wiege bis zur Bahre
sind es fünfzig Jahre,
dann beginnt der Tod.
Man vertrottelt, man versauert,
man verwahrlost, man verbauert
und zum Teufel gehn die Haare.
Auch die Zähne gehen flöten,
und statt daß wir mit Entzücken
junge Mädchen an uns drücken,
lesen wir ein Buch von Goethen.

Aber einmal noch vor'm Ende
will ich so ein Kind mir fangen,
Augen hell und Locken kraus,
nehm's behutsam in die Hände,
küsse Mund und Brust und Wangen,
zieh ihm Rock und Höslein aus.
Nachher dann in Gottes Namen
soll der Tod mich holen. Amen.

Schizophren

Das Lied ist aus,
Wollen Sie also gefälligst wenden,
Entgürten Sie Ihre Lenden
Und fühlen Sie sich hier, bitte, wie zu Haus!
Legen Sie ab Ihre werte Persönlichkeit
Und wählen Sie sich als Abendkleid
Eine beliebige Inkarnation,
Den Don Juan oder den verlorenen Sohn
Oder die große Hure von Babylon,
Es geschieht nur zur besseren Belügung,
Die Garderobe steht ganz zu Ihrer Verfügung.

Haben Sie vielleicht meine Eltern gekannt?
Sie zählten zu den Stillen im Land,
Doch waren auch sie von der Erbsünde gehetzt,
Sonst hätten sie mich nicht in die Welt gesetzt.
Indes spielt dies hier eigentlich keine Rolle,
Zur Fortpflanzung bediene ich mich der Knolle,
Es ist das höchste Glück auf Erden
Und kann auch elektrisch betrieben werden.
So werden Sie wohl freundlichst gestatten,
Daß wir beide uns höflich begatten,
Wie es sich ziemt zwischen Vater und Sohn.
Vielleicht bedienen Sie inzwischen das Grammophon.
Während ich im Ständeratsaale
Die amtlichen Begattungssteuern bezahle.

        *

Brief von einer Redaktion

»Wir danken sehr für Ihr ergreifendes Gedicht,
Das uns so tiefen Eindruck hinterlassen hat,
Und wir bedauern herzlich, daß es nicht
So recht geeignet scheint für unser Blatt.«

So schreibt mir irgendeine Redaktion
Fast jeden Tag. Es drückt sich Blatt um Blatt.
Es riecht nach Herbst, und der verlorne Sohn
Sieht deutlich, daß er nirgends Heimat hat.

Für mich allein denn schreib ich ohne Ziel,
Der Lampe auf dem Nachttisch les ich's vor.
Vielleicht leiht auch die Lampe mir kein Ohr.
Doch gibt sie hell, und schweigt. Das ist schon viel.

*

Pfeifen

Klavier und Geige, die ich wahrlich schätze,
Ich konnte mich mit ihnen kaum befassen;
Mir hat bis jetzt des Lebens rasche Hetze
Nur zu der Kunst des Pfeifens Zeit gelassen.

Zwar darf ich mich noch keinen Meister nennen,
Lang ist die Kunst und kurz ist unser Leben.
Doch alle, die des Pfeifens Kunst nicht kennen,
Bedaure ich. Mir hat sie viel gegeben.

Drum hab ich längst mir innigst vorgenommen,
In dieser Kunst von Grad zu Grad zu reifen,
Und hoffe endlich noch dahin zu kommen,
Auf mich, auf euch, auf alle Welt zu pfeifen.

*

September

Der Garten trauert,
Kühl sinkt in die Blumen der Regen.
Der Sommer schauert
Still seinem Ende entgegen.

Golden tropft Blatt um Blatt
Nieder vom hohen Akazienbaum.
Sommer lächelt erstaunt und matt
In den sterbenden Gartentraum.

Lange noch bei den Rosen
Bleibt er stehen, sehnt sich nach Ruh.
Langsam tut er die großen,
Müdgewordenen Augen zu.

*

Blauer Schmetterling

Flügelt ein kleiner blauer
Falter vom Wind geweht,
Ein perlmutterner Schauer,
Glitzert, flimmert, vergeht.
So mit Augenblicksblinken,
So im Vorüberwehn
Sah ich das Glück mir winken,
Glitzern, flimmern, vergehn.

*

Sprache

Die Sonne spricht zu uns mit Licht,
Mit Duft und Farbe spricht die Blume,
Mit Wolken, Schnee und Regen spricht
Die Luft. Es lebt im Heiligtume
Der Welt ein unstillbarer Drang,
Der Dinge Stummheit zu durchbrechen,
In Wort, Gebärde, Farbe, Klang
Des Seins Geheimnis auszusprechen.
Hier strömt der Künste lichter Quell,
Es ringt nach Wort, nach Offenbarung,
Nach Geist die Welt und kündet hell
Aus Menschenlippen ewige Erfahrung.
Nach Sprache sehnt sich alles Leben,
In Wort und Zahl, in Farbe, Linie, Ton
Beschwört sich unser dumpfes Streben
Und baut des Sinnes immer höhern Thron.

In einer Blume Rot und Blau,
In eines Dichters Worte wendet
Nach innen sich der Schöpfung Bau,

Der stets beginnt und niemals endet.
Und wo sich Wort und Ton gesellt,
Wo Lied erklingt, Kunst sich entfaltet,
Wird jedesmal der Sinn der Welt,
Des ganzen Daseins neu gestaltet,
Und jedes Lied und jedes Buch
Und jedes Bild ist ein Enthüllen,
Ein neuer, tausendster Versuch,
Des Lebens Einheit zu erfüllen.
In diese Einheit einzugehn
Lockt euch die Dichtung, die Musik,
Der Schöpfung Vielfalt zu verstehn
Genügt ein einziger Spiegelblick.
Was uns Verworrenes begegnet,
Wird klar und einfach im Gedicht:
Die Blume lacht, die Wolke regnet,
Die Welt hat Sinn, das Stumme spricht.

*

Häuser am Abend

Im späten schrägen Goldlicht steht
Das Volk der Häuser still durchglüht,
In kostbar tiefen Farben blüht
Sein Feierabend wie Gebet.

Eins lehnt dem andern innig an,
Verschwistert wachsen sie am Hang,
Einfach und alt wie ein Gesang,
Den keiner lernt und jeder kann.

Gemäuer, Tünche, Dächer schief,
Armut und Stolz, Verfall und Glück,
Sie strahlen zärtlich, sanft und tief
Dem Tage seine Glut zurück.

*

Welkes Blatt

Jede Blüte will zur Frucht,
Jeder Morgen Abend werden,
Ewiges ist nicht auf Erden
Als der Wandel, als die Flucht.

Auch der schönste Sommer will
Einmal Herbst und Welke spüren.
Halte, Blatt, geduldig still,
Wenn der Wind dich will entführen.

Spiel dein Spiel und wehr dich nicht,
Laß es still geschehen.
Laß vom Winde, der dich bricht,
Dich nach Hause wehen.

    *

Flötenspiel

Ein Haus bei Nacht durch Strauch und Baum
Ein Fenster leise schimmern ließ,
Und dort im unsichtbaren Raum
Ein Flötenspieler stand und blies.

Es war ein Lied so altbekannt,
Es floß so gütig in die Nacht,
Als wäre Heimat jedes Land,
Als wäre jeder Weg vollbracht.

Es war der Welt geheimer Sinn
In seinem Atem offenbart,
Und willig gab das Herz sich hin
Und alle Zeit ward Gegenwart.

    *

Der Heiland

Immer wieder wird er Mensch geboren,
Spricht zu frommen, spricht zu tauben Ohren,
Kommt uns nah und geht uns neu verloren.

Immer wieder muß er einsam ragen,
Aller Brüder Not und Sehnsucht tragen,
Immer wird er neu ans Kreuz geschlagen.

Immer wieder will sich Gott verkünden,
Will das Himmlische ins Tal der Sünden,
Will ins Fleisch der Geist, der ewige, münden.

Immer wieder, auch in diesen Tagen,
Ist der Heiland unterwegs, zu segnen,
Unsern Ängsten, Tränen, Fragen, Klagen
Mit dem stillen Blicke zu begegnen,
Den wir doch nicht zu erwidern wagen,
Weil nur Kinderaugen ihn ertragen.

*

Stufen

Wie jede Blüte welkt und jede Jugend
Dem Alter weicht, blüht jede Lebensstufe,
Blüht jede Weisheit auch und jede Tugend
Zu ihrer Zeit und darf nicht ewig dauern.
Es muß das Herz bei jedem Lebensrufe
Bereit zum Abschied sein und Neubeginne,
Um sich in Tapferkeit und ohne Trauern
In andre, neue Bindungen zu geben.
Und jedem Anfang wohnt ein Zauber inne,
Der uns beschützt und der uns hilft, zu leben.

Wir sollen heiter Raum um Raum durchschreiten,
An keinem wie an einer Heimat hängen,
Der Weltgeist will nicht fesseln uns und engen,
Er will uns Stuf' um Stufe heben, weiten.
Kaum sind wir heimisch einem Lebenskreise

Und traulich eingewohnt, so droht Erschlaffen,
Nur wer bereit zu Aufbruch ist und Reise,
Mag lähmender Gewöhnung sich entraffen.

Es wird vielleicht auch noch die Todesstunde
Uns neuen Räumen jung entgegen senden,
Des Lebens Ruf an uns wird niemals enden . . .
Wohlan denn, Herz, nimm Abschied und gesunde!

*

Leb wohl, Frau Welt

Es liegt die Welt in Scherben,
Einst liebten wir sie sehr,
Nun hat für uns das Sterben
Nicht viele Schrecken mehr.

Man soll die Welt nicht schmähen,
Sie ist so bunt und wild,
Uralte Zauber wehen
Noch immer um ihr Bild.

Wir wollen dankbar scheiden
Aus ihrem großen Spiel;
Sie gab uns Lust und Leiden,
Sie gab uns Liebe viel.

Leb wohl, Frau Welt, und schmücke
Dich wieder jung und glatt,
Wir sind von deinem Glücke
Und deinem Jammer satt.

*

Oktober 1944

Leidenschaftlich strömt der Regen,
Schluchzend wirft er sich ins Land,
Bäche gurgeln in den Wegen
Überfülltem See entgegen,
Der noch jüngst so gläsern stand.

Daß wir einmal fröhlich waren
Und die Welt uns selig schien,
War ein Traum. In grauen Haaren
Stehn wir herbstlich und erfahren,
Leiden Krieg und hassen ihn.

Kahlgefegt und ohne Flitter
Liegt die Welt, die einst gelacht;
Durch entlaubter Äste Gitter
Blickt der Winter todesbitter,
Und es greift nach uns die Nacht.

*

Späte Prüfung

Nochmals aus des Lebens Weiten
Reißt mich Schicksal hart ins Enge,
Will in Dunkel und Gedränge
Prüfung mir und Not bereiten.

Alles scheinbar längst Erreichte,
Ruhe, Weisheit, Altersfrieden,
Reuelose Lebensbeichte –
War es wirklich mir beschieden?

Ach, es ward von jenem Glücke
Aus den Händen mir geschlagen
Gut um Gut und Stück um Stücke,
Aus ist's mit den heitern Tagen.

Scherbenberg und Trümmerstätte
Ward die Welt und ward mein Leben.
Weinend möcht ich mich ergeben,
Wenn ich diesen Trotz nicht hätte,

Diesen Trotz im Grund der Seele,
Mich zu stemmen, mich zu wehren,
Diesen Glauben: was mich quäle,
Müsse sich ins Helle kehren,

Diesen unvernünftig zähen
Kinderglauben mancher Dichter
An unlöschbar ewige Lichter,
Die hoch über allen Höllen stehen.

*

In Sand geschrieben

Daß das Schöne und Berückende
Nur ein Hauch und Schauer sei,
Daß das Köstliche, Entzückende,
Holde ohne Dauer sei:
Wolke, Blume, Seifenblase,
Feuerwerk und Kinderlachen,
Frauenblick im Spiegelglase
Und viel andre wunderbare Sachen,
Daß sie, kaum entdeckt, vergehen,
Nur von Augenblickes Dauer,
Nur ein Duft und Windeswehen,
Ach, wir wissen es mit Trauer.
Und das Dauerhafte, Starre
Ist uns nicht so innig teuer:
Edelstein mit kühlem Feuer,
Glänzendschwere Goldesbarre;
Selbst die Sterne, nicht zu zählen,
Bleiben fern und fremd, sie gleichen
Uns Vergänglichen nicht, erreichen
Nicht das Innerste der Seelen.
Nein, es scheint das innigst Schöne,
Liebenswerte dem Verderben
Zugeneigt, stets nah am Sterben,
Und das Köstlichste: die Töne
Der Musik, die im Entstehen
Schon enteilen, schon vergehen,
Sind nur Wehen, Strömen, Jagen
Und umweht von leiser Trauer,
Denn auch nicht auf Herzschlags Dauer
Lassen sie sich halten, bannen;
Ton um Ton, kaum angeschlagen,
Schwindet schon und rinnt von dannen.

So ist unser Herz dem Flüchtigen,
Ist dem Fließenden, dem Leben
Treu und brüderlich ergeben,
Nicht dem Festen, Dauertüchtigen.
Bald ermüdet uns das Bleibende,
Fels und Sternwelt und Juwelen,
Uns in ewigem Wandel treibende
Wind- und Seifenblasenseelen,
Zeitvermählte, Dauerlose,
Denen Tau am Blatt der Rose,
Denen eines Vogels Werben,
Eines Wolkenspieles Sterben,
Schneegeflimmer, Regenbogen,
Falter, schon hinweggeflogen,
Denen eines Lachens Läuten,
Das uns im Vorübergehen
Kaum gestreift, ein Fest bedeuten
Oder wehtun kann. Wir lieben,
Was uns gleich ist, und verstehen,
Was der Wind in Sand geschrieben.

*

Der alte Mann
und seine Hände

Mühsam schleppt er sich die Strecke
Seiner langen Nacht,
Wartet, lauscht und wacht.
Vor ihm liegen auf der Decke
Seine Hände, Linke, Rechte,
Steif und hölzern, müde Knechte,
Und er lacht
Leise, daß er sie nicht wecke.

Unverdrossener als die meisten
Haben sie geschafft,
Da sie noch im Saft.
Vieles wäre noch zu leisten,
Doch die folgsamen Gefährten
Wollen ruhn und Erde werden.

Knecht zu sein,
Sind sie müde und dorren ein.

Leise, daß er sie nicht wecke,
Lacht der Herr sie an,
Langen Lebens Bahn
Scheint nun kurz, doch lang die Strecke
Einer Nacht . . . Und Kinderhände,
Jünglingshände, Manneshände
Sehn am Abend, sehn am Ende
So sich an.

*

Kleiner Knabe

Hat man mich gestraft,
Halt ich meinen Mund,
Weine mich in Schlaf,
Wache auf gesund.

Hat man mich gestraft,
Heißt man mich den Kleinen,
Will ich nicht mehr weinen,
Lache mich in Schlaf.

Große Leute sterben,
Onkel, Großpapa,
Aber ich, ich bleibe
Immer, immer da.

*

(Psychologie)

Der Hummer liebte die Languste,
was aber unerwidert blieb,
die Liebe sank ins Unbewußte
und wurde dort zum Todestrieb.

Ein Psychologe untersuchte
den Fall und fand ihn gar nicht klar,
der Hummer lief davon und fluchte,
er fand zu hoch das Honorar.

Der Psychologe nun verübelte
ihm dies Verhalten, wenn auch stumm,
doch sein gescheites Köpfchen grübelte
noch länger an dem Fall herum.

Auch ohne Arzt genas der Hummer
und fand ein andres Liebesglück,
der Arzt führt aber seinen Kummer
auf einen Geldkomplex zurück.

*

Uralte Buddha-Figur
in einer japanischen Waldschlucht
verwitternd

Gesänftigt und gemagert, vieler Regen
Und vieler Fröste Opfer, grün von Moosen
Gehn deine milden Wangen, deine großen
Gesenkten Lider still dem Ziel entgegen,
Dem willigen Zerfalle, dem Entwerden
Im All, im ungestaltet Grenzenlosen.
Noch kündet die zerrinnende Gebärde
Vom Adel deiner königlichen Sendung
Und sucht doch schon in Feuchte, Schlamm und Erde,
Der Formen ledig, ihres Sinns Vollendung,
Wird morgen Wurzel sein und Laubes Säuseln,
Wird Wasser sein, zu spiegeln Himmels Reinheit,
Wird sich zu Efeu, Algen, Farnen kräuseln, –
Bild allen Wandels in der ewigen Einheit.

*

Der erhobene Finger

Meister Djü-dschi war, wie man uns berichtet,
Von stiller, sanfter Art und so bescheiden,
Daß er auf Wort und Lehre ganz verzichtet,
Denn Wort ist Schein, und jeden Schein zu meiden
War er gewissenhaft bedacht.
Wo manche Schüler, Mönche und Novizen
Vom Sinn der Welt, vom höchsten Gut

In edler Rede und in Geistesblitzen
Gern sich ergingen, hielt er schweigend Wacht,
Vor jedem Überschwange auf der Hut.
Und wenn sie ihm mit ihren Fragen kamen,
Den eitlen wie den ernsten, nach dem Sinn
Der alten Schriften, nach den Buddha-Namen,
Nach der Erleuchtung, nach der Welt Beginn
Und Untergang, verblieb er schweigend,
Nur leise mit dem Finger aufwärts zeigend.
Und dieses Fingers stumm-beredtes Zeigen
Ward immer inniger und mahnender: es sprach,
Es lehrte, lobte, strafte, wies so eigen
Ins Herz der Welt und Wahrheit, daß hernach
So mancher Jünger dieses Fingers sachte
Hebung verstand, erbebte und erwachte.

*

Kleiner Gesang

Regenbogengedicht,
Zauber aus sterbendem Licht,
Glück wie Musik zerronnen,
Schmerz im Madonnengesicht,
Daseins bittere Wonnen . . .

Blüten vom Sturm gefegt,
Kränze auf Gräber gelegt,
Heiterkeit ohne Dauer,
Stern, der ins Dunkel fällt:
Schleier von Schönheit und Trauer
Über dem Abgrund der Welt.

Volker Michels
Aktuelle Inhalte in traditioneller Form

Leseerfahrungen mit Hermann Hesse

Nur wenige deutschsprachige Schriftsteller des 20. Jahrhunderts haben im In- und Ausland ein so großes Publikum gefunden wie Hermann Hesse. In sämtliche Kultursprachen, aber auch in entlegenere Idiome wie u. a. das Siamesische, Georgische, Estnische, Lettische oder Makedonische übersetzt, wird dieser Autor gelesen von Menschen aller Altersstufen und sozialen Schichten. Die meisten seiner Leser aber kommen aus der jeweils jungen Generation, die sich von Hermann Hesse schon immer am besten verstanden fühlte. Denn selten findet man in der Literatur die zukunftsbestimmenden Prägungen der Kindheit und Pubertät, den Zauber des Anfangs und des Zumerstenmal, aber auch die Konflikte der Anpassung und Einordnung in vorgegebene Verhältnisse ähnlich lebensnah und mit so hoffnungsvoller Sympathie für die nachwachsende Generation dargestellt wie bei ihm.

Das Erlebnis, in Hesses Büchern Erfahrungen, Regungen und Antriebe ausgesprochen, legitimiert und ermutigt zu finden, die man sich oft kaum einzugestehen wagt, weil sie uns in Konflikt bringen mit den Erwartungen unserer entweder an Konformität oder schnellstmöglicher Funktionalität orientierten Gesellschaftsordnungen, bleibt ebenso aktuell wie der daraus entspringende Anstoß »auf eigenen Füßen zu gehen statt auf Schienen«, wie es in einem seiner Gedichte heißt. Vom frühen Roman »Peter Camenzind« bis hin zum Alterswerk »Das Glasperlenspiel« zeigen Hesses Dichtungen auf unterschiedlichste Weise den Zuwachs an Lebensintensität, aber auch die Konflikte, die aus einer eigenständigen Haltung gegenüber den Herausforderungen und Gleichschaltungsnötigungen der Zeitgeschichte entspringen. Entweder werden sie direkt thematisiert, wie in »Unterm Rad«, »Demian«, »Kurgast«, »Nürnberger Reise« und »Steppenwolf«, oder sie werden kontrapunktiert durch Entwürfe von Gegenwelten, wie in »Peter Camenzind«, »Knulp«, »Siddhartha«, »Narziß und Goldmund« und »Das Glasperlenspiel«. Doch ob Hesse die Probleme nun auf zeitkritische oder auf scheinbar zeitenthobene Weise angeht, ob er sie beim Namen nennt oder erst durch das Kontrastmittel seiner poetischen Alternativen sichtbar macht, allen seinen Büchern gemeinsam ist eine einfache Sprache von einprägsamer Musikalität und einem – verglichen mit anderen Autoren – erstaunlich reichhaltigen Wortschatz. Der bewahrt ihn vor Willkürlichkeiten des Ausdrucks und Gewaltsamkeiten der Form auf Kosten des Inhalts.

Da diesem Autor mehr an der unmißverständlichen Vermittlung seiner Aussagen gelegen ist als an einem ausgefallenen stilistischen Design oder an Expeditionen in den Sterndeuter-Himmel entlegener und interpretationsbedürftiger Metaphern, erreicht er fast jeden Leser, gleich welchen Alters und welcher Vorbildung. Denn er drückt aktuelle Inhalte mit traditionellen Mitteln aus, während sonst in der Regel neue Inhalte auf innovative oder doch wenigstens auf zeitkonforme Weise dargestellt werden. Hinzu kommt, daß Hesse – im Gegensatz zu vielen zeitgenössischen Autoren – über die seltene Gabe verfügt, das Komplizierte einfach ausdrücken zu können. Er überfrachtet seine Erzählungen nicht mit Theorie und Essayistik, sondern stellte seine zeit- und kulturkritischen Analysen in den dafür geeigneten Gattungen, in Aufsätzen, Betrachtungen und Rezensionen zur Diskussion. Solche Abweichungen von den Normen der Avantgarde irritieren weniger seine Leser als jene Schriftgelehrten, die nur das Deutbare für bedeutend halten. Würde doch das Klare und Unmißverständliche ihre Funktion als Vermittler beschneiden und ihnen zumuten, sich statt mit Verpackungen mit deren Inhalten zu befassen. Da es aber (insbesondere für Beamte) gefährlich ist, sich an zeit- und systemkritischen Impulsen die Finger zu verbrennen, wird ihre Abneigung gegen Autoren verständlich, deren Aussagen weder verschlüsselt noch beliebig auslegbar sind.

Kühnere Kritiker hinwiederum neigen dazu, hinter traditionellen Formen rückwärtsgewandte Inhalte zu vermuten und bei Schriftstellern mit großen Bucherfolgen unseriöse Anbiederungen an den Publikumsgeschmack zu unterstellen. Dieser Rückschluß aber, so sehr er gelegentlich zutreffen mag, greift bei Autoren wie Hesse ins Leere. Denn wenn seine Bücher jener Schablone entsprächen, wäre es bei Saisonerfolgen geblieben und wohl kaum zu den so zahlreichen wie verschiedenartigen Rezeptionswellen von der Jahrhundertwende bis heute gekommen, ganz zu schweigen von der Akzeptanz seiner Schriften in den unterschiedlichsten Kulturkreisen der Welt.

Wie bei jedem über Generationen hinweg wirksamen Künstler finden wir in Hesses Werk Entwicklungen, Gefahren und Konflikte dargestellt, die teils bald nach Erscheinen seiner Bücher eingetroffen sind, teils heute erst sichtbar werden. Fast alles, was uns

auch in der Gegenwart noch zu schaffen macht, ist darin vorweggenommen. Ja, inzwischen sind die Auswirkungen der technologi-
schen Hybris, des bedenkenlosen Raubbaus an der Natur, mit
ihren ökologischen, politischen und zwischenmenschlichen Folgen so offensichtlich geworden, daß sich jede Diskussion um die
Stichhaltigkeit von Hesses Zivilisationskritik erübrigt.

In allen seinen Schriften ergreift er Partei für die Betroffenen
(u. a. »Der Wolf«, 1902/03) und sucht – so aussichtslos es scheint
– nach Wegen in eine menschenwürdigere Zukunft. Daß er sich
dabei nicht mit einem platten Realismus, einer wertfreien Abbil-
dung dessen begnügen mochte, was er vorfand, und es – trotz
allem Ungenügen an den sozialen und politischen Mißständen seiner Zeit – vermieden hat, sich den Patentrezepten einer ideologischen oder religiösen Heilslehre zu unterwerfen, ist eine weitere
Eigenart, die ihn von vielen seiner Kollegen unterscheidet. »Habt
Ihr denn nie gefühlt«, heißt es in einem seiner Briefe, »daß ich Pro-
gramme und fertig formulierte Gesinnungen nur darum ablehne,
weil sie den Menschen so unendlich verarmen und verdummen?«
Hesse versuchte statt dessen seinen Leser »in dem zu bestärken,
was ihn von den Normen trennt, und ihm den Sinn davon zu zeigen«.

Das Weltoffene und Undoktrinäre solch einer Haltung teilt er
mit Zeitgenossen wie Thomas Mann und Stefan Zweig. So ist es
denn kein Zufall, daß neben ihm eben diese beiden Kollegen es
sind, die unter den deutschsprachigen Autoren seiner Generation
in aller Welt das größte Leserpublikum finden. Hermann Hesse ist
derjenige unter ihnen, der (bei aller Aufgeschlossenheit für die alternativen Philosophien des Fernen Ostens) seiner Herkunft, dem
alemannischen Kulturbereich, am nächsten geblieben ist. Diese
Bindung an das Lokale war jedoch auf eine Weise prototypisch
und überregional, daß der ungleich mondänere Thomas Mann
einmal betonte: »Deutscheres gibt es nicht als diesen Autor,
nichts, das deutscher wäre im alten, freien und geistigen Sinn,
dem der deutsche Name seinen besten Ruhm, dem er die Sympathie der Menschheit verdankt.« Thomas Mann schrieb diese weit-
blickenden Zeilen 1937, zu einem Zeitpunkt also, als Hesses Bücher noch für unübersetzbar galten, und in einer Epoche, wo
Deutschlands Politiker bereits alles daransetzten, »die Sympathie
der Menschheit« gegenüber ihrer Nation zu ruinieren. Er schrieb
dies nach der Lektüre von »Narziß und Goldmund«, einem Buch,

das von der deutschnationalen Presse jener Jahre kaum weniger kontrovers aufgenommen wurde der vorhergehende »Steppenwolf«, so daß Hesse 1933 notierte: »Jetzt kommen die gleichen Leute, die dem ›Steppenwolf‹ eine des Dichters unwürdige Aktualität vorgeworfen hatten, und sprechen beim ›Goldmund‹ von einer ›Flucht in die Vergangenheit‹. Ich aber habe in diesem Buch der Idee von Deutschland und deutschem Wesen, die ich seit Kindheit in mir hatte, einmal Ausdruck gegeben und ihr meine Liebe gestanden – gerade, weil ich, was heute spezifisch ›deutsch‹ ist, so sehr hasse.«

Äußerungen wie diese zeigen einen weiteren Aspekt der Anziehungskraft dieses Schriftstellers: die auch im politischen Bereich erstaunlich weitblickende Trennschärfe und Unbestechlichkeit seines Urteils. Sie hat ihm zu seinen Lebzeiten wenig Sympathie eingebracht von den jeweiligen Machthabern und deren Kulturpolitikern. So ist es kein Wunder, daß es immer erst, wenn deren Politik gescheitert war, zu deutschen Hesse-Renaissancen kam. Wohl nicht zuletzt an dieser Rückkoppelung mag es liegen, daß die stärkste Rezeptionswelle nach dem Vietnamkrieg, also erst nach Hesses Tod einsetzen konnte. Denn erst seit diesem Zeitpunkt fanden seine Bücher auch im deutschen Sprachgebiet wieder eine auch quantitativ beachtliche Resonanz. Seit 1962 erreichten sie das Fünffache der Verbreitung, die zu Hesses Lebzeiten möglich war.

Unser Lesebuch erscheint anläßlich seines dreißigsten Todestages. In einer knappen, doch charakteristischen Auswahl soll es denen, die diesen Dichter noch nicht kennen, einen ersten Zugang zu den inhaltlichen Schwerpunkten seines Werkes verschaffen. Aber auch denen, die Hesse aus der Sekundärlitertur bereits zu kennen glauben, gibt dieser Band Gelegenheit zur Überprüfung von Etikettierungen, die zumeist weniger ihn selbst als das jeweilige kulturpolitische Klima der Zeit charakterisieren, aus der sie stammen.

Aus Gründen des Umfanges konnten hier meist nur kürzere Beispiele aus seinem erzählerischen, betrachtenden und lyrischen Werk berücksichtigt werden. Doch enthalten auch sie alles, was den Reiz und die Wirkung seiner Hauptwerke ausmacht: Die Intensität einer Betroffenheit, die es ihm ermöglicht, sich unverschlüsselt und unmißverständlich auszudrücken, eine Sympathie für das Eigenständige und Ursprüngliche inmitten des Serienmäßigen, ein Gespür für den Zauber des Bedrohten und Vergänglichen und ein desillusionierender Blick für die Antriebe und Abgründe menschlichen Verhaltens.

In Erzählungen wie »Die Stadt« (1910), »Der Europäer« (1918), »Vogel« (1932) oder in Betrachtungen wie »Klage um einen alten Baum« (1927) zeigt er die Rückwirkungen des zivilisatorischen Fortschritts und die Herausforderungen an unsere Mündigkeit angesichts der Eigendynamik einer immer unaufhaltsameren Perfektion der Technik. Es sei, schreibt er schon 1907, »mit den Maschinen wie mit allem: die paar guten und freien Menschen werden gefördert, aber den Millionen Lumpen wird ihr Betrieb ebenfalls erleichtert.«

Die Kurzsichtigkeit des Eurozentrismus mit ihren Folgen für die »Dritte Welt«, und in diesem Zusammenhang die Gefahren nationalistischer, ideologischer und religiöser Intoleranz rücken ins Blickfeld in Betrachtungen wie »Erinnerung an Asien« (1914), »Alemannisches Bekenntnis« (1919), »Haßbriefe« (1929), »Brief an einen Kommunisten« (1931), »Mein Glaube« (1931) und »Ein Stückchen Theologie« (1932). Die Entwicklung vom selbstbestimmten Reisen (»Reiselust«, 1910, und »Vor einer Sennhütte im Berner Oberland«, 1914, u. a.) bis zu den Errungenschaften der konfektionierten Freizeitorganisation durch die Agenturen des Fremdenverkehrs finden wir in der Satire »Die Fremdenstadt im Süden« bereits 1925 vorhergesehen.

Von Kindheit an aufgeschlossen für alles Extravagante, Abenteuerliche und Neue (z. B. »Floßfahrt«, 1928), interessierte sich Hesse bemerkenswert früh schon für das Fliegen, das er – sei es im Luftschiff, sei es im Eindecker – seit 1911 mehrfach erprobte, wie auch für die Psychoanalyse, der er sich fünf Jahre lang, von 1916-1921, unterzog und erstmals im »Demian«, später u. a. in seiner Betrachtung »Künstler und Psychoanalyse« (1918) dargestellt hat.

In Erzählungen wie »Der Lateinschüler« (1905), »Ladidel« (1909), »Der Zyklon« (1913) und der »Erinnerung an Hans« (1936) ist der herbe Zauber schwäbischer Kleinstädte vor der Jahrhundertwende bewahrt, der mittlerweile fast völlig wegrationalisiert ist. Wie bedroht das scheinbar Heile und Idyllische darin schon damals war, zeigt auch Hesses »Kurzgefaßter Lebenslauf« (1925) und die Erzählung »Kinderseele« (1918) mit ihrer Kraftprobe zwischen Vater und Sohn.

Der für Hesse und die Hauptgestalten seiner Bücher so charakteristische Konflikt zwischen Neugierde und Tabu, Freiheit und Anpassung, instinktiven und althergebrachten Verhaltensweisen, zwischen glaubwürdiger und angemaßter Autorität, das Aufbegehren gegen jede Form der Fremdbestimmung, sei es in Ausbildung und Berufswahl, sei es in religiöser, weltanschaulicher, politischer oder technologischer Hinsicht, ist das Thema der programmatischen Betrachtungen »Eigensinn« (1919), »Lektüre im Bett« (1928) und nicht zuletzt im »Kurzgefaßten Lebenslauf«.

Wichtige Aspekte von Hesses Ästhetik werden erkennbar in seinen Betrachtungen über »Musik« (1913), »Sprache« (1917), im Werkstattbericht über »Eine Arbeitsnacht« (1928), in der »Chinesischen Legende« (1959) oder seiner Reaktion auf die inflationäre Flut der »Kafka-Deutungen« (1956), während Schilderungen wie die Reiseskizzen aus »Wanderung« (»Bäume«, »Bergpaß«, »Dorf«, »Rotes Haus«, »Bewölkter Himmel«), »Kirchen und Kapellen im Tessin« oder »Falterschönheit« in ihrer besinnlichen Gelassenheit als typische Ergebnisse dieser Ästhetik erscheinen.

Doch alle diese Facetten ergäben noch kein vollständiges Bild ohne Beispiele für Hesses besondere Art von Humor, der nicht nur in Büchern wie »Kurgast« immer wieder durchblitzt, sondern vor allem auch in seinen zeit- und kulturkritischen Schriften, in Antworten auf Leserzuschriften, im »Winterbrief aus dem Süden« (1919), in Betrachtungen wie »Wiedersehen mit Nina« (1927) oder Erzählungen wie »Casanovas Bekehrung« (1906), aber auch in seinen Gedichten (z. B. »Soirée«, »Der Mann von fünfzig Jahren«, »Schizophren«, »Brief an eine Redaktion«, »Pfeifen« und »Psychologie«). Es ist ein Humor ohne Schadenfreude und die heitere Kehrseite zum oft schwermütigen Grundakkord seines Schaffens. Denn trotz aller Aussichtslosigkeit im Kampf gegen die Trägheit und Engherzigkeit der Menschen und ihrer Politik ist Hesse darüber nicht, wie mancher andere Autor, zum Zyniker und Nihilisten geworden. Er vertraute auf den Einzelnen, auf eine Gegensteuerung, die aus nichtoffiziellen Kreisen kommt und den vielgeschmähten »Weg nach Innen« einschlägt, einen Weg der Selbstkritik statt pauschaler Gesellschaftskritik. Denn, so heißt es in einem seiner Briefe (vom 8. 6. 1956): »Nur der Einzelne ist erziehbar und verbesserungsfähig. Es ist stets die kleine Elite von gutwilligen, opferfähigen und tapferen Menschen gewesen, die das Gute und Schöne in der Welt bewahrt und vermehrt haben.«

Quellennachweis

Kurzgefaßter Lebenslauf. Erstdruck in »Die Neue Rundschau«, Berlin, August 1925. Aufgenommen in H. Hesse, »Traumfährte«, Zürich 1945; bzw. in H. Hesse, »Gesammelte Werke« (Werkausgabe) Bd. 6, Frankfurt am Main 1970.

Der Wolf. Geschrieben 1902/03. Erstdruck in »Rheinisch-Westfälische Zeitung«, Essen, Januar 1903. Aufgenommen in H. Hesse, »Am Weg«, Konstanz 1915; bzw. in H. Hesse, »Gesammelte Erzählungen«, zusammengestellt von Volker Michels, Frankfurt am Main 1977.

Casanovas Bekehrung. Erstdruck in »Süddeutsche Monatshefte«, 3, München 1906. Aufgenommen in H. Hesse, »Gesammelte Erzählungen«, Frankfurt am Main 1977.

Ladidel. Erstdruck in »März«, München, Juli–September 1909. Aufgenommen in H. Hesse, »Umwege«, Berlin 1912; bzw. in H. Hesse, »Gesammelte Erzählungen«, Frankfurt am Main 1977.

Die Stadt. Geschrieben im Februar 1910. Erstdruck in »Licht und Schatten«, 12, München 1910. Aufgenommen in H. Hesse, »Traumfährte«, Zürich 1945; bzw. in H. Hesse, »Gesammelte Erzählungen«, Frankfurt am Main 1977.

Der Lateinschüler. Geschrieben Januar–Juli 1905. Erstdruck in »Über Land und Meer«, Stuttgart/Leipzig Frühjahr 1906. Aufgenommen in H. Hesse, »Diesseits«, Berlin 1907; bzw. in »Gesammelte Erzählungen«, Frankfurt am Main 1977.

Der Zyklon. Erstdruck in »Die Neue Rundschau«, Berlin, vom Juli 1913. Aufgenommen in H. Hesse, »Schön ist die Jugend«, Berlin 1916; bzw. in H. Hesse, »Gesammelte Erzählungen«, Frankfurt am Main 1977.

Der Europäer. Geschrieben im Januar 1918. Erstdruck unter dem Pseudonym Emil Sinclair in »Neue Zürcher Zeitung« vom 4. und 6. 8. 1918. Aufgenommen in H. Hesse, »Sinclairs Notizbuch«, Zürich 1923; bzw. in H. Hesse, »Gesammelte Erzählungen«, Frankfurt am Main 1977.

Kinderseele. Geschrieben Dezember 1918–Februar 1919. Erstdruck in »Deutsche Rundschau«, Berlin, vom November 1919. Aufgenommen in H. Hesse, »Klingsors letzter Sommer«, Berlin 1920; bzw. in H. Hesse, »Gesammelte Erzählungen«, Frankfurt am Main 1977.

Die Fremdenstadt im Süden. Geschrieben im Mai 1925. Erstdruck in »Berliner Tageblatt« vom 31. 5. 1925. Aufgenommen in H. Hesse, »Gesammelte Erzählungen«, Frankfurt am Main 1977.

Vogel. Geschrieben 1932. Erstdruck in »Corona«, München, vom August 1933. Aufgenommen in H. Hesse, »Traumfährte«, Zürich 1945; bzw. in H. Hesse, »Die Märchen«, herausgegeben von Volker Michels, Frankfurt am Main 1975.

Chinesische Legende. Geschrieben 1959. Erstdruck in »Neue Zürcher Zeitung« vom 17. 5. 1959. Aufgenommen in H. Hesse, »Legenden«, herausgegeben von Volker Michels, Frankfurt am Main 1983.

Reiselust. Erstdruck in »Neues Wiener Tagblatt« vom 23. 1. 1910. Aufgenommen in H. Hesse, »Gesammelte Werke« (Werkausgabe) Bd. 10, Frankfurt am Main 1970.

Im Flugzeug. Geschrieben im März 1913. Erstdruck in »Kölner Zeitung« vom 21. 3. 1913. Aufgenommen in H. Hesse, »Die Kunst des Müßiggangs«, herausgegeben von Volker Michels, Frankfurt am Main 1973.

Vor einer Sennhütte im Berner Oberland. Geschrieben 1914. Erstdruck in »Licht und Schatten«, 4, München 1914. Aufgenommen in H. Hesse, »Die Kunst des Müßiggangs«, Frankfurt am Main 1973.

Erinnerung an Asien. Erstdruck in »März«, 8, München, vom August 1914. Aufgenommmen in H. Hesse, »Kleine Freuden«, herausgegeben von Volker Michels, Frankfurt am Main 1977.

Musik. Geschrieben 1913. Erstdruck in »Vossische Zeitung«, Berlin, vom 25. 12. 1913. Aufgenommen in H. Hesse, »Die Kunst des Müßiggangs«, Frankfurt am Main 1973.

Sprache. Geschrieben 1917. Erstdruck in »Frankfurter Zeitung« vom 11. 8. 1918. Aufgenommen in H. Hesse, »Gesammelte Werke« (Werkausgabe) Bd. 11, Frankfurt am Main 1970.

Künstler und Psychoanalyse. Erstdruck in »Frankfurter Zeitung« vom 16. 7. 1918. Aufgenommen in H. Hesse, »Gesammelte Werke« (Werkausgabe) Bd. 10, Frankfurt am Main 1970.

Eigensinn. Geschrieben am 1. 12. 1917. Erstdruck in »Die Schweiz«, 22, Zürich 1918. Aufgenommen in H. Hesse, »Gesammelte Werke« (Werkausgabe) Bd. 10, Frankfurt am Main 1970.

Alemannisches Bekenntnis. Geschrieben im Herbst 1919 als Vorwort zum »Alemannenbuch«, Seldwyla Verlag, Bern 1919. Aufgenommen in H. Hesse, »Kleine Freuden«, Frankfurt am Main 1977.

Bäume – Bergpaß – Dorf – Rotes Haus – Bewölkter Himmel. Aus H. Hesse, »Wanderungen«, Berlin 1920. Aufgenommen in H. Hesse, »Gesammelte Werke« (Werkausgabe) Bd. 6, Frankfurt am Main 1970.

Winterbrief aus dem Süden. Geschrieben im Dezember 1919. Erstdruck in »Neue Zürcher Zeitung« vom 11.–13. 1. 1920. Aufgenommen in H. Hesse, »Bilderbuch«, Berlin 1926; bzw. in H. Hesse, »Gesammelte Werke« (Werkausgabe) Bd. 6, Frankfurt am Main 1970.

Kirchen und Kapellen im Tessin. Erstdruck in »Schweizerland«, Chur, vom April 1920. Aufgenommen in H. Hesse, »Die Kunst des Müßiggangs«, Frankfurt am Main 1973.

Haßbriefe. Erstdruck in »Vivos Voco«, Leipzig, vom Juli 1920. Aufgenommen in H. Hesse, »Gesammelte Briefe« Bd. 1, herausgegeben von Ursula und Volker Michels, Frankfurt am Main 1973.

Klage um einen alten Baum. Geschrieben 1927. Erstdruck in »Berliner Tageblatt« vom 25. 9. 1927. Aufgenommen in H. Hesse, »Die Kunst des Müßiggangs«, Frankfurt am Main 1973.

Wiedersehen mit Nina. Erstdruck u. d. T. »Besuch bei Nina« in »Berliner Tageblatt« vom 26. 6. 1927. Aufgenommen in H. Hesse, »Die Kunst des Müßiggangs«, Frankfurt am Main 1973.

Eine Arbeitsnacht. Geschrieben am 2. 12. 1928. Erstdruck u. d. T. »Unentbehrliche Nacht« in »Berliner Tageblatt« vom 25. 12. 1928. Aufgenommen in H. Hesse, »Gesammelte Werke« (Werkausgabe) Bd. 11, Frankfurt am Main 1970.

Floßfahrt. Geschrieben 1928. Erstdruck in »Berliner Tageblatt« vom 1. 3. 1928. Aufgenommen in H. Hesse, »Die Kunst des Müßiggangs«, Frankfurt am Main 1973.

Lektüre im Bett. Geschrieben 1929. Erstdruck u. d. T. »Ungewohnte Lektüre« in »Berliner Tageblatt« vom 2. 4. 1929. Aufgenommen in H. Hesse, »Die Kunst des Müßiggangs«, Frankfurt am Main 1973.

Brief an einen Kommunisten. Geschrieben im Nov. 1931. Aufgenommen in H. Hesse, »Gesammelte Briefe« Bd. 2, Frankfurt am Main 1979.

Mein Glaube. Geschrieben für die Anthologie »Dichterglaube«, herausgegeben von Harald Braun, Berlin 1931. Aufgenommen in H. Hesse, »Gesammelte Werke« (Werkausgabe) Bd. 10, Frankfurt am Main 1970.

Ein Stückchen Theologie. Erstdruck in »Die Neue Rundschau«, Berlin,
vom Juni 1932. Aufgenommen in H. Hesse, »Gesammelte Werke« (Werkausgabe) Bd. 10, Frankfurt am Main 1970.

Falterschönheit. Geschrieben 1935. Teildruck aus Hesses Vorwort »Über
Schmetterlinge«, zu: Adolf Portmann, »Falterschönheit«, Bern 1936. Aufgenommen in H. Hesse, »Die Kunst des Müßiggangs«, Frankfurt am Main
1973.

Erinnerung an Hans. Erstdruck in »Corona«, Zürich, vom (Mai?) 1936.
Aufgenommen in H. Hesse, »Gedenkblätter«, Berlin 1937 und Frankfurt
1984.

Kaminfegerchen. Geschrieben im Februar 1953. Erstdruck in »Neue Zürcher Zeitung« vom 24. 2. 1953 u. d. T. »Skizzenblatt«. Aufgenommen in H.
Hesse, »Gesammelte Erzählungen«, Frankfurt am Main 1977.

Kafka-Deutungen. Erstdruck in »Neue Zürcher Zeitung« vom 3. 2. 1956.
Aufgenommen in H. Hesse, »Gesammelte Werke« (Werkausgabe) Bd. 12,
Frankfurt am Main 1970.

Gedichte. Die hier aufgenommene Auswahl der Lyrik H. Hesses geht zurück auf die Edition H. Hesse, »Die Gedichte«, neu eingerichtet und erweitert von Volker Michels, Frankfurt am Main 1977; bzw. 1992.

Hermann Hesse
im Suhrkamp Verlag und Insel Verlag

Gesammelte Schriften in sieben Bänden. Leinen und Leder

Gesammelte Briefe in vier Bänden. Unter Mitwirkung von Heiner Hesse herausgegeben von Ursula und Volker Michels. Leinen

Gesammelte Werke. Werkausgabe in den suhrkamp taschenbüchern in zwölf Bänden. st 1600

Gesammelte Erzählungen. Geschenkausgabe mit farbigem Dekorüberzug in Schmuckkassette. Sechs Bände.

Die Romane und die großen Erzählungen. Jubiläumsausgabe mit farbigem Dekorüberzug in Schmuckkassette. Acht Bände.

Hermann Hesse Lesebücher

Jedem Anfang wohnt ein Zauber inne. Lebensstufen. Zusammengestellt von Volker Michels. Paperback

Eigensinn macht Spaß. Individuation und Anpassung. Zusammengestellt von Volker Michels. Paperback

Wer lieben kann, ist glücklich. Über die Liebe. Zusammengestellt von Volker Michels. Paperback

Die Hölle ist überwindbar. Krisis und Wandlung. Zusammengestellt von Volker Michels. Paperback

Das Stumme spricht. Herkunft und Heimat. Natur und Kunst. Zusammengestellt von Volker Michels. Paperback

Die Einheit hinter den Gegensätzen. Religionen und Mythen. Zusammengestellt von Volker Michels. Paperback

Einzelausgaben

Aus Indien. Aufzeichnungen, Tagebücher, Gedichte, Betrachtungen und Erzählungen. Neu zusammengestellt und ergänzt von Volker Michels. st 562

Aus Kinderzeiten. Gesammelte Erzählungen Band 1. 1900-1905. Zusammengestellt von Volker Michels. st 347

Bäume. Betrachtungen und Gedichte. Mit Fotografien von Imme Techentin. Zusammenstellung der Texte von Volker Michels. it 455

Bericht aus Normalien. Humoristische Erzählungen, Gedichte und Anekdoten. Herausgegeben und mit einem Nachwort von Volker Michels. st 1308

Berthold. Erzählung. st 1198

Beschreibung einer Landschaft: Schweiz. Herausgegeben und mit einem Vorwort versehen von Siegfried Unseld. Leinen

Der Bettler. Zwei Erzählungen. Mit einem Nachwort von Max Rychner. st 1376

Hermann Hesse
im Suhrkamp Verlag und Insel Verlag

14/2/8.91

Hermann Hesse
im Suhrkamp Verlag und Insel Verlag

14/4/8.91

Hermann Hesse
im Suhrkamp Verlag und Insel Verlag

Der Steppenwolf. Aquarelle von Gunter Böhmer. BS 869

Der Steppenwolf. Erzählung. st 175

Stufen. Ausgewählte Gedichte. BS 342

Stunden im Garten. Zwei Idyllen. Mit teils farbigen Zeichnungen von
Gunter Böhmer. IB 999

Tessin. Betrachtungen und Gedichte. Mit ca. 32 Aquarellen des Verfas-
sers. Herausgegeben und eingeleitet von Volker Michels. Leinen

Tractat vom Steppenwolf. Nachwort von Beda Allemann. es 84

Unterm Rad. Roman in der Urfassung. Herausgegeben und mit einem
Essay von Volker Michels. Illustrationen Gunter Böhmer. Leinen und
BS 981

Unterm Rad. Erzählung. st 52

Der verbannte Ehemann oder Anton Schievelbeyn's ohnfreywillige
Reisse nacher Ost-Indien. Handgeschrieben und illustriert von Peter
Weiss. Mit einem erstmals veröffentlichten Opernlibretto von Her-
mann Hesse. it 260

Die Verlobung. Gesammelte Erzählungen Band 2. 1906–1908. st 368

Der vierte Lebenslauf Josef Knechts. Zwei Fassungen. Mit einem Nachwort von Theodore Ziolkowski. Herausgegeben von Ninon Hesse.
st 1261

Vom Baum des Lebens. Ausgewählte Gedichte. Mit einem Nachwort
von Volker Michels. IB 454

Von guten Büchern. Rezensionen aus den Jahren 1900–1910. Herausgegeben von Volker Michels in Zusammenarbeit mit Heiner Hesse.
Leinen

Von Wesen und Herkunft des Glasperlenspiels. Die vier Fassungen der
Einleitung zum Glasperlenspiel. Herausgegeben und mit einem Essay
»Zur Entstehung des Glasperlenspiels« von Volker Michels. st 382

Walter Kömpff. Erzählung. st 1199

Wanderung. Aufzeichnungen mit farbigen Bildern vom Verfasser.
BS 444

Die Welt der Bücher. Betrachtungen und Aufsätze zur Literatur. Zusammengestellt von Volker Michels. st 415

Der Weltverbesserer und Doktor Knölges Ende. Zwei Erzählungen.
st 1197

Der Zwerg. Ein Märchen. Mit Illustrationen von Rolf Köhler. it 636

Der Zyklon. Zwei Erzählungen. st 1377

Hermann Hesse
im Suhrkamp Verlag und Insel Verlag

Briefe

Ausgewählte Briefe. Erweiterte Ausgabe. Zusammengestellt von Hermann Hesse und Ninon Hesse. st 211

Hermann Hesse – Rudolf Jakob Humm. Briefwechsel. Herausgegeben von Ursula und Volker Michels. Leinen

Hermann Hesse – Thomas Mann. Briefwechsel. Herausgegeben von Anni Carlsson (1968), erweitert von Volker Michels (1975), mit einem Vorwort von Prof. Theodore Ziolkowski, aus dem Amerikanischen übersetzt von Ursula Michels-Wenz. Leinen und BS 441

Hermann Hesse – Peter Suhrkamp. Briefwechsel 1945-1959. Herausgegeben von Siegfried Unseld. Leinen

Aquarelle

Hermann Hesse – Kalender auf das Jahr 1992. Zwölf Monatsbilder und Deckblatt mit farbigen Reproduktionen von Aquarellen Hermann Hesses in Originalformat.

Schallplatte

Hermann Hesse – Sprechplatte. Langspielplatte

Hermann Hesse liest ›Über das Alter‹. Zusammengestellt von Volker Michels. Langspiel-Sprechplatte

Materialien, Literatur zu Hermann Hesse

Hermann Hesse. Sein Leben in Bildern und Texten. Mit einem Vorwort von Hans Mayer. Herausgegeben von Volker Michels. Leinen und it 1111

Hermann Hesse. Leben und Werk im Bild. Mit dem ›kurzgefaßten Lebenslauf‹ von Hermann Hesse. it 36

Wie gut, ihn erlebt zu haben! Hermann Hesse in Augenzeugenberichten. Herausgegeben von Volker Michels. Leinen und st 1865

Materialien zu Hermann Hesse, »Demian«. 1. Band: Entstehungsgeschichte. Herausgegeben von Volker Michels. st 1947

Materialien zu Hermann Hesses ›Das Glasperlenspiel‹. Erster Band. Texte von Hermann Hesse. Herausgegeben von Volker Michels. st 80

Materialien zu Hermann Hesses ›Das Glasperlenspiel‹. Zweiter Band. Texte über das Glasperlenspiel. Herausgegeben von Volker Michels. st 108

Materialien zu Hermann Hesses Siddhartha. Erster Band. Texte von Hermann Hesse. Herausgegeben von Volker Michels. st 129

Texte über Siddhartha. Zweiter Band. Herausgegeben von Volker Michels. st 282

14/6/8.91

Hermann Hesse
im Suhrkamp Verlag und Insel Verlag

14/7/8.91

Biographien
in den suhrkamp taschenbüchern

260/1/8.90

Biographien
in den suhrkamp taschenbüchern

Hesse, Hermann: Kindheit und Jugend vor Neunzehnhundert. Hermann Hesse in Briefen und Lebenszeugnissen. 2. Band: 1895-1900. Herausgegeben von Ninon Hesse. Fortgesetzt und erweitert von Gerhard Kirchhoff. st 1150

Hildesheimer, Wolfgang: Marbot. Eine Biographie. st 1009

Horváth-Chronik. Von Traugott Krischke. stm. st 2089

Huch, Ricarda: Michael Bakunin und die Anarchie. st 1493

Joyce, Stanislaus: Meines Bruders Hüter. Mit einem Vorwort von T.S. Eliot und einer Einführung von Richard Ellmann. Deutsch von Arno Schmidt. st 273

Kaus, Gina: Von Wien nach Hollywood. Erinnerungen von Gina Kaus. Neu herausgegeben und mit einem Nachwort versehen von Sibylle Mulot. st 1757

Kleine, Gisela: Zwischen Welt und Zaubergarten. Ninon und Hermann Hesse: Leben im Dialog. st 1384

Korte, Hermann: Über Norbert Elias. Das Werden eines Menschenwissenschaftlers. st 1558

Horváth. Eine Biographie. st 1537

Kühn, Dieter: Josephine. Aus der öffentlichen Biografie der Josephine Baker. st 587

Lagercrantz, Olof: Strindberg. Aus dem Schwedischen von Angelika Gundlach. st 1086

Lützeler, Paul Michael: Hermann Broch. Eine Biographie. st 1578

Mayer, Hans: Ein Deutscher auf Widerruf. Erinnerungen. Band I. st 1500

– Ein Deutscher auf Widerruf. Erinnerungen. Band II. st 1501

Mitscherlich, Alexander: Ein Leben für die Psychoanalyse. Anmerkungen zu meiner Zeit. st 1010

Muschg, Adolf: Gottfried Keller. st 617

Painter, George D.: Marcel Proust. Eine Biographie. 2 Bde. Deutsch von Christian Enzensberger und Ilse Wodtke. st 561

Payne, Robert: Der große Charlie. Eine Biographie des Clowns von Robert Payne. Deutsch von Jakob Moneta und Werner Koch. Mit einem Nachwort von Werner Koch und 21 Abbildungen. st 1623

Razumovsky, Maria: Marina Zwetajewa. Eine Biographie. st 1570

Robbe-Grillet, Alain: Der wiederkehrende Spiegel. Aus dem Französischen von Andrea Spingler. st 1684

Schur, Max: Sigmund Freud, Leben und Sterben. Aus dem Englischen von Gert Müller. st 778

Biographien
in den suhrkamp taschenbüchern